KB084110

2021 무적

전산 세무 2급

이론 + 실무

2021 무적 전산세무 2급 [이론 + 실무]

초판 1쇄 인쇄 2021년 03월 15일
초판 1쇄 발행 2021년 03월 25일

지은이 아이콕스 세무회계연구소
펴낸이 한준희
펴낸곳 (주)아이콕스

기획/편집 아이콕스 기획팀
표지디자인 김보라
내지디자인 이지선
영업지원 김진아, 손옥희
영업 김남권, 조용훈, 문성빈

주소 경기도 부천시 조마루로385번길 122 삼보테크노타워 2002호
홈페이지 http://www.icoxpublish.com
전화 032-674-5685
팩스 032-676-5685
등록 2015년 7월 9일 제 386-251002015000034호
ISBN 979-11-6426-168-0
979-11-6426-167-3 [세트]

※ 정가는 뒤표지에 있습니다.
※ 잘못된 책은 구입하신 서점에서 교환해드립니다.

[해당 교재는 한국세무사회자격시험이 출제한 기출문제(2007년 이후 출제 내용) 및 회계기준원의 기업회계기준서와 기획재정부의 법령을 기반으로 쓰여졌습니다.]

전산 세무 2급

이론 + 실무

저자소개

저자 아이콕스 세무회계연구소

도서출판 아이콕스의 세무회계 분야 전문 연구소

저서

2017 무적 전산회계 2급

2016, 2017, 2018, 2019 2020 무적 전산회계 1급

2016, 2017, 2018, 2019, 2020 무적 전산세무 2급

2017, 2018, 2019, 2020 무적 전산세무 1급

2016 무적 FAT 회계정보처리 1급

2017, 2018 스피드 전산회계 1급

2017, 2018 스피드 전산세무 2급

머리말

이 책은 전산세무회계의 실무처리능력을 보유한 전문인력을 양성할 수 있는 한국세무사회가 주관하고 있는 국가공인 자격시험인 전산세무회계시험에 합격할 수 있도록 제작한 수험서입니다. 고용노동부의 NCS(국가직무능력표준)에 따라 2017년 개편된 NCS 능력단위를 기준으로 능력단위요소로 구분하여 한권으로 회계 및 세법에 대한 이론과 실무처리능력을 익힐 수 있는 회계프로그램(KcLep)을 프로세스별로 운용하여 실기를 통하여 완벽하게 자격증을 취득할 수 있도록 구성하였습니다.

본 교재의 주요 내용을 요약하면 다음과 같습니다.

첫째, 전산세무 이론 파트는 누구나가 어렵다고 생각하는 회계 및 세법을 전문인력으로 성장할 수 있는 실무처리능력에 필요한 필요지식을 이해하기 쉽도록 핵심적인 내용을 자세하게 설명하였습니다.

둘째, 각 단원별 단계적 학습을 위하여 분개문제와 단원정리문제를 통하여 이론시험에 충분히 대비하였습니다.

셋째, NCS(국가직무능력표준) 능력단위에 따른 실무수행 지식과 능력단위요소별 수행준거를 적용하였습니다.

넷째, 각 단원별 실무문제를 통하여 회계프로그램의 운용에 어려움이 없도록 그 과정을 상세하게 설명하여 실기시험에 충실할 수 있도록 하였습니다.

다섯째, 실전연습문제를 통하여 가장 어려워하는 실기시험을 완벽하게 연습할 수 있도록 하였습니다.

여섯째, 실전연습문제 백데이터는 도서출판 아이콕스(http://icoxpublish.com)사이트에서 다운로드하여 활용할 수 있도록 하였습니다.

본 교재를 통하여 모든 독자들이 시험에 합격하여 자격증 취득의 결실이 맺어지기를 진심으로 바라며 향후 미흡한 부분은 지속적으로 개선해 나갈 것을 약속드립니다. 끝으로 본 교재를 만들기 위해 힘써주신 (주)아이콕스의 임직원과 교재 집필, 감수에 힘써주신 모든분들께 감사한 마음을 전합니다.

저자 드림

국가공인 전산세무회계 시험 안내

목적

전산세무회계의 실무처리능력을 보유한 전문인력을 양성할 수 있도록 조세의 최고전문가인 1만여명 세무사로 구성된 한국세무사회가 엄격하고 공정하게 자격시험을 실시하여 그 능력을 등급으로 부여함으로써, 학교의 세무회계 교육방향을 제시하여 인재를 양성시키도록 하고 기업체에는 실무능력을 갖춘 인재를 공급하여 취업의 기회를 부여하며, 평생교육을 통한 우수한 전문인력 양성으로 국가발전에 기여하고자 함.

시험 과목 및 검정 방법

종목 및 등급	시험 방법	시험과목(평가범위 요약)	비율	제한 시간
전산세무 2급	이론 시험 (30%)	**재무회계** : 당좌, 재고, 유·무형자산, 유가증권과 투자유가증권, 부채, 자본금, 잉여금, 수익과 비용	10%	60분
		원가회계 : 원가의 개념, 요소별·부문별 원가계산, 개별·종합(단일, 공정별, 조별, 등급별)원가계산	10%	
		세무회계 : 부가가치세법, 소득세법(종합소득세액의 계산 및 원천징수부분에 한함)	10%	
	실무 시험 (70%)	**재무회계 원가회계** : 초기이월, 거래자료 입력, 결산자료 입력	35%	
		부가가치세 : 매입·매출거래자료 입력, 부가가치세 신고서의 작성	20%	
		원천제세 : 원천징수와 연말정산 기초	15%	

- 세무 및 회계의 이론과 실무지식을 갖춘 자가 30%의 비중으로 출제되는 이론시험문제(4지선다형, 객관식)와 70%의 비중으로 출제되는 실무시험문제(컴퓨터에 설치된 전산세무회계프로그램을 활용함)를 동시에 푸는 방식
- 답안매체로는 문제 USB메모리가 주어지며, 이 USB메모리에는 전산세무회계 실무과정을 폭넓게 평가하기 위하여 회계처리대상회사의 기초등록사항 및 1년간의 거래자료가 전산수록되어 있음
- 답안수록은 문제 USB메모리의 기본 DATA를 이용하여 수험프로그램상에서 주어진 문제의 해답을 입력하고 USB메모리에 일괄 수록(저장)하면 됨

합격 기준

100점 만점에 70점 이상이면 합격

자격우대사항

(1) 공무원 및 기술행정병

- 경찰청 경찰공무원 : 임용시험시 전산세무 1 · 2급과 회계 1급에 가산점 2점 인정
- 해양경찰청 경찰공무원 : 임용시험시 전산세무 1 · 2급 2점, 회계 1 · 2급 가산점 1점 인정

(2) 학점은행제 학점인정

- 국가공인 전산세무1급 : 16학점 (2009년 이전 취득자는 24학점)
- 국가공인 전산세무2급 : 10학점 (2009년 이전 취득자는 12학점)
- 국가공인 전산회계1급 : 4학점 (2011년 이전 취득자는 해당 없음)

(3) 다수의 공공기관(공기업, 준정부기관, 기타공공기관), 지방 공기업, 대학교, 기업 등에서 자격 우대

응시자격 기준

응시자격은 제한이 없다. 다만, 부정행위자는 해당 시험을 중지 또는 무효로 하며 이후 2년간 시험에 응시할 수 없다.

응시원서 접수방법

각 회차별 접수기간 중 한국세무사회 홈페이지(http://license.kacpta.or.kr)로 접속하여 단체 및 개인별 접수(회원가입 및 사진등록)

합격자 발표

합격자 발표일에 한국세무사회 홈페이지와 자동응답전화(ARS 060-700-1921)를 통해 확인할 수 있음, 자격증은 홈페이지의 [자격증발급] 메뉴에서 신청 가능

2021년 시험 일정

종목 및 등급	회차	원서접수	장소공고	시험일자	발표
전산세무 1 · 2급 전산회계 1 · 2급	제94회	~~01.07 ~ 01.13~~ 01.20 ~ 01.26	~~02.01 ~ 02.07~~ 02.15 ~ 02.21	~~02.07(일)~~ 02.21(일)	~~02.26(금)~~ 03.09(화)
	제95회	~~03.04 ~ 03.10~~ 03.11 ~ 03.17	~~03.29 ~ 04.03~~ 04.05 ~ 04.11	~~04.03(토)~~ 04.11(일)	~~04.22(목)~~ 04.27(화)
	제96회	04.29 ~ 05.06	05.31 ~ 06.05	06.05(토)	06.24(목)
	제97회	07.08 ~ 07.14	08.02 ~ 08.07	08.07(토)	08.26(목)
	제98회	09.01 ~ 09.07	09.27 ~ 10.03	10.03(일)	10.21(목)
	제99회	11.04 ~ 11.10	11.29 ~ 12.04	12.04(토)	12.22(수)

문의

궁금한 사항은 홈페이지(http://license.kacpta.or.kr)를 참고하거나 아래 전화로 문의

▶ 시험 관련 문의 : TEL (02) 521-8398, FAX (02) 521-8396

CONTENTS

제2부 원가회계

NCS능력단위 0203020103_17v3/원가계산

제3부 부가가치세 신고

NCS능력단위 0203020205_17v4/부가가치세신고

제4부 소득세 신고

NCS능력단위 0203020204_17v4/원천징수

2021 전산세무2급 실무편

제1부 전표처리

NCS능력단위 0203020201_17v4/전표처리

제2부 결산관리

NCS능력단위 0203020202_17v4 결산관리

제3부 부가가치세 신고

NCS능력단위 0203020205_17v4/부가가치세 신고

제4부 원천징수 NCS능력단위 0203020204_17v4/원천징수

제5부 실전연습문제

이론 편

NCS 국가직무능력표준
National Competency Standards

제 1 부

재무회계

제 1 장

재무회계의 기본개념

[과정/과목명 : 0203020101_17v3/전표관리]

능력단위 요소명	훈 련 내 용
회계상 거래 인식하기	1.1 회계상 거래와 일상생활에서의 거래를 구분할 수 있다. 1.2 회계상 거래를 구성 요소별로 파악하여 거래의 결합관계를 차변 요소와 대변 요소로 구분할 수 있다. 1.3 회계상 거래의 결합관계를 통해 거래 종류별로 구별할 수 있다. 1.4 거래의 이중성에 따라서 기입된 내용의 분석을 통해 대차평균의 원리를 파악할 수 있다.

01 회계의 목적

회계(accounting)란 회계정보이용자(=이해관계자)가 합리적인 의사결정을 할 수 있도록 경제적 정보를 식별하고 측정하여 전달하는 과정을 말하며, 회계의 목적은 다양한 이해관계자의 의사결정(투자 또는 거래)을 할 수 있도록 재무상의 자료를 객관화된 회계원칙에 따라 처리하여 유용하고 적정한 정보를 제공하는 것이다.

- 회계정보제공 수단 ➔ 재무제표(Financial Statement, F/S)
  재무상태표, 포괄손익계산서, 현금흐름표, 자본변동표, 주석

- 유용한 회계정보란
  ① 투자자 및 외부 정보이용자에게 유용한 정보를 제공
  ② 미래 현금흐름을 예측하는데 유용한 정보를 제공
  ③ 재무상태, 경영성과, 현금흐름 및 자본변동에 관한 정보를 제공
  ④ 경영자의 수탁책임평가에 유용한 정보를 제공

02 회계의 분류

구 분	재무회계	관리회계	세무회계
이해관계자	투자자, 채권자	경영자, 관리자	정부, 지방자치단체
목적	외부보고 (재무보고, 수탁책임보고)	내부보고 (의사결정, 성과평가)	과세소득 계산
보고서	재무제표	일정한 형식 없음	세법에 규정된 양식
보고기준	회계원칙	일정한 기준 없음	세법
특징	과거 지향적	과거/미래 지향적	과거 지향적

03 재무회계의 개념체계

재무회계 개념체계란 회계에 관한 일련의 현상에 기본이 되고 있거나 그 현상들을 지배하고 있는 규칙 또는 원칙을 체계화한 것을 말한다. 기업실체의 재무보고 목적을 명확히 하고 이를 달성하는데 유용한 재무회계의 기초개념을 제공하는 것을 목적으로 한다.

(1) 재무제표의 기본가정(기본전제, 회계공준)

구 분	내 용
기업실체(경제적 실체)의 가정	기업을 소유주와는 독립적으로 존재하는 회계단위로 간주하고 이 회계단위의 관점에서 경제활동에 대한 재무정보를 측정, 보고하는 것
계속기업의 가정	기업실체는 목적과 의무를 이행하기에 충분할 정도로 장기간 존속한다고 가정하는 것
기간별 보고의 가정	기업실체의 존속기간을 일정기간의 인위적 단위로 분할하여 각 기간별에 대해 경제적 의사결정에 유용한 정보(재무제표)를 작성하는 것

(2) 회계정보의 질적특성

질적특성이란 회계정보를 측정·평가하는 기준이 되는 속성으로 재무회계 정보가 유용하려면 일정한 속성 또는 특성을 충족해야 한다는 것이다.

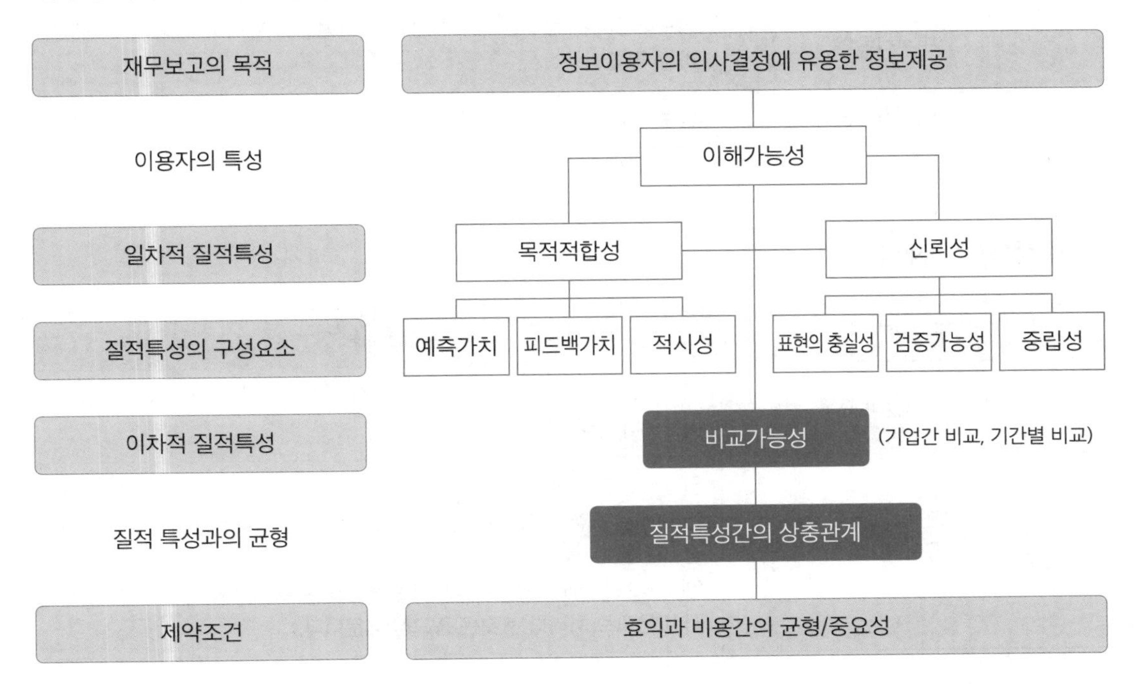

❶ 근본적 질적특성

구 분		내 용
목적적합성	예측가치	정보이용자가 미래의 재무상태, 경영성과, 순현금흐름 등을 예측하는 데에 그 정보가 활용될 수 있는 특성
	피드백가치	과거의 기대치 또는 예측치를 확인 또는 수정함으로 정보이용자의 의사결정에 영향을 미칠 수 있는 정보의 특성
	적시성	회계정보가 정보로서의 가치가 상실되기 전 적절한 시기에 사용할 수 있도록 정보이용자에게 제공되어야 한다는 정보의 특성
신뢰성	표현의 충실성	회계정보의 측정치는 표현하고자 하는 거래와 경제적 사건을 그대로 왜곡됨 없이 충실하게 표현해야 한다는 정보의 특성
	검증가능성	다수의 서로 다른 측정자들이 동일한 경제적 사건이나 거래를 동일한 측정방법으로 측정할 경우 유사한 결론에 도달할 수 있어야 한다는 정보의 특성
	중립성	미리 의도된 결과나 성과를 유도할 목적으로 재무제표상의 특정정보를 표시함으로 정보이용자의 의사결정이나 판단에 영향을 미치지 않아야 하는 정보적 특성

❷ 보강적 질적특성

구 분	내 용
비교가능성	정보이용자가 항목간의 유사점과 차이점을 식별하고 이해할 수 있게 하는 특성
이해가능성	정보를 명확하고 간결하게 분류하고 특징을 지어 표시하는 특성

(3) 질적특성의 제약요인

구 분	내 용
비용과 효익간의 균형	특정 정보에서 기대되는 효익은 그 정보를 제공하기 위하여 소요되는 비용보다 커야 함
중요성	일반적으로 당해 항목과의 성격, 금액의 크기에 의해 결정되지만, 어떤 경우에는 금액의 크기와 관계없이 정보의 성격 자체만으로도 중요한 정보가 될 수 있음 (예 : 소모품비와 같은 소액의 비용을 자산으로 처리하지 않고 발생 즉시 비용으로 처리하는 것은 중요성 때문이다.)

구 분	내 용
질적특성간의 균형(상충관계)	회계정보의 질적특성은 서로 상충될 수 있음 (예 : 유형자산을 역사적원가로 평가하면 일반적으로 검증가능성이 높으므로 측정의 신뢰성은 제고되나 목적적합성은 저하될 수 있다. 또한, 정보를 적시에 제공하기 위해 거래나 사건의 모든 내용이 확정되기 전에 보고하는 경우 목적적합성은 향상되나 신뢰성은 저하될 수 있다.)

(4) 보수주의 회계처리

보수주의란 어떤 거래나 경제적 사건에 대하여 2가지 이상의 대체적인 회계처리 방법이 있는 경우에 재무적 기초를 견고히 하는 관점에서 이익을 낮게 보고하는 방법을 선택하는 것을 말한다.

(5) 발생주의 회계처리

모든 수익과 비용은 발생한 기간에 정당하게 배분되도록 처리하여야 한다. 즉, 수익과 비용을 현금유·출입이 있는 기간이 아니라 당해 거래 또는 사건이 발생한 기간에 인식하는 것을 말한다. 발생주의 회계는 발생과 이연의 개념을 포함한다. 재무제표는 발생기준에 따라 작성된다. 다만 현금흐름표는 발생기준에 따라 작성되지 않는다(현금주의에 따라 작성된다).

04 재무제표 작성과 표시

(1) 재무제표 요소의 측정 기준

측정기준	내 용
취득원가 (역사적원가)	자산을 취득하였을 때 그 대가로 지급한 현금, 현금성자산 또는 기타 지급수단의 공정가치
공정가액 (현행원가, 현행유출가치)	자산을 현재의 시점에서 취득 또는 매각되는 경우에 유출·유입되어지는 현금이나 현금성자산
기업특유가치 (사용가치)	기업실체가 자산을 사용함에 따라 당해 기업실체의 입장에서 인식되는 현재의 가치를 말하며, 사용가치라고도 함
순실현가능가치 (이행가액)	정상적 영업활동과정에서 미래에 당해 자산이 현금 또는 현금성자산액으로 전환될 때 수취할 것으로 예상되는 금액에서 전환에 직접 소요된 비용을 차감한 가액으로 정의되며 유출가치의 개념을 말함

(2) 재무제표 작성과 표시의 일반원칙

원 칙	내 용
신뢰성	회계처리 및 보고 : 객관적 자료와 증거로 공정하게 처리 신뢰성에 필요한 정보의 질적특성 : 검증가능성, 표현의 충실성, 중립성
명료성	재무제표의 양식 및 과목을 이해하기 쉽도록 간단 명료하게 표시 정보의 완전 공개
충분성	중요한 회계방침, 회계처리 기준 · 과목 · 금액을 재무제표상에 충분히 표시
계속성	회계처리 기준 및 절차를 매기 계속 적용 → 기간별 비교 용이 – 정당한 사유가 있는 경우에 변경 → 기업간 비교 용이 – 기업간 동일한 회계처리 기준 및 절차를 사용
중요성	과목과 금액을 중요성에 따라 실용적으로 결정 예외적인 회계원칙 : 원가 – 효익을 이유로 중요하지 않은 계정의 통합
안정성	대체적인 회계처리 방법 중 재무적 기초를 건실하게 하는 방법을 선택 예외적인 회계원칙 : 보수주의, 자산 · 수익은 작게, 부채 · 비용은 크게 계상
실질우선	회계처리는 거래의 실질과 경제적 사실을 반영

(3) 재무상태표(S/F, Statement of Financial position)

작 성 기 준	내 용
구분표시	자산 : 유동자산, 비유동자산 부채 : 유동부채, 비유동부채 자본 : 자본금, 자본잉여금, 자본조정, 기타포괄손익누계액, 이익잉여금
총액표시	자산, 부채 및 자본은 총액에 의하여 기재함을 원칙으로 하고, 자산항목과 부채항목, 자본항목을 상계함으로서 그 전부 또는 일부를 재무상태표에서 제외하면 안됨
1년기준	자산, 부채는 결산일 현재 1년 또는 영업주기를 기준으로 구분 표시
유동성배열법	자산과 부채는 유동성이 큰 항목부터 순서대로 배열
잉여금의 구분	자본거래에서 발생된 잉여금과 손익거래에서 발생된 잉여금은 구분하여 표시
미결산 항목 및 과목 비망계정의 표시금지	현금과부족, 가지급금, 가수금, 미결산 계정은 적절한 계정으로 표시

(4) 손익계산서(I/S, Income Statement)

작성기준	내 용
발생주의	수익과 비용은 그것이 발생한 기간에 정당하게 배분되도록 처리
실현주의	수익은 실현시기를 기준으로 계상함
수익 · 비용대응의 원칙	비용은 관련 수익이 인식된 기간에 인식함
총액주의	비용과 수익은 총액으로 기재하고, 수익에 따른 비용 일부 또는 전부를 제외해서는 안됨
구분계산의 원칙	손익은 매출총손익, 영업손익, 법인세비용차감전손익, 당기순손익, 주당순손익으로 구분하여 표시

(5) 현금흐름표(Statement of Cash flow)

현금흐름표란 일정기간 동안 기업의 영업활동 및 투자와 재무활동으로 인한 현금 및 현금성자산의 변동내용을 나타내는 동태적보고서를 말한다.

현금흐름표는 기업실체의 현금지급능력, 수익성 및 위험 등을 평가하는 데 유용하며, 여러 기업실체의 미래 현금흐름의 현재가치를 비교하여 기업가치를 평가하는 데 필요한 기초자료를 제공한다.

(6) 자본변동표(Statement of Changes in equity)

자본변동표란 한 회계기간 동안 발생한 소유주지분의 변동을 표시하는 재무보고서를 말한다. 자본변동표는 자본을 구성하고 있는 자본금, 자본잉여금, 자본조정, 기타포괄손익누계액, 이익잉여금을 각 항목별로 기초잔액, 변동사항 및 기말잔액을 표시한다.

자본변동표를 작성하는 목적은 회계기간동안 발생한 자본금, 자본잉여금, 자본조정, 기타포괄손익누계액, 이익잉여금의 변동에 관한 정보를 포괄적으로 제공함으로서 재무정보의 유용성을 높이기 위한 것이다.

(7) 주석

한 기간의 모든 거래들의 결과를 요약 정리한 재무제표는 기업의 성과와 재무상태를 완전하게 보고하는 데에 한계가 있다. 이러한 재무제표 보고상의 한계를 보완하기 위하여 사용되는 방법에는 주기, 주석, 부속명세서가 있으며 그 중 주석만이 재무제표에 속한다.

주석에는 다음 사항을 포함하여 작성한다.

❶ 재무제표 작성기준 및 중요한 거래와 회계사건의 회계처리에 적용한 회계정책

❷ 일반기업회계기준에서 주석공시를 요구하는 사항

❸ 재무상태표, 손익계산서, 현금흐름표 및 자본변동표의 본문에 표시되지 않는 사항으로서 재무제표를 이해하는 데 필요한 추가 정보

단원정리문제 재무회계의 기본개념

01 일반기업회계기준상 재무제표의 목적에 대한 설명으로 틀린 것은?

① 재무상태표 : 일정기간 동안의 자산, 부채 그리고 자본에 대한 정보를 제공
② 자본변동표 : 일정기간 동안의 자본의 크기와 그 변동에 관한 정보를 제공
③ 현금흐름표 : 일정기간 동안의 현금흐름에 대한 정보를 제공
④ 손익계산서 : 일정기간 동안의 경영성과에 대한 정보를 제공

02 재무제표의 기본요소에 대한 설명으로 옳지 않은 것은?

① 자산은 과거의 거래나 사건의 결과이어야 한다.
② 자산의 취득은 반드시 지출을 동반하여야 하는 것은 아니다.
③ 운수업의 미래 예상수리비는 부채로 인식 할 수 있다.
④ 부채는 채무·금액·시기가 반드시 확정될 필요는 없다.

03 다음 중 재무제표의 질적특성 중 신뢰성과 가장 관련성이 없는 것은?

① 회계정보를 생산하는데 있어서 객관적인 증빙자료를 사용하여야 한다.
② 동일한 거래에 대해서는 동일한 결과를 예측할 수 있도록 회계정보를 제공하여야 한다.
③ 유용한 정보를 위해서는 필요한 정보를 재무제표에 충분히 표시하여야 한다.
④ 의사결정에 제공된 회계정보는 기업의 미래에 대한 예측가치를 높일 수 있어야 한다.

04 다음 중 재무제표의 작성과 표시에 대한 설명으로 잘못된 것은?

① 재무제표 항목의 표시나 분류방법이 변경되는 경우에도 전기의 항목은 재분류하지 아니한다.
② 재무제표가 일반기업회계기준에 따라 작성된 경우에는 그러한 사실을 주석으로 기재하여야 한다.
③ 재무제표는 재무상태표, 손익계산서, 현금흐름표, 자본변동표 및 주석으로 구분하여 작성한다.
④ 재무제표의 작성과 표시에 대한 책임은 경영진에게 있다.

05 다음 중 재무제표에 대한 설명으로 올바른 것은?

① 재무상태표는 자산, 부채, 자본, 수익 및 비용으로 구성되어 있다.
② 재무상태표는 일정기간 동안의 기업의 경영성과에 관한 정보를 제공한다.
③ 기타포괄손익누계액은 부채에 해당한다.
④ 재무제표는 재무상태표, 손익계산서, 현금흐름표, 자본변동표 및 주석으로 구분하여 작성한다.

06 다음 중 보수주의에 대한 설명으로 잘못된 것은?

① 우발손실의 인식은 보수주의에 해당된다.
② 보수주의는 이익조작의 가능성이 존재하지 않는다.
③ 재고자산의 평가 시 저가법을 적용하는 것은 보수주의에 해당한다.
④ 보수주의는 재무적 기초를 견고히 하는 관점에서 이익을 낮게 보고하는 방법을 선택하는 것을 말한다.

07 다음 중 재무상태표 작성에 대한 설명으로 가장 잘못된 것은?

① 자산과 부채는 유동성이 큰 항목부터 배열하는 것을 원칙으로 한다.
② 자산과 부채는 원칙적으로 상계하여 표시한다.
③ 매출채권에 대한 대손충당금 등은 해당 자산이나 부채에서 직접 가감하여 표시할 수 있다.
④ 자산과 부채는 1년을 기준으로 유동항목과 비유동항목을 구분한다.

08 다음 중 재무회계 개념체계에 따른 재무보고의 목적에 해당하지 않는 것은?

① 기업 근로자의 근로 성과평가에 유용한 정보의 제공
② 미래 현금흐름 예측에 유용한 정보의 제공
③ 투자 및 신용의사결정에 유용한 정보의 제공
④ 경영자의 수탁책임과 평가에 유용한 정보의 제공

09 다음 중 재무제표 작성과 표시에 대한 설명으로 틀린 것은?

① 자산과 부채는 유동성이 큰 항목부터 배열하는 것을 원칙으로 한다.
② 수익과 비용은 각각 총액으로 보고하는 것을 원칙으로 한다.
③ 제조업, 판매업 및 건설업에 속하는 기업은 매출총손익의 구분표시를 생략할 수 있다.
④ 자산과 부채는 원칙적으로 상계하여 표시하지 않는다.

10 다음 중 일반기업회계기준에서 설명하고 있는 재무제표의 특성과 한계가 아닌 것은?

① 재무제표는 추정에 의한 측정치를 허용하지 않는다.
② 재무제표는 화폐단위로 측정된 정보를 주로 제공한다.
③ 재무제표는 대부분 과거에 발생한 거래나 사건에 대한 정보를 나타낸다.
④ 재무제표는 특정 기업실체에 관한 정보를 제공하며, 산업 또는 경제 전반에 관한 정보를 제공하지는 않는다.

정답 및 해설

01	02	03	04	05	06	07	08	09	10
①	③	④	①	④	②	②	①	③	①

01 ① 재무상태표는 일정시점에 기업이 보유하고 있는 경제적 자원인 자산과 경제적 의무인 부채 그리고 자본에 대한 정보를 제공하는 재무보고서이다.

02 ③ 부채는 과거 사건과의 인과관계가 존재하여야 하므로 단지 예상만으로는 부채를 인식 할 수 없다.

03 ④ 질적특성 중 목적적합성의 예측가치에 속하는 특성이다.

04 ① 재무제표 항목의 표시나 분류방법이 변경되는 경우에는 당기와 비교하기 위하여 전기의 항목을 재분류하고, 재분류 항목의 내용, 금액 및 재분류가 필요한 이유를 주석으로 기재한다. 다만, 재분류가 실무적으로 불가능한 경우에는 그 이유와 재분류되어야 할 항목의 내용을 주석으로 기재한다.

05 ④ ① 재무상태표는 자산, 부채, 자본으로 구성되어 있다.
② 재무상태표는 일정시점의 기업의 재무상태에 대한 정보를 제공한다.
③ 기타포괄손익누계액은 자본에 표시된다.

06 ② 보수주의는 논리적 일관성이 결여되어 이익조작의 가능성이 있다.

07 ② 자산과 부채는 원칙적으로 상계하여 표시하지 않는다.

08 ① 재무회계개념체계에 따른 재무보고의 목적에는 기업 근로자의 근로 성과평가의 유용한 정보의 제공이 해당하지 않는다.

09 ③ 제조업, 판매업 및 건설업 외의 업종에 속하는 기업은 매출총손익의 구분표시를 생략할 수 있다.

10 ① 재무제표는 추정에 의한 측정치를 포함하고 있다.

제 2 장

회계상 거래 계정과목별 분류하기

[과정/과목명 : 0203020101_17v3/전표관리]

능력단위 요소명	훈 련 내 용
회계상 거래 인식하기	1.1 회계상 거래와 일상생활에서의 거래를 구분할 수 있다. 1.2 회계상 거래를 구성 요소별로 파악하여 거래의 결합관계를 차변 요소와 대변 요소로 구분할 수 있다. 1.3 회계상 거래의 결합관계를 통해 거래 종류별로 구별할 수 있다. 1.4 거래의 이중성에 따라서 기입된 내용의 분석을 통해 대차평균의 원리를 파악할 수 있다.

제 1 절

당좌자산 계정과목별 분류하기

01 자산 계정의 분류

자산은 재무상태표일로부터 1년 이내에 현금화할 수 있는지에 따라 유동자산과 비유동자산으로 분류한다.

<table>
<tr><th colspan="3">구 분</th><th>내 용</th></tr>
<tr><td rowspan="6">자산</td><td rowspan="2">유동자산</td><td>당좌자산</td><td>현금및현금성자산, 단기투자자산, 매출채권, 선급비용, 기타의 당좌자산</td></tr>
<tr><td>재고자산</td><td>상품, 제품, 재공품, 원재료, 저장품 등</td></tr>
<tr><td rowspan="4">비유동자산</td><td>투자자산</td><td>투자부동산, 장기투자증권, 지분법적용투자주식, 장기대여금 등</td></tr>
<tr><td>유형자산</td><td>토지, 건물, 기계장치, 차량운반구, 건설중인자산 등</td></tr>
<tr><td>무형자산</td><td>영업권, 산업재산권, 개발비, 광업권, 어업권 등</td></tr>
<tr><td>기타비유동자산</td><td>임차보증금, 장기선급비용, 장기선급금, 장기미수금 등</td></tr>
</table>

02 현금 및 현금성자산

<table>
<tr><th>구 분</th><th colspan="2">내 용</th></tr>
<tr><td rowspan="2">현 금</td><td>통화</td><td>지폐 및 주화(동전)</td></tr>
<tr><td>통화대용증권*</td><td>타인발행 당좌수표, 자기앞수표, 송금환, 우편환, 배당금지급표, 만기도래한 공사채 만기이자표, 만기도래한 어음, 일람출급어음 등
* 우표나 수입인지, 수입증지는 현금처럼 유통될 수 없으며, 선일자수표는 실제 발행한날 이후로 수표상 발행일자로 하여 지급할 것을 약속한 증서로 수표이지만 실질적으로 어음의 성격을 지니고 있으므로 매출채권 또는 미수금 계정으로 분류한다.</td></tr>
</table>

구 분	내 용
예 금	보통예금, 당좌예금, 외화예금, 제예금 등
현금성자산	취득 당시 만기(또는 상환일)가 3개월 이내에 도래하는 정형화된 금융상품* • 취득 당시 만기가 3개월 이내에 도래하는 채권 • 취득 당시 상환일까지의 기간이 3개월 이내인 상환우선주 • 취득 당시 3개월 이내의 환매조건인 환매채 * 정형화된 금융상품이란 양도성예금증서(CD), 금전신탁, 신종기업어음, 중개어음, 표지어음 등을 의미한다.

03 단기투자자산

(1) 단기금융상품

금융기관이 취급하는 단기보유 목적의 3개월 이상 1년 이내에 만기가 도래하는 정기예금, 정기적금, 사용이 제한된 예금 및 정형화된 상품(양도성예금증서, 기업어음, 표지어음, 어음관리구좌, 환매채, MMF 등)을 말한다.

(2) 단기매매증권

여유자금을 단기간 활용할 목적으로 시장성이 있는 국채, 공채, 사채, 주식 등을 구입하거나 처분하는 경우 단기매매증권으로 표시한다.

구분	내용
구입시	단기매매증권의 취득원가는 매입가액을 의미하며 취득시 발생하는 부대비용(증권거래세 등)은 별도의 비용(수수료비용 - 영업외비용)으로 회계처리한다.
	(차) 단기매매증권 ××× (대) 현금 ××× 수수료비용(영업외비용) ×××
평가	• 평가기준 : 공정가액(시가)으로 평가 • 공정가액의 변동액(평가손익) : 단기매매증권평가손익(영업외손익)*으로 처리 * 단기매매증권평가이익과 평가손실은 상계하지 않고 총액으로 표시하는 것이 원칙이지만 그 금액이 중요하지 않은 경우에는 상계하여 표시할 수 있다.
	• 장부가액 < 공정가액 (차) 단기매매증권 ××× (대) 단기매매증권평가이익 ××× • 장부가액 > 공정가액 (차) 단기매매증권평가손실 ××× (대) 단기매매증권 ×××

<table>
<tr><td rowspan="2">배당(이자)수령</td><td>지분증권(주식)에 투자한 경우에는 배당금, 채무증권(사채 등)에 투자한 경우에는 이자를 받아 다음과 같이 처리한다.</td></tr>
<tr><td>• 현금배당금을 수령한 경우
(차) 현금 ××× (대) 배당금수익 ×××
* 주식으로 배당을 받은 경우 회계처리는 하지 않고 주식의 수량과 단가를 새로이 계산한다.

• 이자를 수령한 경우
(차) 현금 ××× (대) 이자수익 ×××</td></tr>
<tr><td rowspan="2">처분시
(양도)</td><td>단기매매증권을 처분하거나 양도하는 경우 처분가액과 장부가액을 비교하여 그 차액을 단기매매증권처분손익으로 처리하며 처분시 매각수수료는 처분이익에서 차감(-)하거나 처분손실에 가산(+)한다.</td></tr>
<tr><td>• 장부가액 < 처분가액
(차) 현금 ××× (대) 단기매매증권 ×××
단기매매증권처분이익 ×××

• 장부가액 > 처분가액
(차) 현금 ××× (대) 단기매매증권 ×××
단기매매증권처분손실 ×××</td></tr>
</table>

분개연습 단기매매증권

■ 다음 거래에 대하여 분개하시오.

01 1월 10일 단기간 시세차익을 목적으로 (주)서동 주식 1,000주(액면가 주당 10,000원)를 주당 12,000원에 구입하고 증권수수료 200,000원과 함께 현금으로 지급하였다.

02 5월 31일 보유중인 (주)강원전자 주식에 대한 중간배당금 500,000원이 보통예금 계좌에 입금되었음을 통지 받았다.

03 6월 30일 위 보유하고 있던 (주)서동 주식 300주를 주당 11,000원에 처분하고 보통예금 계좌로 입금받았으며, 증권처분과 관련된 수수료 50,000원은 현금으로 지급하였다.

04 9월 30일 위 보유하고 있던 (주)서동 주식 500주를 주당 14,000원에 매각하고 증권수수료 100,000원을 제외한 나머지 금액이 보통예금 계좌에 입금되었다.

05 12월 31일	기말 현재 주식 200주(1주당 장부가액 12,000원)의 공정가액은 1주당 13,000원으로 평가되었다.

풀이

01 (차) 단기매매증권 12,000,000 (대) 현금 12,200,000
수수료비용(영업외비용) 200,000

※ 취득시 증권수수료는 별도의 비용인 수수료비용(900번대) 계정으로 처리한다.

02 (차) 보통예금 500,000 (대) 배당금수익 500,000

03 (차) 보통예금 3,300,000 (대) 단기매매증권 3,600,000
단기매매증권처분손실 350,000 현금 50,000

※ • {300주 × (처분가액 11,000원 - 장부가액 12,000원)} - 50,000원 = -350,000원 (처분손실)
• 처분시 증권관련 수수료는 단기매매증권처분손실에 가산하여 처리한다.

04 (차) 보통예금 6,900,000 (대) 단기매매증권 6,000,000
단기매매증권처분이익 900,000

※ • {500주 × (처분가액 14,000원 - 장부가액 12,000원)} - 100,000원 = 900,000원 (처분이익)
• 처분시 증권수수료는 단기매매증권처분이익에서 차감하여 처리한다.

05 (차) 단기매매증권 200,000 (대) 단기매매증권평가이익 200,000

※ 200주 × (공정가액 13,000원 - 장부가액 12,000원) = 200,000원 (평가이익)

04 매출채권과 대손

(1) 외상매출금

외상매출금이란 외상으로 상품 및 제품, 원재료 등을 판매하거나 용역을 제공하여 발생하는 채권을 말하며, 매출채권에 속한다.

구 분	회계처리
발 생	수원상사에 제품 1,500,000원을 매출하고 대금은 월말에 받기로 하였다. (차) 외상매출금 1,500,000 (대) 제품매출 1,500,000
반품	수원상사에 판매하였던 제품 중 일부 하자가 발생하여 500,000원을 반품받아 외상매출금과 상계처리 하였다. (차) 제품매출 (매출환입 및 에누리) 500,000 (대) 외상매출금 500,000

구 분	회계처리
회수	수원상사의 외상대금 1,000,000원을 동사발행 당좌수표로 수취하였다. (차) 현금 1,000,000 (대) 외상매출금 1,000,000

(2) 받을어음의 회계처리

어음이란 어음 소지인에게 일정한 금액을 일정한 장소에서 일정한 사람에게 무조건 지급할 것을 약속한 증서로 거래당사자가 2인(발행인과 수취인)인 경우는 약속어음이라 하고, 거래당사자가 3인(발행인, 지명인, 수취인)인 경우 환어음이라 한다.

받을어음이란 상품 및 제품, 원재료 등을 판매하고 어음을 수취한 경우 발생하는 채권을 말하며, 매출채권에 속한다.

구 분	회계처리
발생(수취)	효원상사에 제품 300,000원을 매출하고 대금은 당점을 수취인으로 하는 동점발행 어음으로 수령하였다. (차) 받을어음 300,000 (대) 제품매출 300,000 팔달상사의 외상대금 200,000원을 팔달당사 발행의 전자어음으로 받았다. (차) 받을어음 200,000 (대) 외상매출금 200,000
회수(만기결제)	수원상사가 발행한 약속어음 300,000원이 금일 만기가 되어 추심한 결과 추심수수료 1,000원을 공제하고 당좌예금 계좌에 입금되었다. (차) 당좌예금 299,000 (대) 받을어음 300,000 수수료비용* 1,000 * 만기결제시 추심수수료가 발생한 경우 별도 비용인 수수료비용 계정으로 처리한다.
배서양도	배서양도란 어음소지인이 만기일전에 상품대금이나 외상매입금을 지급하기 위해 타인에게 어음 뒷면에 배서하여 양도하는 것을 말한다. (주)강남상사의 외상매입금 400,000원을 결제하기 위해 당사에서 제품매출로 받아 보관하고 있던 거래처 (주)금성상사 발행 약속어음 400,000원을 배서양도하였다. (차) 외상매입금 400,000 (대) 받을어음 400,000

<table>
<tr><th>구 분</th><th>회계처리</th></tr>
<tr><td rowspan="3">할인
(매각거래)</td><td>어음의 할인이란 은행이 어음소지인의 의뢰에 의해 액면금액에서 만기일까지의 이자를 공제하고 매입하는 것으로 할인료는 매출채권처분손실 계정으로 처리한다.</td></tr>
<tr><td>당사는 운영자금조달을 위해 매출처인 권선상사로부터 매출대금으로 받은 약속어음 1,000,000원을 은행에서 할인하여 할인료 100,000원을 차감한 잔액을 보통예금 계좌로 입금받았다. 단 매각거래로 간주한다.</td></tr>
<tr><td>(차) 보통예금 900,000 (대) 받을어음 1,000,000
매출채권처분손실* 100,000
* 매출채권처분손실(할인료) = 받을어음 금액 × 할인율 × 할인기간</td></tr>
<tr><td rowspan="3">할인
(차입거래)</td><td>어음의 차입거래란 은행이 어음소지인의 의뢰에 의해 액면금액에서 만기일까지의 이자를 공제하고 차입하는 것으로 받을어음은 단기차입금 계정, 이자 및 은행수수료는 이자비용 계정으로 처리한다.</td></tr>
<tr><td>회사는 부족한 운영자금문제를 해결하기 위해 보유중인 팔달상사의 받을어음 1,000,000원을 미래은행에 양도하였으며, 이자 100,000원과 은행수수료 10,000원을 공제하고 현금으로 받았다. 단, 차입거래로 간주한다.</td></tr>
<tr><td>(차) 현금 890,000 (대) 단기차입금 1,000,000
이자비용* 110,000
* 이자비용 = 이자(받을어음 금액 × 이자율 × 기간) + 은행수수료</td></tr>
<tr><td rowspan="3">부도</td><td>부도란 만기일에 결제를 거절당한 어음으로 부도어음과수표 계정에 부도 관련 수수료를 포함하여 처리한다.</td></tr>
<tr><td>제품을 매출하고 인천상사로부터 받아 보관중인 어음 2,000,000원이 부도처리 되었다. 부도와 관련된 비용 100,000원은 현금으로 지급하였다.</td></tr>
<tr><td>(차) 부도어음과수표 2,100,000 (대) 받을어음 2,000,000
현금 100,000</td></tr>
</table>

(3) 매출채권의 대손처리

대손이란 매출채권(외상매출금과 받을어음)의 회수가 불가능하다고 판단될 때 비용으로 계상하는 것을 말한다. 대손처리시 대손충당금 잔액이 있는 경우 우선 상계처리하고, 잔액이 부족한 경우에는 대손상각비(판관비) 계정으로 처리한다.

<table>
<tr><th>구 분</th><th>회계처리</th></tr>
<tr><td colspan="2">외상매출금 200,000원이 매출처 파산으로 인하여 회수불능되어 대손처리하였다.</td></tr>
<tr><td>대손충당금 잔액 : 300,000원</td><td>(차) 대손충당금 200,000 (대) 외상매출금 200,000</td></tr>
</table>

구 분	회계처리
대손충당금 잔액 : 100,000원	(차) 대손충당금 100,000 (대) 외상매출금 200,000 대손상각비 100,000
대손충당금 잔액 : 0원	(차) 대손상각비 200,000 (대) 외상매출금 200,000

TIP

일반채권의 대손

일반채권(미수금, 대여금 등)의 회수가 불가능하여 대손이 확정된 경우 대손충당금 잔액을 우선 상계처리하고 부족분에 대해 기타의대손상각비(영업외비용) 계정으로 처리한다.

(4) 대손 처리된 채권의 회수

당기 또는 당기 이전에 대손이 확정되어 처리하였던 채권을 회수한 경우 대손충당금 계정으로 처리한다.

구 분	회계처리
회수	전년도에 파산으로 대손이 확정되어 대손처리하였던 외상대금 300,000원이 금일 보통예금 계좌로 입금되었다.
	(차) 보통예금 300,000 (대) 대손충당금 300,000

(5) 결산시 대손예상액 계상

보유중인 채권에 대하여 회수가능액에 대한 정보를 제공하기 위하여 기말 시점마다 회수하지 못할 것으로 예상되는 금액을 대손예상액(추산액)이라 한다. 대손예상액을 채권잔액비례법(보충법)으로 계산하면 다음과 같다.

대손예상액 설정 = 결산일 채권잔액 × 설정률 - 대손충당금 잔액

구 분	회계처리
당사는 기말 매출채권 잔액(20,000,000원)의 1%를 보충법에 의하여 대손충당금을 설정하였다. ※ 20,000,000원 × 1% = 200,000원 (설정액)	
대손충당금 잔액 : 0원	대손충당금 잔액이 없는 경우 (전액 설정)
	(차) 대손상각비 200,000 (대) 대손충당금 200,000

구 분	회계처리
대손충당금 잔액 : 100,000원	대손예상 설정액 > 대손충당금잔액 (차액만 추가 설정)
	(차) 대손상각비 100,000 (대) 대손충당금 100,000
대손충당금 잔액 : 250,000원	대손예상 설정액 < 대손충당금 잔액 (초과되는 잔액만큼 환입)
	(차) 대손충당금 50,000 (대) 대손충당금환입* 50,000 * 대손충당금환입은 영업외수익이 아니라 판매비와관리비에서 부(-)의 금액으로 표시하여야 한다.

(6) 대손 추산 방법

기업회계에서 장래에 발생할 것으로 보이는 대손예상액을 추산하여 당기비용으로 인식함과 더불어 채권의 평가계정인 대손충당금을 설정한다.

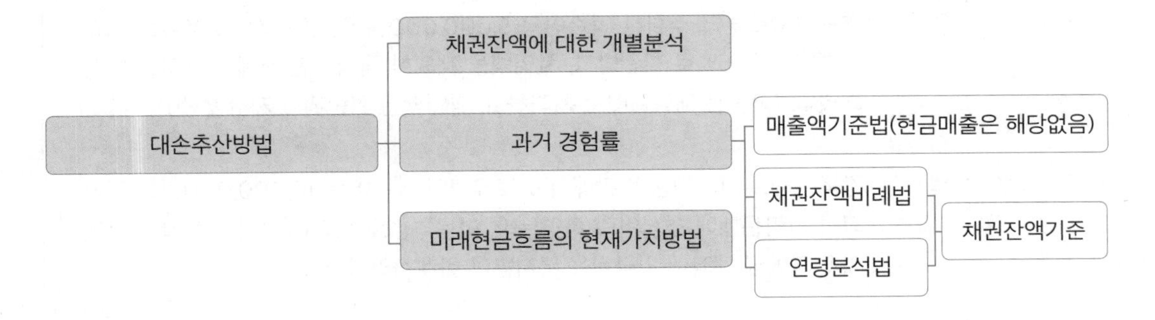

구 분		내 용
개별채권분석법		채권을 거래처별로 분석하여 회수가능성을 판단하는 방법
과거 경험률에 의한 분석법	매출액기준법	매출액의 일정비율을 대손상각비로 계상하는 방법
	채권잔액비례법	채권에 대하여 일률적으로 과거 대손경험률로 설정하는 방법
	연령분석법	기말채권잔액을 경과일수에 따라 몇 개의 집단으로 분류하고, 각 집단마다 상이한 대손경험률을 적용하는 방법

분개연습 매출채권

■ 다음 거래에 대하여 분개하시오.

01 1월 10일 영도상사에 제품 10,000,000원(1,000개, @₩10,000)을 판매하고 전월에 받은 계약금 1,000,000원을 제외한 대금은 다음달 말일에 받기로 하였다.

02 1월 12일 서울상사의 외상대금 10,000,000원 중에서 5,000,000원은 국민은행 자기앞수표로 회수하고 5,000,000원은 서울상사가 발행한 전자어음으로 수취하였다.

03 1월 15일 강원부품으로부터 원재료 5,000,000원을 구입하고, 보유하고 있던 거래처 수원상사의 약속어음 3,000,000원을 배서양도하여 지급하고, 나머지는 보통예금 계좌에서 인출하여 지급하였다.

04 1월 20일 영도상사로부터 수취한 약속어음 5,000,000원(만기일: 4월 20일)을 기업은행에서 연 6%로 할인받고, 할인액을 제외한 금액이 당좌예금 계좌로 입금되었다. (어음은 매각거래로 처리하고, 할인액은 월단위로 계산할 것)

05 1월 22일 강북전자로부터 제품을 판매하고 보유하던 약속어음 10,000,000원이 만기되어 기업은행에 추심의뢰 하였는바, 어음추심료 100,000원을 차감한 잔액이 당좌예금 계좌에 입금됨을 통지받아 회계처리하였다.

06 1월 25일 무한상사로부터 판매대금으로 수취한 약속어음 5,000,000원이 만기되어 거래은행에 제시하였으나 부도처리되었다는 통지를 받았다. 당사는 현금 100,000원 지급하여 지급거절증서를 작성하여 은행에 제출하였다.

07 1월 30일 우진회사의 파산으로 인해 외상매출금 1,000,000원이 회수불가능한 것으로 판명되어 대손처리하였다. 단 대손충당금 잔액은 300,000원이 있다.

08 2월 5일 일신상사의 자금사정이 호전되어 지난달 대손처리하였던 외상매출금 300,000원을 현금으로 회수하였다.

09 12월 31일 결산일 현재 매출채권 잔액 20,000,000원에 대하여 1% 대손충당금을 설정하였다. (단, 대손충당금 잔액은 150,000원이다)

10 12월 31일 결산일 현재 매출채권 잔액 20,000,000원에 대하여 1% 대손충당금을 설정하였다. (단, 대손충당금 잔액은 250,000원이다)

풀이

01	(차)	선수금(영도상사)	1,000,000	(대)	제품매출	10,000,000
		외상매출금(영도상사)	9,000,000			

※ 제품을 판매하기로 하고 미리 받은 계약금은 대변에 선수금 계정으로 처리하였다가 제품을 판매한 경우 차변에 반제처리한다.

02	(차)	현금	5,000,000	(대)	외상매출금(서울상사)	10,000,000
		받을어음(서울상사)	5,000,000			

※ 자기앞수표로 회수한 경우 현금 계정, 어음으로 회수한 경우 받을어음 계정으로 처리한다.

03	(차)	원재료	5,000,000	(대)	받을어음(수원상사)	3,000,000
					보통예금	2,000,000

04	(차)	당좌예금	4,925,000	(대)	받을어음(영도상사)	5,000,000
		매출채권처분손실	75,000*			

* 5,000,000원 × 6% × 3/12 = 75,000원

※ 어음을 만기일 전에 할인(매각거래로 간주)할 경우 할인료는 매출채권처분손실 계정으로 처리한다.

05	(차)	당좌예금	9,900,000	(대)	받을어음(강북전자)	10,000,000
		수수료비용	100,000			

06	(차)	부도어음과수표(무한상사)	5,100,000	(대)	받을어음(무한상사)	5,000,000
					현금	100.000

※ 만기일에 결제되지 않고 부도처리된 어음은 부도와 관련된 비용을 포함하여 모두 부도어음과수표 계정으로 처리한다.

07	(차)	대손충당금	300,000	(대)	외상매출금(우진회사)	1,000,000
		대손상각비	700,000			

※ 대손처리시 대손충당금 잔액을 먼저 상계처리하고 부족한 경우 당기 비용인 대손상각비 계정으로 처리한다.

08	(차)	현금	300,000	(대)	대손충당금	300,000

※ 대손처리하였던 채권을 회수한 경우 대손충당금 계정으로 처리한다.

09	(차)	대손상각비	50,000	(대)	대손충당금	50,000

※ 20,000,000원 × 1% - 150,000원 = 50,000원

10	(차)	대손충당금	50,000	(대)	대손충당금환입	50,000

※ 20,000,000원 × 1% - 250,000원 = -50,000원(환입)

05 기타의 당좌자산

(1) 단기대여금

만기가 1년 이내로 금전을 빌려준 경우 단기대여금 계정 차변에 기입한다. (만기가 1년 이내로 금전을 빌려온 경우 단기차입금 계정으로 처리)

구 분	회 계 처 리
발생	거래처 수원상사에 10개월 상환조건으로 현금 500,000원을 대여하였다.
	(차) 단기대여금 500,000 (대) 현금 500,000
회수	위 대여금에 대한 원금 500,000원과 이자 10,000원을 현금으로 회수하였다.
	(차) 현금 510,000 (대) 단기대여금 500,000 이자수익 10,000

(2) 선급금

상품, 원재료 등의 매입을 위하여 계약금을 미리 지급하는 경우 선급금 계정 차변에 기입한다. (매출하기로 하고 계약금을 받은 경우 선수금 계정으로 처리)

구 분	회 계 처 리
발생	원재료를 매입하기로 계약하고 계약금 200,000원을 현금으로 지급하였다.
	(차) 선급금 200,000 (대) 현금 200,000
반제	매입 계약한 원재료 2,000,000원이 입고되어 이미 지급한 계약금 200,000원을 제외하고 잔액은 외상으로 하였다.
	(차) 원재료 2,000,000 (대) 선급금 200,000 외상매입금 1,800,000

(3) 미수금

일반적으로 재고자산 이외의 자산을 처분하고 대금을 나중에 받기로 한 경우 미수금 계정 차변에 기입한다. (재고자산이외의 물품을 구입하고 대금을 나중에 지급한 경우 미지급금 계정으로 처리)

구 분	회계처리			
발생	사무실에서 사용하던 컴퓨터를 300,000원에 매각하고 대금은 다음달 말일에 받기로 하였다.			
	(차) 미수금	300,000	(대) 비품	300,000
회수	지난달 비품을 매각하고 미수로 처리한 대금 300,000원이 금일 현금으로 입금되었다.			
	(차) 현금	300,000	(대) 미수금	300,000

(4) 가지급금

현금의 지출은 있었으나 금액과 계정과목이 확정되지 않은 경우 일시적으로 처리하는 가계정인 가지급금 계정 차변에 기입한다. (금액과 계정과목이 확정되지 않은 것을 수취한 경우 가계정인 가수금 계정으로 처리)

구 분	회계처리			
지급	종업원에게 제주출장으로 명하고 여비 개산액 500,000원을 현금으로 지급하였다.			
	(차) 가지급금	500,000	(대) 현금	500,000
정산	제주출장을 다녀온 종업원이 출장보고서를 제출하여 보고하였으며, 출장비 잔액 20,000원을 현금으로 반납하였다.			
	(차) 여비교통비 현금	480,000 20,000	(대) 가지급금	500,000

(5) 선납세금

원천징수 및 중간예납을 통해 미리 법인세(또는 소득세)를 납부하는 경우 선납세금 계정 차변에 기입한다.

구 분	회계처리			
납부	회사의 중간예납 법인세 4,000,000원을 금일 현금으로 납부하였다.(자산으로 처리할 것)			
	(차) 선납세금	4,000,000	(대) 현금	4,000,000
결산시 대체	결산일 현재 장부상 선납세금 4,000,000원을 당기 법인세등으로 계상하다.			
	(차) 법인세등	4,000,000	(대) 선납세금	4,000,000

분개연습 기타의 당좌자산

■ 다음 거래에 대하여 분개하시오.

01 1월 11일 거래처 일화상사로부터 10개월 후에 회수할 목적으로 3,000,000원을 현금으로 대여하였다.

02 1월 12일 거래처 수원상사의 자금사정으로 인하여 외상매출금 10,000,000원을 10개월 회수조건인 대여금으로 전환하여 주었다.

03 1월 13일 서울전자로부터 원재료 10,000,000원을 구입하기로 계약하고 계약금 10%를 보통예금 계좌에서 지급하였다

04 1월 15일 서울전자로부터 매입하기로 한 원재료 10,000,000원을 인도받고 계약금 1,000,000원을 제외한 잔액은 외상으로 하였다.

05 1월 16일 관리부에서 사용하던 화물차 3,500,000원을 지원중고사에 처분하고 대금은 다음달 말일에 받기로 하였다.

06 1월 25일 영업사원 임지수에게 부산 출장을 명하고, 출장비 800,000원을 보통예금 계좌에서 이체하여 지급하였다.

07 1월 30일 부산 출장을 다녀온 영업사원 임지수가 미리 지급한 출장비 800,000원을 다음과 같이 정산하고 잔액은 현금으로 반납하였다.

• 교통비 380,000원 • 식 대 200,000원(거래처직원 식대 50,000원 포함) • 숙박비 190,000원

08 3월 31일 보통예금 계좌에 이자가 발생하여 원천징수세액 30,800원을 공제하고 169,200원이 입금됨을 확인하고 정리하였다. 단, 회사는 자산으로 처리한다.

풀이

01	(차)	단기대여금(일화상사)	3,000,000	(대)	현 금	3,000,000
02	(차)	단기대여금(수원상사)	10,000,000	(대)	외상매출금(수원상사)	10,000,000
03	(차)	선급금(서울전자)	1,000,000	(대)	보 통 예 금	1,000,000

04	(차) 원재료	10,000,000	(대) 선급금(서울전자)	1,000,000
			외상매입금(서울전자)	9,000,000
05	(차) 미수금(지원중고사)	3,500,000	(대) 차량운반구	3,500,000
06	(차) 가지급금(임지수)	800,000	(대) 보통예금	800,000
07	(차) 여비교통비	720,000	(대) 가지급금(임지수)	800,000
	접대비	50,000		
	현금	30,000		
08	(차) 보통예금	169,200	(대) 이자수익	200,000
	선납세금	30,800		

단원정리문제

당좌자산 계정

01 다음 중 현금 및 현금성자산에 해당하지 않는 것은?

① 타인발행수표 등 통화대용증권
② 6월 30일 예금잔액이 500만원인 당좌예금
③ 2021년 11월 1일 취득하였으나 상환일이 2022년 3월 1일인 상환우선주
④ 5월 30일 취득한 사채 중 7월 30일 만기가 도래하는 채권

02 다음 중 현금 및 현금성자산으로 분류되는 것은?

① 1년동안 사용이 제한된 예금
② 요구불 당좌예금
③ 통화대용증권에 해당하지 않는 수입인지
④ 취득당시 만기가 1년 이내에 도래하는 금융상품

03 ㈜세무는 ㈜회계로부터 받은 어음(액면가액 10,000,000원)을 9,500,000원에 할인 받고자 한다. 다음의 설명 중 틀린 것은?(단, 단기차입금과 장기차입금을 구분하지 않고 차입금으로 인식한다고 가정)

① 해당 거래가 매각거래로 분류될 경우 매출채권처분손실을 인식할 것이다.
② 해당 거래가 차입거래로 분류될 경우 이자비용을 인식할 것이다.
③ 해당 거래가 차입거래로 분류될 경우 차입금 계정은 10,000,000원 증가할 것이다.
④ 해당 거래가 매각거래로 분류될 경우 받을어음 계정은 변동이 없을 것이다.

04 다음 유가증권의 분류 중에서 만기보유증권으로 분류할 수 있는 판단기준이 되는 것은 무엇인가?

① 만기까지 보유할 적극적인 의도와 능력이 있는 채무증권
② 만기까지 매매차익을 목적으로 취득한 채무증권
③ 만기까지 다른 회사에 중대한 영향력을 행사하기 위한 지분증권
④ 만기까지 배당금이나 이자수익을 얻을 목적으로 투자하는 유가증권

05 다음 중 유가증권에 대한 설명으로 옳지 않은 것은?

① 유가증권은 증권의 종류에 따라 지분증권과 채무증권으로 분류할 수 있다.
② 단기매매증권과 매도가능증권은 지분증권으로 분류할 수 있으나 만기보유증권은 지분증권으로 분류할 수 없다.
③ 보고기간종료일로부터 1년 이내에 만기가 도래하는 만기보유증권의 경우, 유동자산으로 재분류하여야 하므로 단기매매증권으로 변경하여야 한다.
④ 단기매매증권은 주로 단기간 내에 매매차익을 목적으로 취득한 유가증권을 말한다.

06 유가증권에 대한 내용으로 틀린 것은?

① 상품권은 회계상 유가증권에 해당된다.
② 단기매매증권의 평가손익은 미실현보유손익이지만 당기손익에 반영한다.
③ 유가증권에는 지분증권과 채무증권이 포함된다.
④ 유가증권의 손상차손 금액은 당기손익에 반영한다.

07 다음 재무상태표상의 당좌자산에 대한 설명 중 옳지 않은 것은?

① 단기금융상품과 장기금융상품의 분류는 보고기간종료일 현재 만기가 1년 이내에 도래하는지 여부에 따른다.
② 현금성자산이란 큰 거래비용 없이 현금으로 전환이 용이하고 이자율 변동에 따른 가치변동의 위험이 경미한 금융상품으로서 취득 당시 만기일이 3개월 이내인 것을 말한다.
③ 단기매매증권을 공정가치법에 의하여 회계처리하는 경우, 당기의 공정가치 변동에 따른 공정가치와 장부금액의 차액은 단기매매증권평가이익(또는 손실)으로 인식하여 기타포괄손익에 반영한다.
④ 외상매출금의 발생액은 외상매출금 계정의 차변에 기입한다.

08 다음은 매출채권에 대한 설명이다. 틀린 것은?

① 매출할인은 제품의 총매출에서 차감한다.
② 매출채권이란 주된 영업활동의 상품이나 제품판매 혹은 서비스를 제공하고 아직 돈을 못 받은 경우 그 금액을 말한다.
③ 매출채권에서 발생한 대손상각비는 영업외비용으로 처리한다.
④ 대손충당금은 매출채권의 평가성 항목으로서 매출채권에서 차감하는 형식으로 표시한다.

09 다음 중 유가증권에 대한 설명으로 틀린 것은?

① 매도가능증권의 미실현보유손익은 자본항목(기타포괄손익누계액)으로 처리한다.
② 단기매매증권이 시장성을 상실하는 경우 만기보유증권으로 분류변경한다.
③ 단기매매증권의 미실현보유손익은 당기손익항목으로 처리한다.
④ 만기까지 적극적으로 보유할 의도와 목적이 있는 채무증권을 만기보유증권이라 한다.

10 아래 자료에 의하여 손익계산서에 계상할 대손상각비를 계산하면 얼마인가?

- 기초 대손충당금 잔액 : 500,000원
- 7월 15일에 매출채권 회수불능으로 대손처리액 : 700,000원
- 9월 30일에 당기 이전에 대손처리된 매출채권 현금회수액 : 1,000,000원
- 기말 매출채권 잔액 : 100,000,000원
- 대손충당금은 기말 매출채권 잔액의 2%로 한다.(보충법)

① 1,200,000원　② 1,000,000원　③ 700,000원　④ 500,000원

11 다음의 유가증권을 단기매매증권으로 분류하는 경우와 매도가능증권으로 분류하는 경우의 2021년에 계상되는 당기손익의 차이 금액은 얼마인가?

㈜대한은 A회사 주식 1,000주를 주당 5,000원(공정가치)에 매입하면서 거래비용으로 50,000원이 발생하였고 기말에 주당 공정가치가 5,500원으로 평가되었다.

① 50,000원　② 450,000원　③ 500,000원　④ 550,000원

12 다음 중 당좌자산 내에 별도 표기하는 항목의 예가 아닌 것은?

① 선급비용　② 임차보증금　③ 단기투자자산　④ 매출채권

13 다음은 결산시 매출채권에 대한 대손충당금을 계산하는 경우의 예이다. 틀린 것은?

	결산 전 대손충당금잔액	기말 매출채권잔액 (대손율 1%)	회계처리의 일부
①	10,000원	100,000원	(대) 대손충당금환입 9,000원
②	10,000원	1,000,000원	회계처리 없음
③	10,000원	1,100,000원	(차) 대손상각비 1,000원
④	10,000원	1,100,000원	(차) 기타의대손상각비 1,000원

14 (주)한국은 12월 1일에 (주)서울에 대한 외상매출금 1,000,000원에 대하여 (주)서울의 파산으로 대손처리하였다. 대손처리 전에 외상매출금 및 대손충당금의 잔액이 다음과 같을 때 다음 설명 중 틀린 것은?

· ㈜서울에 대한 외상매출금 : 1,000,000원　· 외상매출금에 설정된 대손충당금 : 1,000,000원

① 대손처리 후의 외상매출금의 총액은 1,000,000원이 감소된다.
② 12월 1일의 회계처리에서는 일정한 비용이 인식된다.
③ 대손처리 후의 대손충당금의 잔액은 1,000,000원이 감소된다.
④ 대손처리 후의 외상매출금의 순액은 변동이 없다.

정답 및 해설

01	02	03	04	05	06	07	08	09	10	11	12	13	14
③	②	④	①	③	①	③	③	②	①	②	②	④	②

01 ③ 현금성자산은 현금으로 전환이 용이하고 이자율 변동에 따른 위험이 경미한 금융상품으로서 취득 당시 만기일 (또는 상환일)이 3개월 이내인 것을 말한다.

02 ② 요구불예금이란 예금주의 요구가 있을 때 언제든지 지급할 수 있는 예금의 총칭(보통예금과 당좌예금 등)이다.

03 ④ 〈매각시〉

(차) 현금등	9,500,000원	(대) 받을어음	10,000,000원
매출채권처분손실	500,000원		

〈차입시〉

(차) 현금등	9,500,000원	(대) 차입금	10,000,000원
이자비용	500,000원		

04 ① 만기보유증권이란 만기가 확정된 채무증권으로서 상환금액이 확정되었거나 확정이 가능한 채무증권을 만기까지 보유할 적극적인 의도와 능력이 있는 경우를 말한다.

05 ③ 계정과목명을 단기매매증권으로 분류 변경하는 것이 아니라, 만기보유증권(유동자산)으로 분류변경 한다.

06 ① 상품권은 그 자체가 매매대상이 아니기 때문에 회계상 유가증권에서 제외된다.

07 ③ 당기의 공정가치 변동에 따른 공정가치와 장부금액의 차액은 단기매매증권평가이익(또는 손실)으로 인식하여 당기손익(영업외손익)에 반영한다.

08 ③ 판매비와관리비인 비용으로 처리한다.

09 ② 단기매매증권이 시장성을 상실하는 경우 매도가능증권으로 분류변경한다.

10 ① 기중대손처리액 200,000원 + 기말추가설정액 1,000,000원 = 1,200,000원

(1) 7월 15일 :	(차) 대손충당금	500,000원	(대) 매출채권	700,000원
	대손상각비	200,000원		
(2) 9월 30일 :	(차) 현금	1,000,000원	(대) 대손충당금환입	1,000,000원
(3) 기말추가설정액 :	(차) 대손상각비	1,000,000원	(대) 대손충당금	1,000,000원

- 기말 대손충당금 잔액 : 500,000원 - 500,000원 + 1,000,000원 = 1,000,000원
- 기말 대손충당금 추가 설정 : (100,000,000원 × 2%) - 1,000,000원 = 1,000,000원

11 ② • 단기매매증권인 경우 : 수수료비용 50,000원, 단기매매증권평가이익 500,000원(1,000주 × 500원) 따라서 당기손익은 500,000 - 50,000 = 450,000원 증가

• 매도가능증권인 경우 : 취득시 거래비용은 매도가능증권의 취득가액으로 가산하며, 매도가능증권평가이익은 기타포괄손익누계액으로 처리하므로 당기손익에는 영향이 없음

• 단기매매증권으로 분류되는 경우와 매도가능증권으로 분류되는 경우의 당기손익 차이는 450,000원

12 ② 임차보증금은 기타비유동자산이다.

13 ④ 기타의대손상각비는 미수금, 대여금 등 기타채권에 대한 대손이 발생했을 때 사용하는 계정과목이다.

14 ② 12월 1일 (차) 대손충당금 1,000,000 (대) 외상매출금 1,000,000

따라서 회계처리과정에서 비용으로 인식되는 금액은 없다.

제 2 절

재고자산 계정과목별 분류하기

01 재고자산의 취득원가(매입원가)

재고자산의 매입원가는 물품의 매입대금과 매입과정에서 정상적으로 소요되는 매입제비용인 매입운반비*, 하역료, 매입수수료, 보관료, 수입관세 등이 포함되며, 매입과 관련된 매입할인, 매입에누리, 매입환출이 있는 경우 이를 매입원가에서 차감한다.

* 매입운반비는 매입원가에 포함하고, 매출운반비는 비용인 운반비 계정으로 처리한다.

구 분	계산식
상품, 원재료 등 매입원가	(매입가격 + 매입제비용) - (매입에누리 + 매입환출 + 매입할인)
제품, 재공품 등 제조원가	직접재료비 + 직접노무비 + 제조간접비배부액

TIP

- 매입에누리 : 상품 구입 시 하자가 있는 경우 상품매입가격을 에누리해 주는 것
- 매입환출 : 상품 구입 시 하자로 인하여 상품을 반품하는 것
- 매입할인 : 외상대금을 약정기일보다 빠르게 결제하는 경우 조기상환에 대한 기일간의 이자를 할인해 주는 것

[재고자산의 매입]

구 분	회계처리
매입원가	한국상사로부터 원재료 5,000,000원을 외상으로 매입하고, 운반비 100,000원은 현금으로 지급하였다.
	(차) 원재료 5,100,000 / (대) 외상매입금 5,000,000, 현금 100,000
매입환출 및 에누리	한국상사로부터 매입한 원재료에 불량이 있어 500,000원을 반품하고 거래처와 협의하에 외상대금과 상계처리하기로 하였다.
	(차) 외상매입금 500,000 / (대) 매입환출및에누리 500,000

구 분	회계처리
매입할인	약정한 기일보다 조기에 상환하여 거래처로부터 50,000원을 할인받고 외상대금 4,450,000원을 보통예금 계좌에서 인출하여 지급하였다.
	(차) 외상매입금 4,500,000 (대) 매입할인 50,000 보통예금 4,450,000

[재고자산의 판매]

구 분	회계처리
매출액	가야상사에 제품 6,000,000원을 외상으로 판매하고, 운반비 100,000원은 현금으로 지급하였다.
	(차) 외상매출금 6,000,000 (대) 제품매출 6,000,000 운반비 100,000 현금 100,000
매출환입 및 에누리	가야상사에 매출한 제품 하자로 인하여 150,000원을 에누리해 주기로 하고 거래처와 협의하에 외상대금과 상계처리하기로 하였다.
	(차) 매출환입및에누리 150,000 (대) 외상매출금 150,000
매출할인	가야상사의 외상대금 5,000,000원에 대한 매출할인 조건부(2/10, n/15)로 당일 할인액을 제외한 잔액을 보통예금 계좌로 송금받았다.
	(차) 보통예금 4,900,000 (대) 외상매출금 5,000,000 매출할인 100,000 ※ 5,000,000원 × 2% = 100,000원 (매출할인)

02 재고자산의 기말재고액에 포함할 항목

구 분	내 용
미착품 (운송중인 상품, 원재료)	선적지 인도기준 구매자의 재고자산에 포함
	도착지 인도조건 판매자의 재고자산에 포함
적송품	수탁자가 보관하고 있는 부분만 위탁자의 재고자산에 포함
시송품	소비자가 구입의사를 표시하기 전 시송품은 재고자산에 포함
할부판매상품	판매시점(인도기준)에 의해 매출을 인식함으로 판매자의 재고자산에 미포함

03 재고자산의 기록방법

구 분		내 용
수량 결정방법	계속기록법	기초재고수량 + 당기매입수량 - 당기판매수량 = 기말재고수량
	실지재고조사법	기초재고수량 + 당기매입수량 - 기말재고수량 = 당기판매수량
단가 결정하는 방법	개별법	재고자산에 가격표를 붙여 매입상품의 매입가격을 알 수 있도록 함으로 매입가격별 판매된 재고자산과 재고로 남아 있는 재고자산을 구별하여 기말재고액과 매출원가를 산출하는 방법 • 이론적으로 가장 이상적인 재고조사 방법이다. • 장점은 일반적으로 물량흐름과 일치하지만, 단점으로는 이익조작이 가능하다. • 수익·비용대응의 원칙에 충실한 방법이다.
	매출가격환원법 (소매재고법)	소매가로 파악한 기말재고액을 원가로 역산하여 원가흐름을 추정하는 방법 기말재고액 = 매가로 평가된 기말재고(기초재고 + 당기매입량의 매가총액 - 당기매출액) × 원가율* * 원가율 = (입고된 상품의 매입원가총액 + 기초재고액) / 동 상품의 매가총액
	매출총이익률법	과거의 매출총이익률을 이용하여 판매가능상품을 매출원가와 기말재고에 배분하는 방법이며, 화재·도난으로 정상적인 이용이 불가능할 때 또는 내부통제와 재고자산의 타당성을 검증할 때 사용하는 방법
	선입선출법 (FIFO)	먼저 매입 또는 생산한 재고항목이 먼저 판매 또는 사용된다고 원가흐름을 가정하는 방법으로 기말에 재고로 남아 있는 항목은 가장 최근에 매입 또는 생산한 항목이라고 본다. • 물가상승(인플레이션)시 기말재고액 과대계상, 매출원가 과소계상, 매출총이익 과대계상 된다. • 장점은 일반적으로 물량흐름과 일치하지만, 단점으로는 수익과 비용의 대응이 되지 않는다. • 재무상태표에 충실한 방법이다.
	후입선출법 (LIFO)	가장 최근에 매입 또는 생산한 재고항목이 가장 먼저 판매된다고 원가흐름을 가정하는 방법으로 기말에 남아있는 항목은 가장 먼저 매입 또는 생산한 항목이라고 본다. • 물가상승(인플레이션)시 기말재고액 과소계상, 매출원가 과대계상, 매출총이익 과소계상 된다. • 장점은 수익과 비용이 대응이 되며, 단점으로는 일반적으로 물량흐름과 일치하지 않는다. • 손익계산서에 충실한 방법이다.

<table>
<tr><th colspan="2">구 분</th><th>내 용</th></tr>
<tr><td rowspan="2">단가 결정하는 방법</td><td>총평균법</td><td>당기에 판매된 재고자산은 모두 동일한 단가라는 가정하에 매출원가와 기말재고액을 결정하는 방법이다. 총평균법은 일정기간동안 모든 입고가 완료된 다음 단가를 계산할 수 있다.</td></tr>
<tr><td>이동평균법</td><td>재고자산이 출고되는 시점에서의 평균단가로 매출원가와 기말재고액을 결정하는 방법이다.
$$평균단가 = \frac{매입직전의\ 상품재고금액 + 새로\ 매입한\ 상품의\ 매입금액}{매입직전의\ 상품재고수량 + 새로\ 매입한\ 상품의\ 매입수량}$$</td></tr>
</table>

TIP

물가상승(인플레이션)시 크기 비교

- 기말재고액의 크기 : 선입선출법 > 이동평균법 > 총평균법 > 후입선출법
- 매출원가의 크기 : 선입선출법 < 이동평균법 < 총평균법 < 후입선출법
- 매출총이익의 크기 : 선입선출법 > 이동평균법 > 총평균법 > 후입선출법

연습문제 재고자산 단가결정

(주)무선상사의 상품매매에 관련된 자료는 다음과 같을 때 선입선출법 및 이동평균법에서의 매출원가와 기말재고액을 계산하시오. 단, 소숫점이하는 반올림한다.

날 짜	내 용	수 량	단 가	금 액
3월 1일	기초재고	200개	100원	20,000원
3월 7일	매 입	300개	150원	45,000원
3월 13일	매 출	400개	200원	80,000원
3월 20일	매 입	500개	180원	90,000원
3월 26일	매 출	300개	250원	75,000원

풀이

01 선입선출법에 의한 상품재고장

① 매출원가 : 101,000원

- 3/13 50,000원 {(200개 × 100원) + (200개 × 150원)} + 3/26 51,000원 {(100개 × 150원) + (200개 × 180원)} = 101,000원

※ 먼저 매입한 상품을 먼저 판매됨으로 기초재고 200개와 3/7 매입한 300개, 3/20 매입한 200개이다.

② 기말재고금액 : 54,000원
- 3/26 재고 300개 × 180원 = 54,000원

※ 먼저 매입한 상품을 판매함으로 기말재고금액은 3/26일 매입한 상품 500개 중 300개이다.

02 이동평균법에 의한 상품재고장

① 매출원가 : 103,600원
- 3/13 52,000원(400개×130원) + 3/26 51,600원(300개×172원) = 103,600원

※ 매출일을 기준으로 가중평균단가를 계산하여 소숫점이하에서 반올림한다.
- 3/13 가중평균 단가 130원(3/1 기초재고 20,000원 + 3/7 매입 45.000원 ÷ 500개)
- 3/26 가중평균 단가 172원(3/13 재고(100개 × 130원) + 3/20 매입 90,000원 ÷ 600개)

② 기말재고금액 : 51,600
- 3/26 재고 300개 × 172원 = 51,600원

※ 마지막 매출일 기준으로 가중평균단가를 계산한다.

04 재고자산 감모손실

재고자산감모손실이란 재고자산의 도난, 분실, 파손 등에 의하여 장부상 수량과 실제 수량과의 차이가 발생할 경우 부족수량에 대한 손실액을 말한다.

재고자산감모손실 * = (장부상 수량 - 실제 수량) × 단위당원가

* 실제 수량이 장부상 수량에 미달하는 경우 부족수량에 해당하는 금액

구분	회계처리
원가성 있음 (정상감모)	(차) 재고자산감모손실 (매출원가) ××× (대) 재고자산 ××× * 원가성 있다 : 정상적인 원인에 의하여 감모손실이 발생한 경우
원가성 없음 (비정상감모)	(차) 재고자산감모손실 (영업외비용) ××× (대) 재고자산 ××× * 원가성 없다 : 비정상적인 원인에 의하여 감모손실이 발생한 경우

구 분	회 계 처 리
기말 현재 재고조사를 실시한 결과 제품 수량의 10개(단가 1,000원)와 원재료 20개(단가 50원)가 소실됨을 발견하여 정리하다.	
원가성 있음	(차) 재고자산감모손실 (매출원가에 가산) 11,000 (대) 제품 10,000 / 원재료 1,000
원가성 없음	(차) 재고자산감모손실 (영업외비용) 11,000 (대) 제품 10,000 / 원재료 1,000

05 재고자산의 저가 평가

재고자산의 시가가 취득원가보다 하락한 경우에는 저가법을 사용하여 재무상태표가액을 결정한다.

(1) 시가 하락의 사유

❶ 손상을 입은 경우
❷ 1년내에 판매·생산에 투입할 수 없어 장기체화된 경우
❸ 진부화하여 정상적인 판매시장이 사라지거나 기술 및 시장여건 등의 변화에 의해서 판매가치가 하락한 경우
❹ 완성하거나 판매하는데 필요한 원가가 상승하는 경우

(2) 저가법의 적용시 시가

재고자산을 저가법으로 평가할 경우 제품, 상품 및 재공품의 시가는 순실현가능가치을 말하며, 생산과정에 투입될 원재료의 시가는 현행대체원가를 말한다. 다만, 원재료를 투입하여 완성할 제품의 시가가 원가보다 높을 때에는 원재료에 대하여 저가법을 적용하지 아니한다.

저가법에 의한 기말재고 : Min(① 취득원가, ② 순실현가능가치)

❶ 순실현가능가치 : 추정판매가액에서 판매시까지 추가적으로 발생하는 비용추정액을 차감한 금액
❷ 현행대체원가 : 재고자산을 현재 시점에서 매입하는데 소요되는 금액

06 재고자산평가손실

재고자산평가손실이란 결산시 재고자산의 수량에는 문제가 없으나 재고자산을 저가법(순실현가능가치)로 평가할 때 시가인 순실현가능가치가 장부가액(취득원가)보다 하락한 경우에 발생하는 차액(손실액)을 말하며, 재고자산평가손실은 매출원가에 가산하고 재고자산평가충당금은 재고자산에서 차감하는 형식으로 표시한다.

재고자산평가손실= 취득원가 - 순실현가능가치 *

* 순실현가능가치가 취득원가보다 큰 경우에는 취득원가로 측정, 순실현가능가치가 취득원가보다 작은 경우에는 순실현가능가치로 측정하는 것을 말한다.
* 제품, 상품, 재공품인 경우에는 순실현가능가치로 평가하지만 원재료의 경우 현행대체원가로 평가한다.

하락한 경우: **매출원가 가산(+)**	(차) 재고자산평가손실 (매출원가)	×××	(대) 재고자산평가충당금 (재고자산 차감계정)	×××
회복한 경우: **매출원가 차감(-)**	(차) 재고자산평가충당금 (재고자산 차감계정)	×××	(대) 재고자산평가충당금환입 (매출원가)	×××

구 분	회 계 처 리			
하락한 경우	기말 현재 재고조사를 실시한 결과 상품 100개의 단가가 1,000원에서 800원으로 평가되었다.			
	(차) 재고자산평가손실 (매출원가에 가산)	20,000	(대) 재고자산평가충당금 (재고자산 차감계정)	20,000
회복한 경우	상품의 시가 하락으로 20,000원 평가손실이 발생하였으나 현재는 10,000원의 가격이 상승하였다.			
	(차) 재고자산평가충당금 (재고자산 차감계정)	10,000	(대) 재고자산평가충당금환입 (매출원가에서 차감)	10,000
	※ 최초의 장부금액을 초과하지 않는 범위내에서 평가손실을 환입하고 매출원가에서 차감			

분개연습 재고자산

다음 거래에 대하여 분개하시오.

01 2월 1일 영동상사에 제품 5,000,000원을 외상으로 판매하고, 당점 부담의 운반비 20,000원은 현금으로 별도 지급하였다.

02 2월 5일 영동상사에 외상매출한 제품 3,000,000원에 대하여 품질불량의 사유로 클레임이 발생하였다. 당사자간 합의에 의하여 물품대금 500,000원을 직접 깍아주기로 합의하고, 잔액은 동사의 당좌수표로 회수하였다.

03 2월 10일 강남상사로부터 원재료 4,000,000원을 외상으로 매입하고, 당점 부담의 운반비 20,000원을 현금으로 별도 지급하였다.

04 2월 15일 당사에서 제조한 제품(원가 1,200,000원, 시가 2,000,000원)을 거래처의 선물로 증정하였다.

05 원재료를 구입한 부품 50,000원이 창고이동시 부주의로 파손되어 감모처리하였다.

06 다음의 자료에 의하여 재고자산 감모손실과 평가손실을 산출하고 회계처리 하시오. 단. 비정상감모는 30%이다.

- 기말상품재고액

장부재고수량 200개	원 가	@ 500원
실제재고수량 180개	순실현가능액	@ 450원

풀이

번호	차/대	계정과목	금액	차/대	계정과목	금액
01	(차)	외상매출금(영동상사)	5,000,000	(대)	제품매출	5,000,000
		운반비	20,000		현금	20,000
02	(차)	현금	2,500,000	(대)	외상매출금(영동상사)	3,000,000
		매출환입및에누리	500,000			

※ 물품대금을 깍아주는 경우 매출에누리 계정으로 처리한다.

번호	차/대	계정과목	금액	차/대	계정과목	금액
03	(차)	원재료	4,020,000	(대)	외상매입금(강남상사)	4,000,000
					현금	20,000

※ 원재료 매입시 당점부담의 운반비는 매입원가에 포함하여 처리한다.

번호	차/대	계정과목	금액	차/대	계정과목	금액
04	(차)	접대비	1,200,000	(대)	제품	1,200,000
05	(차)	재고감모손실	50,000	(대)	원재료	50,000

※ 부주의로 파손된 경우 비정상감모에 해당하여 영업외비용으로 처리한다.

번호	차/대	계정과목	금액	차/대	계정과목	금액
06	(차)	매출원가	7,000	(대)	상품	10,000
		재고자산감모손실	3,000		재고자산평가충당금	9,000
		재고자산평가손실	9,000			

200개 × 500원 = 100,000원

180개 × 500원 = 90,000원

180개 × 450원 = 81,000원

재고자산감모손실 10,000원 (30% 비정상감모)

재고자산평가손실 9,000원

단원정리문제 재고자산

01 재고자산의 취득원가에 대한 설명중 틀린 것은?

① 매입에 의한 재고자산의 취득원가는 매입가액에 판매가능한 상태에 이르기까지 소요된 원가를 포함한다.
② 판매자가 매출금액의 조기회수에 따라 할인해 주는 경우에 그 부분은 재고자산 취득원가에서 차감한다.
③ 재고자산의 취득과정에서 발생한 정상적인 부대원가외에 보관단계에서 발생한 보관원가와 비효율적 사용으로 인한 지출도 취득원가에 포함한다.
④ 재고자산 구입 이후에 하자가 있어 대금의 일정액을 할인하는 경우 취득원가에서 차감한다.

02 다음 중 판매회사의 재고자산으로 분류되지 않는 항목은?

① 위탁자의 결산일 현재 수탁자가 판매하지 못한 적송품
② 도착지 인도조건으로 판매회사가 매입한 결산일 현재 미착상품
③ 결산일 현재 매입의사표시 없는 시송품
④ 반품률을 추정할 수 없는 경우로 반품기간이 종료되지 않은 상품

03 다음은 재고자산에 대한 설명이다. 옳지 않은 것은?

① 기업이 정상적인 영업활동을 수행하는 과정에서 판매를 목적으로 보유하는 자산으로 유동자산이다.
② '순실현가능가액'은 제품이나 상품의 정상영업과정 중 추정판매가액에서 제품을 완성하는데 소요되는 추가적인 원가와 판매비용의 추정액을 차감한 금액이다.
③ '현행대체원가'는 재고자산을 현재 시점에서 매입하거나 재생산하는데 소요되는 금액이다.
④ 재고자산평가손실의 환입은 매출원가에 가산한다.

04 다음 중 선입선출법(FIFO)의 장점을 가장 잘 설명하고 있는 것은?

① 실물의 흐름을 가장 정확하게 나타내 준다.
② 포괄손익계산서의 매출원가가 현행원가에 가장 근접한 값으로 나타난다.
③ 기간손익을 다른 재고자산평가방법보다 작게 나타낸다.
④ 재무상태표에 재고자산을 현행원가에 가깝게 보고한다.

05 다음은 일반기업회계기준상 재고자산에 대한 설명이다. 괄호 안에 들어갈 내용으로 옳은 것은?

> 재고자산은 이를 판매하여 수익을 인식한 기간에 (㉠)(으)로 인식한다. 재고자산의 시가가 장부금액 이하로 하락하여 발생한 평가손실은 재고자산의 차감계정으로 표시하고 (㉡)에 가산한다. 재고자산의 장부상 수량과 실제 수량과의 차이에서 발생하는 감모손실의 경우 정상적으로 발생한 감모손실은 (㉢)에 가산하고 비정상적으로 발생한 감모손실은 (㉣)(으)로 분류한다.

	㉠	㉡	㉢	㉣
①	매출원가	영업외비용	영업외비용	매출원가
②	매출원가	매출원가	매출원가	영업외비용
③	영업외비용	매출원가	매출원가	영업외비용
④	영업외비용	영업외비용	영업외비용	매출원가

06 다음 중 재고자산에 대한 설명으로 가장 옳지 않은 것은?

① 계속기록법은 입출고시마다 계속적으로 기록하여 항상 잔액이 산출되도록 하는 방법이다.
② 실지재고조사법은 정기적으로 재고조사를 실시하여 실제 재고수량을 파악하는 방법이다.
③ 계속기록법 하의 평균법을 총평균법이라 한다.
④ 원칙적으로 개별법을 사용하여 취득단가를 결정하고, 개별법으로 원가를 결정할 수 없을 때에 선입선출법, 가중평균법 및 후입선출법에서 선택하여 사용하도록 규정하고 있다.

07 재고자산 평가방법 중 후입선출법에 대한 설명으로 올바른 것은?

① 실제물량흐름과 원가흐름이 대체로 일치한다.
② 물가하락시 선입선출법보다 이익이 상대적으로 과대계상 된다.
③ 현행수익에 대하여 오래된 원가가 대응되므로 수익비용 대응이 상대적으로 부적절하다.
④ 기말재고자산이 가장 최근에 매입한 단가가 적용되므로 시가에 가깝게 표시된다.

08 (주)세무는 홍수로 인해 재고자산이 유실되었다. 다음 중 유실된 재고자산은 얼마인가?

> • 기초재고자산 : 80,000원
> • 당기중 매입액 : 1,020,000원
> • 당기중 매출액 : 800,000원
> • 매출총이익율 : 20%
> • 기말재고 실사금액 : 100,000원

① 360,000원 ② 460,000원 ③ 560,000원 ④ 640,000원

09 **다음 중 재고자산의 시가가 취득원가보다 하락한 경우에는 저가법을 사용하여 재고자산의 장부금액을 결정할 수 있는 사유로 볼 수 없는 것은?**

① 보고기간말로부터 2년 또는 정상영업주기 내에 판매되지 않았거나 생산에 투입할 수 없어 장기체화된 경우
② 손상을 입은 경우
③ 완성하거나 판매하는 데 필요한 원가가 상승한 경우
④ 진부화하여 정상적인 판매시장이 사라지거나 기술 및 시장 여건 등의 변화에 의해서 판매가치가 하락한 경우

10 **다음 중 계속적으로 물가가 상승하고, 기말상품재고량은 기초상품재고량 보다 증가한 상황일 때 미치는 영향으로 옳지 않은 것은?**

① 매출원가는 선입선출법이 총평균법보다 작게 평가된다.
② 기말상품가액은 선입선출법이 후입선출법보다 크게 평가된다.
③ 당기순이익은 선입선출법이 후입선출법보다 크게 평가된다.
④ 기말상품가액은 선입선출법이 이동평균법보다 작게 평가된다.

11 **다음 중 재고자산의 저가법에 관한 설명으로 틀린 것은?**

① 재고자산의 손상으로 재고자산의 시가가 취득원가보다 하락하면 저가법을 사용하여 재고자산의 장부금액을 결정한다.
② 재고자산의 시가는 매 회계기간말에 추정하고 재고자산평가손실의 환입은 매출원가에서 차감한다.
③ 재고자산 평가를 위한 저가법은 항목별로 적용한다. 그러나 경우에 따라서는 서로 유사하거나 관련있는 항목들을 통합하여 적용하는 것이 적절할 수 있다.
④ 원재료를 투입하여 완성할 제품의 시가가 원가보다 높을 때에도 원재료에 대하여 저가법을 적용한다.

12 **다음 중 재고자산평가손실로 처리해야 하는 변동사항인 것은?**

① 분실　　② 가치하락　　③ 도난　　④ 파손

13 재고자산의 원가흐름에 대한 가정 내용 중 옳지 않은 것은?

① 개별법은 실제 물량의 흐름과 원가흐름을 정확하게 일치시킨다.
② 이동평균법은 재고자산의 수량이 바뀔 때마다 단가를 새로 평균내는 방법으로서 실지재고조사법 하에서의 평균법이다.
③ 후입선출법은 물가하락시 선입선출법보다 이익이 상대적으로 과대계상 된다.
④ 선입선출법은 후입선출법보다 수익·비용 대응이 부적절하다.

14 제품 장부상 재고수량은 200개이나 실제재고조사 결과 180개인 것으로 판명되었다. 개당 원가 200원이고 시가가 180원일 경우 재고자산감모손실은?

① 4,000원　② 3,600원　③ 2,000원　④ 1,600원

정답 및 해설

01	02	03	04	05	06	07	08	09	10	11	12	13	14
③	②	④	④	②	③	②	①	①	④	④	②	②	①

01 ③ 재고자산의 보관단계는 판매비와 관리비에 속한다.

02 ② 도착지 인도조건인 경우에는 상품이 도착된 시점에 소유권이 매입자에게 이전되기 때문에 미착상품은 매입자의 재고자산에 포함되지 않는다.

03 ④ 재고자산평가손실의 환입은 매출원가에서 차감한다.

04 ④ 선입선출법은 기말재고자산이 가장 최근의 취득원가로 표시되므로 현행원가의 근사치로 표현되는 장점이 있다.

05 ② 비정상적으로 발생한 감모손실만 영업외비용으로 처리한다.

06 ③ 계속기록법 하의 평균법을 이동평균법이라 한다.

07 ② 보기 ①, ③, ④는 선입선출법에 대한 설명이다.

08 ①
- 매출원가 : 800,000원 x 0.8 = 640,000원
- 장부상 기말재고 : (80,000원 + 1,020,000원) - 640,000원 = 460,000원
- 유실된 기말재고 : 460,000원 - 100,000원 = 360,000원

09 ① 보고기간말로부터 1년

10 ④ 기말상품가액은 선입선출법이 이동평균법보다 크게 평가된다.

11 ④ 원재료를 투입하여 완성할 제품의 시가가 원가보다 높을 때는 저가법을 적용하지 아니한다.

12 ② ①, ③, ④는 재고자산의 감모손실을 나타낸 것이며, ②는 재고자산의 평가손실이다.

13 ② 이동평균법은 계속기록법 하에서의 평균법이다.

14 ① 재고자산감모손실 : (장부수량 - 실지수량) × 취득원가 = (200개 - 180개) × 200원 = 4,000원

제 3 절

비유동자산 계정과목별 분류하기

01 투자자산

기업이 정상적인 영업활동과는 무관하게 타 회사를 지배하거나 통제할 목적 또는 장기적인 투자이윤을 얻을 목적을 장기적으로 투자된 자산을 말하며, 투자자산은 기업의 고유사업 목적달성과는 관련이 없다는 점에서 유형자산과 다르며, 장기적으로 보유하고 있다는 점에서 단기매매증권이나 단기금융상품 등과 구별된다.

(1) 투자부동산

영업활동과는 무관하게 투자목적으로 취득하여 보유하는 토지나 건물 등을 말한다.

<table>
<tr><th>구 분</th><th>회계처리</th></tr>
<tr><td rowspan="2">취득시</td><td>회사는 여유자금을 활용하기 위하여 장기투자 목적으로 A상가를 5,000,000원에 분양받고 취득세 등 부대비용 100,000원을 포함하여 현금으로 지급하였다.</td></tr>
<tr><td>(차) 투자부동산 5,100,000 (대) 현금 5,100,000</td></tr>
<tr><td rowspan="2">처분시</td><td>전년도에 투자목적으로 구입하였던 토지를 10,000,000원에 매각하고 대금의 1/2은 전자어음으로 회수하고 1/2은 보통예금 통장으로 입금되었다. 단, 토지 취득시 공정가액은 9,000,000원이며 취득세 및 중개수수료는 300,000원이 발생하여 회사는 장부가액으로 계상하였다.</td></tr>
<tr><td>(차) 미수금 5,000,000원 (대) 투자부동산 9,300,000
보통예금 5,000,000원 투자자산처분이익 700,000
※ 처분가액 10,000,000원 - 장부가액 9,300,000원 = 700,000원 (처분이익)</td></tr>
</table>

(2) 매도가능증권

단기매매증권이나 만기보유증권 및 지분법적용 투자주식으로 분류되지 아니하거나 시장성이 없는 국 · 공 · 사채 및 주식을 말한다.

<table>
<tr><th>구 분</th><th>회계처리</th></tr>
<tr><td rowspan="3">취득시</td><td>최초인식시 공정가액으로 측정하며 취득시 부대비용은 취득원가에 가산한다.</td></tr>
<tr><td>장기투자목적으로 (주)서울 보통주 100주(액면가 @6,000원)를 주당 5,000원에 취득하였으며, 대금은 거래수수료 20,000원을 포함하여 현금으로 지급하였다.</td></tr>
<tr><td>(차) 매도가능증권 520,000 (대) 현금 520,000
※ 100주 × 5,000원 + 20,000원 = 520,000원</td></tr>
<tr><td rowspan="3">평가시</td><td>• 평가기준 : 공정가액(시가)으로 평가한다.
• 공정가액의 변동액(평가손익) : 매도가능증권평가손익(자본-기타포괄손익누계액)* 으로 처리한다.
* 공정가액과 장부가액의 차액은 재무상태표상 자본에 속하는 기타포괄손익누계액인 매도가능증권평가손익으로 인식한다.</td></tr>
<tr><td>위 주식에 대한 기말 현재 공정가치는 주당 5,600원이다.</td></tr>
<tr><td>(차) 매도가능증권 40,000 (대) 매도가능증권평가이익 40,000
※ (100주 × 5,600원) - 520,000원 = 40,000원</td></tr>
<tr><td rowspan="3">배당금 수령</td><td>지분증권(주식)에 투자한 경우에는 배당금수익, 채무증권(사채 등)에 투자한 경우에는 이자수익으로 처리한다.</td></tr>
<tr><td>위 주식에 대하여 (주)서울로부터 1주당 500원의 배당금을 현금으로 수령하였다.</td></tr>
<tr><td>(차) 현금 50,000 (대) 배당금수익 50,000
※ 100주 × 500원 = 50,000원</td></tr>
<tr><td rowspan="3">처분시</td><td>매도가능증권을 처분하거나 양도하는 경우 처분가액과 장부가액을 비교하여 차액을 매도가능증권평가손익(기타포괄손익누계액)을 우선 반영하고 매도가능증권처분손익(영업외손익)을 인식한다.</td></tr>
<tr><td>위 주식 중 50주를 주당 5,500원 매각하고 대금은 현금으로 수령하였다.</td></tr>
<tr><td>(차) 매도가능증권 275,000 (대) 매도가능증권 280,000
매도가능증권평가이익 20,000 매도가능증권처분이익 15,000
※ • 매도가능증권 : (취득시 520,000원 + 기말평가시 40,000원) × 50주 ÷ 100주 = 280,000원
• 매도가능증권평가이익 : 40,000원 × 50주 ÷ 100주 = 20,000원
• 매도가능증권처분이익 : 처분시 275,000원 - 장부가액 280,000원 + 매도가능증권평가이익 20,000원 = 15,000원</td></tr>
</table>

(3) 만기보유증권

만기가 확정된 채무증권으로 상환금액이 확정되었거나 확정이 가능한 채무증권을 만기까지 보유할 적극적인 의도와 능력이 있는 경우의 유가증권을 말한다.

취득시	이론적인 채권의 취득원가는 미래현금흐름을 취득 당시의 시장이자율로 할인한 현재가치로 결정된다. 만기보유증권인 사채의 취득원가는 매입가액(사채의 공정가치)에 취득부대비용을 가산하고 기간 경과분 발생이자가 있는 경우에는 동 금액을 차감하여 결정한다. (차) 만기보유증권 ××× (대) 현금 ×××			
이자수익의 인식	만기보유증권은 보유목적이 장기이므로 이자수익은 유효이자율법을 적용하여 인식한다. (차) 만기보유증권 ××× (대) 이자수익 ×××			
평가시	만기보유증권은 기말에 상각후 취득원가로 평가한다.			

(4) 유가증권의 손상차손 인식

투자목적의 유가증권은 발행한 회사의 파산 등의 이유로 주식 등 회수가능가액이 장부상 금액보다 하락하여 그 회복이 불가능한 경우 차액을 손상차손으로 인식하여야 하며, 당기손익(영업외비용)에 반영한다. 또한, 투자유가증권의 손상차손을 인식한 이후에 회수가능가액이 상승한 경우에는 장기투자증권손상차손환입(영업외수익)으로 계상한다. 단, 단기매매증권은 손상차손을 인식하지 않는다.

손상차손 발생시 : 손상차손 = 투자유가증권의 회수가능가액 - 투자유가증권의 장부금액				
매도가능증권	(차) 장기투자증권손상차손	×××	(대) 매도가능증권평가손실 매도가능증권	××× ×××
만기보유증권	(차) 장기투자증권손상차손	×××	(대) 만기보유증권	×××
손상차손의 회복시 : 손상차손의 환입액 = 회수가능가액 - 감액 후 장부금액				
매도가능증권	(차) 매도가능증권	×××	(대) 장기투자증권손상차손환입	×××
만기보유증권	(차) 만기보유증권	×××	(대) 장기투자증권손상차손환입	×××

(5) 지분법적용투자주식

주식 중 다른 회사에 중대한(유의적인)영향력을 행사할 수 있는 주식으로 투자회사가 피투자회사의 의결권이 있는 주식을 20% 이상 보유하고 지분법으로 평가하는 것을 말한다.

분개연습 | 투자자산

다음 거래에 대하여 분개하시오.

01 3월 10일 　장기투자를 위하여 공장주차장을 매입하면서 취득과 관련된 비용 500,000원을 현금으로 지급하였다.

02 3월 12일 　시장성이 없는 (주)나무가 발행한 보통주 300주(1주 액면가액 5,000원)를 주당 3,000원에 당좌수표를 발행하여 매입하고, 주식매입수수료 30,000원은 현금으로 지급하였다.

03 4월 15일 　3월 12일에 매입한 (주)나무의 주식 중 100주를 1주당 4,000원에 매각처분하고 대금은 현금으로 받아 즉시 당좌예금 계좌로 입금하였다.

04 5월 2일 　(주)스무살의 회사채 100좌(액면가액 1좌당 10,000원, 3년 만기, 표시이자율 10%, 시장이자율 12%)를 1좌당 9,000원에 현금으로 매입하고 회사는 만기까지 보유할 능력과 의사가 충분히 있다.

05 6월 30일 　전년도에 매입하여 만기보유증권으로 분류한 사채에 대한 이자 300,000원이 원천징세액 15.4%를 공제하고 보통예금 계좌에 입금됨을 확인하였다. 원천징수세액은 자산으로 처리하다.

06 12월 31일 　3월 12일에 매입한 (주)나무의 주식 200주(장부가액 620,000원)가 결산일 현재 주당 공정가치는 2,900원으로 평가되었다.

풀이

		차변 계정	금액		대변 계정	금액
01	(차)	투자부동산	500,000	(대)	현금	500,000
02	(차)	매도가능증권	930,000	(대)	당좌예금	900,000
					현금	30,000

※ 300주 × 3,000원 + 주식매입수수료 30,000원 = 930,000원 (매도가능증권)

		차변 계정	금액		대변 계정	금액
03	(차)	당좌예금	400,000	(대)	매도가능증권	310,000
					매도가능증권처분이익	90,000

※ 처분가액 (100주 × 4,000원) - 장부가액 930,000원 × 100주 ÷ 300주 = 90,000원 (처분이익)

		차변 계정	금액		대변 계정	금액
04	(차)	만기보유증권	900,000	(대)	현금	900,000

05	(차) 보통예금	253,800	(대) 이자수익	300,000
	선납세금	46,200		
06	(차) 매도가능증권평가손실	40,000	(대) 매도가능증권	40,000

※ 공정가액 (200주 × 2,900원) - 장부가액 620,000원 = -40,000원 (평가손실)

단원정리문제 투자자산

01 유가증권의 측정에 관한 설명 중 틀린 것은?

① 매도가능증권 중에서 시장성이 없는 지분증권의 공정가치를 신뢰성 있게 측정할 수 없는 경우에는 상각후 원가로 평가한다.
② 만기보유증권은 상각후원가로 평가하여 재무상태표에 표시한다.
③ 단기매매증권과 매도가능증권은 공정가치로 평가한다.
④ 만기보유증권을 상각후 원가로 측정할 때는 상환기간에 걸쳐 유효이자율법에 의한다.

02 기업회계기준에서 유가증권의 보유의도와 보유능력에 변화가 있어 재분류가 필요한 경우의 처리방법을 설명한 것 중 타당한 것은?

① 단기간 내에 매매차익을 목적으로 보유하지 않는 단기매매증권의 경우라도 만기보유증권으로 분류할 수 없다.
② 단기매매증권이 시장성을 상실한 경우에는 매도가능증권으로 재분류 하여야 한다.
③ 매도가능증권은 만기보유증권으로 재분류할 수 있으나 만기보유증권은 매도가능증권으로 재분류할 수 없다.
④ 유가증권의 분류를 변경할 때에는 재분류일 현재의 원가로 변경한다.

03 다음 중 유가증권의 분류에 관한 설명으로 옳지 않은 것은?

① 지분증권을 취득하여 투자기업에 대해 유의적인 영향력을 행사할 수 있게 된 경우에는 지분법적용투자주식으로 분류해야 한다.
② 지분증권을 2년 이내에 처분할 목적으로 취득한 경우에는 단기매매증권으로 분류해야 한다.
③ 채무증권을 만기까지 보유할 목적으로 취득하였으며 실제 만기까지 보유할 능력이 있는 경우에는 만기보유증권으로 분류한다.
④ 채무증권을 장기투자목적으로 취득하였으나 만기까지 보유할 의도는 없다면 매도가능증권으로 분류해야 한다.

04 유가증권과 관련된 기업회계기준의 설명 중 올바르지 않은 것은?

① 매도가능증권은 만기보유증권으로 분류변경할 수 있으며, 만기보유증권은 매도가능증권으로 분류변경할 수 있다.
② 유가증권과목의 분류변경을 할 때에는 분류변경일 현재의 공정가액으로 측정한 후 변경한다.
③ 매도가능증권으로서 보고기간말로부터 1년 내에 처분되어 현금이 회수될 것이 확실한 경우에는 유동자산으로 분류한다.
④ 단기매매증권은 시장성을 상실한 경우에도 매도가능증권으로 분류변경할 수 없다.

05 2020년 11월 10일 동남(주)의 주식 10,000주를 1억원에 취득하고 매도가능증권으로 처리하였다. 2020년 12월 31일 현재 동남(주)의 시가는 주당 8,000원이다. 2021년 7월 28일 보유주식의 50%를 5천만원에 처분하였고, 나머지는 연말까지 보유중이다. 본 거래와 관련하여 2021년 인식할 당기손익은 얼마인가?

① 0원
② 매도가능증권처분이익 10,000,000원
③ 매도가능증권처분손실 10,000,000원
④ 매도가능증권평가손실 10,000,000원

06 다음 자료에 의할 경우, 2021년에 인식할 매도가능증권 처분손익은 얼마인가?

- 2020년 6월 1일 매도가능증권 120주를 주당 60,000원에 취득하였다.
- 2020년 기말 매도가능증권평가손실 1,200,000원(주당 공정가치 50,000원)
- 2021년 5월 1일 120주를 주당 50,000원에 처분하였다.

① 처분이익 2,400,000원
② 처분이익 1,200,000원
③ 처분손실 2,400,000원
④ 처분손실 1,200,000원

07 2021년 1월 1일에 3년 만기보유목적으로 (주)강남의 사채(액면가액 ₩5,000,000)을 4,800,000원에 취득하였다. 사채의 이자지급일은 매년 말이며, 회사사정에 의하여 2021년 6월 30일에 보유하고 있던 사채를 5,200,000원에 매각하였다. 이 거래와 관련하여 2021년 포괄손익계산서상에 보고될 처분손익은 얼마인가?

① 480,000원(손실) ② 480,000원(이익)
③ 400,000원(손실) ④ 400,000원(이익)

정답 및 해설

01	02	03	04	05	06	07
①	②	②	④	①	④	④

01 ① 기업회계기준에서는 시장성 없는 지분증권의 공정가치를 신뢰성 있게 측정할 수 없는 경우에는 취득원가로 평가한다.

02 ② 단기매매증권이 시장성을 상실한 경우에는 매도가능증권으로 재분류 하여야 한다.

03 ② 지분증권을 2년 이내에 처분할 목적으로 취득한 경우에는 매도가능증권으로 분류해야 한다.

04 ④ 시장성을 상실한 단기매매증권은 매도가능증권으로 분류변경한다.

05 ①
- 2020년 12월 31일 장부가액 10,000주 × 8,000원 = 80,000,000원, 매도가능증권평가손실 20,000,000원
- 2021년 7월 28일 처분가액 50,000,000원 - 장부가액 40,000,000원 - 매도가능증권평가손실 10,000,000원 = 0원

∴ 2021년 당기손익은 0원이다.

06 ④

• 2020년 6월	(차) 매도가능증권	7,200,000원	(대) 현금 등	7,200,000원
• 2020년 12월	(차) 매도가능증권평가손실	1,200,000원	(대) 매도가능증권	1,200,000원
• 2021년 5월	(차) 현금등	6,000,000원	(대) 매도가능증권	6,000,000원
	매도가능증권처분손실	1,200,000원	매도가능증권평가손실	1,200,000원

※ 처분시 120주 × (60,000원 - 50,000원) = 1,200,000원 (처분손실)

※ 매도가능증권 처분시 매도가능증권평가손익이 있는 경우 먼저 상계처리한 다음 처분손익을 인식한다.

07 ④

• 취득시 :	(차) 만기보유증권	4,800,000원	(대) 현금등	4,800,000원
• 처분시 :	(차) 현금 등	5,200,000원	(대) 만기보유증권	4,800,000원
			만기보유증권처분이익	400,000원

※ 처분가액 5,200,000원 - 장부가액 4,800,000원 = 400,000원 (처분이익)

02 유형자산

(1) 유형자산의 취득원가

❶ 유형자산의 취득원가

유형자산의 취득원가는 매입(구입)가액과 취득시 소요된 모든 부대비용을 포함한다.

유형자산의 취득원가 = 매입가액 + 취득부대비용*

* 취득부대비용이란 유형자산을 의도했던 대로 사용할 수 있는 상태에 이르기까지 부수적으로 발생한 운반비, 보관비, 시운전비, 취득세 등을 말한다.
* 자가건설 : 건설에 소요된 원가 및 완공시까지 발생하는 모든 비용
* 신축을 위한 구 건물 철거비 등은 토지의 취득원가에 포함한다. 단, 유형자산을 보유하면서 발생하는 자동차세, 재산세 등은 비용(세금과공과 계정)으로 처리한다.

❷ 취득원가의 유형

<table>
<tr><th>구 분</th><th>내 용</th></tr>
<tr><td rowspan="6">건물이 있는 토지를 매입한 경우</td><td>기존 건물을 사용하는 경우 : 시장가치로 안분</td></tr>
<tr><td>당사는 20,000원에 건물과 토지를 구입하고 당좌수표를 발행하여 지급하였다. 취득 당시 건물의 공정가치는 6,000원이며. 토지의 공정가치는 10,000원으로 평가되었다.</td></tr>
<tr><td>(차) 건물 7,500 (대) 당좌예금 20,000
토지 12,500
※ • 건물 : 20,000원 × 6,000원 ÷ 16,000원 = 7,500원
• 토지 : 20,000원 × 10,000원 ÷ 16,000원 = 12,500원</td></tr>
<tr><td>기존 건물을 철거하는 경우 : 토지의 취득원가</td></tr>
<tr><td>본사 건물을 신축하기 위하여 건물 10,000원과 토지 30,000원을 구입한 후 기존 건물 철거비용 3,000원을 포함하여 현금으로 지급하고, 철거시 발생한 부산물은 판매하여 500원을 현금으로 받았다.</td></tr>
<tr><td>(차) 토지 42,500 (대) 현금 42,500
※ 10,000원 + 30,000원 + 3,000원 - 500원 = 42,500원</td></tr>
</table>

<table>
<tr><th>구 분</th><th>내 용</th></tr>
<tr><td rowspan="3">사용중인 건물을 철거하는 경우</td><td>철거 비용은 전액 당기비용으로 처리</td></tr>
<tr><td>공장건물이 노후되어 신축공사를 진행하기로 하고 기존 건물 철거시 비용 1,000원을 현금으로 지급하였다. 회사 장부상 건물의 취득가액은 10,000원이며, 감가상각누계액은 9,000원 계상되어 있다.</td></tr>
<tr><td>(차) 감가상각누계액(건물) 9,000 (대) 건물 10,000
유형자산처분손실 2,000 현금 1,000
※ 기존 건물을 철거하는 경우 감가상각누계액을 먼저 상계처리한 후 나머지에 대하여 유형자산처분손익을 계상한다.</td></tr>
<tr><td rowspan="3">현물출자
(주식교부)</td><td>취득한 자산의 공정가액</td></tr>
<tr><td>주주로부터 건물을 현물출자로 받고 주식 100주를 발행하여 교부하였다. 현물출자에 의하여 취득한 건물의 공정가액은 20,000원이고, 주식의 액면가액은 주당 140원이다.</td></tr>
<tr><td>(차) 건물 20,000 (대) 자본금 14,000
주식발행초과금 6,000
※ • 100주×140원=14,000원(자본금)
• 현물출자인 경우 현물의 공정가액이 주식의 발행가액이 되므로 초과액에 대하여 주식발행초과금 계정으로 처리한다.</td></tr>
<tr><td rowspan="3">증여·무상 취득시</td><td>취득한 자산의 공정가액</td></tr>
<tr><td>2대주주로부터 토지를 무상으로 증여받고 취득세 및 등기비용을 현금으로 500원 지급하였다. 단, 토지의 취득원가는 4,000원이며, 공정가치는 5,000원이다.</td></tr>
<tr><td>(차) 토지 5,500 (대) 자산수증이익 5,000
현금 500</td></tr>
<tr><td rowspan="6">교환 취득시</td><td>이종자산과의 교환 : 제공한 자산의 공정가액 → 처분손익으로 인식</td></tr>
<tr><td>(주)백두는 사용하던 화물차를 (주)설악의 기계장치와 교환하였다. 기존에 사용하던 화물차의 취득원가는 1,000원, 감가상각누계액은 700원, 공정가액은 200원이며, 교환할 기계장치의 공정가액은 300원이다.</td></tr>
<tr><td>(차) 기계장치 200 (대) 차량운반구 1,000
감가상각누계액(차량) 700
유형자산처분손실 100</td></tr>
<tr><td>동종자산과의 교환 : 제공한 자산의 장부가액→ 처분손익으로 인식하지 않음</td></tr>
<tr><td>(주)백두는 사용하던 화물차를 (주)설악의 승용차와 교환하였다. 기존에 사용하던 화물차의 취득원가는 1,000원, 감가상각누계액은 700원, 공정가액은 200원이며, 교환할 승용차의 공정가액은 400원이다.</td></tr>
<tr><td>(차) 차량운반구 300 (대) 차량운반구 1,000
감가상각누계액(차량) 700
※ 취득원가 1,000원 - 감가상각누계액 700원 = 장부가액 300원</td></tr>
</table>

구 분	내 용
국·공채의 구입	**국 · 공채 등을 불가피하게 매입하는 경우 : 매입가액과 공정가액(시가)의 차액 → 취득원가에 포함**
	승용차를 1,000원에 구입하면서 취득세 및 등록비용 100원은 현금으로 납부하였다. 취득과 관련된 공채(공정가치 300원)를 500원에 현금매입하면서 당사는 단기매매증권으로 분류하고자 한다.
	(차) 차량운반구 1,300 (대) 현금 1,600 단기매매증권 300 ※ 구입비 1,000원 + 취득세 등 100원 + 공채차액 200원 = 취득원가 1,300원
건설자금이자 (차입원가의 자본화)	**취득원가에 포함**
	건물을 신축하기 위해 은행으로부터 1천만원을 3년 상환조건으로 차입하고 1년이 지나 이자 500원을 현금으로 납입하였다. 회사는 이자에 대하여 자본화하기로 하다.
	(차) 건설중인자산 500 (대) 현금 500

(2) 자본적 지출과 수익적 지출

자본적 지출	유형자산의 취득 또는 완성후의 지출이 가장 최근에 평가된 성능수준을 초과하여 '미래 경제적 효익을 증가시키는 경우'를 자본적 지출이라 하며, 취득원가에 가산한다. 예) 새로운 생산공정의 채택이나 기계부품의 성능개선을 통하여 생산능력증대, 내용연수 연장, 상당한 원가절감이나 품질향상을 가져오는 경우 • 자산의 가치를 증대시키는 지출(엘리베이터 설치, 냉·난방 설치 등) • 자산의 내용연수를 연장시키는 지출(증축, 개축, 확장 등) • 자산의 능률을 향상시키는 지출(성능개선 등) ➔ 자본적 지출을 수익적 지출로 처리한 경우(자산을 비용으로 처리함에 따른 오류) 자산과소, 자본과소, 비용과대, 이익과소
	공장을 증축하기 위해 20,000원을 현금으로 지급하였다.
	(차) 건물 20,000 (대) 현금 20,000
수익적 지출	유형자산의 수선, 유지를 위한 지출로 해당 자산으로부터 '당초 예상되었던 성능수준을 회복하거나 유지하기 위한 것'을 수익적 지출이라 하며, 비용으로 처리한다. 예) 공장설비에 대한 유지, 보수나 수리를 위한 지출 등 • 자산의 원상복귀를 위한 지출(파손된 유리교체 등) • 자산의 현상유지를 위한 지출(건물의 도색, 자동차 부품교체 등) ➔ 수익적 지출을 자본적 지출로 처리한 경우(비용을 자산으로 처리함에 따른 오류) 자산과대, 자본과대, 이익과대, 비용과소
	사무실 건물에 유리창을 교체하고 1,000원을 현금으로 지급하였다.
	(차) 수선비 1,000 (대) 현금 1,000

(3) 유형자산의 감가상각

감가상각이란 유형자산의 원가를 내용연수에 걸쳐 체계적이고 합리적인 방법으로 각 회계기간에 배분하는 절차를 말한다.

❶ 감가상각비 결정요소

취득원가	자산을 취득하기 위하여 지급한 현금 및 현금성자산 또는 기타 대가의 공정가액
내용연수	자산의 예상 사용기간 또는 자산으로부터 획득할 수 있는 생산량이나 유사한 단위
잔존가액	자산의 내용연수가 종료되는 시점에 그 자산의 예상처분가액에서 예상처분비용을 차감한 금액

❷ 감가상각 방법

감가상각방법		계 산 방 법
직선법	정액법	$\frac{\text{취득원가 - 잔존가액}}{\text{내용년수}}$
가속상각법	정률법	(취득원가 - 감가상각누계액) × 상각률(정률)
	연수합계법	(취득원가 - 잔존가액) × $\frac{\text{잔여내용년수}}{\text{내용연수의 합}}$
비례법	생산량비례법	(취득원가 - 잔존가액) × $\frac{\text{당기 생산량}}{\text{예정 총생산량}}$
	작업시간비례법	(취득원가 - 잔존가액) × $\frac{\text{당기 작업시간}}{\text{예정 총작업시간}}$

TIP

감가상각방법에 따른 가치감소

(1) 정액법 : 매년 정액으로 가치감소

(2) 생산량비례법 : 생산량에 비례하여 가치감소

(3) 체감상각법(정률법, 이중체감법, 연수합계법) : 내용연수 초기에 감가상각비 과대 계상

❸ 감가상각비의 회계처리

<table>
<tr><td rowspan="2">간접법</td><td>당기 감가상각액만큼 평가계정인 감가상각누계액을 설정하여 처리하는 방법</td></tr>
<tr><td>(차) 감가상각비 ××× (대) (자산)감가상각누계액 ×××</td></tr>
<tr><td rowspan="2">직접법</td><td>당기 감가상각액을 해당 유형자산의 장부가액에서 직접 차감하는 방법</td></tr>
<tr><td>(차) 감가상각비 ××× (대) 유형자산 ×××</td></tr>
</table>

(4) 유형자산의 처분

사용중인 유형자산을 처분하는 경우 대변(자산의 감소)에 처분자산의 취득원가를 기입하고, 차변에 처분자산의 차감계정인 감가상각누계액을 기입하며, 차액은 유형자산처분손익(영업외손익)으로 처리한다.

<table>
<tr><th>구 분</th><th>회 계 처 리</th></tr>
<tr><td rowspan="2">처분가액 > 장부가액</td><td>당사는 20,000원에 구입한 건물을 매각하고 거래처의 당좌수표를 수취하였다. 건물의 취득원가 18,000원, 감가상각누계액 1,000원이 장부상 계상되어 있다.</td></tr>
<tr><td>(차) 현금 20,000 (대) 건물 18,000
감가상각누계액(건물) 1,000 유형자산처분이익 3,000
※ 처분가액 20,000원 - 장부가액 (18,000원 - 1,000원) = 3,000원 (처분이익)</td></tr>
<tr><td rowspan="2">처분가액 < 장부가액</td><td>영업부에서 사용중인 승용차를 중고시장에 양도하고 현금 500원을 수령하였다. 승용차의 취득원가는 6,000원, 감가상각누계액은 5,000원이 계상되어 있다.</td></tr>
<tr><td>(차) 현금 500 (대) 차량운반구 6,000
감가상각누계액(차량) 5,000
유형자산처분손실 500
※ 처분가액 500원 - 장부가액 (6,000원 - 5,000원) = -500원 (처분손실)</td></tr>
</table>

(5) 유형자산의 손상차손

유형자산은 시가변동과 관계없이 역사적원가(취득원가)로 평가하는 것이 원칙이다. 그러나 유형자산의 중대한 손상으로 인하여 본질가치가 하락한 경우에는 장부금액을 감액하고 이를 유형자산손상차손으로 즉시 인식해야 한다.

<table>
<tr><th>구 분</th><th>회 계 처 리</th></tr>
<tr><td rowspan="3">손상차손을
인식하는 경우</td><td>유형자산손상차손 = 유형자산장부금액 - Max[① 순매각액, ② 사용가치]</td></tr>
<tr><td>당사는 1월에 업무용 토지를 10,000원에 취득하고 현금으로 지급하였다. 현재 토지의 공정가치는 8,000원으로 하락하여 손상차손을 인식하였다.</td></tr>
<tr><td>(차) 토지손상차손 2,000 (대) 손상차손누계액(토지) 2,000
※ 장부가액 10,000원 - 회수가능액(공정가치) 8,000원 = 2,000원 (손상차손)</td></tr>
<tr><td rowspan="3">손상차손을
환입하는 경우</td><td>손상차손환입액
= Min[① 손상차손을 인식하지 않았을 경우의 장부금액 ② 회수가능가치] - 장부금액</td></tr>
<tr><td>당사의 업무용 토지 장부가액은 10,000원이고 현재 회수가능가치는 12,000원으로 상승하였다.</td></tr>
<tr><td>(차) 손상차손누계액(토지) 2,000 (대) 토지손상차손환입 2,000
※ 회수가능가치 12,000원 - 장부가액 10,000원 = 2,000원 (손상차손환입)</td></tr>
<tr><td rowspan="3">처분시</td><td>유형자산처분손익 = 처분가액 - 장부금액
= 처분가액 - (취득가액 - 감가상각누계액 - 손상차손누계액)</td></tr>
<tr><td>당사의 공장건물을 10,000원에 처분하고 대금은 현금으로 수령하였다. 처분당시 취득원가는 15,000원, 감가상각누계액 3,000원, 손상차손누계액 1,000원이 장부상 계상되었다.</td></tr>
<tr><td>(차) 현금 10,000 (대) 건물 15,000
감가상각누계액(건물) 3,000
손상차손누계액(건물) 1,000
유형자산처분손실 1,000
※ 처분가액 10,000원 - (취득원가 15,000원 - 감가상각누계액 3,000원 - 손상차손누계액 1,000원) = -1,000원 (처분손실)</td></tr>
</table>

(6) 유형자산의 재평가모형

인식시점 이후에는 원가모형이나 재평가모형 중 하나를 회계정책으로 선택하여 유형자산 분류별로 동일하게 적용하며, 최초 인식 후에 공정가치를 신뢰성 있게 측정할 수 있는 유형자산은 재평가일의 공정가치에서 이후의 감가상각누계액과 손상차손누계액을 차감한 재평가금액을 장부금액으로 한다. 재평가는 보고기간말에 자산의 장부금액이 공정가치와 중요하게 차이가 나지 않도록 주기적으로 수행한다.

❶ 재평가시 공정가치

구 분	공 정 가 치
토지·건물	시장에 근거한 증거를 기초로 수행된 평가가치
설비장치·기계장치	감정에 의한 시장가치

❷ 재평가의 회계처리

구 분	회 계 처 리
재평가액 > 장부가액	(주)삼성은 토지를 1월 초에 10,000원에 취득하였으나 기말현재 토지를 재평가한 결과 공정가치는 12,000원으로 상승되었다.
	(차) 토지 2,000 (대) 재평가잉여금 2,000 (기타포괄손익누계액) ※ 재평가액 12,000원 - 장부가액 10,000원 = 2,000원 (재평가잉여금)
재평가액 < 장부가액	(주)삼성은 토지를 1월 초에 10,000원에 취득하였으나 기말현재 토지를 재평가한 결과 공정가치는 9,000원으로 하락되었다.
	(차) 재평가손실 1,000 (대) 토지 1,000 (비용항목) ※ 재평가액 9,000원 - 장부가액 10,000원 = -1,000원 (재평가손실)
처분시	**해당 자산 제거(또는 사용)시 이익잉여금으로 대체**
	당사의 업무용 토지를 11,000원에 처분하고 현금으로 수령하였다. 단, 취득시 원가는 10,000원, 재평가잉여금은 2,000원이 장부상 계상되었다.
	(차) 현금 11,000 (대) 토지 10,000 재평가잉여금 2,000 이익잉여금 2,000 유형자산처분이익 1,000 ※ • 처분가액 11,000원 - 취득원가 10,000원 = 1,000원 (처분이익) • 재평가잉여금이 있는 경우 이익잉여금 계정으로 대체한다.

(7) 정부(국고)보조금

정부보조금이란 국가 또는 지방자치단체가 산업정책적 목적에 따라 시설자금이나 운영자금의 일부를 무상으로 교부하는 것이다.

❶ 상환의무가 없는 경우의 회계처리

㉠ 자산 취득에 사용

<table>
<tr><th>구 분</th><th colspan="4">회 계 처 리</th></tr>
<tr><td rowspan="2">정부보조금 수령</td><td colspan="4">기계장치를 취득하기 위하여 중소기업청으로부터 정부보조금 15,000원을 수령하였다.</td></tr>
<tr><td>(차) 보통예금</td><td>15,000</td><td>(대) 정부보조금
(보통예금 차감)</td><td>15,000</td></tr>
<tr><td rowspan="2">유형자산 취득</td><td colspan="4">정부로부터 보조금 15,000원을 받은 기계장치를 (주)성실기계로부터 20,000원에 구입하고 대금은 보통예금 계좌에서 인출하여 지급하였다.</td></tr>
<tr><td>(차) 기계장치
정부보조금
(보통예금 차감)</td><td>20,000
15,000</td><td>(대) 보통예금
정부보조금
(기계장치 차감)</td><td>20,000
15,000</td></tr>
<tr><td rowspan="4">결산시</td><td colspan="4">올 초에 구입한 기계장치 20,000원의 내용연수는 5년, 잔존가액 0원, 감가상각방법은 정액법으로 감가상각비를 계상하다.</td></tr>
<tr><td>(차) 감가상각비
※ 20,000원 ÷ 5년 = 4,000원</td><td>4,000</td><td>(대) 감가상각누계액</td><td>4,000</td></tr>
<tr><td colspan="4">올 초에 구입한 기계장치의 정부보조금 15,000원의 내용연수는 5년, 감가상각방법은 정액법으로 감가상각비를 계상하다.</td></tr>
<tr><td colspan="4">(차) 정부보조금 3,000 (대) 감가상각비 3,000
* 상계할 정부보조금 = 감가상각비 × $\frac{\text{정부보조금}}{\text{감가상각대상액(취득원가 - 잔존가액)}}$
• 4,000원 × 15,000원 ÷ 20,000원 = 3,000원 (감가상각비)</td></tr>
<tr><td rowspan="3">처분시</td><td colspan="4">유형자산 취득에 사용된 정부보조금은 유형자산 처분시 미환입된 정부보조금 잔액을 유형자산처분손익에서 가감하여 정리한다.</td></tr>
<tr><td colspan="4">정부보조금을 받아 취득한 기계장치를 (주)성실기계에 매각하고 대금 15,000원은 현금으로 수령하였다. 단, 기계장치의 취득원가는 20,000원, 감가상각누계액은 4,000원, 정부보조금 잔액은 12,000원이 계상되어 있다.</td></tr>
<tr><td>(차) 현금
감가상각누계액(기계장치)
정부보조금
(기계장치 차감)</td><td>15,000
4,000
12,000</td><td>(대) 기계장치
유형자산처분이익</td><td>20,000
11,000</td></tr>
</table>

㉡ 기타에 사용한 경우

기타에 사용할 목적으로 정부보조금을 받은 경우 당기의 손익에 반영한다. 회계처리시 대응되는 비용이 없는 경우에는 '영업외수익'으로 처리하고, 특정 비용을 보전할 목적으로 받은 경우에는 특정 비용과 상계 처리한다. 또한, 조건을 충족해야 하는 경우에는 그 조건을 충족하기 전에는 '선수수익' 계정으로 처리한다.

· 판매가격이 제조원가에 미달하는 품목을 국내에서 계속 생산·판매하게 할 목적으로 지급되는 정부보조금은 영업외수익으로 회계처리한다.
· 저가로 수입할 수 있는 원재료를 국내에서 구입하도록 강제하는 경우에 지급되는 기타의 정부보조금은 제조원가에서 차감한다.

❷ 상환의무가 있는 경우

상환의무가 있는 정부보조금은 상환할 금액이 확정된 경우에는 상환할 금액, 확정되지 않은 경우에는 추정액을 '부채'로 계상하고, 향후 상환의무가 소멸되면 '채무면제이익' 계정으로 계상한다.

분개연습 유형자산

다음 거래에 대하여 분개하시오.

01 소망자동차로부터 원재료 운반에 사용할 트럭을 30,000,000원에 10개월 할부로 구매하고 액면금액 1,000,000원 3년만기 공채를 현금으로 매입하였다. 회사는 만기까지 보유할 수 있는 의도와 능력이 충분하다. 구입시 공정가액는 600,000원이다.

02 원재료로 사용하기 위해 구입한 부품(취득원가 700,000원)을 공장의 기계장치를 수리하는데 사용하였다. 수리와 관련된 비용은 수익적 지출로 처리하시오.

03 공장신축을 위해 지난 3년간 소요된 금액은 300,000,000원으로 모두 자산으로 처리(차입금 중 자본화한 이자비용 1,000,000원 포함)하였으며 금일 완공되었다.

04 공장의 기계장치(취득가액 30,000,000원, 감가상각누계액 27,000,000원) 일부를 (주)중고기계에 5,000,000원으로 매각하고 전액 현금으로 회수하였다. 당사는 당기 감가상각비를 고려하지 않기로 하다.

05 결산일에 보유하고 있는 비품에 대하여 감가상각비를 계상하였다.

• 자산명 : 에어컨	• 취득일 : 2021년 5월 3일	• 취득가액 : 10,000,000원
• 내용연수 : 8년	• 잔존가액 없음	• 상각방법 : 정률법(12%)

06 다음과 같이 정부로부터 보조금을 받아 구입한 기계장치에 대하여 감가상각비를 계산하고 회계처리하시오.

- 기계장치 취득원가 : 200,000원(1월 1일 취득)
- 잔존가치 : 40,000원
- 정부보조금 : 150,000원(1월 1일 수령)
- 내용연수 : 5년
- 상각방법 : 정액법

풀이

01 (차) 차량운반구 30,400,000 (대) 미지급금(소망자동차) 30,000,000
만기보유증권 600,000 현금 1,000,000

※ 만기까지 보유할 의도와 능력이 충분한 경우 공정가액을 만기보유증권 계정으로 처리하고 나머지는 차량구입시 부대비용임으로 차량운반구 계정에 포함하여 처리한다.

02 (차) 수선비 700,000 (대) 원재료 700,000

※ 원재료를 수리하고 수익적 지출로 처리한 경우 수선비 계정으로 처리한다.

03 (차) 건물 300,000,000 (대) 건설중인자산 300,000,000

※ 건물 완공시까지 소요된 금액(자본화한 이자비용 포함)은 건설중인자산 계정으로 처리하였다가 건물 계정으로 대체한다.

04 (차) 현금 5,000,000 (대) 기계장치 30,000,000
감가상각누계액(기계장치) 27,000,000 유형자산처분이익 2,000,000

05 (차) 감가상각비 800,000 (대) 감가상각누계액(비품) 800,000

※ • 정률법 계산식 : (취득원가 - 감가상각누계액) × 상각률
• (10,000,000원 - 0원) × 12% × $\frac{8}{12}$ = 800,000원(감가상각비)

06 (차) 감가상각비 32,000 (대) 감가상각누계액 32,000
(차) 정부보조금 30,000 (대) 감가상각비 30,000

※ • 감가상각비 : (200,000원 - 40,000원) ÷ 5년 = 32,000원
• 정부보조금 감가상각비 32,000원 × 150,000원 ÷ (200,000원 - 40,000원) = 30,000원

단원정리문제 유형자산

01 유형자산의 취득원가 구성항목으로 옳지 않은 것은?

① 유형자산 취득과 관련하여 불가피하게 매입하는 국공채의 매입가액
② 설치장소 준비를 위한 지출
③ 취득과 직접 관련이 있는 제세공과금
④ 취득시 소요되는 운반비용

02 다음 중 유형자산과 관련한 설명으로 틀린 것은?

① 상업적 실질이 있는 교환으로 취득한 유형자산의 취득원가는 교환으로 제공한 자산의 장부가액으로 한다.
② 유형자산은 최초에는 취득원가로 측정하며, 현물출자, 증여, 기타 무상으로 취득한 자산의 가액은 공정가치를 취득원가로 한다.
③ 자산의 취득, 건설, 개발에 따른 복구원가에 대한 충당부채는 유형자산을 취득하는 시점에서 해당 유형자산의 취득원가에 반영한다.
④ 정부보조 등에 의해 유형자산을 무상 또는 공정가치보다 낮은 대가로 취득한 경우 그 유형자산의 취득원가는 취득일의 공정가치로 한다.

03 다음 중 유형자산에 대한 설명으로 틀린 것은?

① 유형자산 처분시 장부금액보다 처분금액이 큰 경우 유형자산처분이익으로 회계처리한다.
② 정액법은 취득원가에서 잔존가치를 차감한 금액을 내용연수에 걸쳐 균등하게 배분하는 감가상각방법이다.
③ 유형자산의 내용연수를 증가시키는 자본적 지출이 발생하는 경우에는 당기의 비용으로 처리한다.
④ 유형자산을 외부로부터 구입시 발생하는 취득부대비용은 취득원가에 가산한다.

04 다음 중 유형자산에 대한 설명으로 가장 옳지 않은 것은?

① 유형자산의 취득원가는 당해 자산의 제작원가 또는 매입가액에 취득부대비용을 가산한 가액으로 한다.
② 새로운 건물을 신축하기 위하여 사용 중이던 기존건물을 철거하는 경우에는 기존건물의 장부가액은 새로운 건물의 취득원가에 가산한다.
③ 유형자산의 감가상각은 감가상각대상금액을 그 자산의 내용연수 동안 합리적이고 체계적인 방법으로 각 회계기간에 배분하는 것이다.
④ 제조설비의 감가상각비는 제조원가를 구성하고, 연구개발 활동에 사용되는 유형자산의 감가상각비는 무형자산의 인식조건을 충족하는 자산이 창출되는 경우 무형자산의 취득원가에 포함된다.

05 다음 거래에 따라 재무상태표에 표시될 토지의 장부가액은 얼마인가?

공장을 건설할 목적으로 토지를 940,000원에 구입하였으며, 동 토지의 구입과 관련한 취득세 등 제세공과금 24,000원을 부담하고, 국 · 공채를 86,000원(공정가치 50,000원)에 취득하였다. 동 국 · 공채는 단기매매증권으로 분류하고자 한다.

① 964,000원
② 1,000,000원
③ 1,014,000원
④ 1,050,000원

06 다음은 일반기업회계기준에 따른 유형자산의 취득원가에 대한 설명이다. 가장 잘못된 것은?

① 유형자산의 취득에 사용된 차입금에 대하여 당해 자산의 취득완료시점까지 발생한 이자비용은 자산의 취득원가에 가산함을 원칙으로 한다.
② 유형자산이 정상적으로 작동되는지 여부를 시험하는 과정에서 발생하는 원가는 취득부대비용으로 보아 취득원가에 가산한다.
③ 현물출자, 증여, 기타 무상으로 취득한 자산은 공정가치를 취득원가로 한다.
④ 국고보조금 등에 의해 유형자산을 공정가액보다 낮은 대가로 취득한 경우에도 그 유형자산의 취득원가는 취득일의 공정가액으로 한다.

07 자본적 지출로 처리하여야 할 것을 수익적 지출로 잘못 회계처리한 경우 재무제표에 미치는 영향으로 옳지 않은 것은?

① 당기순이익이 과소 계상된다.
② 현금 유출액에는 영향을 미치지 않는다.
③ 자산이 과소 계상된다.
④ 자본이 과대 계상된다.

08 **정부보조금에 대한 다음 설명 중 틀린 것은?**

① 정부보조금은 보조금을 수취할 것이라는 확신이 없어도 정부보조금에 부수되는 조건을 준수할 것이라면 인식할 수 있다.
② 수익관련보조금이란 자산관련보조금 이외의 정부보조금을 말한다.
③ 수익관련보조금을 받는 경우에는 당기의 손익에 반영한다.
④ 자산관련 정부보조금으로 취득한 자산을 처분할 경우에는 감가상각액과 상계하고 남은 정부보조금 잔액을 해당 자산의 처분손익에 차감 또는 가산하는 방식으로 회계처리하여야 한다.

09 **다음 중 감가상각대상 자산이 아닌 것은?**

① 일시적으로 사용중지 상태인 기계장치
② 금융리스로 이용중인 차량운반구
③ 할부로 구입하여 사용중인 비품
④ 사옥으로 이용하기 위해 건설중인 건물

10 **자산의 내용연수를 결정할 때 고려요인이 아닌 것은?**

① 리스계약의 만료일 등 자산의 사용에 대한 법적 또는 계약상의 제한
② 자산의 예상생산능력을 토대로 한 자산의 예상 사용수준
③ 생산라인의 교체빈도, 수선 등의 관리수준을 고려한 자산의 물리적 마모나 손상
④ 제품시장의 급격한 소비자선호도 변화

11 **다음 중 유형자산의 감가상각에 관한 설명으로 틀린 것은?**

① 유형자산의 감가상각대상금액은 내용연수에 걸쳐 합리적이고 체계적인 방법으로 배분한다.
② 유형자산의 감가상각은 자산을 구입한 때부터 즉시 시작한다.
③ 유형자산의 감가상각방법은 자산의 경제적효익이 소멸되는 형태를 반영한 합리적인 방법이어야 한다.
④ 유형자산의 내용연수는 자산으로부터 기대되는 효용에 따라 결정된다.

12 유형자산의 감가상각방법 중 정액법, 정률법 및 연수합계법 각각에 의한 3차년도 말 감가상각비가 큰 금액부터 나열한 것은?

• 기계장치 취득원가 : 1,000,000원(1월 1일 취득)	• 내용연수 : 5년
• 잔존가치 : 취득원가의 10%	• 정률법 상각률 : 0.4

① 정률법 〉 정액법 = 연수합계법
② 정률법 〉 연수합계법 〉 정액법
③ 연수합계법 〉 정률법 〉 정액법
④ 연수합계법 = 정액법 〉 정률법

13 (주)채원은 2021년 7월 1일, 회사 대주주로부터 공정가치 200,000,000원인 건물을 수증받았다. 동 건물의 내용년수는 20년, 잔존가치는 없고 상각방법은 정액법, 월할상각한다. 수증받은 건물과 관련한 회계처리로 인하여 2021년도 당기손익에 영향을 주는 금액은?

① 190,000,000원
② 195,000,000원
③ 200,000,000원
④ 210,000,000원

14 다음 중 일반기업회계기준상 유형자산의 감가상각에 대한 설명으로 틀린 것은?

① 감가상각비는 다른 자산의 제조와 관련된 경우에는 관련 자산의 제조원가로, 그 밖의 경우에는 당기비용으로 계상한다.
② 유형자산의 잔존가액이 중요할 것으로 예상되는 경우에는 자산의 취득시점에서 잔존가액을 추정한 후 물가변동에 따라 이를 수정하여야 한다.
③ 감가상각방법은 매기 회계연도말에 재검토한다.
④ 유형자산의 내용연수는 적어도 매회계연도말에 재검토 한다. 재검토결과 추정치가 종전 추정치와 다르다면 회계추정의 변경으로 회계처리한다.

15 신규로 취득한 건물에 대하여 회사는 정액법을 사용하여 감가상각비를 계상하고자 한다. 그러나 담당자의 실수로 정률법을 사용하여 회계처리하였다면 기말 재무제표에 미치는 영향을 올바르게 표현한 것은?

	건물의 장부가액	당기순이익	감가상각비
①	과대계상	과대계상	과대계상
②	과대계상	과소계상	과소계상
③	과소계상	과대계상	과소계상
④	과소계상	과소계상	과대계상

정답 및 해설

01	02	03	04	05	06	07	08	09	10	11	12	13	14	15
①	①	③	②	②	①	④	①	④	④	②	④	②	②	④

01 ① 불가피하게 취득한 국공채의 경우에는 매입가액과 공정가치와의 차액이 취득원가에 가산된다.

02 ① 상업적 실질이 없는 자산의 교환으로 취득한 유형자산의 취득원가는 교환을 위하여 제공한 자산의 공정가치로 한다.

03 ③ 자본적지출은 감가상각을 통해 내용연수 동안 비용처리 한다.

04 ② 새로운 건물을 신축하기 위하여 사용 중이던 기존건물을 철거하는 경우 기존건물의 장부가액은 제거하여 처분손실로 반영하고, 철거비용은 전액 당기비용으로 처리한다.

05 ② 토지의 취득원가 = 940,000원 + 24,000원 + (86,000원 - 50,000원) = 1,000,000원

06 ① 차입원가는 기간비용 처리함을 원칙으로 한다. 자본화대상자산에 해당될 경우 취득원가에 산입할 수 있다.

07 ④ 자산을 비용으로 계상하게 되면 자산과 당기순이익이 과소 계상되고, 자본이 과소 계상 된다. 현금 유출액에는 영향을 미치지 않는다.

08 ① • 정부보조금은 다음 모두에 대한 합리적인 확신이 있을 때 인식한다.
• 정부보조금에 부수되는 조건을 준수할 것, 보조금을 수취할 것

09 ④ 건설중인 자산은 완공시까지 감가상각을 할 수 없다.

10 ④ 소비자 선호도 변화와는 관계없다.

11 ② 유형자산의 감가상각은 자산이 사용가능한 때부터 시작한다. 즉, 경영진이 의도하는 방식으로 자산을 가동하는 데 필요한 장소와 상태에 이른 때부터 시작한다.

12 ④ • 3차년도말 감가상각비 정률법 144,000원 = (1,000,000원 - 400,000원 - 240,000원) × 0.4
• 3차년도말 감가상각비 연수합계법 180,000원 = (1,000,000원 - 100,000원) × 3/15
• 3차년도말 감가상각비 정액법 180,000원 = (1,000,000원 - 100,000원) × 1/5

13 ② • 7월 1일 : (차) 건물 200,000,000 (대) 자산수증이익 200,000,000
• 12월 31일 : (차) 감가상각비 5,000,000 (대) 감가상각누계액 5,000,000
• 감가상각비 : 200,000,000원 × 6개월 ÷ 12개월 ÷ 20년 = 5,000,0000원
∴ 자산수증이익 200,000,000원 - 감가상각비 5,000,000원 = 195,000,000원

14 ② 물가변동과 관계없다.

15 ④ 정액법보다 감가상각비를 많이 계상하므로 이익이 적고 건물의 장부금액도 적게 표시된다.

03 무형자산

무형자산은 일반적으로 물리적 실체가 없는 자산으로 재화의 생산, 용역의 제공, 타인에 대한 임대 또는 관리에 사용할 목적으로 기업이 보유, 식별이 가능, 기업이 통제, 미래 경제적효익이 있는 비화폐성자산을 말한다.

(1) 무형자산의 종류

<table>
<tr><td>영업권</td><td>기업회계기준에서는 사업결합 등 외부에서 취득한 영업권만 인정하고, 내부에서 창출된 영업권은 인정하지 않는다.</td></tr>
<tr><td>개발비</td><td>특정 신제품 또는 신기술개발과 관련한 비용으로 미래의 경제적효익을 기대할 수 있는 것에 한한다.

무형자산으로 계상하기 위한 요건
① 무형자산을 완성시킬 수 있는 기술적 실현가능성을 제시할 수 있다.
② 무형자산을 완성하여 사용 또는 판매할 의도가 있다.
③ 완성된 무형자산을 사용 또는 판매할 수 있는 능력을 제시할 수 있다.
④ 무형자산이 어떻게 미래 경제적효익을 창출할 것인가를 보여줄 수 있다.
⑤ 무형자산의 개발을 완료하고 그것을 사용 또는 판매하는 데 필요한 금전적, 기술적 자원을 충분히 확보하고 있다는 사실을 제시할 수 있다.
⑥ 개발단계에서 발생한 무형자산 관련 지출을 신뢰성 있게 구분하여 측정할 수 있다.

• 연구단계 : 연구비(판)
• 개발단계 : 인식기준 충족시 '개발비', 인식기준 불충족시 '경상연구개발비'</td></tr>
<tr><td>광업권</td><td>광구에서 광물을 독점적, 배타적으로 채굴할 수 있는 권리</td></tr>
<tr><td>어업권</td><td>일정 수면에서 어업을 경영할 수 있는 권리</td></tr>
<tr><td>산업재산권</td><td>특허권 · 실용신안권 · 의장권 · 상표권 등의 법률적 권리</td></tr>
<tr><td>소프트웨어</td><td>• 외부에서 구입하면 소프트웨어 계정
• 자체 개발하면 개발비 계정</td></tr>
<tr><td colspan="2">저작권, 프랜차이즈, 라이센스 등</td></tr>
</table>

(2) 무형자산의 취득

무형자산을 개별적으로 취득할 경우에는 매입가격에 매입 부대비용을 가산한 금액을 취득원가로 한다.

(3) 무형자산의 상각

❶ 무형자산의 상각기간은 독점적, 배타적인 권리를 부여하고 있는 관계법령이나 계약에 정해진 경우를 제외하고는 20년을 초과할 수 없으며 상각은 자산이 사용가능한 때부터 시작한다.

❷ 무형자산의 상각방법에는 정액법, 체감잔액법(정률법 등), 연수합계법, 생산량비례법 등이 있으며, 기업이 합리적인 상각방법을 정할 수 없는 경우에는 정액법을 사용하도록 되어 있다. 다만, 영업권에 한하여 정액법만을 허용한다.

❸ 무형자산의 잔존가액은 없는 것을 원칙으로 한다.

❹ 무형자산의 상각은 취득원가에서 상각액을 직접 차감한다.(직접법)

(차) 무형자산상각비	×××	(대) 무형자산	×××

(4) 무형자산의 손상차손

자산의 진부화 및 시장가치의 급격한 하락 등으로 인하여 무형자산의 회수가능성이 장부에 미달하고 그차액이 중요한 경우 손상차손을 설정한다. 단, 회복시 장부가액을 초과할 수 없다.

(차) 무형자산손상차손	×××	(대) 무형자산	×××

04 기타 비유동자산

기타비유동자산이란 투자자산, 유형자산, 무형자산에 속하지 않는 비유동자산으로서 투자수익을 얻을 수 없고, 다른 자산으로 분류하기 어려운 자산을 말하며, 전세권, 임차보증금, 영업보증금, 장기매출채권, 장기미수금, 이연법인세자산 등이 이에 속한다.

단원정리문제 무형자산

01 다음 중 일반기업회계기준의 무형자산에 속하지 않는 것은?

① 산업재산권 ② 저작권
③ 라이선스와 프랜차이즈 ④ 임차보증금

02 다음 무형자산의 상각과 관련한 설명 중 옳지 않은 것은?

① 무형자산의 상각방법에는 정액법, 체감잔액법(정률법 등), 연수합계법, 생산량비례법 등이 있다.
② 무형자산을 사용하는 동안 내용연수에 대한 추정이 적절하지 않다는 것이 명백해진다 할지라도 상각기간은 변경할 수 없다.
③ 무형자산의 잔존가치는 없는 것을 원칙으로 한다.
④ 중소기업기본법에 의한 중소기업의 경우 무형자산의 내용연수 및 잔존가치의 결정을 법인세법의 규정에 따를 수 있다.

03 다음 중 무형자산에 대한 설명으로 틀린 것은?

① 무형자산을 창출하기 위한 내부 프로젝트를 연구단계와 개발단계로 구분할 수 없는 경우에는 그 프로젝트에서 발생한 지출은 모두 연구단계에서 발생한 것으로 본다.
② 무형자산의 공정가치가 증가하면 그 공정가치를 반영하여 상각한다.
③ 합리적인 상각방법을 정할 수 없는 경우에는 정액법을 사용한다.
④ 무형자산의 잔존가치는 없는 것을 원칙으로 한다.

04 무형자산에 대한 설명으로 틀린 것은?

① 무형자산의 상각기간은 독점적·배타적 권리를 부여하고 있는 관계 법령이나 계약에 정해진 경우를 제외하고는 20년을 초과할 수 없다.
② 내부적으로 창출한 영업권의 경우, 미래 경제적효익을 창출할 수 있다면 자산으로 인식할 수 있다.
③ 무형자산의 합리적인 상각방법을 정할 수 없는 경우에는 정액법을 사용한다.
④ 무형자산의 잔존가치는 없는 것을 원칙으로 한다.

05 다음 중 무형자산에 대한 설명으로 옳은 것은?

① 무형자산의 상각대상금액을 내용연수 동안 합리적으로 배분하기 위해 다양한 방법을 사용할 수 있다.

② 무형자산이 법적권리인 경우 법적 권리기간이 경제적 내용연수보다 긴 기간이면 법적 권리기간 동안 상각한다.

③ 내부적으로 창출된 영업권의 경우 그 금액을 합리적으로 추정할 수 있는 경우에는 무형자산으로 인식할 수 있다.

④ 연구단계에서 발생한 지출은 모두 발생 즉시 비용으로 인식하며, 개발단계에서 발생한 지출은 모두 무형자산으로 인식한다.

정답 및 해설

01	02	03	04	05
④	②	②	②	①

01 ④ 임차보증금은 비유동자산 중 기타 비유동자산이다.

02 ② 무형자산을 사용하는 동안 내용연수에 대한 추정이 적절하지 않다는 것이 명백해지는 경우에는 상각기간의 변경이 필요할 수 있다.(중략) 이러한 지표가 존재한다면 기업은 종전의 추정치를 재검토해야 하며 최근의 기대와 달라진 경우 잔존가치, 상각방법 또는 상각기간을 변경한다.

03 ② 무형자산의 공정가치가 증가하더라도 상각은 취득원가에 기초한다.

04 ② 내부적으로 창출한 영업권은 원가를 신뢰성 있게 측정할 수 없을 뿐만 아니라 기업이 통제하고 있는 식별가능한 자원도 아니기 때문에 자산으로 인식하지 않는다.

05 ①
- 무형자산의 상각대상금액을 내용연수 동안 합리적으로 배분하기 위해 다양한 방법을 사용할 수 있다. 이러한 상각방법에는 정액법, 체감잔액법(정률법 등), 연수합계법, 생산량비례법 등이 있다. 다만, 합리적인 상각방법을 정할 수 없는 경우에는 정액법을 사용한다.
- 법적 권리기간과 경제적 내용연수 중 보다 짧은 기간 동안 상각한다.
- 내부적으로 창출된 영업권은 무형자산으로 인식할 수 없다.
- 개발단계에서 발생한 지출 중 일정한 요건을 충족시키는 경우에만 무형자산으로 인식한다.

제 4 절

부채 계정과목별 분류하기

01 유동부채

부채란 기업이 과거의 거래나 사건의 결과로 인해 미래에 다른 기업에게 지급해야할 의무를 말하며 1년을 기준으로 유동부채와 비유동부채로 구분한다.

유동부채란 재무상태표일로부터 1년 이내에 만기가 도래되는 채무로서 매입채무(외상매입금, 지급어음), 단기차입금, 미지급금, 선수금, 예수금, 가수금, 미지급비용, 미지급세금, 선수수익 등이 포함된다.

(1) 외상매입금

구분	회계처리			
발생시	강원상사로부터 제품생산에 필요한 원재료 500,000원을 외상으로 구입하다.			
	(차) 원재료	500,000	(대) 외상매입금	500,000
반품시	원재료에 하자가 발생하여 50,000원을 거래처에 반품하고 외상대금과 상계처리하기로 협의하였다.			
	(차) 외상매입금	50,000	(대) 원재료(매입환출및에누리)	50,000
상환시	원재료에 대한 강원상사의 외상대금 450,000원을 현금으로 지급하였다.			
	(차) 외상매입금	450,000	(대) 현금	450,000

(2) 지급어음

구 분	회 계 처 리			
발생시	제품생산에 필요한 원재료 500,000원을 매탄상사로 부터 구입하고 전자어음을 발행하여 지급하였다.			
	(차) 원재료	500,000	(대) 지급어음	500,000
결제시	매탄상사에 발행하였던 전자어음 500,000원이 금일 만기되어 당좌예금 계좌에서 결제됨을 거래은행으로부터 통지를 받았다.			
	(차) 지급어음	500,000	(대) 당좌예금	500,000

TIP

① 매입채무 : 외상매입금과 지급어음의 통합계정

② 원재료 구입시 어음을 발행한 경우 : 지급어음

③ 기계장치 등 구입시 어음을 발행한 경우 : 미지급금

④ 금전 차입시 어음을 발행한 경우 : 단기차입금

(3) 단기차입금

만기가 1년 이내로 현금을 차입한 경우 단기차입금 계정 대변에 기입한다. (만기가 1년 이내로 현금을 빌려준 경우 단기대여금 계정으로 처리한다)

구 분	회 계 처 리			
발생시	국민은행으로부터 현금 2,000,000원을 10개월에 상환하는 조건으로 대출하였다.			
	(차) 현금	2,000,000	(대) 단기차입금	2,000,000
이자지급시	차입금에 대한 이자 30,000원을 현금으로 지급하였다.			
	(차) 이자비용	30,000	(대) 현금	30,000

(4) 선수금

상품, 제품 등의 매출을 위하여 계약금을 미리 받은 경우 선수금 계정 대변에 기입한다. (매입하기로 하고 계약금을 지급한 경우 선급금 계정으로 처리한다)

구 분	회 계 처 리
발생시	제품을 판매하기로 계약을 체결하고 계약금 500,000원을 현금으로 받았다. (차) 현금 500,000 (대) 선수금 500,000
매출시 선수금정리	판매 계약한 제품 3,000,000원을 발송하고 계약금 500,000원을 차감한 잔액은 1개월 후에 받기로 하였다. (차) 선수금 500,000 (대) 제품매출 3,000,000 외상매출금 2,500,000

(5) 미지급금

일반적으로 재고자산 이외의 자산을 구입하고 대금을 나중에 지급하기로 한 경우 미지급금 계정 대변에 기입한다. (재고자산이외의 물품을 판매하고 대금을 나중에 받기로 한 경우 미수금 계정으로 처리한다)

구 분	회 계 처 리
발생시	공장에 필요한 기계장치 1,000,000원을 마수리기계로부터 구입하고 전자어음을 발행하여 지급하였다. (차) 기계장치 1,000,000 (대) 미지급금 1,000,000
상환시	미지급한 업무용 승용차의 구입대금 300,000원을 보통예금 계좌에서 인출하여 지급하였다. (차) 미지급금 300,000 (대) 보통예금 300,000

(6) 예수금

예수금이란 일반적으로 상거래 이외에서 발생한 일시적 예수액을 말하며, 종업원에게 급여를 지급시 원천징수한 소득세, 지방소득세, 국민연금, 건강보험료 등 일시적으로 보관하는 경우 채무인 부채(예수금) 계정으로 계상하였다가 납부시 이를 상계처리한다.

구분	회계처리			
발생시	종업원에게 급여 2,000,000원을 지급함에 있어 소득세와 지방소득세 66,000원을 차감한 잔액은 보통예금 계좌에서 지급하였다.			
	(차) 급여	2,000,000	(대) 예수금 보통예금	66,000 1,934,000
납부시	지난달 급여 지급시 원천징수한 소득세와 지방소득세 66,000원을 현금으로 납부하였다.			
	(차) 예수금	66,000	(대) 현금	66,000

(7) 가수금

현금의 수입은 있었으나 금액과 계정과목이 확정되지 않은 경우 일시적으로 처리하는 가계정인 가수금 계정 대변에 기입한다. (금액과 계정과목이 확정되지 않은 지출은 가계정인 가지급금 계정으로 처리한다)

구분	회계처리			
발생시	부산에 출장중인 종업원으로부터 내용불명의 금액 500,000원이 보통예금 통장에 입금되었다.			
	(차) 보통예금	500,000	(대) 가수금	500,000
가수금 정리	출장을 다녀온 종업원으로부터 가수금 500,000원의 내역을 다음과 같이 보고 받았다. (외상매출금 회수액 350,000원 제품주문대금 150,000원)			
	(차) 가수금	500,000	(대) 외상매출금 선수금	350,000 150,000

(8) 유동성장기부채

장기차입금 등 비유동부채로 분류하였던 항목을 보고기간 종료일로부터 1년 이내에 만기가 도래하는 부채를 유동부채로 재분류하는 항목이다.

구분	회계처리			
발생시	미래은행으로부터 5년 상환조건으로 5,000,000원을 차입하고 보통예금 계좌로 송금받았다.			
	(차) 보통예금	5,000,000	(대) 장기차입금	5,000,000
재분류	결산일 현재 차기에 상환기일이 도래하는 장기차입금 3,000,000원을 회사는 상환할 예정이다.			
	(차) 장기차입금	3,000,000	(대) 유동성장기부채	3,00000

분개연습 | 유동부채

다음 거래에 대하여 분개하시오.

01 (주)동산으로부터 원재료 8,000,000원을 매입하고 대금 중 4,000,000원은 전자어음을 발행하여 지급하였고 나머지는 외상으로 하였다.

02 만물전자에 외상대금을 상환하기 위해 발행한 약속어음 2,000,000원이 만기되어 당사 거래은행의 당좌예금 계좌에서 결제되었음이 통지받았다.

03 랜드마트로부터 사무실에서 사용할 공기청정기 1대를 2,200,000원에 구입하고 대금 중 200,000원은 현금으로 지급하고 잔액은 외상으로 하였다.

04 소망자동차로부터 구입한 승용차의 5월분 할부금 800,000원을 보통예금 계좌에서 거래처 신한은행 계좌로 이체하여 지급하였다.

05 (주)부평상사에 제품 5,000,000원을 판매하고 대금은 계약금 500,000원을 차감하고 나머지는 당좌예금 계좌로 송금받았다.

06 회사 운영자금의 부족으로 인해 신한은행으로부터 50,000,000원을 6개월 상환조건으로 차입하여 보통예금 계좌로 입금받았다.

07 다음과 같이 7월분 영업부 직원 급여를 당사의 보통예금 계좌에서 지급하였다.

직종구분	급여총액	근로소득세 등 공제액 합계	차인지급액
영업부	5,000,000원	270,000원	4,730,000원

08 7월에 원천징수한 근로소득세 120,000원와 이자소득세 275,000원을 은행에 현금으로 납부하였다.

09 제추출장 간 영업부 직원 임지수는 500,000을 보통예금 계좌로 보내왔으나 원인을 알 수 없어 임시계정으로 처리하였다.

10 출장에서 돌아온 직원에 의하여 가수처리 하였던 500,000원은 (주)부평상사로부터 제품판매계약을 체결하고 받은 계약금이라고 보고받아 처리하였다.

11 전기말 항생은행으로부터 차입한 장기차입금 중 50,000,000원은 2022년 3월 20일 만기가 도래하고 회사는 이를 상환할 계획이다.

풀이

번호		차변 계정	금액		대변 계정	금액
01	(차)	원 재 료	8,000,000	(대)	지급어음((주)동산)	4,000,000
					외상매입금((주)동산)	4,000,000
02	(차)	지급어음(만물전자)	2,000,000	(대)	당 좌 예 금	2,000,000
03	(차)	비 품	2,200,000	(대)	현 금	200,000
					미지급금(랜드마트)	2,000,000
04	(차)	미지급금(소망자동차)	800,000	(대)	보 통 예 금	800,000
05	(차)	선수금((주)부평상사)	500,000	(대)	제 품 매 출	5,000,000
		당 좌 예 금	4,500,000			
06	(차)	보 통 예 금	50,000,000	(대)	단기차입금(신한은행)	50,000,000
07	(차)	급 여	5,000,000	(대)	예 수 금	270,000
					보 통 예 금	4,730,000

※ 급여지급시 원천징수한 근로소득세 등은 대변에 예수금 계정으로 처리하였다가 납부시 차변으로 반제 처리한다.

번호		차변 계정	금액		대변 계정	금액
08	(차)	예 수 금	395,000	(대)	현 금	395,000
09	(차)	보 통 예 금	500,000	(대)	가 수 금	500,000
10	(차)	가 수 금	500,000	(대)	선수금((주)부평상사)	500,000

※ 계약금을 미리 받은 경우 선수금 계정으로 처리하였다가 판매한 시점에서 정리한다.

번호		차변 계정	금액		대변 계정	금액
11	(차)	장기차입금(항생은행)	50,000,000	(대)	유동성장기부채(항생은행)	50,000,000

02 비유동부채

(1) 사채

사채란 주식회사가 장기간 자금을 조달하기 위하여 회사가 계약에 따라 일정기간동안 일정한 이자를 지급하고, 일정한 시기에 원금을 상환할 것을 약속하고 자금을 차입한 채무로서, 일반적으로 사채의 권면에는 사채의 액면가액, 표시이자율, 이자지급일, 상환일, 상환방법 등이 기재되어 있으며, 사채를 발행한 회사는 사채를 보유한 사채권자에게 조건에 따른 이자 및 원금을 지급한다.

TIP

사채의 발행

- 사채의 발행총액은 재무상태표에 의하여 회사에 현존하는 순자산의 4배를 초과하여 발행할 수 없으며, 사채 1좌의 액면금액은 10,000원 이상이어야 한다.
- 사채의 발행가액 = 만기일에 지급할 원금의 현재가치 + 미래이자 지급액의 현재가치

❶ 사채의 발행

사채의 발행가액은 사채의 액면이자율(표시이자율)과 시장이자율에 따라 다음과 같이 발행된다.

발행방법	발행 내용	비 고
액면발행	액면금액 = 발행가액 액면이자율 = 시장이자율	
할인발행	액면금액 > 발행가액 액면이자율 < 시장이자율	• 차액은 사채할인발행차금 계정표시
할증발행	액면금액 < 발행가액 액면이자율 > 시장이자율	• 차액은 사채할증발행차금 계정표시

※ 사채할인발행차금 및 사채할증발행차금은 사채발행부터 최종 상환시까지 기간에 걸쳐 유효이자율법을 적용하여 상각 또는 환입하며, 사채할인(할증)발행차금 상각액은 사채이자에 가산하거나 차감한다.

TIP

이자율의 종류

① 액면이자율 : 사채 권면에 표시된 이자율(= 표시이자율)

② 시장이자율 : 사채 발행시점에 시장에서 형성되어 있는 은행이자율

③ 유효이자율 : 사채 발행가액과 사채의 미래현금흐름의 현재가치를 일치시키는 내부수익율

㉠ 액면발행

사채의 액면발행이란 사채의 액면이자율과 시장이자율이 같은 경우, 사채의 발행가격이 액면가격과 같은 경우를 말한다.

구분	회계처리
사채발행	사채액면 총액 5,000,000원을 액면가액으로 발행하고 납입금은 당좌예금 계좌에 입금하였다. (상환기간 3년, 액면이자 10%, 시장이자 10%)
	(차) 당좌예금 5,000,000 (대) 사채 5,000,000
사채이자	위 사채에 대한 이자 500,000원을 현금으로 지급하였다.
	(차) 이자비용 500,000 (대) 현금 500,000

㉡ 할인발행

사채의 할인발행이란 사채의 액면이자율이 시장이자율보다 낮은 경우, 사채를 액면가격보다 낮은 가격으로 발행하는 것을 말한다.

구분	회계처리
사채발행	사채액면 총액 5,000,000원을 4,877,800원에 발행하고 납입금은 당좌예금 계좌에 입금하였다.(상환기간 3년, 액면이자 10%, 시장이자 11%)
	(차) 당좌예금 4,877,800 (대) 사채 5,000,000 사채할인발행차금 122,200 ※ 사채 액면가액과 발행가액과의 차액은 사채할인발행차금 계정 차변에 기입한다.
1차년도 사채이자	사채에 대한 이자를 500,000원을 현금으로 지급하였다. 단, 사채할인발행차금 상각액*은 36,558원이다.
	(차) 이자비용 536,558 (대) 현금 500,000 사채할인발행차금 36,558 * 상각액 : (사채 장부가액 × 유효(시장)이자율) - (사채액면가액 × 액면이자율) 4,877,800원 × 11% - 5,000,000원 × 10% = 36,558원
2차년도 사채이자	사채에 대한 이자를 500,000원을 현금으로 지급하였다. 단, 사채할인발행차금 상각액은 40,579원이다.
	(차) 이자비용 540,579 (대) 현금 500,000 사채할인발행차금* 40,579 * 4,914,358원 × 11% - 5,000,000원 × 10% = 40,579원
3차년도 사채이자 및 상환	사채에 대한 원금 5,000,000과 이자를 500,000원 현금으로 상환하였으며. 사채할인발행차금 상각액은 45,063원이다.
	(차) 사채 5,000,000 (대) 현금 5,500,000 이자비용 545,063 사채할인발행차금 45,063

㉢ 할증발행

사채의 할증발행이란 할인발행과 반대로 사채의 액면이자율이 시장이자율보다 높은 경우, 사채를 액면가격 보다 높은 가격으로 발행하는 것을 말한다.

구분	회계처리
사채발행	사채액면 총액 5,000,000원을 5,126,550원에 발행하고 납입금은 당좌예금 계좌에 입금하였다.(상환기간 3년, 액면이자 10%, 시장이자 9%)
	(차) 당좌예금 5,126,550 (대) 사채 5,000,000 사채할증발행차금 126,550 ※ 사채 액면가액과 발행가액과의 차액은 사채할증발행차금 계정 대변에 기입한다.
1차년도 사채이자	사채에 대한 이자를 500,000원을 현금으로 지급하였다. 단, 사채할증발행차금 상각액*은 38,610원이다.
	(차) 이자비용 461,390 (대) 현금 500,000 사채할증발행차금 38,610 * 상각액 : (사채액면가액 × 액면이자율) - (사채 장부가액 × 유효(시장)이자율) 5,000,000원 × 10% - 5,126,550원 × 9% = 38,610원
2차년도 사채이자	사채에 대한 이자를 500,000원을 현금으로 지급하였다. 단, 사채할증발행차금 상각액은 42,085원이다.
	(차) 이자비용 457,915 (대) 현금 500,000 사채할증발행차금* 42,085 * 5,000,000원 × 10% - 5,087,940원 ×9% = 42,085원
3차년도 사채이자 및 상환	사채에 대한 원금 5,000,000과 이자를 500,000원 현금으로 상환하였으며. 사채할증발행차금 상각액은 45,855원이다.
	(차) 사채 5,000,000 (대) 현금 5,500,000 이자비용 454,145 사채할증발행차금 45,855

❷ 사채발행비의 회계처리

사채발행비란 사채를 발행하기 위하여 직접 발생한 제비용(사채권인쇄비, 광고비, 사채발행 수수료 등)을 말하며, 사채발행비는 사채발행으로 인해 조달된 자금을 감소시키는 효과가 있으므로 사채할인발행차금에 가산하거나 사채할증발행차금에서 차감하여야 한다.

❸ 결산처리

사채발행에 따라 사채할증발행차금과 사채할인발행차금을 유효이자율법에 따라 상각하고 상각액은 이자비용으로 계상한다.

상각액의 계산	① 액면이자 = 액면가액 × 액면이자율 ② 유효이자 = 발행가액 × 유효이자율 ③ 상각액 = 액면이자와 유효이자의 차액
회계처리	* 사채할인발행차금 ➔ 이자비용에 가산하고 상각한다. * 사채할증발행차금 ➔ 이자비용에서 차감하고 상각한다.

④ 사채의 상환

만기상환	만기일에 액면금액으로 상환한다.
조기상환	만기일전에 공정가액으로 상환한다.
차액	사채상환이익 또는 사채상환손실로 처리한다.

분개연습 사채

■ 다음 거래에 대하여 분개하시오.

01 회사는 자금운용을 위하여 3년 만기 사채(액면총액 10,000,000원)를 액면금액으로 발행하고 납입금은 신한은행에 당좌예입하였다.

02 회사는 자금운용을 위하여 3년 만기 사채(액면총액 10,000,000원)를 10,300,000원에 발행하고, 사채발행수수료 200,000원을 제외한 잔액은 전액 보통예금 계좌에 입금되었다.

03 회사는 자금운용을 위하여 3년 만기 사채(액면총액 10,000,000원)를 9,600,000원에 발행하고 납입금은 보통예금 계좌로 입금받고 사채발행비 200,000원은 현금으로 지급하였다.

04 1월 1일 장기적인 자금운영을 목적으로 사채를 다음과 같이 할인발행하고 사채발행비를 공제한 실수금을 당좌예금 계좌로 입금하였다.

- 사채발행일 : 2021년 1월 1일
- 만기일 : 2023년 12월 31일
- 액면가액 : 100,000,000원
- 발행가액 : 93,000,000원
- 표시이자율 : 10%
- 시장이자율 : 12%
- 이자지급 : 매년 말 후급
- 사채발행비 1,000,000원

05 12월 31일 위 1차년도 사채이자를 현금으로 지급하였다.

06 장기자금 조달을 목적으로 발행하였던 사채 500좌(액면가액 @10,000원)에 대하여 1좌당 @9,700원에 조기 상환하고 대금 전액 당좌수표를 발행하여 지급하였다. 단, 사채할인발행차금 잔액 170,000원이 있다.

풀이

		차변 계정	금액		대변 계정	금액
01	(차)	당좌예금	10,000,000	(대)	사채	10,000,000
02	(차)	당좌예금	10,100,000	(대)	사채	10,000,000
					사채할증발행차금	100,000
03	(차)	보통예금	9,600,000	(대)	사채	10,000,000
		사채할인발행차금	600,000		현금	200,000
04	(차)	당좌예금	92,000,000	(대)	사채	100,000,000
		사채할인발행차금	8,000,000			

※ 사채를 할인발행한 경우 사채할인발행차금 계정으로 처리하고 사채발행비를 포함하여 처리한다.

		차변 계정	금액		대변 계정	금액
05	(차)	이자비용	11,040,000	(대)	현금	10,000,000
					사채할인발행차금	1,040,000

※ 상각액 계산식 : 유효이자율(92,000,000원×12%) - 액면이자율(100,000,000원×10%)

		차변 계정	금액		대변 계정	금액
06	(차)	사채	5,000,000	(대)	당좌예금	4,850,000
		사채상환손실	20,000		사채할인발행차금	170,000

※ 사채상환시 사채할인발행차금이 있는 경우 먼저 상계처리한 다음 차액에 대하여 사채상환손익으로 처리한다.

(2) 충당부채

충당부채란 과거사건이나 거래 결과에 의한 현재 발생한 의무로서, 지출의 시기 또는 금액이 불확실한 현재 의무와 우발부채 중 이용가능한 모든 증거를 고려할 때 재무상태표일 현재 존재할 가능성이 높고 금액을 신뢰성 있게 추정할 수 있는 현재의 의무를 말한다.

❶ 충당부채의 인식요건

- 과거사건이나 거래의 결과로 현재의무가 존재한다.
- 당해 의무를 이행하기 위하여 자원이 유출될 가능성이 매우 높다.
- 그 의무의 이행에 소요되는 금액을 신뢰성 있게 추정할 수 있다.

❷ 충당부채의 종류

구 분	내 용
퇴직급여충당부채	장래에 종업원이 퇴직할 때 지급하여야 할 퇴직금을 대비하여 설정한 부채
제품보증충당부채 (하자보증충당부채)	상품이나 제품을 판매하고 일정기간 동안 발생하는 하자에 대하여 무상 수리조건인 경우 미래 발생할 보증수리비용을 충당부채로 인식하는 것
경품충당부채	특정 제품의 판매를 촉진하기 위하여 환불정책이나 경품제도를 시행할 경우 경품관련 비용에 대한 최선의 추정치를 충당부채로 인식하는 것

(3) 퇴직급여충당부채

퇴직금제도란 근로자가 퇴직하는 경우 계속근로기간 1년에 대하여 30일분의 평균임금을 지급하는 제도이다. 퇴직금제도에 따라 장래에 종업원이 퇴직할 때를 대비하여 퇴직금을 미리 설정하는 부채를 퇴직급여충당부채라 한다.

퇴직급여충당부채 = 퇴직급여추계액 - [퇴직급여충당부채 기초잔액 - 당기퇴직금지급액]

구분	내용
퇴직급여 충당부채설정	결산 시 퇴직급여충당부채를 설정하다. (차) 퇴직급여 ××× (대) 퇴직급여충당부채 ×××
퇴직금지급	종업원이 퇴직하여 퇴직급여 지급 시(퇴직급여 < 퇴직급여충당부채) (차) 퇴직급여충당부채 ××× (대) 현금 ××× 예수금 ×××
	종업원이 퇴직하여 퇴직급여 지급 시(퇴직급여 > 퇴직급여충당부채) (차) 퇴직급여충당부채 ××× (대) 현금 ××× 퇴직급여 ××× 예수금 ×××

(4) 퇴직연금제도

퇴직연금제도는 퇴직 등을 퇴직급여의 지급사유로 하고 종업원을 수급자로 하는 연금으로 법인이 퇴직연금사업자(보험회사)에게 납부하는 것을 말한다. 퇴직연금에는 확정기여제도와 확정급여제도가 있다.

구 분		확정급여형(DB형)	확정기여형(DC형)
운용방법		퇴직급여충당부채를 설정해야 하며, 납부시 퇴직연금운용자산으로 처리한다.	기업이 납부해야 할 부담금(기여금)을 퇴직급여(비용)로 인식하고, 퇴직연금운용자산, 퇴직급여충당부채 및 퇴직연금미지급금은 인식하지 아니한다.
운용책임		회 사	종업원
회계처리	납부시	(차) 퇴직연금운용자산 ××× (대) 현금 ×××	(차) 퇴직급여 ××× (대) 현금 ×××
	운용수익 발생시	(차) 퇴직연금운용자산 ××× (대) 이자수익* ×××	분개없음
		* 퇴직연금운용자산의 적립금에서 발생하는 수익은 회사에 귀속되는 수익으로 퇴직연금운용수익 또는 이자수익 계정으로 처리한다.	
	결산시	(차) 퇴직급여 ××× (대) 퇴직급여충당부채 ×××	분개없음

분개연습 비유동부채

■ 다음 거래에 대하여 분개하시오.

01 생산직원 장현정의 퇴직으로 퇴직금 12,000,000원 중 소득세 및 지방소득세로 1,320,000원을 원천징수한 후 차인지급액을 전액 보통예금 계좌에서 이체하였다.(장부상 퇴직급여충당부채는 10,000,000원이다)

02 확정급여형(DB형) 퇴직연금을 운용하는 회사는 부담금 8,000,000원을 국민은행에 현금 납부하였다. 단, 납부한 금액 중 1%는 퇴직연금 운용수수료에 해당된다.(단, 원미만 절사)

03 회사는 근로자퇴직급여보장법에 의하여 직원등과 협의하여 확정기여형 퇴직연금에 가입하고 30,000,000원(사무직 50%, 생산직 50%)을 보통예금 계좌에서 이체하였다.

04 퇴직연금운용자산에 이자 500,000원에서 원천징수세액 77,000원을 공제한 금액이 입금되었음을 확인하였다. 당사는 전임직원의 퇴직금지급보장을 위하여 삼부증권(주)에 확정급여형(DB) 퇴직연금에 가입되어 있으며, 원천징수세액에 대하여 자산처리한다.

05 기말 결산시 퇴직급여추계액은 30,000,000원이다. 단, 회사 장부상 퇴직급여충당부채는 25,000,000원이다)

풀이

01 (차) 퇴직급여충당부채 10,000,000 (대) 예수금 1,320,000
퇴직급여 2,000,000 보통예금 10,680,000

02 (차) 퇴직연금운용자산 7,920,800 (대) 현금 8,000,000
수수료비용 79,200
※ 8,000,000 × 1 ÷ 101 = 79,200(원미만 절사)

03 (차) 퇴직급여(제) 15,000,000 (대) 보통예금 30,000,000
퇴직급여(판) 15,000,000

04 (차) 퇴직연금운용자산 423,000 (대) 이자수익 500,000
선납세금 77,000
※ 회사가 별도로 이자수익 대신 퇴직연금운용수익 계정을 사용할 수 있으므로 알맞게 분개한다.

05 (차) 퇴직급여 5,000,000 (대) 퇴직급여충당부채 5,000,000
※ 계산식 : 퇴직급여추계액 30,000,000원 - 퇴직급여충당부채 25,000,000원 = 5,000,000원(설정액)

단원정리문제 부채

01 다음 중 유동자산 또는 유동부채가 아닌 것은?

① 기업의 정상적인 영업주기 내에 실현될 것으로 예상되거나 판매목적 또는 소비목적으로 보유하고 있는 자산
② 보고기간종료일로부터 1년 이내에 상환되어야 하는 단기차입금 등의 부채
③ 보고기간종료일로부터 1년 이내에 상환기일이 도래하더라도, 기존의 차입약정에 따라 보고기간종료일로부터 1년을 초과하여 상환할 수 있고 기업이 그러한 의도가 있는 경우의 차입금
④ 사용의 제한이 없는 현금 및 현금성자산

02 다음 중 부채에 대한 설명으로 옳지 않은 것은?

① 부채는 원칙적으로 1년을 기준으로 유동부채와 비유동부채로 분류한다.
② 일반기업회계기준에는 단기차입금, 매입채무 그리고 사채를 유동부채항목으로 분류하고 있다.
③ 충당부채는 과거 사건이나 거래의 결과에 의한 현재의무로서 자원이 유출될 가능성이 매우 높아야 한다.
④ 우발부채는 부채로 인식하지 않고 주석으로 기재한다.

03 다음 중 부채에 대한 설명으로 틀린 것은?

① 부채는 과거의 거래나 사건의 결과로 현재 기업실체가 부담하고 있고 미래에 자원의 유출 또는 사용이 예상되는 의무이다.
② 부채의 정의를 만족하기 위해서는 금액이 반드시 확정되어야 한다.
③ 일반적으로 기업실체가 자산을 이미 인수하였거나 자산을 취득하겠다는 취소불능계약을 체결한 경우 현재의 의무가 발생한다.
④ 기업실체가 현재의 의무를 이행하기 위해서는 일반적으로 미래에 경제적효익의 희생이 수반된다.

04 다음 중 사채에 대한 설명으로 틀린 것은?

① 사채발행비용은 사채의 발행가액에서 차감한다.
② 유효이자율법 적용시 사채할증발행차금 상각액은 매년 증가한다.
③ 유효이자율법 적용시 사채할인발행차금 상각액은 매년 감소한다.
④ 사채할인발행차금은 당해 사채의 액면가액에서 차감하는 형식으로 기재한다.

05 다음 중 충당부채로 인식할 수 있는 요건이 아닌 것은?

① 과거사건의 결과로 현재 법적의무 또는 의제의무가 존재 한다.
② 당해 의무를 이행하기 위하여 경제적효익이 내재된 자원이 유출될 가능성이 높다.
③ 지출의 시기 및 금액을 확실히 추정할 수 있다.
④ 당해 의무의 이행에 소요되는 금액을 신뢰성 있게 추정할 수 있다.

06 다음 중 일반기업회계기준상 사채의 회계처리에 대한 내용으로 옳은 것은?

① 사채는 재무상태표상 자본조정으로 구분한다.
② 사채가 할증발행되고 유효이자율법이 적용되는 경우 사채의 장부금액은 매기 감소한다.
③ 사채가 할인발행되고 유효이자율법이 적용되는 경우 사채할인발행차금 상각액은 매기 감소한다.
④ 액면이자율보다 시장이자율이 클 경우 할증발행한다.

07 다음 중 사채에 대한 설명으로 틀린 것은?

① 사채할인발행차금은 재무상태표에 사채의 발행금액에서 차감하는 형식으로 표기한다.
② 유효이자율법 적용 시 할인발행차금 상각액은 매기 증가한다.
③ 사채발행비용은 사채발행시점의 발행가액에서 직접 차감한다.
④ 액면이자율보다 시장이자율이 더 작으면 할증발행된다.

08 다음 중 기업회계기준(서)상 사채에 대한 설명으로 옳지 않은 것은?

① 사채발행가액은 사채발행수수료 등의 비용을 차감한 후의 가액을 말한다.
② 1좌당 액면가액이 10,000원인 사채를 15,000원에 발행한 경우'할증발행'하였다고 한다.
③ 사채할인발행차금은 사채의 액면가액에서 차감하는 형식으로 기재한다.
④ 사채할인발행차금 및 사채할증발행차금은 액면이자율을 적용하여 상각 또는 환입한다.

09 다음의 거래에 대한 회계적인 설명으로서 적당하지 않은 것은?

(주)강서상사는 사채를 6억원에 발행하고 발행금액은 사채발행비용을 제외한 599,000,000원을 보통예금으로 입금받았다. 사채의 액면가액은 5억원이고, 만기는 2년 액면이자율은 10%이다.

① 사채는 할증발행 되었다.
② 액면이자율이 시장이자율보다 높다.
③ 액면금액과 발행금액의 차이를 '사채할증발행차금' 계정으로 사용한다.
④ 사채발행비용은 영업외비용으로 처리한다.

정답 및 해설

01	02	03	04	05	06	07	08	09
③	②	②	③	③	②	①	④	④

01 ③ 비유동부채 (보고기간종료일로부터 1년 이내에 상환기일이 도래하더라도, 기존의 차입약정에 따라 보고기간종료일로부터 1년을 초과하여 상환할 수 있고 기업이 그러한 의도가 있는 경우에는 비유동부채로 분류한다.

①, ②, ④ : 유동자산 및 유동부채

02 ② 비유동부채 내에 별도 표시할 소분류항목에 사채가 예로 있다.

03 ② 금액이 반드시 확정되어야 함을 의미하는 것은 아니다.

04 ③ 유효이자율법 적용시 사채할증발행차금 상각액과 사채할인발행차금 상각액 모두 매년 증가한다.

05 ③ 지출의 시기 및 금액이 불확실하다.

06 ② ① 부채로 구분한다. ③ 상각액은 매기 증가한다. ④ 할인발행한다.

07 ① 사채할인발행차금은 사채의 액면금액에서 차감하는 형식으로 표기한다.

08 ④ 사채할인발행차금 및 사채할증발행차금은 사채발행시부터 최종상환시까지의 기간에 유효이자율법을 적용하여 상각 또는 환입하고 동 상각 또는 환입액은 사채이자에 가감한다.

09 ④ 사채 할증발행시 사채발행비는 사채할증발행금액을 감액시킨다.

제 5 절

자본 계정과목별 분류하기

01 자본이란

자본이란 자산에서 부채를 차감한 잔여지분을 말하며, 순자산 또는 소유주지분이라고도 한다. 또한 자본은 기업이 조달한 자금이라 하여 자기자본이라고도 한다.

02 자본의 분류

구분	내용
자본금	(법정자본금) : 발행주식수 × 1주당 액면금액 ➔ 보통주자본금, 우선주자본금
자본잉여금	자본거래에서 발생한 잉여금 ➔ 주식발행초과금, 감자차익, 기타자본잉여금(자기주식처분이익) 등
자본조정	자본에 차감하거나 가산하여야 하는 임시적계정 ➔ 주식할인발행차금, 자기주식, 자기주식처분손실, 감자차손, 배당건설이자, 미교부주식배당금, 주식매수선택권
기타포괄손익 누계액	당기손익에 포함되지 않고 자본항목에 포함되는 평가손익 ➔ 매도가능증권평가손익, 해외사업환산손익 등
이익잉여금	손익거래에서 발생한 잉여금 ➔ 법정적립금(이익준비금, 기타법정적립금) ➔ 임의적립금(사업확장적립금, 감채적립금, 배당평균적립금, 결손보전적립금 등) ➔ 이월이익잉여금(이월결손금)

03 자본금

(1) 자본금의 의의

자본금이란 주식의 액면가액으로서, 상법에서는 채권자를 보호하기 위하여 주식회사가 보유해야 할 최소한도의 법정자본금으로 규정하고 있다.

자본금 = 발행주식수 × 1주 액면가액

(2) 주식의 발행

<table>
<tr><td rowspan="2">액면발행
액면가액 = 발행가액</td><td>하나(주)는 주주총회 결의에 의하여 액면가액 @₩5,000의 주식 10,000주를 액면가액으로 발행하고 대금은 전액 당좌예금 계좌에 입금받았다.</td></tr>
<tr><td>(차) 당좌예금 50,000,000 (대) 자본금 50,000,000
※ 10,000주 × 5,000원 = 50,000,000원(자본금)</td></tr>
<tr><td rowspan="2">할인발행
액면가액 > 발행가액
(주식할인발행차금)</td><td>하나(주)는 올해 초 액면가액 @₩5,000의 주식 10,000주를 주당 @₩4,500으로 발행하고 대금은 전액 당좌예금 계좌에 입금받았다. 주식발행에 따른 주식발행비* 1,000,000원을 현금으로 지급하였다.</td></tr>
<tr><td>(차) 당좌예금 45,000,000 (대) 자본금 50,000,000
주식할인발행차금 6,000,000 현금 1,000,000
* 주식발행비는 액면가액과 발행가액의 차액에서 차가감하여 처리한다.</td></tr>
<tr><td rowspan="2">할증발행
액면가액 < 발행가액
(주식발행초과금)</td><td>하나(주)는 증자를 위하여 액면가액 @₩5,000의 주식 10,000주를 주당 @₩6,000으로 발행하고 대금은 전액 당좌예금 계좌에 입금받았다.</td></tr>
<tr><td>(차) 당좌예금 60,000,000 (대) 자본금 50,000,000
주식발행초과금 10,000,000</td></tr>
<tr><td rowspan="2">신주발행비
(또는 주식발행비)</td><td>주식을 발행하기 위해 지출한 금액으로 주식공모를 위한 광고비, 주권인쇄비, 인지세, 금융기관의 수수료, 변경등록세 등을 말한다.</td></tr>
<tr><td>할증발행시 : 주식발행초과금에서 차감
할인발행시 : 주식할인발행차금에 가산
액면발행시 : 주식할인발행차금으로 처리</td></tr>
</table>

04 자본잉여금

(1) 주식발행초과금

주식발행초과금이란 액면금액을 초과하여 주식을 발행한 경우 액면가액을 초과하는 금액(발행가액 - 액면가액)을 말한다.

(2) 감자차익

감자차익이란 기업이 사업규모를 축소하기 위하여 기업이 발행한 주식을 매입·소각하거나, 결손금을 보전하기 위하여 자본을 감소하는 것을 감자라 하며, 감자시 감소한 자본금 금액이 주금의 환급액 또는 결손금 보전액을 초과할 때 초과액을 말한다.

<table>
<tr><td rowspan="2">감자차익
액면가액 > 감자가액</td><td colspan="4">하나(주)는 결손금 45,000,000원을 보전하기 위하여 주식 10,000주(액면가액 @₩5,000)를 소각하다.</td></tr>
<tr><td>(차) 자본금</td><td>50,000,000</td><td>(대) 결손금
감자차익</td><td>45,000,000
5,000,000</td></tr>
</table>

※ 유상증자 및 유상감자는 자본총계의 변화를 가져온다. 자본의 실질적 변동을 유발하지 않으면서 주식수의 변동을 가져오는 거래에는 무상증자, 주식배당, 무상감자, 자기주식의 소각 등이 있다.

(3) 기타자본잉여금

자기주식처분이익으로 자기주식처분손실을 차감한 금액과 그밖의 기타자본잉여금으로 한다. 자기주식처분이익 발생시 미상계된 자기주식처분손실이 있는 경우 자기주식처분이익 범위내에서 상계처리한다.

05 자본조정

자본조정이란 원칙적으로 당해 항목의 성격으로 보아 자본거래에 속하는 항목이나 자본금, 자본잉여금, 이익잉여금으로 분류하기 곤란한 항목으로 주식할인발행차금, 자기주식, 감자차손, 자기주식처분손실 등이 있다.

(1) 주식할인발행차금

주식할인발행차금이란 주식을 액면가액보다 할인하여 발행한 경우 액면가액과 발행가액과의 차액을 말한다. 주식할인발행차금은 주식을 발행한 연도부터 3년이내의 기간에 매기 균등액을 상각하고 동 상각액은 이익잉여금으로 처분한다. 다만, 처분할 이익잉여금이 부족하거나 결손이 있는 경우에는 차기 이후 연도에 이월하여 상각할 수 있다.

(2) 배당건설이자

배당건설이자란 상법규정에 따라 회사설립 후 정상적인 영업이 시작되기 전까지 장기간 소요되어 이익배당을 할 수 없는 경우 배당하는 것을 말하며, 2년 이상 영업개시 불가능할 시 연 5% 이율한도 내 배당하고, 6% 이상 배당 시 6% 초과 금액과 동액 이상을 상각하고 이익잉여금으로 처분한다.

(3) 자기주식

자기주식이란 주식회사가 일단 발행한 자기회사의 주식을 다시 취득한 것을 말한다.

<table>
<tr><td rowspan="2">취득시</td><td>하나(주)는 당사 주식 1,000주(액면가액 @₩5,000)를 1주당 @₩6,000에 현금으로 매입하였다.</td></tr>
<tr><td>(차) 자기주식 6,000,000 (대) 현금 6,000,000</td></tr>
<tr><td rowspan="4">처분시</td><td>자기주식 500주(매입가액 @₩6,000)를 1주당 @₩4,500에 매각하고 주식대금은 보통예금 계좌에 입금하였다.</td></tr>
<tr><td>(차) 보통예금 2,250,000 (대) 자기주식 3,000,000
자기주식처분손실 750,000</td></tr>
<tr><td>자기주식 300주(매입가액 @₩6,000)를 1주당 @₩8,000에 매각하고 주식대금은 보통예금 계좌에 입금하였다. 단, 자기주식처분손실 계정의 잔액 450,000원이 있다.</td></tr>
<tr><td>(차) 보통예금 2,400,000 (대) 자기주식 1,800,000
자기주식처분손실 450,000
자기주식처분이익 150,000

* • 처분가액 2,400,000원 - (장부가액 1,800,000원 + 450,000원) = 150,000원 (처분이익)
• 처분가액과 장부가액의 차액이 있는 경우 자기주식처분손실 금액을 먼저 상계처리한 다음 자기주식처분손익을 계상한다.</td></tr>
<tr><td rowspan="2">취득후 소각시</td><td>보유하고 있던 자기주식 100주(액면가액 @₩5,000, 매입가액 @₩6,000)를 소각하였다.</td></tr>
<tr><td>(차) 자본금 500,000 (대) 자기주식 600,000
감자차손 100,000</td></tr>
</table>

06 배당금

배당금이란 기업이 일정기간 영업활동 결과에 따라 발생한 이익을 주주총회 또는 이사회의 결의에 따라 주주에게 자본출자에 대한 대가로 배분하는 것을 말한다. 즉, 기업이 영업활동을 통하여 획득한 이익을 주주에게 분배하는 것을 말한다.

용 어	내 용
배당기준일	배당을 받을 권리가 있는 주주를 확정하는 시간적 기준(결산일을 기준으로 한다)
배당선언일	배당의무가 발생하는 시간적 기준(실질적인 채무를 부담하게 되는 날)
배당금 지급일	배당의무의 이행일(배당금을 지급하거나 주식을 교부하여야 하는 날)

TIP

구 분	현금배당	주식배당
배당기준일	분개없음	분개없음
배당선언일	(차) 이월이익잉여금 ××× (대) 미지급배당금 ×××	(차) 이월이익잉여금 ××× (대) 미교부주식배당금 ×××
배당지급일	(차) 미지급배당금 ××× (대) 현 금 ×××	(차) 미교부주식배당금 ××× (대) 자본금 ×××

07 결손금 처리순서

결손금이 발생한 경우 다음 순서대로 처리하고 그래도 부족한 금액은 차기이월결손금 계정으로 처리한다.

임의적립금이입액 → 기타법정적립금이입액 → 이익준비금이입액 → 자본잉여금이입액

분개연습 자본

■ 다음 거래에 대하여 분개하시오.

01 회사는 주식 10,000주(1주당 액면가액 @₩5,000)를 1주당 5,500원에 발행하고 증권인쇄비 및 수수료 등 200,000원을 차감한 납입금이 보통예금 계좌에 입금되었다.

02 회사는 이사회를 통해 유상증자를 위한 신주 5,000주(1주당 액면가액 @₩5,000)를 1주당 4,000원에 발행하고 납입대금은 보통예금 계좌로 입금 받았으며, 신주발행비 100,000원은 현금으로 지급하였다. 회사 장부상 주식발행초과금 계정의 잔액은 4,800,000원이 있다.

03 자기주식 500주(1주당 액면가액 @₩5,000)를 1주당 6,000원에 매입하고 주식대금은 당좌수표를 발행하여 지급하였다.

04 당사는 이월결손금 1,000,000원을 보전하기 위하여 보통주 1,200,000원을 소각하였다.

05 보유하고 있던 자기주식 500주(1주당 장부가액 @₩6,000)를 5,500원에 매각하고 주식대금은 보통예금 계좌로 입금받았다.

06 2월 20일 주주총회를 발의하여 전기분 이익잉여금처분계산서대로 다음과 같이 배당하기로 선언하였다.

[주주총회 배당결의서 주요 내용 요약본]

1. 현금배당액 : 10,000,000원
2. 주식배당액 : 500주(액면가액 주당 10,000원)
3. 이익준비금 : 현금배당의 10%
4. 배당지급일 : 2021년 3월 20일

07 3월 20일 주주총회에서 확정(배당결의일 2월 20일)된 배당액을 지급하였다. 원천징수세액 1,540,000원을 제외한 8,460,000원을 현금으로 지급하였고, 주식배당 5,000,000원은 주식을 발행(액면발행)하여 교부하였다.

풀이

01 (차) 보통예금 54,800,000 (대) 자본금 50,000,000
주식발행초과금 4,800,000

※ • 계산식 : 발행주식수 10,000주 × 액면가액 5,000원 = 50,000,000원(자본금)
• 주식발행에 따른 발행비는 주식발행초과금 계정에 가감(-)하여 처리한다.

02 (차) 보통예금 20,000,000 (대) 자본금 25,000,000
주식발행초과금 4,800,000 현금 100,000
주식할인발행차금 300,000

※ • 주식을 할인발행할 경우 주식발행초과금 계정의 잔액이 있는 경우 우선 상계처리하고 잔액은 주식할인발행차금 계정으로 처리한다.
• 신주발행비는 주식할인발행차금 계정에 가산(+)하여 처리한다.

03 (차) 자기주식 3,000,000 (대) 당좌예금 3,000,000

04 (차) 자본금 1,200,000 (대) 이월결손금 1,000,000
감자차익 200,000

05	(차) 보통예금	2,750,000	(대)	자기주식	3,000,000
	자기주식처분손실	250,000			
06	(차) 이월이익잉여금	16,000,000	(대)	이익준비금	1,000,000
				미지급배당금	10,000,000
				미교부주식배당금	5,000,000
07	(차) 미지급배당금	10,000,000		예수금	1,540,000
	미교부주식배당금	5,000,000		현금	8,460,000
				자본금	5,000,000

단원정리문제 자본

01 다음은 자본에 관한 설명이다. 잘못된 것은?

① 주식을 이익으로 소각하는 경우에는 소각하는 주식의 취득원가에 해당하는 이익잉여금을 감소시킨다.
② 기업이 주주에게 순자산을 반환하지 않고 주식의 액면금액을 감소시키거나 주식 수를 감소시키는 경우에는 감소되는 액면금액 또는 감소되는 주식 수에 해당하는 액면금액을 감자차손으로 하여 자본조정으로 회계처리한다.
③ 기업이 이미 발행한 주식을 유상으로 재취득하여 소각하는 경우에 주식의 취득원가가 액면금액보다 작다면 그 차액을 감자차익으로 하여 자본잉여금으로 회계처리한다.
④ 이익잉여금(결손금) 처분(처리)으로 상각되지 않은 감자차손은 향후 발생하는 감자차익과 우선적으로 상계한다.

02 ㈜한국의 2021년 1월 1일 자본금은 30,000,000원(주식수 30,000주, 액면가액 1,000원)이다. 2021년 7월 1일에 주당 1,200원에 10,000주를 유상증자하였다. 2021년 기말 자본금은 얼마인가?

① 12,000,000원　② 40,000,000원
③ 50,000,000원　④ 62,000,000원

03 다음은 ㈜법전의 2021년도 말 재무상태표에서 추출한 자본과 관련된 자료이다. 이익잉여금의 합계를 계산한 금액으로 옳은 것은?

• 자본금 : 50,000,000원	• 이익준비금 : 400,000원
• 감자차익 : 250,000원	• 자기주식 : 1,000,000원
• 임의적립금 : 150,000원	• 주식발행초과금 : 500,000원

① 400,000원
② 550,000원
③ 800,000원
④ 1,050,000원

04 다음 중 자본조정 항목에 해당하지 않는 것은?

① 자기주식 ② 감자차손 ③ 주식선택권 ④ 자기주식처분이익

05 자본에 대한 설명 중 틀린 것은?

① 주식발행비용은 주식발행초과금에서 차감하거나 주식할인발행차금에 가산한다.
② 자기주식처분이익은 자본잉여금에 해당한다.
③ 이익준비금은 금전 배당금의 20% 이상을 자본금의 1/2에 달할 때까지 적립하여야 한다.
④ 해외사업환산손익은 기타포괄손익누계액에 해당한다.

06 다음의 분류 항목 중 기업이 주주와의 거래(자본거래)에서 발생한 사항이 아닌 것은?

① 이익잉여금 ② 자본잉여금 ③ 자본조정 ④ 자본금

07 다음 중 자본에 대한 설명으로 잘못된 것은?

① 자본은 기업의 자산에서 모든 부채를 차감한 후의 잔여지분을 나타낸다.
② 자본금은 법정 납입자본금으로서 발행주식수에 액면가액을 곱한 금액을 말한다.
③ 주식을 이익으로 소각하는 경우에는 소각하는 주식의 취득원가에 해당하는 이익잉여금을 증가시킨다.
④ 자본잉여금은 주주와의 거래에서 발행되어 자본을 증감시키는 잉여금으로서 주식발행초과금이나 감자차익이 이에 해당한다.

08 **자본의 분류 중 자본조정에 해당하지 않는 것은?**

① 자기주식　　② 주식할인발행차금
③ 감자차손　　④ 주식발행초과금

09 **다음의 회계처리가 재무제표에 미치는 영향은?**

> 3월 2일 : 주주총회에서 주주에게 현금배당금을 지급하기로 결의하고 같은 날에 경리부서에서 현금으로 지급하였다.

	자산	부채	자본		자산	부채	자본
①	불변	증가	감소	②	감소	불변	감소
③	불변	증가	감소	④	감소	감소	불변

10 **다음 중 자본의 실질적인 감소를 초래하는 것으로 가장 적합한 것은?**

> 가. 결손금 보전을 위해 이익준비금을 자본금에 전입하다.
> 나. 현금배당을 실시하다.
> 다. 주식배당을 실시하다.
> 라. 10,000주를 무상증자하다.
> 마. 액면가액 5,000원인 자기주식을 4,000원에 취득 후 바로 소각하다.

① 가, 나　　② 나, 마　　③ 가, 라　　④ 나, 다

11 **(주)한실적 회사는 주주총회를 통해 회사의 이익잉여금을 다음과 같이 배분하기로 결정하였다. 이 경우 이익잉여금 처분에 따른 (주)한실적의 자본의 증감액은 얼마인가?**

> • 이익잉여금 총액 : 100,000,000원
> • 이익잉여금 처분액 : 20,000,000원
> (현금배당액 : 15,000,000원, 주식배당액 : 5,000,000원)
> [주] 상기 외의 다른 사항은 고려하지 않기로 한다.

① 15,000,000원 감소　　② 증감사항 없음
③ 5,000,000원 증가　　④ 15,000,000원 증가

12 다음 중 재무상태표 자본의 구성항목에 대한 설명 중 틀린 것은?

① 자본금은 법정자본금으로서 주당 액면가액에 발행주식수를 곱한 금액이다.
② 자본잉여금은 증자나 감자 등 주주와의 거래에서 발생하여 자본을 증가시키는 잉여금이다.
③ 매도가능증권평가손익은 자본조정 항목이다.
④ 이익잉여금도 자본을 구성하는 항목이다.

13 주주총회에서 이익배당을 의결하고 곧 주주에게 배당금을 현금으로 지급할 경우에 자산, 부채, 자본에 미치는 영향은?

① 자산의 증가, 자본의 증가
② 부채의 감소, 자산의 감소
③ 자본의 감소, 부채의 증가
④ 자본의 감소, 자산의 감소

14 다음 중 자본잉여금의 감소가 가능한 항목은?

① 주식배당 ② 무상증자 ③ 주식분할 ④ 주식병합

15 다음 중 자본이 실질적으로 감소하는 경우로 가장 적합한 것은 무엇인가?

가. 주주총회의 결과에 근거하여 주식배당을 실시하다.
나. 중간결산을 하여 중간배당을 현금배당으로 실시하다.
다. 이익준비금을 자본금에 전입하다.
라. 당기의 결산결과 당기순손실이 발생하다.

① 가, 나 ② 가, 다 ③ 다, 라 ④ 나, 라

정답 및 해설

01	02	03	04	05	06	07	08	09	10	11	12	13	14	15
②	②	②	④	③	①	③	④	②	②	①	③	④	②	④

01 ② 감자차익에 대한 설명이다. 기업이 주주에게 순자산을 반환하지 않고 주식의 액면금액을 감소시키거나 주식수를 감소시키는 경우에는 감소되는 액면금액 또는 감소되는 주식수에 해당하는 액면금액을 감자차익으로 하여 자본잉여금으로 회계처리한다.

02 ② 기말 자본금 : (30,000주+10,000주) × 1,000원 = 40,000,000원

03 ② 이익잉여금은 영업활동의 결과 발생한 순이익을 사내에 유보한 금액으로 이익준비금, 임의적립금등이 있다. 따라서 이익잉여금의 합계는 이익준비금(400,000원)+임의적립금(150,000원)을 합한 550,000원이다.

04 ④ 자기주식처분이익을 일반기업회계기준에서는 자본잉여금 중 기타자본잉여금으로 규정하고 있다.

05 ③ 10% 이상을 자본금의 1/2에 달할 때까지 적립하여야 한다.

06 ① 이익잉여금은 영업활동 결과의 당기순이익 중 일부를 사내에 유보하여 적립한 순재산이다.

07 ③ 주식을 이익으로 소각하는 경우에는 소각하는 주식의 취득원가에 해당하는 이익잉여금을 감소시킨다.

08 ④ 주식발행초과금은 자본잉여금 구성항목이다.

09 ② 이익배당결의와 동시에 현금배당시 현금(자산)의 감소와 동시에 이익잉여금(자본)이 감소된다.

10 ② 가, 다, 라 : 자본의 변동 없음.
나. (차) 이월이익잉여금 / (대) 현금
→ 자본(이월이익잉여금) 감소
마. (차) 자본금 5,000원 / (대) 현금 4,000원
감자차익 1,000원
→ 자본 4,000원(자본금 5,000원 - 감자차익 1,000원) 감소

11 ① (차) 미처분이익잉여금 20,000,000원 (대) 미지급배당금 15,000,000원
미교부주식배당금 5,000,000원
※ 미처분이익잉여금 감소(-20,000,000원) + 미교부주식배당금 증가(+5,000,000원)
= -15,000,000원

12 ③ 매도가능증권평가손익은 기타포괄손익누계액의 항목이다.

13 ④ 이익의 현금배당시 현금자산의 감소와 동시에 이익잉여금이 감소된다.

14 ② 자본잉여금을 자본에 전입함으로 무상증자를 할 수 있다.

15 ④ 현금배당은 실질자본의 감소를 가져오지만 주식배당은 외부로의 자본유출이 없는 자본간 대체이므로 실질자본이 불변이다. 또한 이익준비금의 자본전입도 자본항목간 대체이므로 실질자본이 불변, 당기순손실의 인식은 자본의 감소를 가져온다.

제 6 절

수익·비용 계정과목별 분류하기

01 수익의 인식

수익이란 기업의 경영활동에서 발생하는 경제적효익의 총 유입(재화의 판매, 용역의 재공)을 말하며, 자산의 증가 또는 부채의 감소이다.

(1) 영업수익(매출액)

매출액은 기업의 주된 영업활동으로부터 얻는 수익으로서 상품 및 제품 등의 판매 또는 용역의 제공으로 실현된 금액을 말한다.

순매출액 = 총매출액 - 매출환입 및 에누리 - 매출할인

구 분	내 용
매출환입 및 에누리	매출환입은 판매한 재고자산에 결함, 파손 등의 사유로 그 재고자산이 반품된 것을 말하며, 매출에누리란 회사가 거래처에게 물품을 판매한 후 재고자산의 결함이나 불량 등의 사유로 금액을 에누리 해주는 것을 말한다.
매출할인	매출할인이란 재고자산을 판매하고 외상대금을 조기에 결제 받은 경우 대금의 일부를 할인을 해주는 것을 말한다.

(2) 영업외수익

영업외수익이란 기업의 영업활동 이외의 보조적 또는 부수적인 활동에서 발생하는 수익을 말하며, 이자수익, 배당금수익, 임대료 등이 있다.

(3) 거래형태별 수익인식 기준

구 분	수익인식방법
상품 및 제품판매	판매기준, 재화가 인도된 시점
위탁판매	수탁자가 제3자에게 판매한 시점
할부판매	재화가 인도된 시점(단, 현재가치와 명목가액이 중요한 차이가 나는 경우에는 현재가치로 평가한다)
시용판매	고객이 구입의사를 표시한 날
상품권판매	상품 등이 고객에 제공된 날(상품권 회수시점)
용역매출 및 예약매출	진행기준에 따라 매출인식
재화판매의 수익인식조건	• 재화의 소유에 따른 위험과 효익의 대부분이 구매자에게 이전 • 판매자는 판매한 재화에 대하여 소유권이 있을 때 통상적으로 행사하는 정도의 관리나 효과적인 통제를 할수 없음(통제권 이전) • 수익금액을 신뢰성 있게 측정할 수 있음 • 경제적효익의 유입가능성이 매우 높음 • 발생했거나 발생할 거래원가와 관련 비용을 신뢰성 있게 측정
용역제공의 수익인식	• 용역제공거래의 성과를 신뢰성 있게 측정할 수 있을 때 진행기준에 따라 인식 • 충족조건 - 거래전체의 수익금액을 신뢰성 있게 측정가능 - 경제적효익의 유입가능성이 매우 높음 - 진행률을 신뢰성 있게 측정가능 - 발생한 원가 및 투입하여야 할 원가를 신뢰성 있게 측정가능 • 진행률 - 총예상작업량(또는 작업시간)대비 실제작업량(또는 작업시간)의 비율 - 총예상용역량 대비 현재까지 제공한 누적용역량의 비율 - 총추정원가 대비 현재까지 발생한 누적원가의 비율. 현재까지 발생한 누적원가는 현재까지 수행한 용역에 대한 원가만을 포함하며, 총추정원가는 현재까지의 누적원가와 향후 수행해야 할 용역의 원가를 합계한 금액으로 한다.
이자·배당금 로열티등 수익인식조건	• 충족조건 - 수익금액을 신뢰성 있게 측정할 수 있음 - 경제적효익의 유입가능성이 매우높음 • 측정의 신뢰성과 경제적효익의 유입가능성에 대하여는 재화의 판매와 동일하게 적용 • 이자수익 : 유효이자율을 적용하여 발생기준에 따라 인식 • 배당금수익 : 배당금을 받을 권리와 금액이 확정되는 시점에 인식 • 로열티수익 : 관련된 계약의 경제적 실질을 반영하여 발생기준에 따라 인식

구 분	수익인식방법
기타수익 인식조건	• 재화의 판매, 용역의 제공, 이자,배당금,로열티로 분류할 수 없는 기타의 인식은 다음 조건을 모두 충족할 때 발생기준에 따라 합리적인 방법으로 인식 - 수익가득과정이 완료되었거나 실질적으로 거의 완료되었음 - 수익금액을 신뢰성 있게 측정할 수 있음 - 경제적효익의 유입가능성이 매우 높음

02 비용의 인식

비용이란 상품이나 제품의 판매나 생산, 용역의 제공 및 기업의 경영활동과 관련하여 일정기간동안 발생하는 자산의 유출이나 사용 또는 부채의 증가를 말한다.

(1) 매출원가

매출원가란 매출액과 직접 대응되는 원가로서, 일정기간동안 판매된 상품이나 제품에 대한 매입원가를 말한다.

- 상품매출원가 = 기초상품재고액 + 순매입액 - 기말상품재고액

  ↓

  총매입액(매입가격 + 매입제비용) - (매입에누리 + 매입환출 + 매입할인)

- 제품매출원가 = 기초제품재고액 + 당기제품제조원가 - 기말제품재고액

(2) 제조경비와 판매비와관리비

제조경비란 제품 제조와 관련되어 있는 비용을 말하며 판매비와 관리비는 상품, 제품과 용역의 판매활동 또는 기업의 관리와 유지활동에서 발생하는 비용으로서 매출원가에 속하지 아니한 모든 영업비용을 말한다.

(3) 영업외비용

기업의 영업활동 이외의 거래에서 발생한 비용으로 이자비용. 기부금 등이 있다.

(4) 비용인식기준

비용도 수익과 마찬가지로 기업의 경영활동 전 과정을 통해서 발생하므로 회사의 순자산이 감소할 때마다 인식해야 하며, 비용은 수익·비용 대응원칙에 따라 수익을 인식한 회계기간에 대응해서 인식한다.

❶ 직접대응
비용이 관련 수익과 직접적인 인과관계를 파악할 수 있는 것으로 매출원가 등이 있다.

❷ 간접대응
㉠ 체계적 합리적 배분
특정한 수익과 직접 관련은 없지만 일정기간 동안 수익창출과정에 사용된 자산으로 수익창출기간 동안 배분하는 것으로 감가상각비 등이 있다.
㉡ 기간비용
수익과 직접 관련이 없고 해당 비용이 미래 경제적효익의 가능성이 불확실한 경우에 발생 즉시 비용을 인식하는 것으로 광고선전비 등이 있다.

(5) 비용의 측정

비용의 측정이란 손익계산서에 계상할 비용의 금액을 화폐액으로 측정하는 것을 말한다. 주로 역사적 원가에 의하여 측정된다.

단원정리문제 수익과 비용

01 다음 중 손익계산서상 당기순이익에 영향을 미치는 항목이 아닌 것은?

① 인건비
② 건물 감가상각비
③ 기계장치 처분손실
④ 자기주식 처분손실

02 기부금을 영업외비용이 아닌 판매비와 관리비로 회계처리 한 경우 나타나는 현상으로 틀린 것은?

① 매출총이익은 불변이다.
② 영업이익은 불변이다.
③ 법인세차감전순이익은 불변이다.
④ 매출원가는 불변이다.

03 다음 자료를 이용하여 영업외이익(=영업외수익-영업외비용)을 구하시오.

· 임원급여 : 3,000,000원	· 기부금 : 300,000원	· 감가상각비 : 500,000원
· 광고선전비 : 600,000원	· 외환차익 :1,500,000원	· 이자수익 : 400,000원
· 받을어음의 대손상각비 :700,000원	· 접대비 : 100,000원	· 유형자산처분손실 : 200,000원

① 800,000원 ② 1,000,000원 ③ 1,400,000원 ④ 1,600,000원

04 다음 중 손익계산서에 반영될 영업이익에 영향을 미치지 않는 경우는?

① 무형자산으로 인식하고 있는 개발비에 대한 상각비의 인식
② 재산세 납부로 인한 세금과공과 계상
③ 종업원의 직무능력 향상을 위한 교육훈련비의 지급
④ 단기시세차익 목적으로 보유한 단기매매증권의 평가손실

05 다음 중 손익계산서상 영업이익에 영향을 미치는 설명은 어떤 것인가?

① 유형자산의 처분으로 인한 처분손익 ② 지정기부금의 지출
③ 사채상환이익 ④ 매출채권에 대한 대손상각비

06 다음의 거래형태별 수익인식기준 중 잘못된 것은?

① 위탁판매 : 위탁자가 수탁자에게 물건을 인도하는 시점
② 시용판매 : 고객이 구매의사를 표시한 시점
③ 상품권 판매 : 상품권을 회수하고 재화를 인도하는 시점
④ 일반적인 상품 및 제품판매 : 인도한 시점

07 다음 중 일반기업회계기준에 따른 재화의 판매로 인한 수익을 인식하기 위하여 충족되어야 하는 조건이 아닌 것은?

① 재화의 소유에 따른 유의적인 위험과 보상이 구매자에게 이전된다.
② 진행률을 신뢰성 있게 측정할 수 있다.
③ 경제적 효익의 유입 가능성이 매우 높다.
④ 수익금액을 신뢰성 있게 측정할 수 있다.

08 다음 중 용역의 제공에 따른 수익을 인식하기 위한 조건에 대한 설명으로 틀린 것은?

① 경제적 효익의 유입 가능성이 매우 높다.
② 거래 전체의 수익금액을 신뢰성 있게 측정할 수 있다.
③ 진행률을 신뢰성 있게 측정할 수 없는 경우에는 용역의 제공이 완료되는 시점에 수익을 전액 인식한다.
④ 이미 발생한 원가 및 거래의 완료를 위하여 투입하여야 할 원가를 신뢰성 있게 측정할 수 있다.

09 (주)납세물산의 2021년도 손익계산서상 매출총이익이 2,600,000원일 경우, 아래 자료를 보고 2021년도 매출액을 추정하면? 단, (주)납세물산은 상품도매업만 영위하고 있으며, 아래 이외의 자료는 없는 것으로 가정한다.

- 기초 상품재고액 : 3,000,000원
- 당기 상품매입액 : 2,500,000원
- 상품 타계정대체액 : 1,000,000원(접대목적 거래처 증정)
- 기말 상품재고액 : 2,000,000원

① 2,500,000원 ② 3,500,000원 ③ 5,100,000원 ④ 6,100,000원

10 기업회계기준서상의 재화의 판매로 인한 수익을 인식하기 위한 조건으로 올바르지 못한 것은?

① 재화의 소유에 따른 위험과 효익의 대부분이 구매자에게 이전된다.
② 수익금액을 신뢰성 있게 측정할 수 있다.
③ 수익금액을 판매일로부터 1개월 내에 획득할 수 있어야 한다.
④ 거래와 관련하여 발생했거나 발생할 거래원가와 관련 비용을 신뢰성 있게 측정할 수 있다.

11 다음 중 현행 기업회계기준서상 '재화의 판매, 용역의 제공, 이자, 배당금, 로열티로 분류할 수 없는 기타의 수익'의 인식조건으로 적합하지 않은 것은?

① 수익가득과정이 완료되었거나 실질적으로 거의 완료되었을 것
② 수익금액을 신뢰성 있게 측정할 수 있을 것
③ 경제적 효익의 유입 가능성이 매우 높을 것
④ 현금의 유입이 있을 것

12 다음 중 진행기준을 적용하여 수익을 인식하는 것이 적합한 판매형태는?

① 위탁매출　② 시용매출　③ 용역매출　④ 할부매출

13 매입에누리를 영업외수익으로 회계처리한 경우 나타나는 현상으로 틀린 것은?

① 매출총이익이 과소계상된다.
② 영업이익이 과소계상된다.
③ 법인세차감전이익이 과소계상된다.
④ 매출원가가 과대계상된다.

14 일반기업회계기준에 의한 수익인식기준으로 틀린 것은?

① 위탁판매의 경우에는 수탁자가 제3자에게 해당 재화를 판매한 시점에서 수익을 인식한다.
② 상품권판매는 상품권의 액면가액을 선수금으로 처리하고, 이후 상품권을 회수한 시점에서 수익을 인식한다.
③ 공사진행율은 실제공사비 발생액을 총공사예정원가(토지의 취득원가와 자본화대상 금융비용 등을 포함함)로 나눈 비율로 계산함을 원칙으로 한다.
④ 입장료수익은 행사가 개최되는 시점에 수익을 인식한다.

정답 및 해설

01	02	03	04	05	06	07	08	09	10	11	12	13	14
④	②	③	④	④	①	②	③	③	③	④	③	③	③

01 ④ 자기주식 처분손실은 당기순이익에 영향을 미치지 않는다.

02 ② 기부금은 영업외비용에 해당한다. 영업외비용을 판매비과 관리비로 처리하면, 영업이익(매출총이익-판매비와 관리비)이 과소계상된다. 하지만 매출총이익(매출-매출원가)이나 법인세차감 전 순이익에는 변화가 없으며, 매출원가에 미치는 영향도 없다.

03 ③ 영업외이익 = 영업외수익 - 영업외비용
외환차익 1,500,000원 + 이자수익 400,000원 - 기부금 300,000원 - 유형자산처분손실 200,000원 = 1,400,000원

04 ④ 단기시세차익 목적으로 보유한 단기매매증권의 평가손실은 영업외비용으로 영업이익에 영향을 미치지 아니한다.

05 ④ 매출채권에 대한 대손상각비는 영업손익에 영향을 미친다.

06 ① 수탁자가 위탁품을 판매하는 시점

07 ② 용역의 제공으로 인한 수익인식기준이다.

08 ③ 진행률을 합리적으로 추정할 수 없는 경우나, 수익금액을 신뢰성 있게 측정할 수 없는 경우에는 발생한 원가의 범위 내에서 회수 가능한 금액을 수익으로 계상하고 발생원가 전액을 비용으로 인식한다.

09 ③ 매출원가 = 3,000,000원 + 2,500,000원 - 1,000,000원 - 2,000,000원 = 2,500,000원
2,600,000원(매출총이익) = X(매출액) - 2,500,000원(매출원가)
∴ X(매출액)=5,100,000원

10 ③ 경제적 효익의 유입 가능성이 매우 높으면 되고, 단기간내에 획득할 것을 전제로 하지는 않는다.

11 ④ ①②③의 조건을 충족하였을 경우에 기타의 수익으로 인식할 수 있다.

12 ③ 진행기준으로 사용하는 판매형태는 예약판매, 용역매출 등이 있다.

13 ③ 법인세차감전이익에 미치는 영향은 없다.

14 ③ 총공사예정원가에는 토지의 취득원가와 자본화대상 금융비용 등이 제외된다.

제 3 장

결산

01 결산

기업은 매일 일어나는 거래를 분개장과 원장에 기입하고 있다. 그러나 이것만으로는 기업의 재무상태와 영업성과를 명확히 파악하기가 곤란하다. 그 때문에 기업에서는 일정한 기간을 단위로 하여 회계연도로 정하고 회계연도 말에 각 장부를 정리하고 마감한다. 이와 같이 일정기간을 단위로 하여 장부를 정리·마감하는 일을 결산(closing)이라고 한다.

기업은 월결산, 분기결산, 반기결산, 기말결산 등을 할 수 있으나 기말결산을 기준으로 설명한다.

02 결산정리사항

구 분	내 용			
상품매출원가 계산	상품매출원가 = 기초상품재고액 + 당기상품매입액 - 기말상품재고액			
	(차) 상품매출원가	×××	(대) 상품	×××
제품매출원가 계산	제품매출원가 = 기초제품재고액 + 당기제품제조원가 - 기말제품재고액			
	(차) 제품매출원가	×××	(대) 제품	×××

<table>
<tr><th>구 분</th><th>내 용</th></tr>
<tr><td>현금정리</td><td>
<table>
<tr><th>구 분</th><th>장부잔액 < 현금시재액</th><th>장부잔액 > 현금시재액</th></tr>
<tr><td>과부족발생시</td><td>(차) 현금 (대) 현금과부족</td><td>(차) 현금과부족 (대) 현금</td></tr>
<tr><td>원인확인</td><td>(차) 현금과부족 (대) 확인된계정</td><td>(차) 확인된계정 (대) 현금과부족</td></tr>
<tr><td>결산시
미확인분의 정리</td><td>(차) 현금과부족 (대) 잡이익</td><td>(차) 잡손실 (대) 현금과부족</td></tr>
<tr><td>결산시
과부족의 발생</td><td>(차) 현금 (대) 잡이익</td><td>(차) 잡손실 (대) 현금</td></tr>
</table>
</td></tr>
<tr><td>보통예금
(당좌예금)</td><td>보통예금 통장별로 잔액확인 및 거래내역을 조회하여 보통예금의 거래내역과 일치하는지를 비교하여 누락되는 일이 없도록 한다. 보통예금의 (－)잔액이나 당좌차월의 경우 기중에는 (－)잔액으로 표시하였다가 결산시 단기차입금 계정으로 대체한다.</td></tr>
<tr><td>유가증권평가
(단기매매증권,
매도가능증권)</td><td>결산시 유가증권은 시가로 평가하며, 이때 시가는 재무상태표일 현재의 종가에 의한다. 다만, 재무상태표일 현재의 종가가 없는 경우에는 직전거래일의 종가에 의한다.
<table>
<tr><th>종 류</th><th>장부가액 > 시가</th><th>장부가액 < 시가</th></tr>
<tr><td>단기매매증권</td><td>(차) 단기매매증권평가손실
(대) 단기매매증권</td><td>(차) 단기매매증권
(대) 단기매매증권평가이익</td></tr>
<tr><td>매도가능증권</td><td>(차) 매도가능증권평가손실
(대) 매도가능증권</td><td>(차) 매도가능증권
(대) 매도가능증권평가이익</td></tr>
</table>
</td></tr>
<tr><td>소모품
계정정리</td><td>결산시에 소모품(자산) 또는 소모품비(비용)계정에 대한 재고조사결과 미사용분이 있으면 이를 자산인 소모품 계정에 남도록 대체한다.
<table>
<tr><th colspan="2">구 분</th><th>분 개</th></tr>
<tr><td rowspan="2">구입시
자산처리한 경우</td><td>구입시</td><td>(차) 소 모 품 100,000 (대) 현 금 100,000</td></tr>
<tr><td>결산시</td><td>(차) 소모품비 80,000 (대) 소 모 품 80,000
* 분개대상금액 : 소모품 사용액(80,000원)</td></tr>
<tr><td rowspan="2">구입시
비용처리한 경우</td><td>구입시</td><td>(차) 소모품비 100,000 (대) 현 금 100,000</td></tr>
<tr><td>결산시</td><td>(차) 소 모 품 20,000 (대) 소모품비 20,000
* 분개대상금액 : 소모품 미사용액(20,000원)</td></tr>
</table>
</td></tr>
<tr><td>유형자산의
감가상각</td><td>당기 상각범위액을 계산하여 결산에 반영한다. (간접법)
(차) 감가상각비 ××× (대) 감가상각누계액 ×××</td></tr>
</table>

<table>
<tr><th>구 분</th><th>내 용</th></tr>
<tr><td>무형자산의 상각</td><td>당기 상각범위액을 계산하여 결산에 반영한다. (직접법)

(차) 무형자산상각비 ××× (대) 무형자산 ×××</td></tr>
<tr><td>매출채권의 대손상각</td><td>결산시 매출채권의 내용을 검토하여 전혀 회수가능성이 없는 채권이나, 전액 회수가 어려운 채권은 소정의 절차를 밟고 장부가액을 대손처리하든가 (대손상각비) 또는 필요한 범위내에서 대손충당금을 설정하여야 한다. 이 경우에 일반적인 상거래에서 발생한 매출채권에 대한 대손상각은 판매비와관리비 (대손상각비 계정)로 기재하고, 기타채권에 대한 대손상각은 영업외비용(기타의대손상각비 계정)으로 기재한다.

대손충당금설정액 : 매출채권 등 × 대손추정율 - 대손충당금잔액

<table>
<tr><th>구 분</th><th>분 개</th></tr>
<tr><td>대손충당금 잔액이 없을 경우</td><td>(차) 대손상각비 ××× (대) 대손충당금 ×××</td></tr>
<tr><td>대손예상액 > 대손충당금 잔액</td><td>(차) 대손상각비 ××× (대) 대손충당금 ×××</td></tr>
<tr><td>대손예상액 = 대손충당금 잔액</td><td>분개없음</td></tr>
<tr><td>대손예상액 < 대손충당금 잔액</td><td>(차) 대손충당금 ××× (대) 대손충당금환입 ×××</td></tr>
</table></td></tr>
<tr><td>비유동부채의 유동성대체</td><td>사채, 장기차입금 중에서 1년이내에 상환되어야 할 부분은 유동부채인 유동성장기부채 계정으로 대체되어야 한다.

(차) 장기차입금 ××× (대) 유동성장기부채 ×××</td></tr>
<tr><td>부가세대급금과 부가세예수금 정리</td><td>거래자료 입력시 매출부가가치세는 부가세예수금 계정으로 회계처리하고, 매입부가가치세는 부가세대급금 계정으로 회계처리 하였다가 예정신고 또는 확정신고시 상호 대체하여 정리한다. 이때 부가세예수금이 많은 경우 차액을 미지급세금 계정으로 처리하였다가 납부하고, 부가세대급금이 많은 경우에는 환급받을 때까지 미수금 계정으로 처리한다.

<table>
<tr><th colspan="2">구 분</th><th>분 개</th></tr>
<tr><td rowspan="2">부가세예수금
>
부가세대급금</td><td>분기별 정리시
(분기의 마지막일자)</td><td>(차) 부가세예수금 ××× (대) 부가세대급금 ×××
미지급세금 ×××</td></tr>
<tr><td>부가가치세 납부일</td><td>(차) 미지급세금 ××× (대) 현금 ×××</td></tr>
<tr><td rowspan="2">부가세예수금
<
부가세대급금</td><td>분기별 정리시
(분기의 마지막일자)</td><td>(차) 부가세예수금 ××× (대) 부가세대급금 ×××
미수금 ×××</td></tr>
<tr><td>부가가치세환급일</td><td>(차) 보통예금 ××× (대) 미수금 ×××</td></tr>
</table></td></tr>
</table>

구 분	내 용
선납세금의 정리	법인세 중간예납액이나 법인세 원천징수액이 발생하면 선납세금 계정으로 처리 하였다가 결산시 법인세등 계정으로 대체 정리한다. (차) 법인세등 ××× (대) 선납세금 ×××

03 수익의 예상

당기에 속하는 수익이 결산일까지 아직 수입되지 아니한 금액은 해당 수익계정 대변에 기입하여 당기의 수익에 포함시키고, 미수수익계정 차변에 기입하여 차기로 이월한다. 이것을 '수익의 예상'이라 한다. 수익의 예상에는 미수이자, 미수임대료 등이 있다.

일자	구분	회계처리
3/1	이자를 10개월 10,000원을 받은 경우	(차) 현금 10,000 (대) 이자수익 10,000
12/31	결산시 이자미수분(2개월) 계상	(차) 미수수익 2,000 (대) 이자수익 2,000

※ 10,000원 ÷ 10개월 × 2개월 = 2,000원 (미수분)

04 비용의 예상

당기에 속하는 비용이 결산일까지 아직 지급되지 않은 금액은 해당 비용계정의 차변에 기입하여 당기 비용으로 계상하고 동일 금액을 미지급비용계정의 대변에 기입하여 차기로 이월하여야 한다. 이것을 '비용의 예상'이라 한다. 이러한 비용의 예상에는 미지급이자, 미지급임차료, 미지급세금과공과, 미지급수수료 등이 있다.

일자	구분	회계처리
10/1	임차료 1개월분 1,000원을 지급한 경우	(차) 임차료 1,000 (대) 현금 1,000
12/31	결산시 임차료 미지급분(3개월분) 계상	(차) 임차료 3,000 (대) 미지급비용 3,000

※ 1,000원 × 3개월 = 3,000원 (미지급분)

05 수익의 이연

당기 중 이미 받은 수익중 차기분에 속하는 금액은 당기의 수익에서 차감하여 선수수익계정 대변에 대체하여 차기로 이월하는 것을 '수익의 이연'이라한다. 이러한 수익의 선수분은 '선수수익' 계정에 표기한다. 선수수익에는 선수이자, 선수임대료, 선수수수료 등이 있다.

일자	구 분	회 계 처 리
5/1	임대료 1년분 12,000원을 수령한 경우	(차) 현금 12,000 (대) 임대료 12,000
12/31	결산시 미경과분(4개월분) 계상	(차) 임대료 4,000 (대) 선수수익 4,000

※ 12,000원 × 4개월 ÷ 12개월 = 4,000원 (선수분)

06 비용의 이연

당기 중 이미 지급한 비용중 차기에 속하는 금액은 당기 비용에서 차감하여 자산계정인 선급비용계정 차변에 대체하여 차기로 이월하여야 하는데 이것을 '비용의 이연'이라고 한다. 선급비용은 차기의 첫 날짜에 해당비용계정 차변에 다시 대체하여야 한다. 선급비용에 속하는 것은 선급임차료, 선급보험료, 선급이자 등이 있다.

일자	구 분	회 계 처 리
6/1	보험료 1년분 12,000원을 지급한 경우	(차) 보험료 12,000 (대) 현금 12,000
12/31	결산시 미경과분(5개월분) 계상	(차) 선급비용 5,000 (대) 보험료 5,000

※ 12,000원 × 5개월 ÷ 12개월 = 5,000원 (선급분)

07 법인세계상

법인세비용은 법인세비용차감전순손익에 법인세법 등의 법령에 의하여 과세할 세율을 적용하여 계산한 금액으로 하며 법인세에 부가하는 세액을 포함한다. 기말결산시 법인세추산액이 선납세금보다 큰 경우에는 선납세금 계정을 법인세등 계정으로 대체하고 나머지는 미지급세금 계정으로 처리한다.

구 분	회 계 처 리
법인세 중간예납액	(차) 선납세금 ××× (대) 현금 등 ×××
법인세 원천징수세액	(차) 선납세금 ××× (대) 현금 등 ×××

구 분	회계처리			
결산시	(차) 법인세등	×××	(대) 선납세금	×××
법인세 계상액 - 선납세금	(차) 법인세등	×××	(대) 미지급세금	×××

08 외화채권과 외화채무의 평가

화폐성 외화자산과 부채에 대해서는 기말현재 시점의 기준환율 혹은 재정환율을 적용하여 외화환산에 대한 평가를 한다.

구 분		회계처리			
외화자산	환율상승	외화외상매출금 $10,000(선적일 환율 1,100원)이 기말 현재 환율은 1,120원으로 평가되었다.			
		(차) 외화외상매출금	200,000	(대) 외화환산이익	200,000
		* $10,000 × (1,120원 - 1,100원) = 200,000원 (환산이익)			
	환율하락	외화외상매출금 $10,000(선적일 환율 1,100원)이 기말 현재 환율은 1,050원으로 평가되었다.			
		(차) 외화환산손실	500,000	(대) 외화외상매출금	500,000
		* $10,000 × (1,050원 - 1,100원) = -500,000원 (환산손실)			
외화부채	환율상승	장기차입금 $10,000(차입시 1,100원)이 기말 현재 환율은 1,150원으로 평가되었다.			
		(차) 외화환산손실	500,000	(대) 장기차입금	500,000
		* $10,000 × (1,150원 - 1,100원) = 500,000원 (환산손실)			
	환율하락	장기차입금 $10,000(차입시 1,100원)이 기말 현재 환율은 1,000원으로 평가되었다.			
		(대) 외화환산이익	1,000,000	(차) 장기차입금	1,000,000
		* $10,000 × (1,000 - 1,100원) = -1,000,000원 (환산이익)			

※ 환율이 상승할 경우 외화자산은 이익이 생기고, 외화부채는 손실이 발생한다.

분개연습 결산

■ 다음 거래에 대하여 분개하시오.

01 결산일 현재 소모품비 계정으로 처리된 3,000,000원에는 미사용액 1,000,000원이 포함되어 결산에 반영하다.

02 결산일 현재 외상매출금잔액 30,000,000원에 대하여 1%의 대손충당금을 설정하다. 장부상 대손충당금 잔액은 100,000원이 있다.

03 전기말 은빛은행으로부터 차입한 장가차입금 중 5,000,000원이 내년 3월 20일 만기가 도래하여 회사는 이를 상환할 계획이다.

04 본사 건물 중 일부를 임대하고 4월 1일에 1년분 임대료 3,000,000원을 현금으로 받고 임대료 계정으로 회계처리하였다. 기말 현재 월할계산하여 계상하다.

05 기말 현재 발생된 정기예금에 대한 이자 미수액은 300,000원이다.

06 기말 현재 12월분 영업부 급여 5,000,000원을 내년 1월 10일 지급하기로 되어 있다.

07 10월 1일에 자동차보험에 가입하여 1년분 보험료(2021년 10월~ 2022년 9월) 1,200,000원을 보험회사에 현금으로 지급하였다. 기말 현재 월할계산하여 선급분에 대하여 계상하다.

08 장기차입금에는 거래처 (주)대금에 대한 외화차입금 10,000,000원(미화 $10,000)이 계상되어 있다.(회계기간 종료일 현재 적용환율 : 미화 1$당 1,200원)

풀이

01 (차) 소 모 품 1,000,000 (대) 소 모 품 비 1,000,000
※ 구입시 비용처리한 경우 결산일에 미사용액을 자산처리한다.

02 (차) 대 손 상 각 비 200,000 (대) 대 손 충 당 금 200,000
※ 계산식 : 30,000,000원 × 1% - 100,000원 =200,000원(설정액)

03 (차) 장기차입금(은빛은행) 5,000,000 (대) 유동성장기부채(은빛은행) 5,000,000

04	(차) 임 대 료	750,000	(대) 선 수 수 익	750,000
	※ 계산식 : 3,000,000원 × 3개월 / 12개월 = 750,000원(선수분)			
05	(차) 미 수 수 익	300,000	(대) 이 자 수 익	300,000
06	(차) 급 여	5,000,000	(대) 미 지 급 비 용	5,000,000
07	(차) 선 급 비 용	900,000	(대) 보 험 료	900,000
	※ 계산식 : 1,200,000원 × 9개월 / 12개월 = 900,000원(선급분)			
08	(차) 외 화 환 산 손 실	2,000,000	(대) 장기차입금((주)대금)	2,000,000
	※ 계산식 : $10,000 × (평가액 1,200원 - 장부가액 1,000원) = 2,000,000원(환산손실)			

단원정리문제 결산

01 아래 자료에 의하여 손익계산서에 계상할 대손상각비를 계산하면 얼마인가?

- 기초 대손충당금 잔액 : 500,000원
- 7월 15일에 매출채권 회수불능으로 대손처리액 : 700,000원
- 9월 30일에 당기 이전에 대손처리된 매출채권 현금회수액 : 1,000,000원
- 기말 매출채권 잔액 : 100,000,000원
- 대손충당금은 기말 매출채권 잔액의 2%로 한다.(보충법)

① 1,200,000원
② 1,000,000원
③ 700,000원
④ 500,000원

02 수정분개를 하기 전의 당기순이익은 500,000원이었다. 당기순이익을 계산할 때 선급비용 10,000원을 당기의 비용으로 계상하였고, 미수수익 6,000원이 고려되지 않았다. 수정분개를 반영한 정확한 당기순이익은 얼마인가?

① 484,000원 ② 496,000원 ③ 504,000원 ④ 516,000원

03 ㈜나라는 2021년 4월 1일 다음의 조건으로 10,000,000원을 차입하였으며, 차입일에는 이자비용에 대한 회계처리를 하지 않았다. 2021년 12월 31일 이자비용에 대한 결산분개를 누락한 경우 재무제표에 미치는 영향으로 올바른 것은?

- 만기일 : 2022년 3월 31일
- 연이자율 : 12%
- 원금 및 이자 : 만기일에 전액 상환

① 자산 300,000원 과소 계상
② 부채 900,000원 과소 계상
③ 자본 300,000원 과대 계상
④ 비용 900,000원 과대 계상

04 보고기간 종료일에 ㈜희망의 결산시 당기순이익이 100,000원이었다. 다음과 같은 오류가 포함되었을 경우, 수정 후 당기순이익은 얼마인가?

- 감자차익 과소계상액 : 10,000원
- 매도가능증권평가손실 과대계상액 : 20,000원
- 이자비용 과대계상액 : 15,000원
- 단기투자자산처분이익 과대계상액 : 25,000원

① 90,000원 ② 100,000원 ③ 120,000원 ④ 130,000원

05 다음 내용을 보고 결산시점 수정분개로 적절한 것은?

- 9월 1일 본사 건물에 대한 화재보험료 1,500,000원을 보통예금 계좌에서 이체하였다.
- 경리부에서는 이를 전액 비용처리 하였다.
- 12월 31일 결산시점에 화재보험료 미경과분은 1,000,000원이다.

	차 변	대 변
①	보험료 500,000원	미지급비용 500,000원
②	보험료 1,000,000원	선급비용 1,000,000원
③	미지급비용 500,000원	보험료 500,000원
④	선급비용 1,000,000원	보험료 1,000,000원

정답 및 해설

01	02	03	04	05
①	④	②	①	④

01 ① 기중대손처리액 200,000원 + 기말추가설정액 1,000,000원 = 1,200,000원

(1) 기중대손처리액 : (차) 대손충당금 500,000원 (대)매출채권 700,000원
대손상각비 200,000원

(2) 기말추가설정액 : (차) 대손상각비 1,000,000원 (대) 대손충당금 1,000,000원

- 기말 대손충당금 잔액 : 500,000원 - 500,000원 + 1,000,000원 = 1,000,000원
- 기말 대손충당금 추가 설정 : 100,000,000원 × 2% = 2,000,000원 - 1,000,000원 = 1,000,000원

02 ④

수정전 당기순이익	500,000원	
선급비용 과소계상	10,000원	→ 비용 과대계상
미수수익 과소계상	6,000원	→ 수익 과소계상
수정후 당기순이익	516,000원	

03 ② • (차) 이자비용 900,000원 / (대) 미지급비용 900,000원

- 결산분개가 누락되어 비용 900,000원 및 부채 900,000원이 과소계상되었다.
- 10,000,000원 × 12% × 9개월 ÷ 12개월 = 900,000원 (미지급분)

04 ① 90,000원 = 100,000원 +15,000원 - 25,000원

- 감자차익은 자본잉여금에 매도가능증권평가손실은 기타포괄손익누계액에 속하여 당기순이익에 영향을 미치지 않는다.

05 ④ 선급비용 1,000,000원 보험료 1,000,000원

제 4 장

회계변경과 오류수정

01 회계변경

회계변경이란 기업이 처한 경제적, 사회적 환경의 변화 또는 새로운 정보의 입수에 따라 과거에 적용해오던 회계처리방법이 목적적합하고 신뢰성 있는 유용한 정보를 제공하지 못한다고 보아 새로운 회계처리방법으로 변경하는 것을 말한다. 그러나 단순히 세법의 규정을 따르기 위한 회계변경은 정당한 회계변경으로 보지 아니한다.

정당한 사유	① 합병, 사업부 신설, 대규모 투자, 사업의 양수도 등 기업환경의 중대한 변화에 의하여 총자산이나 매출액, 제품의 구성 등이 현저히 변동됨으로써 종전의 회계정책을 적용할 경우 재무제표가 왜곡되는 경우 ② 동종산업에 속한 대부분의 기업이 채택한 회계정책 또는 추정방법으로 변경함에 있어서 새로운 회계정책 또는 추정방법이 종전보다 더 합리적이라고 판단되는 경우 ③ 일반기업회계기준의 제정, 개정 또는 기존의 일반기업회계기준에 대한 새로운 해석에 따라 회계변경을 하는 경우

(1) 회계정책의 변경(소급법적용)

회계정책의 변경이란 재무제표의 작성과 보고에 적용하던 회계정책을 다른 회계정책으로 바꾸는 것을 말한다.

❶ 일반기업회계기준 또는 관련법규의 개정이 있거나, 새로운 회계정책을 적용함으로써 회계정보의 유용성을 향상시킬 수 있는 경우에 한하여 허용한다.

❷ 회계정책의 변경을 반영한 재무제표가 거래, 기타 사건 또는 상황이 재무상태, 재무성과 또는 현금 흐름의 영향에 대하여 신뢰성 있고 더 목적 적합한 정보를 제공하는 경우에 변경할 수 있다.

❸ 단순히 세법의 규정을 따르기 위한 회계변경은 정당한 회계변경으로 보지 아니한다. 그 이유는 세무보고의 목적과 재무보고의 목적이 서로 달라 세법에 따른 회계변경이 반드시 재무회계정보의 유용성을 향상시키는 것은 아니기 때문이다. 또한, 이익조정을 주된 목적으로 한 회계변경은 정당한 회계변경으로 보지 아니한다.

❹ 다음의 경우는 회계변경으로 보지 아니한다.
㉠ 중요성의 판단에 따라 일반기업회계기준과 다르게 회계처리하던 항목들의 중요성이 커지게 되어 일반기업회계기준을 적용하는 경우. 예를들면, 품질보증비용을 지출연도의 비용으로 처리하다가 중요성이 증대됨에 따라 충당부채 설정법을 적용하는 경우
㉡ 과거에는 발생한 경우가 없는 새로운 사건이나 거래에 대하여 회계정책을 선택하거나 회계추정을 하는 경우

회계정책의 변경	① 재고자산 평가방법 (예 : 선입선출법에서 후입선출법으로 변경) ② 유가증권의 취득단가 산정방법 (예 : 총평균법에서 이동평균법으로 변경)

(2) 회계추정의 변경(전진법적용)

회계추정의 변경은 기업환경의 변화, 새로운 정보의 입수 등에 따라 과거의 회계적 추정치를 새롭게 변경하는 것을 말한다.

회계추정의 변경은 전진적으로 처리하여 그 효과를 당기와 당기이후의 기간에 반영한다.

회계추정의 변경	① 수취채권의 대손추정 ② 재고자산의 진부화 여부에 대한 판단과 평가 ③ 우발부채의 추정 ④ 감가상각자산의 내용연수 또는 감가상각자산에 내재된 미래 경제적효익의 기대소비 형태의 변경(감가상각방법의 변경) 및 잔존가액의 추정 등

(3) 회계변경의 회계처리방법

소급법	회계변경으로 인한 누적효과를 전기이월잉여금에서 수정하고 반영하여 재작성하는 방법이다. 재무제표에 충분히 표시되므로 비교가능성은 유지된다는 장점은 있으나, 새로운 회계처리방법에 따라 수정하므로 신뢰성은 저하된다는 단점이 있다.
당기일괄처리법	회계변경으로 인한 누적효과를 회계변경 수정 손익으로 손익계산서에 계상, 과거를 수정하지 않는 방법이다. 과거를 수정하지 않음으로써 재무제표의 신뢰성이 제고된다는 장점은 있으나, 당기손익에 반영하므로 비교가능성은 저해된다는 단점이 있다.(포괄주의에 충실)
전진법	과거의 재무제표에 대해서는 수정하지 않고 변경된 새로운 처리방법을 당기와 미래에 안분하는 방법이다. 이익조작가능성이 방지되며, 과거의 재무제표를 수정하지 않으므로 신뢰성은 제고되는 장점이 있으나 변경효과를 파악하기 어렵고 재무제표의 비교가능성이 저해된다는 단점이 있다.

(4) 일반기업회계기준 적용방법

구 분	소급법	당기일괄처리법	전진법
성격	일관성 강조	신뢰성, 포괄주의 강조	당기업적주의 강조
회계처리	회계변경누적효과를 이익잉여금에 반영	회계변경효과를 당기 손익에 반영	회계변경효과 없음 (당기이후기간으로 이연)
과거재무제표의 수정여부	수정함	수정하지 않음	수정하지 않음
장점	비교가능성유지	신뢰성 유지	신뢰성유지
단점	신뢰성저하	비교가능성저하 이익조작가능성	비교가능성저하 변경효과파악곤란
일반기업회계기준	회계정책의 변경		회계추정의 변경

02 오류수정

오류란 계산상의 실수, 일반기업회계기준의 잘못된 적용, 사실판단의 잘못등 전기 또는 그 이전의 재무제표에 포함된 회계적 오류를 당기에 발견하여 이를 수정하는 것을 말한다. 중대한 오류는 재무제표의 신뢰성을 심각하게 손상할 수 있는 매우 중요한 오류를 말한다.

(1) 전기오류수정손익으로 보고

회계기준 적용상의 오류	일반기업회계기준에 위배되는 회계처리방법 적용
회계측정의 오류	회계상 측정이 고의 또는 실수로 잘못되는 경우
사실의 오용이나 누락	고의 또는 실수로 회계사건의 누락 또는 잘못된 회계처리

(2) 순이익에 영향을 미치는 오류

구분	내용
오류유형	• 매출누락 : 매출을 누락하게 되면 자산과 수익이 과소계상되어 순이익이 과소계상된다. • 비용의 누락 : 비용은 과소계상되고 자산은 과대계상되므로 순이익이 과대계상된다.
회계처리	발견된 오류가 중대한 경우 예) 전기에 감가상각비 300,000원을 결산에 반영하지 못한 경우 (차) 전기오류수정손실 300,000 (이익잉여금) (대) 감가상각누계액 300,000
	발견된 오류가 중대하지 않은 경우 예) 전기에 감가상각비 300,000원을 결산에 반영하지 못한 경우 (차) 전기오류수정손실 300,000 (영업외비용) (대) 감가상각누계액 300,000
자동조정적 오류	오류의 효과가 2 회계기간을 통해 저절로 상쇄되는 오류 예) 전기에 선급비용 200,000원이 과대계상된 오류는 중대한 오류가 아니다. (차) 보험료 200,000 (대) 전기오류수정이익 200,000 (영업외수익) ※ 선급비용, 선수수익, 미지급비용, 미수수익 등
비자동조정적 오류	2 회계기간에 걸쳐 자동조정되지 않는 오류 예) 투자자산오류, 유형자산오류, 사채오류 등

(3) 순이익에 영향을 미치지 않는 오류

계정분류오류나 재무제표 공시오류 등 순이익에 영향을 미치지 않는 오류는 당기 재무제표는 일부 왜곡되지만 차기 이후의 재무제표에 전혀 영향을 미치지 않으므로 당기 재무제표를 마감하기 전에 발견한 경우 적절히 수정하고, 장부를 마감한 후에는 별도의 수정을 할 필요가 없다.

단원정리문제 회계변경과 오류수정

01 다음 중 일반기업회계기준의 회계정책 또는 회계추정의 변경과 관련한 설명으로 잘못된 것은?

① 일반 기업회계기준에서 회계정책의 변경을 요구하는 경우 회계정책을 변경할 수 있다.
② 변경된 회계정책은 원칙적으로 소급하여 적용한다.
③ 회계정책의 변경과 회계추정의 변경이 동시에 이루어지는 경우 회계정책의 변경에 의한 누적효과를 먼저 계산한다.
④ 세법과의 차이를 최소화하기 위해 세법의 규정을 따르기 위한 회계변경도 정당한 회계변경이다.

02 다음 중 회계변경에 관한 설명으로 옳지 않은 것은?

① 일반기업회계기준에서 회계정책의 변경을 요구하는 경우 회계정책을 변경할 수 있다.
② 회계정책의 변경을 반영한 재무제표가 더 신뢰성 있고 목적적합한 정보를 제공하는 경우 회계정책을 변경할 수 있다.
③ 회계추정의 변경은 소급하여 적용하며, 전기 또는 그 이전의 재무제표를 비교 목적으로 공시할 경우 소급적용에 따른 수정사항을 반영하여 재작성한다.
④ 회계변경의 속성상 그 효과를 회계정책의 변경효과와 회계추정의 변경효과로 구분하기 불가능한 경우 이를 회계추정의 변경으로 본다.

03 다음 중 회계변경과 오류수정에 대한 내용으로 틀린 것은?

① 변경된 새로운 회계정책은 소급하여 적용한다.
② 회계추정 변경의 효과는 당해 회계연도 종료일부터 적용한다.
③ 전기 이전기간에 발생한 중대한 오류의 수정은 자산, 부채 및 자본의 기초금액에 반영한다.
④ 비교재무제표를 작성하는 경우 중대한 오류의 영향을 받는 회계기간의 재무제표항목은 재작성한다.

04 다음 중 회계추정의 변경사항이 아닌 것은?

① 금융자산의 공정가치의 변경
② 재고자산 단가결정방법의 변경
③ 감가상각자산의 내용연수 및 잔존가치의 변경
④ 매출채권에 대한 대손설정비율의 변경

05 다음 중 오류수정에 대한 설명으로 가장 옳지 않은 것은?

① 당기에 발견한 전기 또는 그 이전 기간의 중대하지 않은 오류는 당기 손익계산서에 영업외 손익 중 전기오류수정손익으로 반영한다.
② 전기 또는 그 이전 기간에 발생한 중대한 오류의 수정은 전기이월이익잉여금에 반영하고 관련 계정잔액을 수정한다.
③ 비교재무제표를 작성하는 경우 중대한 오류의 영향을 받는 회계기간의 재무제표 항목은 재작성한다.
④ 충당부채로 인식했던 금액을 새로운 정보에 따라 보다 합리적으로 추정한 금액으로 수정한 것도 오류수정에 해당한다.

06 다음 회계처리 내용 중 오류수정으로 볼 수 없는 것은?

① 전기 미수수익의 과다계상
② 이동평균법에서 총평균법으로 유가증권 평가방법의 변경
③ 전기 기말재고자산의 과다계상
④ 전기 상품매출의 누락

정답 및 해설

01	02	03	04	05	06
④	③	②	②	④	②

01 ④ 세법의 규정을 따르기 위한 회계변경은 정당한 회계변경으로 보지 않는다.

02 ③ • 변경된 새로운 회계정책은 소급하여 적용한다. 전기 또는 그 이전의 재무제표를 비교목적으로 공시할 경우에는 소급적용에 따른 수정사항을 반영하여 재작성한다.
• 일반기업회계기준 제5장의 '5.14. 회계추정의 변경은 전진적으로 처리하여 그 효과를 당기와 당기이후의 기간에 반영한다.

03 ② 회계추정 변경의 효과는 당해 회계연도 개시일부터 적용한다.

04 ② 재고자산 단가결정방법의 변경은 회계정책의 변경이고, 나머지는 회계추정의 변경 사항이다.

05 ④ 오류수정이 아니라 회계추정의 변경이다.

06 ② 유가증권 평가방법의 변경의 회계정책의 변경이다.

NCS 국가직무능력표준
National Competency Standards

제 2 부

원가회계

[과정/과목명 : 0203020103_17v3/원가계산]

능력단위 요소명	훈 련 내 용
원가요소 분류하기	1.1 회계 관련 규정에 따라 원가와 비용을 구분할 수 있다. 1.2 회계 관련 규정에 따라 제조원가의 계정흐름에 대해 분개할 수 있다. 1.3 회계 관련 규정에 따라 원가를 다양한 관점으로 분류할 수 있다.
원가배부하기	2.1 원가계산 대상에 따라 직접원가와 간접원가를 구분할 수 있다. 2.2 원가계산 대상에 따라 합리적인 원가배부기준을 적용할 수 있다. 2.3 보조부문의 개별원가와 공통원가를 집계할 수 있다. 2.4 보조부문의 개별원가와 공통원가를 배부할 수 있다.
원가계산하기	3.1 원가계산시스템의 종류에 따라 원가계산방법을 선택할 수 있다. 3.2 업종 특성에 따라 개별원가계산을 할 수 있다. 3.3 업종 특성에 따라 종합원가계산을 할 수 있다.

제 1 장

원가요소 분류하기

[과정/과목명 : 0203020103_17v3/원가계산]

능력단위 요소명	훈 련 내 용
원가요소 분류하기	1.1 회계 관련 규정에 따라 원가와 비용을 구분할 수 있다. 1.2 회계 관련 규정에 따라 제조원가의 계정흐름에 대해 분개할 수 있다. 1.3 회계 관련 규정에 따라 원가를 다양한 관점으로 분류할 수 있다.

01 원가회계의 의의

(1) 원가회계의 개념

원가회계는 관리회계의 일부분으로 특정한 목적을 위하여 원가정보를 식별, 분류, 집계하는 과정이다. 원가계산은 좁은 의미의 원가회계로 구분의 의미가 없지만 제품의 생산을 위하여 소비된 경제적 가치를 측정, 분류 및 기록하는 것을 원가회계라 하고 그 원가를 집계하여 분류, 계산하는 과정을 원가계산이라 한다.

(2) 원가회계의 목적

원가회계는 경영자의 의사결정에 필요한 원가정보와 재무제표 작성에 필요한 원가정보를 제공하는 등의 여러 목적을 갖고 있다.

❶ 재무제표 작성에 필요한 제품의 원가계산자료 제공
❷ 제품 원가계산을 통한 가격결정 및 재고자산의 평가액 자료 제공
❸ 원가관리에 필요한 원가자료의 제공
❹ 예산편성 및 통제에 필요한 원가자료 제공
❺ 경영의 기본계획설정 및 특수의사결정에 필요한 원가자료 제공

02 원가의 분류

(1) 원가요소에 의한 분류

❶ 재료비
제품의 생산에 직접·간접으로 소비된 물품의 가치, 즉 원료·소모품·기타 물품의 소비에 의하여 발생하는 원가

❷ 노무비
제품의 생산에 직접 종사한 자의 근로에 대하여 소비된 가치, 즉 인간노동력의 사용에 의하여 발생하는 원가

❸ 제조경비(=제조간접비)
제품의 생산에 소비된 가치 중 재료비와 노무비를 제외한 일체의 소비에 의하여 발생하는 원가

(2) 추적가능성에 의한 분류

❶ 직접원가(직접비)
특정한 원가대상에 직접 추적할 수 있는 원가로서 특정 제품에 투입되는 원재료의 원가나 생산직 근로자의 급여 등을 말한다.

❷ 간접원가(간접비)

여러 종류의 제품 생산에 공통적으로 소비되는 원가로서 일정한 배부기준을 사용하여 원가대상에 인위적으로 배부하는 원가로 간접재료비, 간접노무비, 간접제조경비를 말한다.

(3) 기능에 따른 분류

구 분	내 용
제조원가	직접비에 간접비를 가산한 것으로서 제품의 제조과정에서 발생하는 원가요소 전부를 포함
비제조원가	제조활동과 관련 없이 발생하는 판매활동, 일반관리활동, 재무활동 등에서 발생한 원가로 기간비용으로 처리

(4) 원가행태에 의한 분류

원가행태란 원가를 변화시키는 요소인 조업도의 변동에 따른 원가의 변동을 말한다. 즉 조업도는 기업의 생산설비의 이용정도를 나타내는 지표로 생산량, 직접노동시간, 기계작업시간 등으로 표시된다.

❶ 변동비(변동원가)

조업도의 변동에 따라 변화하는 원가를 변동비라 하며, 변동비는 조업도가 증가하면 총원가는 비례하여 증가하지만 단위당 원가는 일정하다.(ex. 직접재료비, 직접노무비 등)

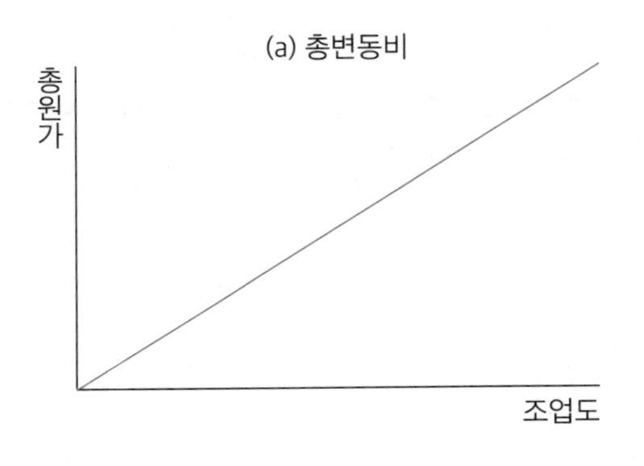

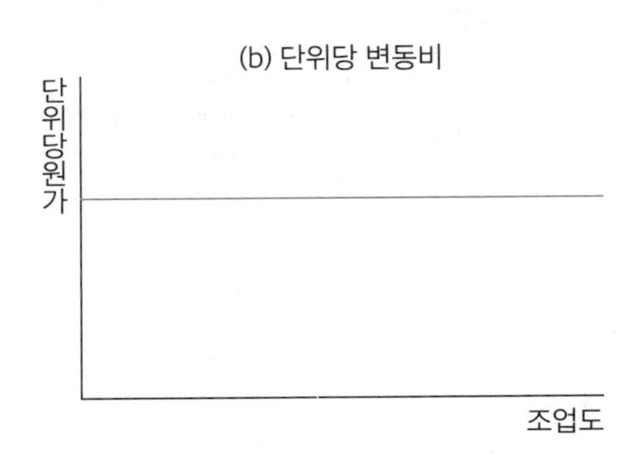

TIP

조업도

기업이 보유하고 있는 자원의 이용정도를 나타내는 개념으로 생산량, 판매량, 노동시간, 기계작업시간, 매출액 등의 여러가지 척도로 측정된다.

❷ 고정비(고정원가)

조업도의 변동에 관계없이 관련 범위내에서는 항상 일정하게 발생하는 원가를 고정비라 하며, 조업도가 증가하면 총원가는 일정하지만 단위당원가는 감소된다.(ex. 감가상각비, 공장임차료, 보험료 등)

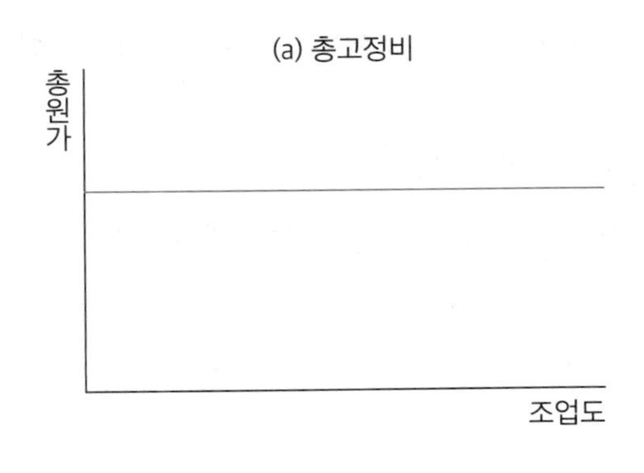

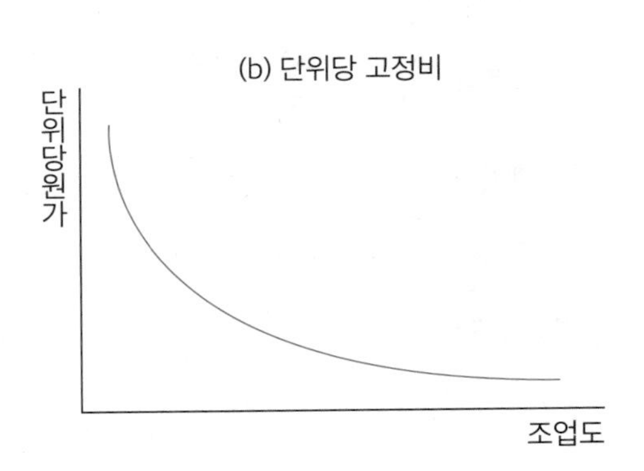

❸ 준변동비와 준고정비

구 분	내 용
준변동비(혼합원가)	생산량이 없어도 일정 고정비가 발생하고 생산량이 늘어나면 추가로 변동비가 발생하는 행태(대부분의 원가)
준고정비(계단원가)	일정한 조업도 범위에서는 고정비와 같이 일정한 원가이나 조업도가 일정수준 이상 증가하면 원가총액이 증가하는 행태(생산관리자의 급여, 난방비)

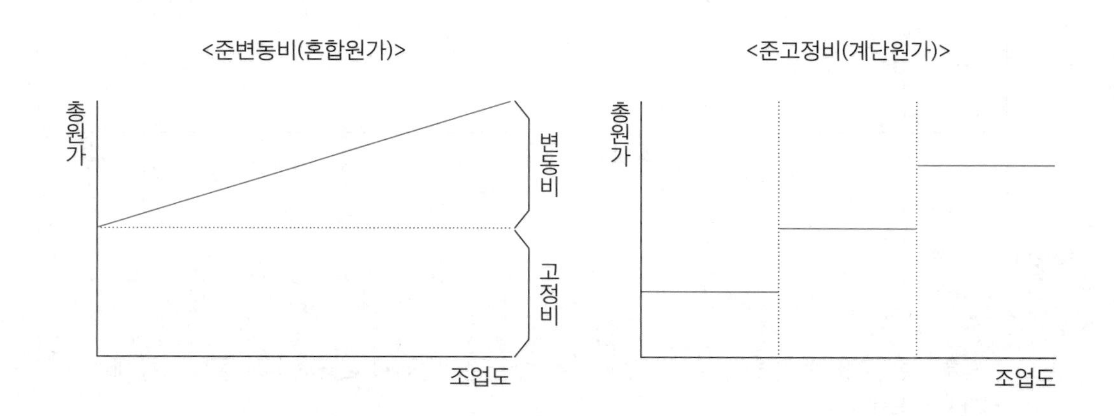

(5) 의사결정 관련성에 따른 분류

구 분	내 용
기회원가(기회비용)	원가요소를 차선의 다른 용도로 사용하였을 때 얻을 수 있는 최대이익
매몰원가	이미 발생한 역사적 원가로 현재 또는 미래에 의사결정을 하더라도 회수할 수 없는 원가
차액원가	선택 가능한 의사결정 대안에서 원가의 차이 금액
관련원가	여러 대안 사이에 차이가 나는 원가로서 의사결정에 직접적으로 관련되는 원가
비관련원가	여러 대안 사이에 차이가 없는 원가로서 의사결정에 영향을 미치지 않는 원가

단원정리문제 원가요소 분류하기

01 다음 중 제조간접비에 대한 설명으로 맞는 것은?

① 변동비만 포함된다.
② 모든 노무비를 포함한다.
③ 가공비를 구성한다.
④ 고정비만 포함된다.

02 원가에 대한 설명 중 가장 옳지 않은 것은?

① 고정원가는 관련 조업도 내에서 일정하게 발생하는 원가를 말한다.
② 직접재료비와 직접노무비를 기초원가라 한다.
③ 간접원가란 특정한 원가직접대상에 직접 추적할 수 없는 원가를 말한다.
④ 제품생산량이 증가함에 따라 관련 범위 내에서 제품단위당 고정원가는 일정하다.

03 회사는 생산능력이 100단위인 생산설비를 임차하여 사용하고 있다. 매년 수요량이 증가함에 따라 그때마다 생산설비를 추가 임차하고 있다. 생산설비 1대당 임차료는 500,000원이다. 이 설명에 맞는 그래프는 어느 것인가?

①
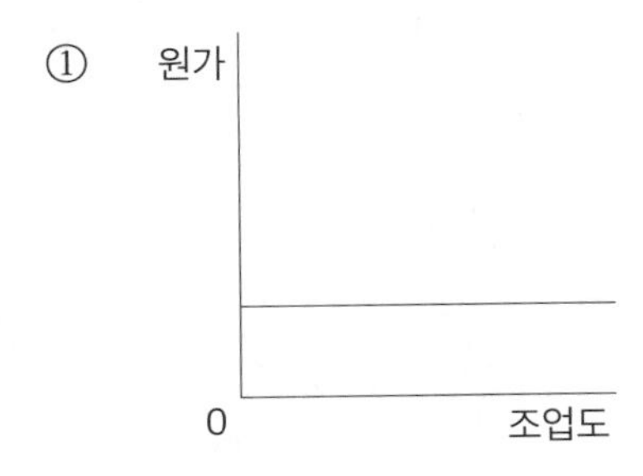

②
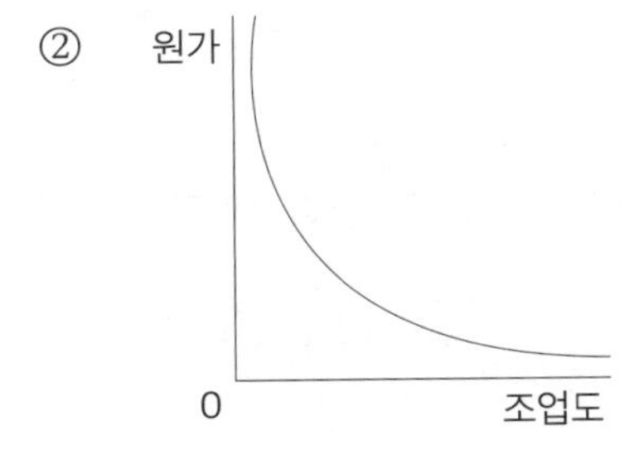

③
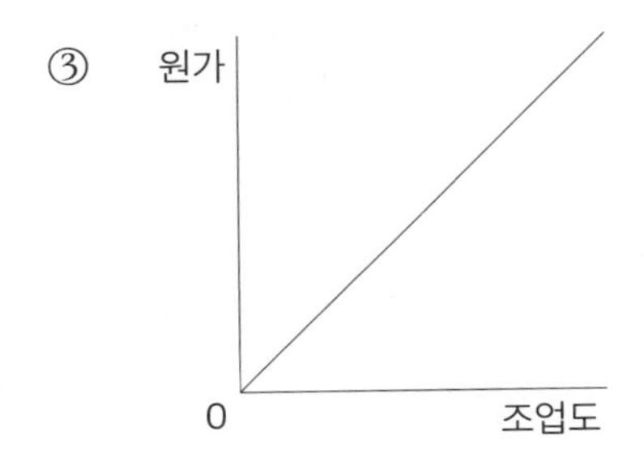

④
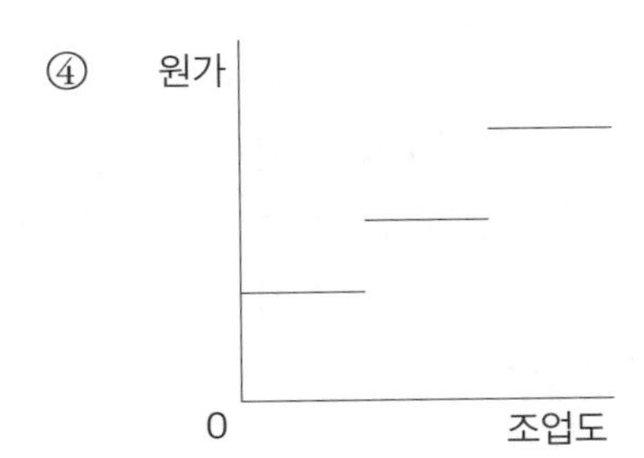

04 다음 중 원가에 대한 설명으로 틀린 것은?

① 직접재료비와 직접노무비는 기초원가에 해당한다.
② 특정제품 또는 특정부문에 직접적으로 추적가능한 원가를 직접비라 하고 추적불가능한 원가를 간접비라 한다.
③ 변동비 총액은 조업도에 비례하여 증가한다.
④ 가공비란 직접재료비와 직접노무비를 합계한 원가를 말한다.

05 다음 중 원가에 대한 설명으로 옳은 것은?

① 특정 원가대상에 명확하게 추적이 가능한 원가를 직접원가라 한다.
② 기회비용은 특정의사결정에 고려할 필요가 없는 원가이다.
③ 총원가가 조업도의 변동에 비례하여 변하는 원가를 고정원가라 한다.
④ 가공원가에는 직접재료비와 직접노무비가 있다.

06 다음에서 설명하는 원가행태로 맞는 것은?

> 정부는 중·장기대책으로 이동통신음성데이터를 이용할 수 있는 '보편요금제'를 출시하도록 하는 방안을 추진키로 했다. 보편요금제는 월 요금 2만원에 기본 음성 200분, 데이터 1GB, 문자무제한 등을 이용할 수 있다. 음성·데이터 초과분에 대한 분당 요금은 이동통신사가 정하기로 했다.

① 변동비　　② 고정비　　③ 준변동비　　④ 준고정비

07 다음 표에 보이는 원가형태와 관련한 설명으로 가장 옳지 않는 것은?

조업도(시간)	총원가(원)
100	3,000,000
200	3,000,000
300	3,000,000

① 조업도가 증가해도 단위당 원가부담액은 일정하다.
② 위와 같은 원가행태를 보인 예로 임차료가 있다.
③ 조업도 수준에 상관없이 관련범위 내에서 원가총액은 일정하다.
④ 제품 제조과정에서 가공비로 분류한다.

08 원가에 대한 설명 중 가장 옳지 않은 것은?

① 직접재료비는 조업도에 비례하여 총원가가 증가한다.
② 조업도가 무한히 증가할 때 단위당 고정비는 1에 가까워진다.
③ 관련 범위내 변동비는 조업도의 증감에 불구하고 단위당 원가가 일정하다.
④ 제품원가는 조업도가 증가하면 고정비요소로 인하여 단위당 원가는 감소하나 단위당 변동비 이하로는 감소할 수 없다.

09 다음 중 원가의 추적가능성에 따른 분류로 가장 맞는 것은?

① 직접원가와 간접원가
② 고정원가와 변동원가
③ 실제원가와 표준원가
④ 제조원가와 비제조원가

10 관련범위 내에서 단위당 변동원가의 행태에 대한 설명으로 옳은 것은?

① 각 조업도수준에서 일정하다.
② 각 조업도수준에서 감소한다.
③ 조업도가 증가함에 따라 단위당 원가는 증가한다.
④ 조업도가 증가함에 따라 단위당 원가는 감소한다.

11 ㈜한세는 제품 A의 공손품 10개를 보유하고 있다. 이 공손품의 생산에는 단위당 직접재료비 1,000원, 단위당 변동가공원가 1,200원, 단위당 고정원가 800원이 투입되었다. 정상적인 제품 A의 판매가격은 5,000원이다. 공손품을 외부에 단위당 3,500원에 판매한다면 단위당 운반비 300원이 발생한다고 한다. 다음 중 매몰원가가 아닌 것은?

① 단위당 직접재료비 1,000원
② 단위당 변동가공원가 1,200원
③ 단위당 고정원가 800원
④ 단위당 운반비 300원

12 다음 중 제조원가에 해당되지 않는 경우는?

① 제품의 홍보를 위한 제품견적서의 인쇄비
② 공장건물에 대한 재산세
③ 생산직 직원의 퇴직급여지급액
④ 원재료 운반용 차량에 대한 감가상각비

13 다음 원가 중 제조과정에서 원가행태에 따라 분류한 것은?

① 재료비, 노무비, 경비
② 직접비와 간접비
③ 변동비와 고정비
④ 제품원가와 기간원가

14 다음 변동비와 고정비에 대한 설명 중 옳은 것은?

① 관련범위 내에서 조업도가 증가하더라도 단위당 변동비는 일정하다.
② 관련범위 내에서 조업도가 증가하더라도 단위당 고정비는 일정하다.
③ 관련범위 내에서 조업도가 증가함에 따라 총 변동비는 감소한다.
④ 관련범위 내에서 조업도가 증가함에 따라 총 고정비는 증가한다.

15 다음 중 원가행태를 나타낸 표로 올바른 것은?

① 총원가
0 조업도
<변동원가>

② 총원가
0 조업도
<고정원가>

③
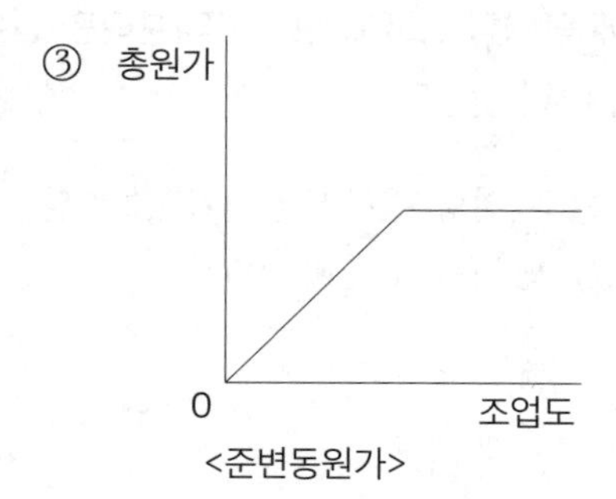

<준변동원가>

④
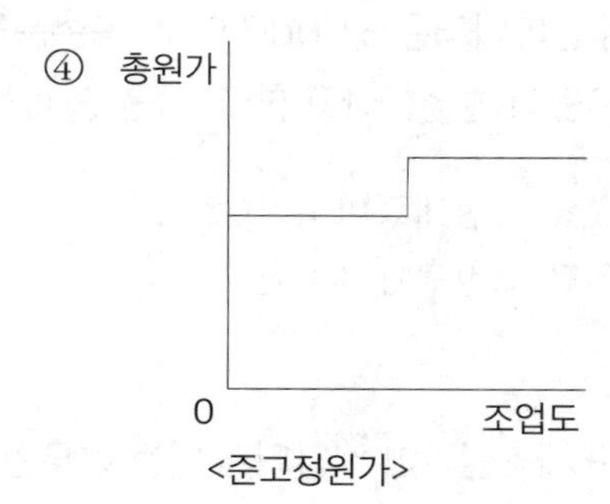

<준고정원가>

정답 및 해설

01	02	03	04	05	06	07	08	09	10	11	12	13	14	15
③	④	④	④	①	③	①	②	①	①	②	①	③	①	④

01 ③ 제조간접비는 직접노무비와 더불어 가공비를 구성한다.

02 ④ 제품생산량이 증가함에 따라 제품단위당 고정원가는 감소한다.

03 ④ 준고정비에 대한 설명이다.

04 ④ 가공비는 직접재료비를 제외한 모든 원가를 말한다.

05 ① ②는 매몰원가, ③은 변동원가, ④은 직접원가에 관한 설명이다.

06 ③ 준변동비는 고정원가와 변동원가가 혼합된 원가를 말한다.

07 ① 조업도가 증가할수록 단위당 원가부담액은 감소한다.

08 ② 조업도가 무한히 증가할 때 단위당 고정비는 0에 가까워진다.

09 ① 추적가능한 원가인 직접원가와 추적가능하지 않은 원가인 간접원가로 나뉜다.

10 ① 각 조업도수준에서 단위당 변동원가는 일정하다.

11 ② 혼합원가는 조업도의 증감에 관계없이 발생하는 고정비와 조업도의 변화에 따라 일정비율로 증가하는 변동비의 두 부분으로 구성된 원가이다.

12 ① 제품의 홍보를 위한 비용은 판매비와관리비에 속한다.

13 ③ 원가를 행태에 따라 분류하면 고정비와 변동비로 분류한다.

14 ① ② 관련범위 내에서 조업도가 증가하더라도 단위당 고정비는 감소한다.
③ 관련범위 내에서 조업도가 증가함에 따라 총 변동비는 증가한다.
④ 관련범위 내에서 조업도가 증가함에 따라 총 고정비는 일정하다.

15 ④
- 변동원가는 조업도에 따라 총원가가 비례적으로 증가하며, 고정원가는 조업도와 무관하게 총원가는 일정하다.
- 준변동원가는 조업도에 따라 총원가가 비례적으로 증가하다가, 일정조업도 이후에는 단위당 변동비가 달라지므로 비율을 달리하여 총원가가 비례적으로 증가한다.
- 준고정원가는 조업도와 무관하게 총원가가 일정하게 유지되다가, 일정조업도 이후 총원가가 증가한 후에 다시 일정하게 유지된다.

제 2 장

원가의 흐름

01 원가의 구성

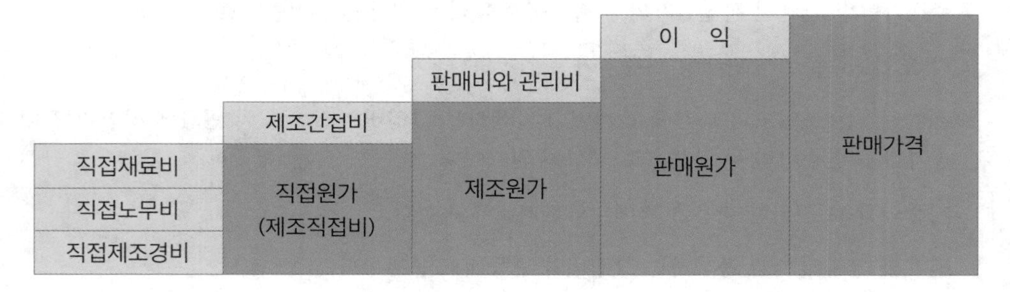

[원가의 구성도]

❶ 직접원가(직접제조원가) = 직접재료비 + 직접노무비 + 직접제조경비
❷ 제조간접비 = 간접재료비 + 간접노무비 + 간접제조경비
❸ 제조원가 = 직접원가 + 제조간접비 = 직접재료비 + 전환원가(가공원가)
❹ 판매원가(총원가) = 제조원가 + 판매비와관리비
❺ 판매가격 = 판매원가 + 이익
※ 기초원가 = 직접재료비 + 직접노무비
전환원가(가공원가) = 직접노무비 + 제조간접비

02 원가의 흐름

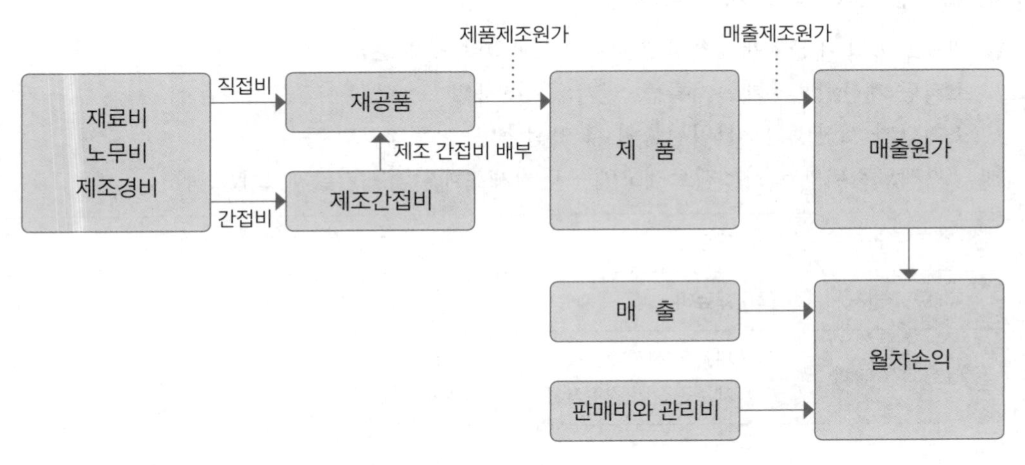

[제조기업의 원가흐름]

투입

재료비

재료비	
기초재고액	①당기사용액
당기매입액	기말재고액

노무비

노무비	
당기지급액	전기미지급액
당기미지급액	②당기소비액

제조간접비

제조간접비	
당기발생액	③ 재공품 대체액

가공

재공품

재공품	
기초재고액	당기에 완성된 제품의 원가
①직접재료비 당기사용액	
②직접노무비 당기소비액	기말재고액
③제조간접비 당기발생액	

완성

제품

제품	
기초재고액	당기에 판매된 제품의 원가
당기제품 제조원가	

매출원가

매출원가	
매출원가	

TIP

원가의 3요소인 재료비, 노무비, 제조경비는 제조 또는 재공품계정으로 대체되어 회계처리가 마감되며 제조 또는 재공품계정의 완성 제품액은 제품계정으로 대체 처리된다.

03 요소별 원가흐름

(1) 재료비(재료소비액)의 계산 및 회계처리

❶ 재료소비액 계산 : 재료소비액 = 재료소비수량 × 재료소비단가
소비량 계산방법 : 계속기록법, 실지재고조사법
소비단가 계산방법 : 선입선출법, 후입선출법, 이동평균법 등

❷ 당기재료소비액 = 기초재료재고액 + 당기재료매입액 - 기말재료재고액

재료 구입시	(차) 재료	×××	(대) 매입채무	×××
재료 투입시	(차) 재료비	×××	(대) 재료	×××
제조 과정 대체	(차) 재공품(직접재료비) 제조간접비(간접재료비)	××× ×××	(대) 재료비	×××

(2) 노무비의 계산 및 회계처리

당월(노무비)소비액 = 당월지급액 + 당월미지급액 - 전월미지급액

노무비 발생시	(차) 노무비	×××	(대) 미지급노무비	×××
노무비 지급시	(차) 미지급노무비	×××	(대) 현금 및 현금성자산	×××
제조 과정 대체	(차) 재공품(직접노무비) 제조간접비(간접노무비)	××× ×××	(대) 노무비	×××

(3) 제조경비의 계산 및 회계처리

당기(경비)소비액 = 당월지급액 + 당월미지급액 + 전월선급액 - 전월미지급액 - 당월선급액

제조경비 발생시	(차) 제조경비	×××	(대) 미지급경비	×××
제조경비 지급시	(차) 미지급경비	×××	(대) 현금 및 현금성자산	×××
제조과정 대체	(차) 재공품(직접경비) 제조간접비(간접경비)	××× ×××	(대) 제조경비	×××

04 제조원가의 계산식

❶ 직접재료원가 = 기초원재료재고액+당기원재료매입액-기말원재료재고액
❷ 당기총제조원가 = 직접재료원가+직접노무원가+제조간접원가
❸ 당기제품제조원가 = 기초재공품재고액+당기총제조원가-기말재공품재고액
❹ 매출원가 = 기초제품재고액+당기제품제조원가-기말제품재고액

05 제조원가명세서

제조원가명세서는 제조기업의 당기제품제조원가를 구하는 명세서로서 재공품 계정의 변동사항을 모두 나타내고 있다. 제조원가명세서의 양식은 당기에 소비한 재료비, 노무비, 제조간접비 등의 당기총제조원가를 산출하여 여기에 기초재공품 및 기말재공품을 가감하여 당기제품제조원가를 산출하는 것이다.

제조원가명세서

Ⅰ. 직접재료비		
① 기초원재료재고액	×××	
② 당기원재료매입액	×××	
③ 기말원재료재고액	(×××)	×××
Ⅱ. 직접노무비		×××
Ⅲ. 제조간접비		×××
Ⅳ. 당기총제조원가		×××
Ⅴ. 기초재공품원가		×××
Ⅵ. 합 계		×××
Ⅶ. 기말재공품원가		(×××)
Ⅷ. 당기제품제조원가		×××

06 제조원가명세서와 손익계산서

제조원가명세서의 당기제품제조원가는 손익계산서상의 매출원가의 당기제품제조원가와 일치해야 한다.

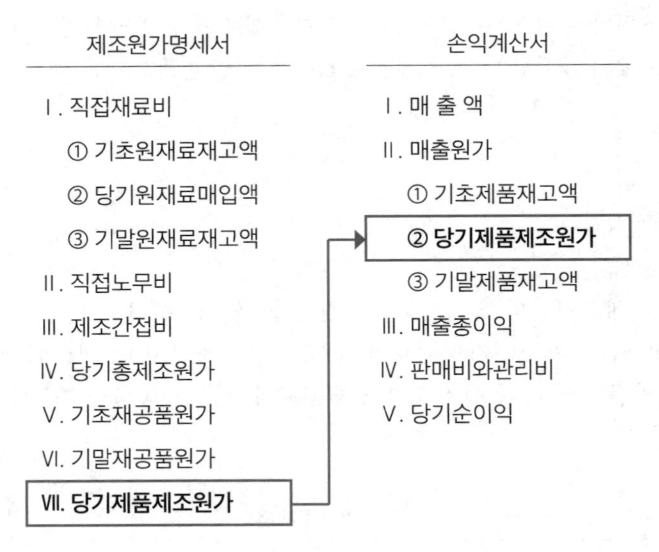

단원정리문제 원가의 흐름

01 3월의 원가자료가 다음과 같을 때 잘못된 것을 고르시오.

- 원재료의 기초재고는 3만원이며 기말재고는 5만원이다.
- 재공품의 기초재고는 2만원이며 기말재고는 3만원이다.
- 제품의 기초재고는 4만원이며 기말재고는 3만원이다.
- 3월에 구입한 원재료 매입액은 8만원이며, 직접노무원가 6만원, 제조간접원가 8만원이 발생하였다.

① 3월의 직접재료원가는 6만원이다.
② 3월의 당기총제조원가는 22만원이다.
③ 3월의 당기제품제조원가는 19만원이다.
④ 3월의 매출원가는 20만원이다.

02 다음 자료에 의한 제조간접비는 얼마인가?

- 직접재료비 : 300,000원
- 기계감가상각비 : 25,000원
- 영업부사무실임차료 : 300,000원
- 공장전력비 : 180,000원
- 직접노무비 : 650,000원
- 공장임차료 : 450,000원
- 판매수수료 : 80,000원

① 1,215,000원
② 1,165,000원
③ 655,000원
④ 435,000원

03 다음 자료에 의한 당기의 직접재료비는 얼마인가?

- 당기총제조원가는 6,500,000원
- 제조간접비는 직접노무비의 75%이다.
- 제조간접비는 당기총제조원가의 30%이다.

① 1,950,000원
② 2,600,000원
③ 2,005,000원
④ 2,000,000원

04 기말재공품은 기초재공품에 비하여 800,000원 증가하였다. 또한 공정에 투입한 직접재료비, 직접노무비와 제조간접비의 비율이 1 : 2 : 3이었다. 당기제품제조원가가 1,000,000원이라면, 직접재료비는얼마인가?

① 300,000원 ② 600,000원 ③ 900,000원 ④ 1,800,000원

05 다음 자료에 의한 직접재료비는 얼마인가?

- 기초재공품 : 1,000,000원
- 제조간접비 : 당기제품제조원가의 40%
- 기말재공품 : 2,000,000원
- 당기제품제조원가 : 5,500,000원
- 직접노무비 : 제조간접비의 1.2배

① 1,200,000원 ② 1,550,000원 ③ 1,660,000원 ④ 1,860,000원

06 다음 원가계산자료 중 당기에 소요된 제조간접비 금액은 얼마인가?

- 직접재료비 : 3,000,000원
- 직접노무비 : 2,000,000원
- 기초재공품 : 2,000,000원
- 기말재공품 : 2,000,000원
- 당기제품제조원가 : 10,000,000원

① 5,000,000원 ② 10,000,000원 ③ 15,000,000원 ④ 20,000,000원

07 다음의 자료를 근거로 가공비 금액을 계산하면 얼마인가?

- 직접재료비 : 250,000원
- 직접노무비 : 500,000원
- 변동제조간접비 : 400,000원
- 고정제조간접비 : 350,000원

① 750,000원 ② 900,000원 ③ 1,250,000원 ④ 1,500,000원

08 다음 자료에서 기초원가와 가공비(가공원가) 양쪽 모두에 해당하는 금액은 얼마인가?

- 직접재료비 : 300,000원
- 직접노무비 : 400,000원
- 변동제조간접비 : 200,000원
- 고정제조간접비 : 150,000원

① 350,000원 ② 400,000원 ③ 450,000원 ④ 500,000원

09 흑치㈜의 제2기 원가 자료가 다음과 같을 경우 가공원가는 얼마인가?

- 직접재료원가 구입액 : 800,000원
- 직접재료원가 사용액 : 900,000원
- 직접노무원가 발생액 : 500,000원
- 변동제조간접원가 발생액 : 600,000원

(변동제조간접원가는 총제조간접원가의 40%이다)

① 2,000,000원 ② 2,400,000원 ③ 2,800,000원 ④ 2,900,000원

10 다음 자료에 의한 당기 원재료매입액은 얼마인가?

- 기초 원재료 재고액 : 3,750,000원
- 기말 원재료 재고액 : 7,000,000원
- 당기 노무비 발생액 : 7,000,000원
- 당기 제조경비 발생액 : 2,500,000원
- 당기총제조원가는 가공원가의 150%이다.

① 6,000,000원 ② 7,000,000원 ③ 8,000,000원 ④ 9,000,000원

11 (주)한결의 선박 제작과 관련하여 9월 중에 발생한 원가 자료는 다음과 같다. A선박의 당기총제조원가는 얼마인가? 단, 9월 중 제조간접비 발생액은 160,000원이며, 직접노무비를 기준으로 제조간접비를 배부한다.

구 분	A선박	B선박	합 계
직접재료비	30,000원	70,000원	100,000원
직접노무비	60,000원	140,000원	200,000원

① 102,000원 ② 110,000원 ③ 138,000원 ④ 158,000원

12 다음은 제조원가와 관련된 자료이다. 기말재공품은 얼마인가?

- 직접재료비 : 5,000,000원
- 직접노무비 : 1,500,000원 • 제조간접비 : 7,000,000원
- 기초재공품 : 500,000원 • 당기제품제조원가 : 12,000,000원 • 기초제품 : 500,000원

① 2,000,000원 ② 800,000원 ③ 1,000,000원 ④ 900,000원

13 다음 중 제조원가명세서에 표시될 수 없는 것은?

① 당기 제품제조원가 ② 전기말 원재료재고액
③ 공장건물의 감가상각비 ④ 기초 제품재고액

14 다음의 자료에 의하여 당기총제조원가를 구하시오.

- 기초원재료 : 40,000원 • 당기매입원재료 : 400,000원 • 기말원재료 : 120,000원
- 직접노무비 : 3,000,000원 • 제조간접비 : 직접노무비의 30%

① 4,020,000원 ② 4,220,000원 ③ 4,300,000원 ④ 4,460,000원

15 ㈜세무의 당기 발생한 제조원가와 관련된 자료는 다음과 같다. 당기의 제조간접원가와 기말재공품 재고액은 얼마인가?

• 직접재료원가 : 5,000원	• 직접노무원가 : 3,000원
• 제조간접원가 : ?	• 당기총제조원가 : 10,000원
• 기초재공품 : 1,500원	• 당기제품제조원가 : 9,000원

① 2,000원, 2,500원
② 2,000원, 1,500원
③ 1,000원, 1,500원
④ 1,000원, 2,500원

정답 및 해설

01	02	03	04	05	06	07	08	09	10	11	12	13	14	15
②	③	①	①	③	①	③	②	①	③	③	①	④	②	①

01 ② 3월의 당기총제조원가는 20만원이다.
(원재료 6만원, 직접노무원가 6만원, 제조간접원가 8만원)

02 ③ 기계감가상각비(25,000원) + 공장임차료(450,000원) + 공장전력비 (180,000원) = 655,000원

03 ① 제조간접비는 당기총제조원가의 30% = 6,500,000원 × 30% = 1,950,000원
직접노무비의 75%는 제조간접비 = 1,950,000원 / 75% = 2,600,000원
당기총제조원가 = 직접재료비 + 2,600,000원 + 1,950,000원 = 6,500,000원
직접재료비 = 1,950,000원

04 ①
- 기초재공품재고액 + 당기총제조원가(직접재료비 + 직접노무비 + 제조간접비) = 당기제품제조원가 + 기말재공품재고액
- 0원 + 당기총제조원가 = 1,000,000원 + 800,000원

∴ 당기총제조원가 = 1,800,000원
- 직접재료비 = 1,800,000원 × $\frac{1}{1+2+3}$ = 300,000원

05 ③
- 제조간접비 : 당기제품제조원가 5,500,000원 × 40% = 2,200,000원
- 직접노무비 : 제조간접비 2,200,000원 × 1.2 = 2,640,000원
- 당기총제조원가 : 당기제품제조원가 5,500,000원 + 기말재공품 2,000,000원 - 기초재공품 1,000,000원 = 6,500,000원
- 직접재료비 : 당기총제조원가 6,500,000 - 직접노무비 2,200,000원 - 제조간접비 2,640,000원 = 1,660,000원

06 ① • 당기총제조원가 : 당기제품제조원가 10,000,000원 + 기말재공품재고액 2,000,000원 - 기초재공품재고액 2,000,000원 = 10,000,000원

• 제조간접비 : 당기총제조원가 10,000,000원 - 직접재료비 3,000,000원 - 직접노무비 2,000,000원 = 5,000,000원

07 ③ 가공비 : 직접노무비 500,000원 + 제조간접비 (변동 400,000원 + 고정 350,000원) = 1,250,000원

08 ② 직접노무비는 기초원가와 가공비(가공원가) 양쪽 모두에 해당된다.

09 ① 가공원가 : 직접노무비 500,000원 + (변동제조 600,000원 ÷ 총제조간접원가 0.4) = 2,000,000원

10 ③ • 당기총제조원가 = (7,000,000원 + 2,500,000원) × 150% = 14,250,000원

• 14,250,000 = 3,750,000원(기초 원재료) + 7,000,000원(당기노무비) + 2,500,000원(당기제조경비) + x(당기원재료매입액) - 7,000,000원(기말원재료 재고액) ∴ x = 8,000,000원

11 ③ • 제조간접비 배부 : 160,000원 × 60,000원 ÷ 200,000원 = 48,000원

• 당기총제조원가 : 30,000원 + 60,000원 + 48,000원 = 138,000원

12 ① • 당기총제조원가 : 5,000,000원 + 1,500,000원 + 7,000,000원 = 13,500,000원

• 기말재공품 : 기초재공품 500,000원 + 13,500,000원 - 기말재공품(x) = 12,000,000원 ∴기말재공품(x) = 2,000,000원

13 ④ 기초 제품재고액은 손익계산서에 표시된다.

14 ② • 직접재료비 : 40,000원 + 400,000원 - 120,000원 = 320,000원

• 당기총제조원가 : 320,000원 + 3,000,000원 + (3,000,000원 × 30%) = 4,220,000원

15 ① • 당기총제조원가 = 직접재료원가 + 직접노무원가 + 제조간접원가

• 당기제품제조원가 = 기초재공품 + 당기총제조원가 - 기말재공품

• 제조간접원가 = 10,000원 - 5,000원 - 3,000원 = 2,000원

• 기말재공품 = 1,500원 + 10,000원 - 9,000원 = 2,500원

제 3 장

원가배부하기 (부분별원가계산)

[과정/과목명 : 0203020103_17v3/원가계산]

능력단위 요소명	훈 련 내 용
원가배부하기	2.1 원가계산 대상에 따라 직접원가와 간접원가를 구분할 수 있다. 2.2 원가계산 대상에 따라 합리적인 원가배부기준을 적용할 수 있다. 2.3 보조부문의 개별원가와 공통원가를 집계할 수 있다. 2.4 보조부문의 개별원가와 공통원가를 배부할 수 있다.

01 원가의 배분

(1) 원가배분의 의의

원가배분이란 제품의 생산을 위하여 소비된 공통원가를 집계하여 인위적인 배부기준에 따라 제품 또는 제조부문, 보조부문 등의 원가대상(원가집적대상)에 대응시키는 과정을 말한다. 원가대상(원가집적대상)이란 원가가 개별적으로 집적되는 활동이나 조직의 하부단위 등을 말한다. 즉, 원가를 부과할 수 있는 단위이면 그것이 제품이든 부문이든 모두 원가대상이 될 수 있다.

(2) 원가배분 기준

❶ 인과관계기준
원가배분대상과 배분대상원가간의 인과관계를 통하여 특정원가를 원가배분대상에 대응시키는 가장 이상적인 배분기준이며 공통원가의 발생원인에 근거하여 배분한다.

❷ 수혜기준(수익자부담기준)
원가배분대상이 공통비로부터 제공받는 경제적 효익의 정도에 비례하여 원가를 배분하는 기준으로 수익자부담원칙에 입각한 배분기준이다.

❸ 부담능력기준
원가배분대상인 제품이나 부담의 부담능력을 기준으로 원가를 배분하는 방법이다. 즉, 보다 많은 수익을 올리는 원가배분대상이 공통비를 보다 더 부담할 능력을 지닌다는 가정하에 원가를 배분하는 방법이다.

❹ 공정성과 공평성 기준
배분기준의 포괄적인 원칙으로 공통원가를 원가배분대상에 배분하는 배분기준은 공정성과 공평성을 가져야 한다는 것이다.

02 부문별 원가계산

(1) 부문별 원가계산의 절차

- 제1단계 : 부문개별비(부문직접비)를 각 부문에 부과한다.
- 제2단계 : 부문공통비(부문간접비)를 각 부문에 배부한다.
- 제3단계 : 보조부문비를 제조부문에 배부한다.
- 제4단계 : 제조부문비를 각 제품에 배부한다.

(2) 부문공통비의 배부기준

부문공통비	배부 기준
간접재료비	각 부문의 직접재료비
간접노무비	각 부문의 직접노무비, 종업원 수, 직접노동시간
감가상각비	기계 : 기계사용시간, 건물 : 면적
전력비	각 부문의 전력소비량 또는 기계마력수 × 운전시간
수선비	각 부문의 수선횟수 또는 시간
가스수도비	각 부문의 가스 수도 사용량
운반비	각 부문의 운반물품의 무게, 운반거리, 운반횟수
복리후생비	각 부문의 종업원 수
임차료, 재산세, 화재보험료	토지 또는 건물의 가액, 면적

(3) 보조부문비의 배부기준

보조부문	배부기준
구매부문	주문 횟수, 주문비용
식당부문	종업원 수
창고부문	재료의 출고청구 횟수, 취급품목 수
건물관리부문(청소부문)	점유면적
수선유지부문	수선유지 횟수, 작업시간
전력부문	전력 소비량
공장인사관리부문	종업원 수
자재관리부문	근무시간, 취급품목 수

TIP

보조부문을 제조부문으로 배분하는 이유

- 정확한 원가계산
- 보조부문용역의 과다소비 방지
- 외부구입에 관한 의사결정

(4) 보조부문비의 배부방법

❶ 직접배부법

보조부문 상호간에 용역을 주고받는 관계를 완전히 무시하고, 모든 보조부문비를 제조부문에 제공하는 용역비율에 따라 제조부문에만 직접 배부하는 방법으로 그 절차가 매우 간단하다.

❷ 단계배부법

보조부문들 간에 일정한 배부순서를 정한 다음 그 배부순서에 따라 보조부문비를 단계적으로 다른 보조부문과 제조부문에 배부하는 방법이다.

TIP

배분순서의 결정

- 다른 보조부문에 대한 용역 제공비율이 큰 것부터
- 용역을 제공하는 다른 보조부문의 수가 많은 것부터
- 발생원가가 큰 것부터

❸ 상호배부법

보조부문 상호간의 용역수수관계를 완전하게 고려하는 방법으로서, 보조부문비를 제조부문 뿐만 아니라, 보조부문 상호간에도 배부하는 방법으로 경제적 실질에 따른 가장 정확한 배부방법이다.

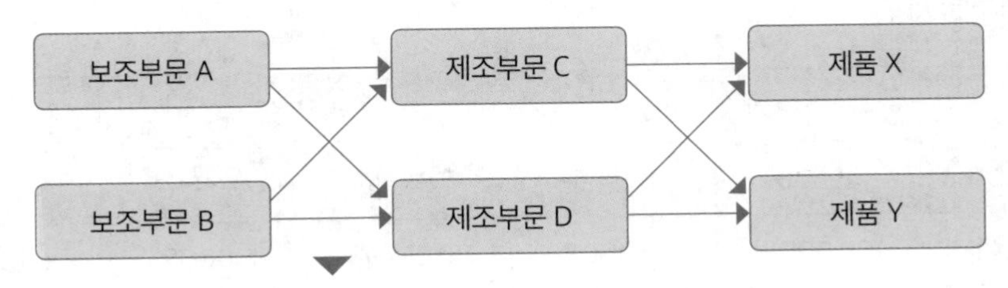

(직접배부법, 단계배부법, 상호배부법)
×
(단일배부율법, 이중배부율법)

03 원가행태에 따른 보조부문비의 배부

(1) 단일배부율법

보조부문비를 변동비와 고정비로 구분하지 않고 모든 보조부문의 원가를 하나의 기준으로 배분하는 방법으로 보조부문비 중 고정비도 변동비처럼 배분된다.

이 방법은 사용하기 간편하지만 원가행태에 따른 구분이 없으므로 정확한 원가배분이 이루어지지 않기 때문에 부문의 최적이라 하더라도 전체로는 최적의 의사결정이 되지 않는 문제점을 가지고 있다.

제조간접비배부액 = 제조간접비예정배부율 × 용역의 실제사용량

(2) 이중배부율법

보조부문비를 원가행태에 따라 변동비와 고정비로 분류하여 각각 다른 배부기준을 적용하는 방법이다.

❶ 변동비 배부액 = 제조간접비예정배부율 × 용역의 실제사용량
❷ 고정비 배부액 = 변동예산상의 고정비 × 최대사용가능량비율

- 변동비 : 실제용역사용량을 기준으로 배분
- 고정비 : 제조부문에서 사용할 수 있는 최대사용가능량을 기준으로 배분

연습문제 원가배부하기

공장에는 두 개의 제조부문(절단부문, 조립부문)과 두 개의 보조부문(통력부문, 수선부문)으로 운영되고 있다. 각 부문의 용역수수관계와 발생원가(제조간접비)는 다음과 같을 때 직접배부법과 단계배부법(동력부문의 원가부터 배분)을 이용하여 보조부문원가를 배분하시오.

구 분	제조부문		보조부문		합 계
	절단부문	조립부문	동력부문	수선부문	
발생원가	100,000원	50,000원	10,000원	5,000원	165,000원
동력부문	12kw/h	20kw/h	-	8kw/h	40kw/h
수선부문	24회	24회	32회	-	80회

풀이

1 직접배부법

	제조부문			
	절단부문	조립부문	동력부문	수선부문
배분전원가	₩100,000	₩50,000	₩10,000	₩5,000
동력부문	3,750*1	6,250	(10,000)	
수선부문	2,500	2,500*2		(5,000)
배분후원가	106,250	58,750	0	0

*1 $10{,}000 \times \frac{12}{32} = 3{,}750$원, $10{,}000 \times \frac{20}{32} = 6{,}250$원

*2 $5{,}000 \times \frac{24}{48} = 2{,}500$원, $5{,}000 \times \frac{24}{48} = 2{,}500$원

2 단계배부법

	제조부문		보조부문	
	절단부문	조립부문	동력부문	수선부문
배분전원가	₩100,000	₩50,000	₩10,000	₩5,000
동력부문	3,000*1	5,000	(10,000)	2,000
수선부문	3,500	3,500*2		(7,000)
배분후원가	106,500	58,500	0	0

*1 $10{,}000 \times \frac{12}{40} = 3{,}000$원, $10{,}000 \times \frac{20}{40} = 5{,}000$원, $10{,}000 \times \frac{8}{40} = 2{,}000$원

*2 $7{,}000 \times \frac{24}{48} = 3{,}500$원, $7{,}000 \times \frac{24}{48} = 3{,}500$원

단원정리문제 원가배부하기

01 다음 중 보조부문원가를 제조부문에 배부하는 기준으로 가장 적절한 것은 무엇인가?

① 구매부 : 근무시간
② 수선유지부 : 매출액
③ 전력부 : 전력사용량
④ 인사부 : 점유면적

02 다음 보조부문비의 배부방법 중 정확도가 높은 방법부터 올바르게 배열한 것은?

① 직접배부법 〉 상호배부법 〉 단계배부법
② 직접배부법 〉 단계배부법 〉 상호배부법
③ 상호배부법 〉 단계배부법 〉 직접배부법
④ 단계배부법 〉 상호배부법 〉 직접배부법

03 다음 제조간접원가의 배부에 관한 설명 중 틀린 것은?

① 고정제조간접원가는 원칙적으로 생산설비의 정상조업도에 기초하여 제품에 배부한다.
② 변동제조간접원가는 생산설비의 실제 사용에 기초하여 각 생산단위에 배부한다.
③ 정상조업도란 정상적인 유지 및 보수 활동에 따른 조업중단을 감안한 상황 하에서 평균적으로 달성할 수 있을 것으로 기대되는 생산 수준을 말한다.
④ 실제조업도가 정상조업도보다 높은 경우에는 정상조업도에 기초하여 고정제조간접원가를 배부한다.

04 다음의 부문별 원가계산에 관한 설명 중 옳지 않은 것은?

① 단계배부법은 보조부문 상호 간의 용역수수를 완전히 반영한다는 점에서 직접배부법보다 우수하다.
② 직접배부법은 계산이 간단하여 비용이 적게 든다.
③ 상호배부법은 원가배분절차가 복잡하여 정확한 자료를 얻으려면 많은 시간과 비용이 소요된다.
④ 단계배부법은 배분순서에 따라 원가계산 결과가 다르게 나타날 수 있다.

05 당사는 단계배부법을 이용하여 보조부문 제조간접비를 제조부문에 배부하고자 한다. 각 부문별 원가발생액과 보조부문의 용역공급이 다음과 같을 경우 수선부문에서 조립부문으로 배부될 제조간접비는 얼마인가?(단, 전력부문부터 배부한다고 가정함)

구 분	제조부문		보조부문	
	조립부문	절단부문	전력부문	수선부문
자기부문 제조간접비	600,000원	500,000원	300,000원	450,000원
전력부문 동력공급(kw)	300	400	-	300
수선부문 수선공급(시간)	40	50	10	-

① 200,000원 ② 240,000원 ③ 250,000원 ④ 300,000원

06 기초(기본)원가를 기준으로 제조간접비를 배부한다고 할 때 다음 자료에 의하여 작업지시서 NO.1에 배부할 제조간접비는 얼마인가?(단, 기초 및 기말재고는 없다)

	공장전체 발생	작업지시서 NO.1
직 접 재 료 비	1,000,000원	500,000원
직 접 노 무 비	4,000,000원	1,500,000원
당기총제조비용	12,000,000원	-

① 2,000,000원 ② 2,800,000원 ③ 3,000,000원 ④ 4,800,000원

07 ㈜학동은 단계배분법을 사용하여 원가배분을 하고 있다. 아래의 자료를 이용하여 조립부문에 배분될 보조부문의 원가는 얼마인가?(단, 전력부문을 먼저 배분할 것)

구 분	보조부문		제조부문	
	전력부문	관리부문	조립부문	절단부문
배분전원가	200,000원	700,000원	3,000,000원	1,500,000원
전력부문배분율	-	10%	50%	40%
관리부문배분율	10%	-	30%	60%

① 300,000원 ② 340,000원 ③ 350,000원 ④ 400,000원

08 다음은 보조부문원가에 관한 자료이다. 보조부문의 제조간접비를 다른 보조부문에는 배부하지 않고 제조부문에만 직접 배부할 경우 수선부문에서 조립부문으로 배부될 제조간접비는 얼마인가?

구 분		보조부문		제조부문	
		수선부문	관리부문	조립부문	절단부문
제조간접비		80,000	100,000		
부문별 배부율	수선부문		20%	40%	40%
	관리부문	50%		20%	30%

① 24,000원 ② 32,000원 ③ 40,000원 ④ 50,000원

09 ㈜세원은 A, B 제조부문과 X, Y의 보조부문이 있다. 각 부문의 용역수수관계와 제조간접비 발생원가가 다음과 같다. 직접배부법에 의해 보조부문의 제조간접비를 배부한다면 B 제조부문의 총 제조간접비는 얼마인가?

	보조부문		제조부문		합계
	X	Y	A	B	
자기부문발생액	150,000	250,000	300,000	200,000	900,000
[제공한 횟수]					
X		200회	300회	700회	1,200회
Y	500회		500회	1,500회	2,500회

① 200,000원 ② 292,500원 ③ 492,500원 ④ 600,000원

10 ㈜반천개발은 많은 기업들이 입주해 있는 사무실 건물을 관리하고 있다. 청소담당직원들은 모든 입주기업들의 사무실과 복도 등 건물 전체를 청소한다. 건물 전체의 청소비를 각 기업에 배부하기 위한 기준으로 가장 적합한 것은?

① 각 입주기업의 직원 수
② 각 입주기업의 주차 차량수
③ 각 입주기업의 임대면적
④ 각 입주기업의 전기 사용량

11 ㈜한세실업의 보조부문은 수선부문과 동력부문으로 구성되어 있으며, 서로 용역을 주고받고 있다. 어떤 특정 기간 동안 각 부문이 다른 부문에 제공한 용역의 비율은 아래와 같다. 이 기간 동안 수선부문과 동력부문의 발생원가는 각각 20,000원과 30,000원이다. 상호배분법에 의하여 보조부문원가를 배부할 경우 연립방정식으로 올바른 것은? 단, 수선부문의 총원가를 'X'라 하고, 동력부문의 총원가를 'Y'라 한다.

구 분	수선부문의 용역 제공비율	동력부문의 용역 제공비율
수선부문	-	20%
동력부문	30%	-
제조부문	70%	80%
합 계	100%	100%

① X = 30,000+0.3Y : Y = 20,000+0.2X
② X = 30,000+0.2Y : Y = 20,000+0.3X
③ X = 20,000+0.3Y : Y = 30,000+0.2X
④ X = 20,000+0.2Y : Y = 30,000+0.3X

정답 및 해설

01	02	03	04	05	06	07	08	09	10	11
③	③	④	①	②	②	②	③	③	③	④

01 ③ 보조부문비의 배부기준은 보조부문비의 발생과 인과관계가 있는 것이어야 한다. 전력부는 전력사용량을 기준으로 배부하는 것이 가장 적절하다.

02 ③
- 직접배부법 : 보조부문 상호간 용역수수 완전무시 → 간단, 정확도·신뢰도 가장 낮음.
- 단계배부법 : 직접배부법과 상호배부법의 절충
- 상호배부법 : 보조부문 상호간의 용역수수 완전 인식 → 복잡, 정확도·신뢰도 가장 높음.

03 ④ 실제조업도가 정상조업도보다 높은 경우에는 실제조업도에 기초하여 고정제조간접원가를 배부함으로써 재고자산이 실제 원가를 반영하도록 한다.

04 ① 단계배부법은 보조부문 상호간의 용역수수를 완전히 반영하지 못하며, 상호배부법은 보조부문 상호간의 용역수수를 모두 반영한다.

05 ②
- 전력부문(제조간접비 300,000원)을 제조부문 및 수선부문에 1차 배분하므로 수선부문에 300,000 × 300kw/ (300+400+300)kw = 90,000원을 배분
- 90,000원을 합산한 540,000원(450,000원+90,000원)을 수선부문에서 조립부문 및 절단부문에 수선시간을 기준으로 배부한다

∴ 조립부문의 제조간접비배부액 = 540,000원 × 40시간/(40+50)시간 = 240,000원

06 ② 배부율 = 2,000,000원(작업지시서NO.1) ÷ 5,000,000원(공장전체) = 40%
배부액 = (12,000,000원 - 5,000,000원) × 40% = 2,800,000원

07 ② 100,000원 + 240,000원 = 340,000원

08 ③ 80,000원 × 40% / (40% + 40%) = 40,000원

09 ③ (1) X 부문 배부액(105,000원) = 150,000원× (700회 / 1,000회)
(2) Y 부문 배부액(187,500원) = 250,000원× (1,500회 / 2,000회)
(3) B 부문 총제조간접비(492,500원) = 200,000원 + 105,000원 + 187,500원

10 ③ 보기에서 가장 적합한 것은 임대업이므로 임대면적이다.

11 ④ 상호배분법에 의한 배분대상보조부문의 제조간접비는 자기부문의 제조간접원가에 타보조부문으로부터 배분받은 제조간접비를 합하여 계산한다.

제 4 장

원가계산하기

[과정/과목명 : 0203020103_17v3/원가계산]

능력단위 요소명	훈 련 내 용
원가계산하기	3.1 원가계산시스템의 종류에 따라 원가계산방법을 선택할 수 있다. 3.2 업종 특성에 따라 개별원가계산을 할 수 있다. 3.3 업종 특성에 따라 종합원가계산을 할 수 있다.

01 원가계산의 유형

(1) 생산방식에 따라 분류된 원가계산

❶ 개별원가계산
주문생산(소량)생산형태, 개별작업별로 원가를 집계하며, 조선업, 건설업, 기계공업, 항공기산업, 법률상담, 회계 및 세무상담 등에서 사용된다.

❷ 종합원가계산
연속(대량)생산형태, 제조공정별 원가를 집계하며, 정유업, 화학공업, 금속공업, 제지업 등에서 사용된다.

(2) 원가배분에 따라 분류된 원가계산제도

❶ 실제원가계산(외부보고)
기말에 실제 발생한 원가를 합리적인 기준으로 배부하는 계산방법으로 직접재료비(실제), 직접노무비(실제), 제조간접비(실제)를 원가계산시 제품에 배부한다.

❷ 정상원가계산(예정배부율)
전년도 데이터를 통한 예상치를 배부하는 계산방법으로 직접재료비(실제), 직접노무비(실제), 제조간접비(예정)를 원가계산시 제품에 배부한다.

❸ 표준원가계산(책임소재)
관리적인 측면에서 이용하는 계산방법으로 직접재료비(표준), 직접노무비(표준), 제조간접비(표준)을 원가계산시 제품에 배부한다.

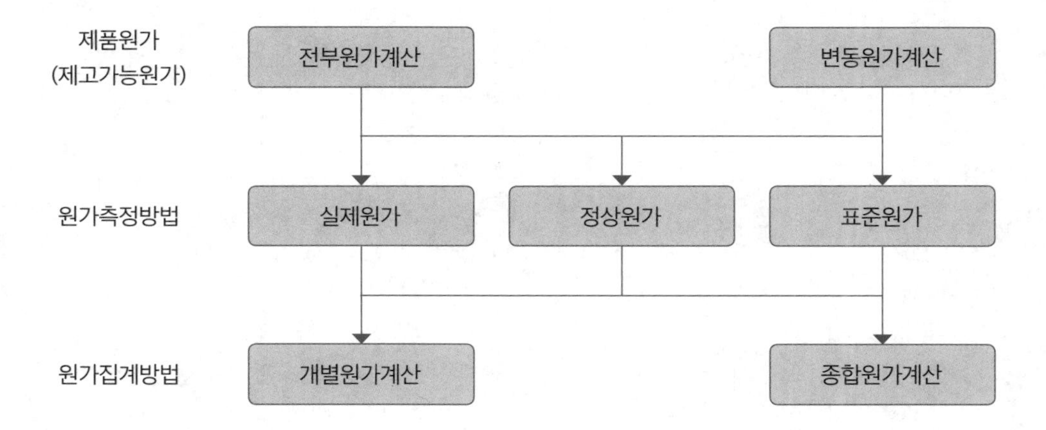

02 개별원가계산

개별원가계산(job-order costing)은 제품원가를 개별작업별로 구분하여 집계하는 원가계산제도로서, 주로 조선업·건설업·특수기계공업 등과 같이 고객의 주문에 따라 개별적으로 제품을 생산하는 주문생산형태의 기업에 적용된다.

(1) 개별원가계산의 절차

제1단계 : 원가대상이 되는 개별 작업을 파악한다.
제2단계 : 개별 작업에 대한 직접재료비와 직접노무비를 작업별로 부과한다.
제3단계 : 개별 작업에 직접부과 할 수 없는 제조간접비를 집계한다.
제4단계 : 제조간접비를 배부하기 위한 배부기준을 설정한다.
제5단계 : 설정된 배부기준에 따라 제조간접비를 개별 작업에 배부한다.

(2) 개별원가계산의 제조간접비 배부

❶ 실제개별원가계산

실제개별원가계산에서는 실제로 발생한 직접재료비, 직접노무비, 제조간접비를 바탕으로 제조원가를 계산하는 방법이다.

$$\text{제조간접비 실제배부율} = \frac{\text{실제 제조간접비 합계액}}{\text{실제조업도}}$$

제조간접비 배부액 = 개별작업의 실제 조업도 × 제조간접비 실제배부율

예제 1 **제품에 대한 원가와 조업도는 다음과 같으며 제조간접비 실제 발생액은 1,800,000원이다. 실제배부율을 구하고 제품별 원가를 구하시오.**

구분	#101	#102	#103	합계
직접재료비	300,000원	200,000원	500,000원	1,000,000원
직접노무비	500,000원	1,000,000원	800,000원	2,300,000원
직접노동시간	250시간	450시간	300시간	1,000시간

풀이

1. 실제배부율 = 1,800,000원 ÷ 1,000시간 = 1,800원/시간
2. 실제배부액
   #101 : 250시간 × 1,800원/시간 = 450,000원
   #102 : 450시간 × 1,800원/시간 = 810,000원
   #103 : 300시간 × 1,800원/시간 = 540,000원

구분	#101	#102	#103	합계
직접재료비	300,000원	200,000원	500,000원	1,000,000원
직접노무비	500,000원	1,000,000원	800,000원	2,300,000원
제조간접비	450,000원	810,000원	540,000원	1,800,000원
합계	1,250,000원	2,010,000원	1,840,000원	5,100,000원

❷ 정상개별원가계산

정상개별원가계산은 직접재료비와 직접노무비는 실제원가를 바탕으로 원가계산을 하고, 제조간접비는 예정배부액을 사용하여 제조원가를 계산하는 방법이다.

$$\text{제조간접비 예정배부율} = \frac{\text{제조 간접비 예산액}}{\text{예정조업도(기준조업도)}}$$

제조간접비 배부액 = 개별작업의 실제 조업도 × 제조간접비 예정배부율

예제 2 제품에 대한 원가와 조업도는 다음과 같으며 제조간접비 예산액은 1,500,000원이고, 예정조업도는 1,000시간이다.

구분	#101	#102	#103	합계
직접재료비	300,000원	200,000원	500,000원	1,000,000원
직접노무비	500,000원	1,000,000원	800,000원	2,300,000원
직접노동시간	250시간	450시간	300시간	1,000시간

1. 예정배부율을 구하고 제품별 원가를 구하시오.
2. 기말의 제조간접비 실제발생액은 1,800,000원이다. 배부차이를 구하시오.

풀이

1. 예정배부율 = 1,500,000원 ÷ 1,000시간 = 1,500원/시간
2. 예정배부액
   #101 : 250시간 × 1,500원/시간 = 375,000원
   #102 : 450시간 × 1,500원/시간 = 675,000원
   #103 : 300시간 × 1,500원/시간 = 450,000원
   ∴ 배부차이 = 실제 제조간접비 발생액 - 제조간접비 예정배부액
   = 1,800,000원 - 1,500,000원 = 300,000원(과소배부)

구분	#101	#102	#103	합계
직접재료비	300,000원	200,000원	500,000원	1,000,000원
직접노무비	500,000원	1,000,000원	800,000원	2,300,000원
제조간접비	375,000원	675,000원	450,000원	1,500,000원
합계	1,175,000원	1,875,000원	1,750,000	4,800,000원

(3) 배부차이의 조정

정상개별원가계산의 제조간접비(예정)와 기말의 실제 제조간접비와의 차이를 조정하는 것을 배부차이 조정이라 한다.

❶ 배부차이액

배부차이액 = 실제 제조간접비 발생액 - 제조간접비 예정배부액

❷ 과소배부

실제 제조간접비에 미달하여 제조간접비를 예정 배부한 경우를 말하며 불리한 차이라 한다.

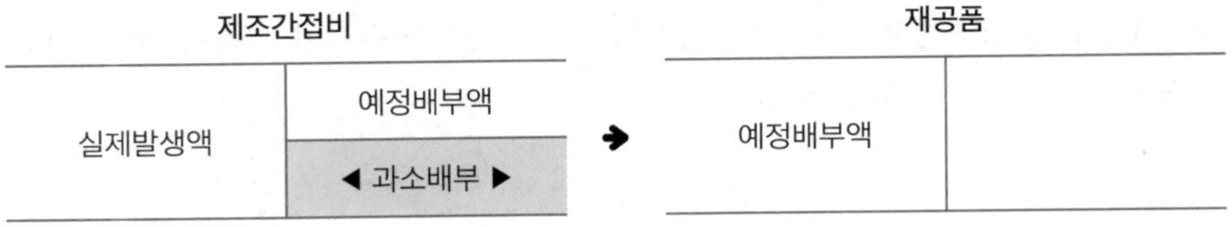

제조간접비

실제발생액	예정배부액
	◀ 과소배부 ▶

➔

재공품

예정배부액	

❸ 과대배부

실제 제조간접비에 초과하여 제조간접비를 예정 배부한 경우를 말하며 유리한 차이라한다.

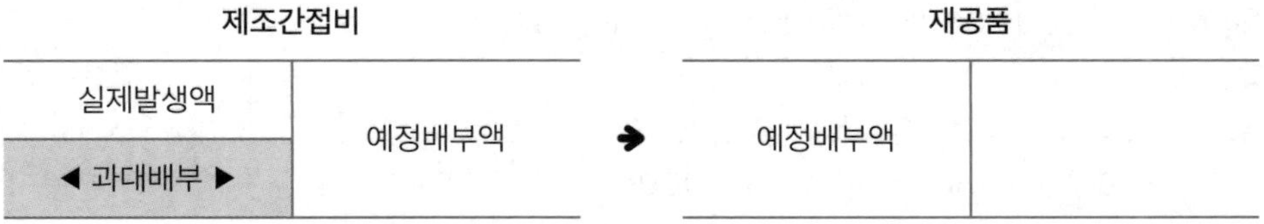

제조간접비	
실제발생액	예정배부액
◀ 과대배부 ▶	

➔

재공품	
예정배부액	

(4) 제조간접비 배부차이 조정법

❶ 매출원가조정법

제조간접비 배부차이를 매출원가에 가감하는 방법으로서, 과소배부액은 매출원가에 가산하고 과대배부액은 매출원가에서 차감한다.

구 분	회 계 처 리			
과대배부 (실제배부액 < 예정배부액)	(차) 제조간접비(배부차이)	×××	(대) 매출원가	×××
과소배부 (실제배부액 > 예정배부액)	(차) 매출원가	×××	(대) 제조간접비(배부차이)	×××

❷ 영업외손익법

제조간접비 배부차이를 영업외손익으로 처리하는 방법으로서 과소배부액은 영업외비용으로, 과대배부액은 영업외수익으로 처리하게 된다.

구 분	회 계 처 리			
과대배부 (실제배부액 < 예정배부액)	(차) 제조간접비(배부차이)	×××	(대) 배부차이이익 (영업외수익)	×××
과소배부 (실제배부액 > 예정배부액)	(차) 배부차이손실 (영업외비용)	×××	(대) 제조간접비(배부차이)	×××

❸ 비례배부법

비례배부법은 제조간접비 배부차이를 기말재고자산과 매출원가 계정의 상대적 비율에 따라 비례하여 배분하는 방법이다.

구 분	회계처리			
과대배부 (실제배부액 < 예정배부액)	(차) 제조간접비(배부차이)	×××	(대) 매출원가 제품 재공품	××× ××× ×××
과소배부 (실제배부액 > 예정배부액)	(차) 매출원가 제품 재공품	××× ××× ×××	(대) 제조간접비(배부차이)	×××

㉠ 총원가기준 비례배부법
기말재공품, 기말제품, 매출원가의 총원가(기말잔액)의 비율에 따라 배부차이를 배부하는 방법이다.
㉡ 원가요소별 비례배부법
기말재공품, 기말제품, 매출원가에 포함된 원가요소(제조간접비의 배부액)의 비율에 따라 배분하는 방법이다. 논리적으로 가장 뛰어나지만 시간과 절차, 비용이 많이 발생한다.

03 종합원가계산

(1) 종합원가계산의 의의

제품원가를 제조공정별로 구분하여 집계하는 원가계산제도로 정유업, 화학공업, 제분업, 제지업, 금속공업 등과 같이 동일한 종류의 제품을 계속적으로 대량생산하는 형태의 기업에 적용한다.

종합원가계산에서는 원가계산 기간별로 원가를 집계하며 일정한 원가계산기간 동안에 발생한 총제조원가를 동 기간 중에 만들어진 완성품환산량으로 나누어 제품의 단위당 원가를 계산한다.

(2) 종합원가계산의 종류

구 분	내 용
단일종합원가계산	단일공정에서 제품을 생산하는데 적합한 원가계산방법
조별종합원가계산	이종제품을 연속적으로 대량생산하는데 적합한 원가계산방법
공정별종합원가계산	2 개 이상의 공정을 통하여 제품을 생산하는데 적합한 원가계산방법
등급별종합원가계산	동일원재료와 동일공정을 통하여 규격, 모양, 무게 등이 다른 동일제품을 생산하는데 적합한 원가계산방법
연산품종합원가계산	동일원재료를 사용하여 유사한 제품을 생산하는데 적합한 원가계산방법

(3) 종합원가계산의 절차

[1단계] 물량흐름파악
[2단계] 완성품환산량 계산
[3단계] 배분대상 원가(총원가)
[4단계] 완성품환산량 단위당 원가계산
[5단계] 원가배분(완성품원가와 기말재공품원가 계산)

(4) 완성품 환산량

❶ 완성품

당해 생산공정에서 생산이 완료된 것을 말하는 것으로 가공비 완성도는 100% 이다.

❷ 기말재공품

당해 생산공정에서 생산이 완료되지 않고 가공중에 있는 것으로 가공비 완성도가100% 미만에 해당한다.

❸ 완성품환산량

완성품(100%가공)과 기말재공품(100%미만가공)을 동등한 자격으로 일치시켜주는 척도가 필요한데 이것이 완성품환산량이다.

- 완성품에 대한 완성품 환산량 = 완성품 수량 × 완성도(진척도)
- 기말재공품에 대한 완성품 환산량 = 기말재공품수량 × 가공비 완성도

예제 1　　월말재공품 수량 100개(완성도 60%)

① 재료비가 공정의 착수시점에 전부 투입되는 경우

➲ 재료비의 완성도 100%로 계산
월말재공품 완성품 환산량 100개 × 100% = 100개

② 재료비가 제조진행에 따라 투입되는 경우

➲ 완성도를 적용하여 계산
월말재공품 완성품 환산량 100개 × 60% = 60개

③ 가공비는 항상 제조진행에 따라 투입하는 것으로 본다.

(5) 종합원가계산방법

❶ 평균법

당월에 완성된 제품은 그것이 월초재공품에서 완성된 것이든, 당월 착수분에서 완성된 것이든 구분없이 당월에 완성된 것으로 보는 방법

㉠ 완성품환산량 = 당기완성수량 + 기말재공품환산량

㉡ 완성품환산량 단위당원가 = $\frac{\text{기초 재공품원가 + 당기투입원가}}{\text{완성품 환산량}}$

㉢ 기말재공품원가 = 기말재공품 환산량(수량) × 완성품환산량 단위당원가

※ 기말재공품 원가는 기말재공품 직접재료비와 기말재공품 가공비를 구분하여 구한 후 합산한다.

㉣ 완성품 제조원가 = 기초재공품원가 + 당기투입원가 - 기말재공품원가

예제 2 공장은 단일제품을 대량으로 생산하고 있다. 원재료는 공정초기에 모두 투입되고, 가공비는 공장전반에 걸쳐 균등하게 발생된다. 다음 자료에 의하여 평균법에 의한 기말재공품과 완성품원가를 계산하라.

(1) 물량자료

- 기초재공품 100개(완성도 50%)
- 당기착수량 2,400개
- 당기완성량 2,000개
- 기말재공품수량 500개(완성도 40%)

(2) 원가자료

- 재료비 : 기초재공품 10,000원 당기발생원가 200,000원
- 가공비 : 기초재공품 100,000원 당기발생원가 340,000원

풀이

▶ 1단계 물량흐름 파악

재 공 품

기초재공품수량	100개	완성품수량	2,000개
당기착수수량	2,400개	기말재공품수량	500개
	2,500개		2,500개

▶ 2단계 완성품환산량 계산

	수량	완성품환산량	
		재료비	가공비
당기완성량	2,000개	2,000개	2,000개
기말재공품(40%)	500개	500개(100%)	200개(40%)*
합 계	2,500개	2,500개	2,200개

* 500개 × 40% = 200개

▶ 3단계 총원가의 계산

	재료비	가공비
기초재공품	10,000원	100,000원
당기발생원가	200,000원	340,000원
합 계	210,000원	440,000원

▶ 4단계 완성품환산량 단위당 원가의 계산

- 재료비의 완성품환산량 단위당원가 = $\frac{210{,}000원}{2{,}500개}$ = @84원
- 가공비의 완성품환산량 단위당원가 = $\frac{440{,}000원}{2{,}200개}$ = @200원

▶ 5단계 원가의 배분

- 완성품원가 : 2,000개 × 84원 + 2,000개 × 200원 = 568,000원
- 기말재공품원가 : 500개 × 84원 + 200개 × 200원 = 82,000원

재 공 품

기초	110,000원	제품	568,000원
직접재료비	200,000원	기말	82,000원
가공비	340,000원		
	650,000원		650,000원

❷ 선입선출법

㉠ 완성품환산량 = 당기완성수량 - 기초재공품환산량 + 기말재공품환산량
= 당기완성품 수량 - 기초재공품의 완성품환산량[기초재공품 × (1-완성도)] + 기말재공품의 완성품환산량(기말재공품수량 × 완성도)

㉡ 완성품환산량 단위당원가 = $\frac{\text{당기투입원가}}{\text{완성품 환산량}}$

㉢ 기말재공품원가 = 기말재공품환산량 × 완성품환산량 단위당원가

※ 기말재공품 원가는 기말재공품 직접재료비와 기말재공품 가공비를 구분하여 구한 후 합산한다.

㉣ 완성품 제조원가 = 기초재공품원가 + 당기투입원가 - 기말재공품원가

예제 3 **공장은 단일제품을 대량으로 생산하고 있다. 원재료는 공정초기에 모두 투입되고, 가공비는 공장전반에 걸쳐 균등하게 발생된다. 다음 자료에 의하여 선입선출법에 의한 기말재공품과 완성품원가를 계산하라.**

(1) 물량자료

- 기초재공품 100개(완성도 50%)
- 당기착수량 2,400개
- 당기완성량 2,000개
- 기말재공품수량 500개(완성도 40%)

2) 원가자료

- 재료비 : 기초재공품 10,000원 당기발생원가 200,000원
- 가공비 : 기초재공품 100,000원 당기발생원가 340,000원

풀이

▶ 1단계 물량흐름 파악

재 공 품

기초재공품수량	100개	완성품수량	2,000개
당기착수수량	2,400개	기말재공품수량	500개
	2,500개		2,500개

▶ 2단계 완성품환산량 계산

- 재료비 완성품환산량 : 2,000개 - 100개 + 500개 = 2,400개
- 가공비 완성품환산량 : 2,000개 - 100개(1-50%) + 500개 × 40% = 2,150개

▶ 3단계 총원가의 계산

	재료비	가공비	합계
기초재공품			110,000원
당기발생원가	200,000원	340,000원	540,000원
합 계	200,000원	340,000원	650,000원

▶ 4단계 완성품환산량 단위당 원가의 계산

- 재료비의 완성품환산량 단위당원가 = $\frac{200,000원}{2,400개}$ = @83.333원
- 가공비의 완성품환산량 단위당원가 = $\frac{340,000원}{2,150개}$ = @158.14원

▶ 5단계 원가의 배분

- 완성품원가 : 110,000원 + 1,900개 × 83.333원 + 1,950개 × 158.14원 = 576,705원
- 기말재공품원가 : 500개 × 83.333원 + 200개 × 158.14원 = 73,295원

재 공 품

기초	110,000원	제품	576,705원
직접재료비	200,000원	기말	73,295원
가공비	340,000원		
	650,000원		650,000원

04 공손품과 감손

(1) 공손품

공손품이란 제품을 제조하는 과정에서 작업자의 부주의, 원재료의 불량, 기계설비의 결함 등으로 인하여 가공과정에 품질 및 규격이 표준에 미달한 불합격품을 말한다.

❶ 정상적인 공손품
현재의 기술 수준으로는 더 이상 개선할 수 없는 기계의 결함·재료의 순도 등의 이유로 발생하는 공손으로 제조원가로 처리한다.

❷ 비정상적인 공손품
효율적인 작업환경에서 발생되어서는 안 될 공손으로 기간비용(영업외비용)으로 처리한다.

(2) 감손

제조과정에서 재료의 유실, 증발, 가스화하여 제품화되지 않은 부분을 말한다.

(3) 작업폐물

제품의 제조과정에서 발생한 가구제작업의 나무토막, 톱밥 등의 부스러기인 잔폐물을 작업폐물이라 한다. 작업폐물이 발생한 제조지시서의 직접재료비에서 차감하여 제조원가에서 차감하고 작업폐물이 발생한 부문의 부문비에서 차감한다. 작업폐물의 금액이 적은 경우 또는 처분한 경우 잡이익 계정으로 처리한다.

(4) 부산물

제품제조과정에서 발생한 이용가치나 매각가치가 제2차적인 생산물인 비누공장에서의 글리세린같은 제품을 부산물이라 한다.

(5) 공손품이 있는 경우 종합원가계산

구 분	처 리 방 법	
정상공손원가	제조원가로 처리	기말재공품이 검사시점을 통과하지 못한 경우 : 완성품에만 배부
		기말재공품이 검사시점을 통과한 경우 : 완성품과 기말재공품에 안분하여 배부
비정상공손원가	영업외비용으로 처리	

05 개별원가계산과 종합원가계산의 비교

구 분	개별원가계산	종합원가계산
생산형태	개별 제품의 주문 생산	동종 제품의 연속 대량 생산
적용대상산업	건설업, 조선업, 항공업, 기계공업, 주문 인쇄업, 주문가구제작업	정유업, 제분업, 철강업, 식품가공업, 제지업, 제화업, 화학공업, 양조업
생산수량	주문에 의한 소량 생산	생산계획에 따른 연속 대량 생산
제조지시서 종류	특정제조지시서	계속제조지시서
원가의 분류	직접비와 간접비의 구분이 중요	직접재료비와 가공비의 구분이 중요
기말재공품의 평가	미완성된 작업의 작업원가표에 집계된 원가로 자동 계산	완성품과 기말재공품에 배분하는 절차가 필요(기말재공품 완성품환산량 × 단위당 원가)
단위당 원가계산	완성된 작업의 작업원가표에 집계된 원가를 완성수량으로 나누어 계산 : 완성품제조원가 ÷ 완성수량	일정기간(보통 1개월)동안의 완성품제조원가를 완성수량으로 나누어 계산 : 일정기간의 완성품제조원가 ÷ 완성수량
원가계산의 정확성	제품별 정확한 원가계산이 가능	상대적으로 정확성이 떨어짐
원가계산의 비용	상세한 기록이 필요하며 원가계산비용이 많이 소요됨	상대적으로 덜 복잡하고 비용이 적게 소요됨

단원정리문제 원가계산하기

01 다음 중 개별원가계산과 가장 관련이 있는 것은?

① 작업원가표 ② 완성품환산량
③ 선입선출법 ④ 가중평균법

02 개별원가계산시 배부율 및 배부액을 산정하는 산식 중 올바르지 않는 것은?

① 실제제조간접비 배부율 = $\frac{\text{실제제조간접비 합계액}}{\text{실제조업도(실제배부기준)}}$

② 예정제조간접비 배부율 = $\frac{\text{예정제조간접비 합계액}}{\text{예정조업도(예정배부기준)}}$

③ 실제제조간접비 배부액 = 개별 제품 등의 제조업도(실제배분기준) × 제조간접비 실제배부율

④ 예정제조간접비 배부액 = 개별 제품 등의 예정조업도(예정배분기준) × 제조간접비 예정배부율

03 다음 중 개별원가계산에 대한 설명으로 틀린 것은?

① 제품을 비반복적으로 생산하는 업종에 적합한 원가계산제도이다.

② 조선업, 건설업 등 주문생산에 유리하다.

③ 공장전체 제조간접비 배부율을 적용하는 것이 제조부문별 제조간접비 배부율을 적용하는 것보다 더 정확한 원가배분방법이다.

④ 제조간접비는 일정한 배분기준에 따라 배부하게 된다.

04 ㈜한국의 제조간접비 예정배부율은 작업시간당 10,000원이다. 실제작업시간이 500시간이고, 제조간접비 배부차이가 1,000,000원 과소배부라면, 실제제조간접비 발생액은?

① 6,000,000원 ② 5,000,000원 ③ 4,000,000원 ④ 7,000,000원

05 ㈜한국은 제조간접비를 기계사용시간으로 배부하고 있다. 2021년도 제조간접비 배부차이는 5,000원 과소배부되었다. 2021년도 실제 기계사용시간이 100시간이고, 실제 제조간접비 발생액은 35,000원일 경우 다음 설명 중 틀린 것은?

① 재공품에 배부된 제조간접비는 실제 제조간접비발생액보다 적다.

② 제조간접비 예정배부율이 낮아 실제발생액보다 과소배부 되었다.

③ 제조간접비 예정배부율은 기계사용시간당 350원이다.

④ 제조간접비 예정배부액은 30,000원이다.

06 다음 자료에 의한 직접재료비는 얼마인가?

- 기초재공품 : 1,000,000원
- 당기제품제조원가 : 5,500,000원
- 제조간접비 : 당기제품제조원가의 40%
- 직접노무비 : 제조간접비의 1.2배
- 기말재공품 : 2,000,000원

① 1,200,000원 ② 1,550,000원 ③ 1,660,000원 ④ 1,860,000원

07 다음 자료에 의한 기계작업시간당 제조간접비 예정배부율은 얼마인가?

- 제조간접비 실제발생액 : 25,000,000원
- 제조지시서의 실제 기계작업시간 : 500시간
- 제조간접비 실제배부율 : 기계작업시간당 50,000원
- 제조간접비 과소배부액 : 1,000,000원

① 기계작업시간당 47,000원
② 기계작업시간당 48,000원
③ 기계작업시간당 50,000원
④ 기계작업시간당 52,000원

08 다음 중 개별원가계산에 가장 적합한 업종은?

① 건설업 ② 휴대폰 ③ 필기류 ④ 냉장고

09 개별원가계산에 대한 설명으로 가장 옳지 않은 것은?

① 다양한 품종을 생산한다.
② 주문생산형태로 제품을 제작한다.
③ 개별 제품의 제작원가가 비교적 크다.
④ 동일한 종류의 제품을 대량으로 생산하고 있다.

10 ㈜강서는 정상개별원가계산제도를 적용하고 있다. 제조간접비 예정배부율이 직접노무시간당 5,000원이고, 예상 직접노무시간이 220시간, 실제 직접노무시간이 200시간이다. 실제 제조간접비 발생액은 1,200,000원인 경우 제조간접비 배부차이는 얼마인가?

① 100,000원 과소배부
② 100,000원 과대배부
③ 200,000원 과소배부
④ 200,000원 과대배부

11 ㈜한결은 예정(정상)개별원가계산을 적용하고 있다. 제조간접비 부족배부액 50,000원을 원가요소기준법에 의해 배부하는 경우, 매출원가에 배부되는 금액은?

구 분	재공품	제 품	매출원가
직접재료비	15,000원	25,000원	23,000원
직접노무비	35,000원	45,000원	47,000원
제조간접비	30,000원	20,000원	50,000원
합계	80,000원	90,000원	120,000원

① 25,000원 ② 35,000원 ③ 75,000원 ④ 125,000원

12 다음 중 개별원가계산과 종합원가계산에 대한 설명으로 틀린 것은?

① 개별원가계산은 제품을 비반복적으로 생산하는 업종에 적합하다.
② 종합원가계산은 직접비와 간접비의 구분이 중요하다.
③ 개별원가계산은 조선업, 건설업 등의 업종에 적합하다.
④ 종합원가계산이란 단일 종류의 제품을 연속적으로 대량 생산하는 경우 적합하다.

13 기초재공품은 10,000개(완성도 20%), 당기완성품수량은 190,000개, 기말재공품은 8,000개(완성도 40%)이다. 평균법과 선입선출법의 가공비에 대한 완성품 환산량의 차이는 얼마인가?(단, 재료는 공정 초에 전량 투입되고, 가공비는 공정 전반에 걸쳐 균등하게 투입됨)

① 2,000개 ② 5,000개 ③ 6,000개 ④ 7,000개

14 선입선출법에 의한 종합원가계산 과정에서 완성품환산량 단위당 원가를 다음과 같이 계산하는 경우 '㉠'에 해당하는 것은?

$$\text{선입선출법에 의한 완성품환산량 단위당 원가} = \frac{㉠}{\text{완성품 환산량}}$$

① 기초재공품원가
② 당기투입원가
③ 당기투입원가 - 기초재공품원가
④ 기초재공품원가 + 당기투입원가

15 다음 중 개별원가계산방법과 종합원가계산방법에 대한 내용으로 잘못 짝지어진 것은?

	구 분	종합원가계산방법	개별원가계산방법
①	핵심과제	완성품환산량 계산	제조간접비 배부
②	생산형태	소품종 대량생산	다품종 소량생산
③	장 점	정확한 원가계산	경제성 및 편리함
④	원가집계	공정별 집계	개별작업별 집계

16 종합원가계산제도하에서 완성품 환산량의 계산에 선입선출법을 사용하여 당기에 실제 발생한 재료비와 가공비의 합계액을 계산하면 얼마인가?

- 기초재공품 : 1,000단위(완성도 30%)
- 기말재공품 : 1,200단위(완성도 60%)
- 당기완성품 : 4,000단위
- 재료비 완성품환산량 단위당원가 : 1,000원
- 가공비 완성품환산량 단위당원가 : 1,200원
- 재료비는 공정초기에 전량 투입되고 가공비는 공정기간동안 균등하게 투입.
- 공손이나 작업폐물은 없는 것으로 간주한다.

① 9,264,000원　② 9,504,000원　③ 10,586,000원　④ 11,400,000원

17 종합원가계산방법 중 선입선출법에 대한 설명으로 틀린 것은?

① 실제 물량흐름을 반영 한다.
② 전기 작업분을 포함한 평균개념이다.
③ 당기 작업분만 포함한 당기 단가개념이다.
④ 기초재공품 원가는 먼저 완성품원가를 구성하는 것으로 가정한다.

18 다음 자료에 따른 평균법에 의한 재료비와 가공비의 완성품환산량은 얼마인가? 원재료는 공정 30% 시점에 전량 투입되며, 가공비는 공정기간동안 균등하게 투입된다고 가정한다.

- 기초재공품 : 3,000개(완성도 40%)
- 기말재공품 : 2,000개(완성도 20%)
- 착수량 : 7,000개
- 완성품 : 8,000개

	재료비	가공비
①	8,000개	10,000개
②	8,000개	8,400개
③	10,000개	8,400개
④	10,000개	10,000개

19 다음 자료를 통해 종합원가계산을 이용하는 기업의 가공비 완성품환산량을 계산하면 얼마인가?

- 기초재공품 : 2,000개(완성도 40%)
- 당기착수량 : 8,000개
- 당기완성품 : 7,000개
- 기말재공품 : 3,000개(완성도 30%)
- 모든 제조원가는 공정 전반에 걸쳐 균등하게 투입된다.
- 원가흐름에 대한 가정으로 선입선출법을 사용하고 있다.

① 7,100개
② 7,200개
③ 7,400개
④ 7,500개

20 다음은 무한상사의 원가자료이다. 다음 자료에 따라 평균법에 의한 완성품 단위당 제조원가는 얼마인가?(단, 모든 제조원가는 공정 전반에 걸쳐 균등하게 투입된다)

- 기초재공품원가 : 직접재료비 300,000원, 노무비 700,000원, 경비 400,000원
- 당기제조원가 : 직접재료비 4,000,000원, 노무비 3,000,000원, 경비 1,000,000원
- 완성품수량 : 4,000개
- 기말재공품수량 : 1,250개(완성도 80%)

① 1,880원 ② 2,000원 ③ 2,350원 ④ 2,937원

21 종합원가계산에서 재료비는 공정초기에 전량 투입되며, 가공비는 공정기간동안 균등하게 투입될 경우 평균법에 의한 재료비와 가공비의 완성품환산량으로 맞는 것은?

구분	물량	완성도	구분	물량	완성도
기초재공품	300개	70%	당기완성	1,200개	-
당기투입	1,500개	-	기말재공품	600개	40%
계	1,800개	-	계	1,800개	-

	재료비	가공비
①	1,500개	1,440개
②	1,500개	1,800개
③	1,800개	1,440개
④	1,800개	1,800개

22 다음은 ㈜옥타곤의 제조활동과 관련하여 발생한 자료이다. 당기 중에 발생한 정상공손 수량은 얼마인가? (단, 공손품을 제외한 파손품이나 작업폐물은 없는 것으로 한다)

- 기초재공품 : 500개
- 기말재공품 : 200개
- 당기착수량 : 4,000개
- 당기완성수량 : 3,500개
- 비정상공손수량 : 300개

① 200개
② 300개
③ 400개
④ 500개

23 다음 중 종합원가계산에서 공손품 회계에 대한 설명으로 틀린 것은?

① 공손품의 의미는 재작업이 불가능한 불합격품을 의미한다.
② 공손품의 검사시점이 기말재공품의 완성도 이전인 경우에 공손품원가를 모두 완성품에만 부담시킨다.
③ 비정상공손원가는 영업외비용으로 처리한다.
④ 정상공손은 생산과정에서 불가피하게 발생하는 공손이다.

24 다음 부산물과 공통원가 배부에 대한 설명 중 틀린 것은?

① 부산물이란 주산물의 제조과정에서 필연적으로 파생하는 물품을 말한다.
② 주산물과 부산물을 동시에 생산하는 경우 발생하는 공통원가는 각 제품을 분리하여 식별할 수 있는 시점이나 완성한 시점에서 개별 제품의 상대적 판매가치를 기준으로 하여 배부한다.
③ 주산물과 부산물의 공통원가는 생산량기준 등을 적용하는 것이 더 합리적이라고 판단되는 경우 그 방법을 적용할 수 있다.
④ 중요하지 않은 부산물이라 하더라도 순실현가능가치를 측정하여 반드시 주요제품과 구분하여 회계처리 하여야 한다.

25 다음 자료에 의하여 정상공손수량을 완성품의 10%라고 가정할 때 비정상공손수량을 계산하면?

- 기초재공품 : 950단위
- 당기착수량 : 6,200단위
- 당기완성량 : 4,750단위
- 기말재공품 : 1,500단위

① 425단위
② 450단위
③ 465단위
④ 475단위

26 다음은 공손원가에 대한 설명이다. 틀린 것은?

① 비정상공손은 비효율적인 작업조건으로 발생한다.
② 비정상공손원가는 회피 가능한 원인이며, 영업외비용으로 처리한다.
③ 정상공손은 회피 불가능한 원인으로, 효율적인 작업조건에서도 발생한다.
④ 정상공손원가는 당기에 검사시점을 통과한 양품에만 배부하며, 영업외비용으로 처리한다.

27 다음 자료를 이용하여 비정상공손 수량을 계산하면 얼마인가?(단, 정상공손은 당기 완성품의 5%로 가정한다)

• 기초재공품 : 200개 • 기말재공품 : 50개 • 당기착수량 : 800개 • 당기완성량 : 900개

① 5개 ② 6개 ③ 8개 ④ 10개

28 다음 자료를 이용하여 선입선출법과 평균법에 의한 재료비의 완성품환산량 차이는 얼마인가?

• 기초재공품 : 200개(완성도 50%) • 완성품수량 : 2,600개 • 기말재공품 : 500개(완성도 40%) • 원재료는 공정초에 전량 투입되고, 가공비는 공정전반에 걸쳐 균등하게 발생된다.

① 100개 ② 200개 ③ 300개 ④ 400개

29 당사는 선입선출법으로 종합원가계산을 하고 있다. 다음 자료에 따라 계산하는 경우 기말재공품의 원가는 얼마인가?

· 완성품환산량 단위당 재료비 : 350원 · 완성품환산량 단위당 가공비 : 200원 · 기말재공품 수량 : 300개(재료비는 공정초기에 모두 투입되고, 가공비는 80%를 투입)

① 132,000원 ② 153,000원 ③ 144,000원 ④ 165,000원

정답 및 해설

01	02	03	04	05	06	07	08	09	10	11	12	13	14	15	16	17	18	19	20
①	④	③	①	③	③	②	①	④	③	①	②	①	②	③	②	②	②	①	①

21	22	23	24	25	26	27	28	29
③	④	②	④	①	④	①	②	②

01 ① 작업원가표는 개별원가계산에 사용되는 방식이다. 완성품환산량, 선입선출법, 가중평균법 등은 모두 종합원가계산과 관련이 있다.

02 ④ 예정제조간접비 배부액 = 개별 제품 등의 실제조업도(실제배분기준) × 제조간접비 예정배부율

03 ③ 부문별 제조간접비 배부율을 적용하는 것이 더 정확한 원가배분방법이다.

04 ① 10,000원×500시간 + 1,000,000원 = 6,000,000원

05 ③ • 실제발생액 - 예정배부액 = 5,000원
• 예정배부액 = 30,000원
• 실제기계사용시간 100시간 × 예정배부율(x) = 30,000원 ∴ 예정배부율 = 300원

06 ③ • 제조간접비는 당기제품제조원가의 40% = 5,500,000원 × 40% = 2,200,000원
• 직접노무비는 제조간접비의 1.2배이므로 2,640,000원
• 당기총제조원가 = 당기제품제조원가 + 기말재공품 - 기초재공품
= 5,500,000원 + 2,000,000원 - 1,000,000원 = 6,500,000원
• 직접재료비 = 당기총제조원가 - 직접노무비 - 제조간접비
= 6,500,000원 - 2,200,000원 - 2,640,000원 = 1,660,000원

07 ② • 예정배부액 : 25,000,000원 - 1,000,000원 = 24,000,000원
• 예정배부율 : 24,000,000원 ÷ 500시간 = @48,000원

08 ① 개별원가계산은 기업외부의 주문이나 계약에 따라 이루어지는 작업에 이용된다.

09 ④ 대량생산이 가능할 경우에는 종합원가계산 방식이 적합하다.

10 ③ 배부차이 = 예정배부액 1,000,000원(예정배부율 5,000원×실제 직접노무시간 200시간) - 실제 제조간접비 발생액 1,200,000원 = 200,000원 과소배부

11 ① 50,000원 × [50,000원 / (30,000원 + 50,000원 + 20,000원)] = 25,000원

12 ② 종합원가계산은 직접비와 간접비의 구분이 필요없는 대신 직접재료비와 가공비로 분류하게 된다.

13 ① • 평균법에 의한 가공비의 완성품환산량 = 190,000개 + (8,000개 × 0.4) = 193,200개
• 선입선출법에 의한 가공비의 완성품환산량 = 190,000개 + (8,000개 × 0.4)-(10,000개 × 0.2)=191,200개
• 완성품환산량의 차이는 193,200개 - 191,200개 = 2,000개이다.

14 ② • 선입선출법 : 당기투입원가 / 완성품환산량
• 평균법 : (기초재공품원가 + 당기투입원가) / 완성품환산량

15 ③ 종합원가계산의 장점은 경제성 및 편리함, 개별원가계산은 장점은 정확한 원가계산이다.

16 ② • 당기에 실제 발생한 재료비와 가공비의 합계액 = 4,200,000원 + 5,304,000원 = 9,504,000원
• 당기 실제 발생한 재료비 = 당기 재료비완성품환산량 × 재료비완성품환산량 단위당원가
4,200,000원 = (3,000 + 1,200) × 1,000원
• 당기 실제 발생한 가공 = 당기 가공비완성품환산량 × 가공비완성품환산량 단위당원가
5,304,000원 = [(1,000 × 70%) + 3,000 + (1,200 × 60%)] × 1,200원

17 ② 평균법은 전기 작업분을 포함한 평균개념이다.

18 ② 재료비 : 8,000개 + 0개 = 8,000개, 가공비 : 8,000개 + 2,000개 × 20% = 8,400개

19 ① (7,000개 - 2,000개 × 40%) + 3,000 × 30% = 7,100개

20 ① • 1단계 물량흐름 파악 : 완성품 4,000개 + 기말재공품중 완성품 해당수량 1,250개 × 80% = 5,000개
• 2단계원가계산 : 총제조원가
300,000 + 700,000 + 400,000 + 4,000,000 + 3,000,000 + 1,000,000 = 9,400,000원
∴ 완성품 단위당 제조원가 9,400,000원 / 5,000개 = 1,880원

21 ③ • 재료비 = 1,200개 + 600개 = 1,800개
• 가공비 = 1,200개 + 600개×40% = 1,440개

22 ④

재공품

기초재공품	500개	완성품	3,500개
당기투입	4,000개	공손품	800개
		(정상 500, 비정상 300)	
		기말재공품	200개

23 ② 완성품과 기말재공품에 안분하여 부담시킨다.

24 ④ 중요하지 않은 부산물은 순실현가능가치를 측정하여 동 금액을 주요 제품의 원가에서 차감하여 처리할 수 있다.

25 ①

재공품(단위)

기초	950	당기완성	4,750
당기착수	6,200	정상공손	475
		비정상공손	425
		기말	1,500
	7,150		7,150

- 총공손수량 = 950 + 6,200 - 4,750 - 1,500 = 900단위
- 정상공손수량 = 4,750 × 10% = 475단위
- 비정상공손수량 = 900 - 475 = 425단위

26 ④ 정상공손원가는 제조원가로 처리한다.

27 ①
- 정상공손량 : 900개 × 5% = 45개
- 비정상공손량 : (200개 + 800개) - (900개 + 50개) - 45개 = 5개

28 ②
- 기초재공품수량 + 당기착수량 = 당기완성품수량 + 기말재공품수량
  200개 + 2,900개 = 2,600개 + 500개
- 선입선출법에 의한 재료비 완성품환산량 : 2,600개 + 500개 - 200개 = 2,900개
- 평균법에 의한 재료비 완성품환산량 : 2,600개 + 500개 = 3,100개
- 선입선출법과 평균법에 의한 재료비의 완성품환산량 차이 : 3,100개 - 2,900개 = 200개

29 ②
- 기말재공품 재료비 : 300개 × 350원 = 105,000원
- 기말재공품 가공비 : (300개 × 0.8) × 200원 = 48,000원
- 기말재공품 원가 : 105,000원 + 48,000원 = 153,000원

NCS 국가직무능력표준 National Competency Standards

제 3 부

부가가치세 신고

[과정/과목명 : 0203020205_17v4/부가가치세 신고]

능력단위 요소명	훈 련 내 용
부가가치세 신고하기	3.1 부가가치세법에 따른 과세기간을 이해하여 예정·확정 신고를 할 수 있다. 3.2 부가가치세법에 따라 납세지를 결정하여 상황에 맞는 신고를 할 수 있다. 3.3 부가가치세법에 따른 일반과세자와 간이과세자의 차이를 판단할 수 있다. 3.4 부가가치세법에 따른 재화의 공급과 용역의 공급의 범위를 판단할 수 있다. 3.5 부가가치세법에 따른 부가가치세신고서를 작성할 수 있다.

제 1 장

부가가치세의 기본개념

01 부가가치세의 의의

부가가치란 재화 또는 용역이 생산되거나 유통되는 각각의 거래단계에서 새로이 창출된 가치의 증가분을 말하며, 부가가치세(Value Added Tax)란 이러한 부가가치를 과세대상으로 하는 조세라고 정의할 수 있다.

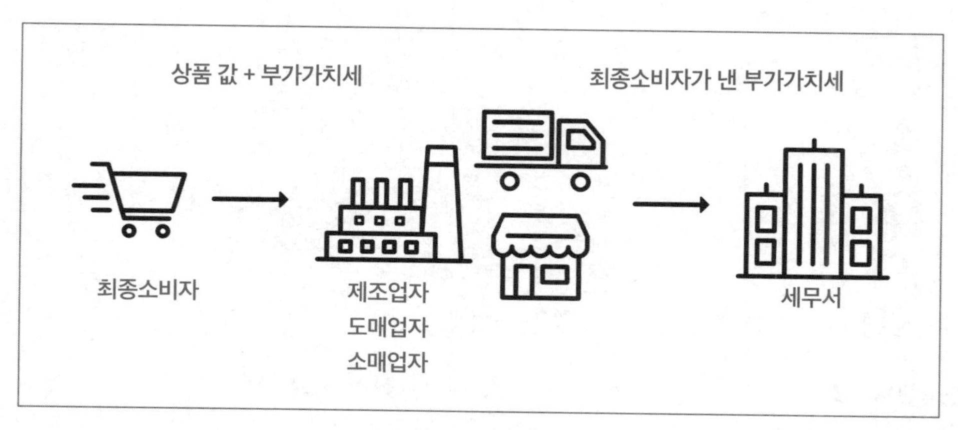

부가가치세 계산 및 납부 흐름

02 우리나라 부가가치세의 특징

특 징	내 용
국세	부가가치세는 국가가 부과하는 조세(지방세 아님)
간접세	• 납세의무자 : 부가가치세법상 사업자 • 담세자 : 최종소비자
일반소비세	소비대상이 되는 모든 재화·용역(면세대상제외)의 거래단계에서 발생하는 부가가치에 대해 과세(개별소비세 아님)
물세	납세의무자의 부양가족 수나 교육비·의료비 등 인적 사정이 전혀 고려되지 않는 세금(인세 아님)
다단계거래세	재화·용역이 최종소비자에게 도달될 때까지의 모든 거래단계마다 부가가치세 과세
소비형부가가치세	투자지출에 해당하는 부가가치에 대해서는 과세하지 아니하고, 소비지출에 해당하는 부가가치만을 과세하는 방법
전단계세액공제법	매출세액 - 매입세액 = 납부세액 일반 소비자가 아닌 사업자의 경우에 물건을 팔 때 상대방으로부터 받은 부가가치세에서 물건을 사면서 낸 부가가치세를 공제한 잔액을 세금으로 국가에 납부하는 방법
면세제도	부가가치세의 역진성 완화 목적으로 부가가치세는 모두에게 동일세율이 적용되기 때문에 가난한 사람들은 부유한 사람들보다 소득대비 더 많은 세금을 부담하게 되므로 면세제도를 두어 역진성을 완화하고 있다.
소비지국과세원칙	외국으로 수출하는 경우에는 영세율('0%'의 세율)을 적용하여 수출국(생산지국)에서는 부가가치세를 과세하지 않고, 외국에서 수입하는 경우에는 내국산과 동일하게 세관장이 과세하도록 하여 수입국(소비지국)에서 과세

03 과세대상(=과세거래)

구 분	내 용
재화의 공급	• 사업자가 재산적 가치가 있는 유체물과 무체물을 공급하는 것은 과세대상이다. • 사업성이 있는 경우에만 과세되며. 비사업자는 과세안함
용역의 공급	• 사업자가 공급하는 용역은 과세대상이다. • 비사업자가 공급하는 용역은 과세안함
재화의 수입	• 용역의 수입은 과세대상이 아니다. (사업자 여부와 무관) • 소비지국과세원칙 실현목적

04 납세의무자

납세의무자는 영리목적의 유무에 불구하고 사업상 독립적으로 재화 또는 용역을 공급하는 자를 말하며 사업자라고 한다. 국가, 지방자치단체, 지방자치단체조합도 부가가치세 납부의무자이다.

(1) 부가가치세법상 사업자

영리목적의 여부와 관계없이 사업성이 있어야 하며, 독립성을 갖추고 과세대상인 재화 또는 용역을 공급하는 자 또는 과세대상이 되는 재화를 수입하는 자이어야 한다.

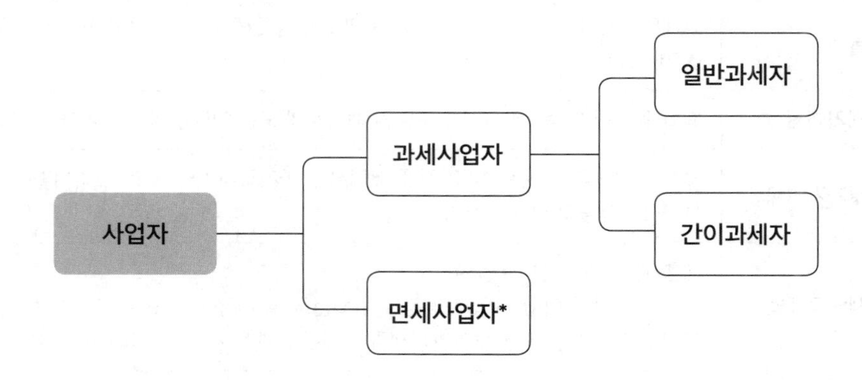

* 면세사업자는 부가가치세법상 사업자가 아니다.

(2) 일반과세자와 간이과세자 비교

구 분	일반과세자	간이과세자
적용대상자	간이과세자가 아닌 개인사업자, 법인사업자	직전연도 공급대가의 합계액이 8,000만원(부동산 임대업 및 과세유흥업은 4,800만원) 미만에 미달하는 사업자
세금계산서 발급 여부	세금계산서 또는 영수증 발급	세금계산서(공급대가 4,800만원 이상인 사업자 발급) 또는 영수증 발급
과세표준	공급가액의 합계액	공급대가(공급가액 + Vat)의 합계액
납부세액	매출세액 - 매입세액	공급대가 × 업종별부가가치율 × 10%

05 과세기간

과세기간이란 세법에 의하여 과세표준과 세액의 계산시 기초가 되는 기간을 말한다. 부가가치세 과세기간은 6개월을 1과세기간으로 하며, 과세기간 종료 후 25일 이내에 각 사업장 관할세무서장에게 납부한다.

구 분	과세기간	예정기간	확정기간
일반사업자	제1기 : 1.1 ~ 6.30	1.1 ~ 3.31	4.1 ~ 6.30
	제2기 : 7.1 ~ 12.31	7.1 ~ 9.30	10.1 ~ 12.31
간이과세자	1.1 ~ 12.31		
신규사업자	제1기 : 사업개시일 ~ 6.30	사업개시일 ~ 3.31	사업개시일 ~ 6.30
	제2기 : 사업개시일 ~ 12.31	사업개시일 ~ 9.30	사업개시일 ~ 12.31
폐업자	과세기간 시작일 ~ 폐업일		

※ • 과세표준이란 세법에 의하여 직접적으로 세액산출의 기초가 되는 과세대상, 즉 과세물건의 수량 또는 가액을 의미한다.
• 개인기업은 예정고지 납부를 원칙으로 하나 1년에 2번 확정시 신고·납부 한다.

06 납세지

납세지는 납세의무자가 납세의무를 이행하고 세무관청이 과세권을 행사하는 기준이 되는 장소이며 사업장마다 신고·납부가 원칙이다.

(1) 사업장의 범위

사업자 또는 그 사용인이 상시 주재하며 거래의 전부 또는 일부를 행하는 장소를 말한다.

구 분	사 업 장
광업	광업사무소의 소재지
제조업	최종제품을 완성하는 장소
건설업·운수업과 부동산매매업	• 법인 : 해당 법인의 등기부상 소재지 • 개인 : 업무를 총괄하는 장소
부동산임대업	해당 부동산의 등기부상의 소재지
수자원개발사업	그 사업에 관한 업무를 총괄하는 장소

구분	사업장
무인자동판매기를 통하여 재화·용역을 공급하는 사업	그 사업에 관한 업무를 총괄하는 장소
비거주자, 외국법인	국내사업장
기타	사업장 외의 장소도 사업자의 신청에 의하여 사업장으로 등록할 수 있다.

※ 부동산임대 건물이 중국에 있는 경우 사업장은 그 부동산의 등기부상 소재지가 국외이므로 우리나라에서 부가가치세가 과세되지 않는다.

(2) 직매장과 하치장 등

구 분	내 용	사업장 해당 여부
직 매 장	사업자가 자기의 사업과 관련하여 생산 또는 취득한 재화를 직접 판매하기 위하여 특별히 판매시설을 갖춘 장소	사업장으로 봄
하 치 장	사업자가 재화의 보관·관리시설만을 갖추고 판매행위가 이루어지지 않는 장소	사업장으로 보지 않음
임시사업장	기존 사업장 이외의 각종 경기대회, 박람회, 국제회의, 기타 이와 유사한 행사가 개최되는 장소를 말하며, 임시 개설된 사업장으로 기존 사업장에 포함	사업장으로 보지 않음

(3) 주사업장 총괄납부

부가가치세법은 사업장마다 신고·납부하도록 하고 있기 때문에 각 사업장 소재지가 신고·납세지가 된다. 2개 이상의 사업장이 있는 경우에 주된 사업장 관할세무서장에게 신청하여 신고는 각 사업장별로 하고, 납부만 주된 사업장에서 총괄하여 납부할 수 있도록 하는 제도를 주사업장 총괄납부라 한다.

(4) 사업자단위과세

2개 이상의 사업장이 있는 사업자가 본점 또는 주사무소(사업자단위과세 적용사업장이라 함)의 관할세무서장에게 신청하여 당해 사업자의 본점 또는 주사무소에서 총괄하여 신고·납부할 수 있으며, 이를 사업자단위과세제도라 한다.

07 사업자등록

사업자등록이란 부가가치세 업무를 효율적으로 처리하고 납세의무자의 사업에 관련된 사항을 파악하기 위하여 사업장 관할세무서 공부에 등재하는 것을 말하며, 이로 인하여 과세관청은 납세의무자를 파악할 수 있고 사업자는 고유의 등록번호를 부여받아 거래시 이를 활용한다.

(1) 사업자등록의 신청 및 발급

신규로 사업을 개시하는 자는 사업장마다 사업개시일로부터 20일 이내에 '사업자등록신청서'를 작성하여 사업장 관할세무서장에게 등록하며 신청일로부터 2일 이내 신청자에게 발급하여야 한다. 신규로 사업을 개시하고자 하는 자는 사업개시일 전이라도 등록할 수 있다.

사업개시일은 다음의 날을 말한다.

- 제조업 : 제조장별로 재화의 제조를 개시한 날
- 광 업 : 사업장별로 광물을 채취·채광을 개시한 날
- 기 타 : 재화 또는 용역의 공급을 개시한날

(2) 사업자등록의 정정신고

사업자가 다음에 해당하는 경우에는 지체 없이 사업자등록 정정신고를 해야 한다.

사업자등록 정정사유	재교부기한
• 상호를 변경하는 때 • 통신판매업자가 사이버몰의 명칭 또는 인터넷도메인을 변경하는 경우	당일 발급
• 대표자를 변경하는 때 • 사업의 종류에 변동이 있는 때 • 사업자단위과세적용사업장으로 이전 또는 변경하는 때 • 상속으로 인하여 사업자의 명의가 변경되는 때 • 공동사업자의 구성원 또는 출자지분의 변경이 있는 때 • 임대인, 임대차목적물 그 면적, 보증금, 차임 또는 임대차기간의 변경이 있거나 새로이 상가건물을 임차한 때	신청일로부터 2일 이내

단원정리문제 부가가치세 개념

01 다음 중 부가가치세의 특징에 대한 설명으로 옳지 않은 것은?

① 일반소비세로서 간접세에 해당
② 생산지국 과세원칙
③ 전단계세액공제법
④ 영세율과 면세제도

02 다음 중 부가가치세법에 대한 설명으로 잘못된 것은?

① 재화란 재산 가치가 있는 물건과 권리를 말하며, 역무는 포함되지 않는다.
② 사업자란 사업 목적이 영리이든 비영리이든 관계없이 사업상 독립적으로 재화 또는 용역을 공급하는 자를 말한다.
③ 재화 및 용역을 일시적·우발적으로 공급하는 자는 부가가치세법상 사업자에 해당하지 않는다.
④ 간이과세자란 직전 연도의 공급대가 합계액이 9,000만원에 미달하는 사업자를 말한다.

03 다음 중 부가가치세법에 대한 설명으로 옳지 않는 것은?

① 현행 부가가치세는 일반소비세이면서 간접세에 해당된다.
② 면세제도의 궁극적인 목적은 부가가치세의 역진성을 완화하는 것이다.
③ 현행 부가가치세는 전단계거래액공제법을 채택하고 있다.
④ 소비지국과세원칙을 채택하고 있어 수출재화 등에 영세율이 적용된다.

04 다음은 부가가치세법상 간이과세제도에 대한 설명이다. 틀린 것은?

① 간이과세를 포기하고 일반과세자에 관한 규정을 적용받으려는 경우에는 일반과세를 적용받고자 하는 달의 전달 마지막 날까지 '간이과세포기신고서'를 제출하여야 한다.
② 간이과세를 포기하고 일반과세자가 되더라도 언제든지 간이과세자에 관한 규정을 적용받을 수 있다.
③ 당해 과세기간 공급대가가 4,800만원에 미달하는 경우 납부의무를 면제한다.
④ 간이과세자 중 공급대가 합계액이 4,800만원 미만 사업자는 세금계산서를 발행할 수 없으며 간이과세자가 발행하는 증빙은 영수증으로 취급한다.

05 **다음 중 부가가치세법상 간이과세를 적용 받을 수 있는 사업자는? 단, 보기 외의 다른 소득은 없다.**

① 당기에 사업을 개시한 패션 악세사리(재생용 아님) 도매 사업자 김정수씨
② 직전년도의 임대료 합계액이 3,000만원인 부동산 임대사업자 장경미씨
③ 직전년도의 공급대가가 8,000만원에 해당하는 의류 매장을 운영하는 박민철씨가 사업확장을 위하여 당기에 신규로 사업을 개시한 두 번째 의류 매장
④ 직전년도의 공급가액이 8,000만원(부가가치세 800만원 별도)인 한식당을 운영하는 이영희씨

06 **다음 중 부가가치세법상 사업자등록의 정정사유가 아닌 것은?**

① 사업의 종류를 변경 또는 추가하는 때
② 사업장을 이전하는 때
③ 법인의 대표자를 변경하는 때
④ 개인이 대표자를 변경하는 때

07 **다음 부가가치세법상 사업자등록에 관한 설명 중 가장 잘못된 것은?**

① 사업자는 사업자등록의 신청을 사업장 관할 세무서장이 아닌 다른 세무서장에게도 할 수 있다.
② 사업장이 둘 이상인 사업자는 사업자 단위로 해당 사업자의 본점 또는 주사무소 관할 세무서장에게 등록을 신청할 수 있다.
③ 사업자등록의 신청을 받은 사업장 관할 세무서장은 신청자가 사업을 사실상 시작하지 아니할 것이라고 인정될 때에는 등록을 거부할 수 있다.
④ 사업자 단위로 사업자등록신청을 한 경우에도 사업자단위 과세가 적용되는 각각의 사업장마다 다른 사업자등록번호를 부여한다.

08 **다음 중 부가가치세법의 내용으로 옳은 것은?**

① 음식점업을 영위하는 법인사업자는 의제매입세액 공제를 받을 수 없다.
② 주로 사업자가 아닌 자에게 재화 또는 용역을 공급하는 법인사업자는 신용카드매출전표 발급 등에 대한 세액공제를 적용받을 수 있다.
③ 법인사업자는 전자세금계산서 발급에 대하여 전자세금계산서 발급세액 공제를 받을 수 있다.
④ 간이과세자의 과세기간에 대한 공급대가의 합계액이 4천8백만원 미만인 경우에도 재고납부세액에 대하여는 납부의무가 있다.

09 다음은 부가가치세법상 주된 재화 또는 용역의 공급에 부수되어 공급되는 재화와 용역에 대한 과세 및 면세여부에 관한 내용이다. 다음 중 연결이 틀린 것은?

주된 공급	부수재화 또는 용역	부수재화 또는 용역의 과세여부
㉠ 과세거래인 경우	과세대상 재화와 용역	과 세
㉡ 과세거래인 경우	면세대상 재화와 용역	과 세
㉢ 면세거래인 경우	과세대상 재화와 용역	과 세
㉣ 면세거래인 경우	면세대상 재화와 용역	면 세

① ㉠
② ㉡
③ ㉢
④ ㉣

10 다음은 사업장의 범위를 업종별기준으로 설명한 것이다. 다음 중 가장 틀린 것은?

① 무인자동판매기에 의한 사업 : 무인자동판매기의 설치장소
② 부동산매매업 : 법인은 법인의 등기부상 소재지
③ 사업장을 설치하지 않은 경우 : 사업자의 주소 또는 거소
④ 비거주자와 외국법인 : 국내사업장 소재지

11 다음 자료를 보고 2021년 제2기 부가가치세 확정신고기한으로 옳은 것은?

- 2021년 4월 25일 1기 부가가치세 예정신고 및 납부함.
- 2021년 7월 25일 1기 부가가치세 확정신고 및 납부함.
- 2021년 8월 20일 자금상황의 악화로 폐업함.

① 2021년 7월 25일
② 2021년 8월 31일
③ 2021년 9월 25일
④ 2022년 1월 25일

12 다음 중 부가가치세에 대한 설명으로 틀린 것은?

① 부가가치세의 납세의무자는 영리사업자에 한정한다.
② 부가가치세는 원칙적으로 사업장마다 신고 및 납부하여야 한다.
③ 상품의 단순한 보관 · 관리만을 위한 장소로 설치신고를 한 장소나 하치장은 사업장이 아니다.
④ 주사업장 총괄납부제도는 사업장별과세원칙의 예외에 해당된다.

정답 및 해설

01	02	03	04	05	06	07	08	09	10	11	12
②	④	③	②	②	④	④	④	③	①	③	①

01 ② 현행 부가가치세는 소비지국 과세원칙을 채택하고 있다.

02 ④ 간이과세자란 직전 연도의 공급대가의 합계액이 8,000만원(부동산 임대업 및 과세유흥업은 4,800만원) 미만에 미달하는 사업자를 말한다.

03 ③ 현행 부가가치세는 전단계세액공제법을 채택하고 있어 영세율과 면세적용이 용이하다.

04 ② 간이과세를 포기하고 일반과세자 사업자로 신고한 자는 간이과세자를 포기한 날부터 3년이 되는 날이 속하는 과세기간까지는 간이과세자에 대한 규정을 적용받지 못한다.

05 ② 개인사업자로서 직전 연도의 공급대가(부가가치세를 포함한 가액)가 4,800만원(부동산임대업 : 각 사업장 임대료의 합계액으로 판정, 이외 업종 : 각 사업장 매출액만으로 판정)에 미달하는 경우에는 간이과세 적용대상자가 된다.

06 ④ 폐업사유에 해당함

07 ④ 등록번호는 사업장마다 관할 세무서장이 부여한다. 다만, 사업자 단위로 등록신청을 한 경우에는 사업자 단위 과세 적용 사업장에 한 개의 등록번호를 부여한다.(부가가치세법시행령 제12조)

08 ④ 간이과세자의 과세기간에 대한 공급대가의 합계액이 4천8백만원 미만인 경우에도 재고 납부세액에 대하여는 납부의무가 있다.

09 ③ ㉢은 면세에 해당된다. 부수재화 및 용역의 공급에 대하여 주된 공급에 흡수되어 주된재화 및 용역에 따라 과세여부가 결정된다.

10 ① 무인자동판매기에 의한 사업 : 그 사업에 관한 업무총괄장소

11 ③ 폐업한 사업자의 부가가치세 확정신고기한은 폐업한 날이 속하는 달의 다음 달 25일까지이다.

12 ① 부가가치세의 납세의무자는 영리사업자여부를 불문한다.

제 2 장

과세 및 영세율·면세 거래

01 과세 거래

부가가치세법상 과세대상 거래는 재화의 공급, 용역의 공급, 재화의 수입이다.

(1) 재화의 공급

재화란 재산적 가치가 있는 모든 유체물과 무체물을 말하며, 사업자가 계약상 또는 법률상의 모든 원인에 의하여 재화를 인도 또는 양도하는 것을 재화의 공급이라 한다.

❶ 재화의 실지공급(대가를 받고 재화를 인도한 거래)

구 분	내 용
매매계약에 의한 공급	현금판매, 외상판매, 할부판매, 장기할부판매, 조건부 및 기한부판매, 위탁 판매, 기타 매매계약에 의하여 재화를 인도 또는 양도하는 것
가공계약에 의한 공급	자기가 주요자재의 전부 또는 일부를 부담하고 상대방으로부터 인도 받은 재화에 공작을 가하여 새로운 재화를 만드는 가공계약에 의하여 재화를 인도하는 것
교환계약에 의한 공급	재화의 인도 대가로서 다른 재화를 인도받거나 용역을 제공받는 교환계약에 의하여 재화를 인도 또는 양도하는 것
기타 계약상·법률상 원인에 의한 공급	현물출자, 사인에 의한 경매, 수용 등에 의하여 재화를 인도 또는 양도하는 것

❷ 재화의 간주공급(대가를 받지 않고 재화를 인도했거나 재화의 인도 자체가 없는 거래)

구 분	내 용	
자가공급	면세사업에의 전용	자기의 사업과 관련하여 생산·취득한 재화를 부가가치세가 면세되는 재화 또는 용역을 공급하는 사업을 위하여 사용·소비하는 경우
	비영업용 소형승용자동차 또는 그 유지 비용	자기의 사업과 관련하여 생산·취득한 재화를 비영업용 소형승용자동차(개별소비세 과세 대상 자동차-영업용 제외)로 사용하거나 또는 유지에 사용·소비하는 경우
	판매목적타사업장 반출	2개 이상의 사업장이 있는 사업자가 자기 사업과 관련하여 생산·취득한 재화를 타인에게 직접 판매할 목적으로 자기의 다른 사업장으로 반출하는 경우
개인적공급	사업자가 자기의 사업과 관련하여 생산·취득한 재화(매입세액공제를 받은 재화)를 사업과 직접 관계없이 자기나 그 사용인의 개인적인 목적 또는 기타의 목적으로 사용·소비하는 것 중 그 대가를 받지 않거나 시가보다 낮은 대가를 받은 경우 **※ 간주공급으로 보지 않는 경우** • 종업원에게 무상으로 공급하는 작업복, 작업모, 작업화 • 직장체육비, 직장연예비와 관련된 재화 • 1인당 연간 10만원 이내 경조사와 관련된 재화 • 당초 매입세액이 불공제된 재화	
사업상증여	사업자가 자기의 사업과 관련하여 생산·취득한 재화를 자기의 고객이나 불특정다수인에게 증여하는 경우 **※ 간주공급으로 보지 않는 경우** • 사업을 위하여 대가를 받지 않고 사업자에게 인도하는 견본품, 증정품 • 광고선전용으로 불특정 다수인에게 배포하는 광고선전물 • 당초 매입세액이 불공제된 재화	
폐업시잔존재화	폐업시 잔존재화란 사업자가 사업을 폐지하거나 폐업의제에 해당하는 경우에 잔존하는 재화를 말하며, 자기에게 공급하는 경우	

※ 재화의 간주공급사례

- 고속버스로 구입하여 시내버스로 사용
- 판매제품을 거래처에 무상으로 제공
- 판매제품을 종업원에게 무상으로 제공
- 사업자가 사업을 폐업하는 경우의 잔존재화

❸ 재화의 공급으로 보지 않는 경우

다음에 해당하는 것은 재화의 공급으로 보지 않는다.

- 담보제공
- 포괄적인 사업의 양도
- 조세의 물납
- 법에 따른 공매 및 강제경매
- 강제수용

(2) 용역의 공급

용역의 공급이란 사업자가 계약상 또는 법률상의 모든 원인에 의하여 역무를 제공하거나 재화·시설물 또는 권리를 사용하게 하는 것을 말한다.

❶ 용역의 실질공급

용역의 실질공급이란 계약상 또는 법률상의 모든 원인에 역무를 제공하거나 재화시설물 또는 권리를 사용하게 하는 것을 말한다.

❷ 용역의 간주공급

구 분	내 용
자가공급	사업자가 자기의 사업을 위하여 직접 용역을 무상공급하여 다른 동업자와 과세 형평이 침해되는 경우에는 대통령령이 정하는 바에 따라 공급으로 보나, 현재 대통령령이 별도로 규정한 사항은 없으므로 용역의 자가공급은 현실적으로 과세되지 않는다.
무상공급	대가를 받지 아니하고 상대방에게 무상으로 용역을 공급하는 것은 용역의 공급으로 보지 않는다.

TIP

재화·용역의 무상공급

① 재화의 무상공급 : 당해 재화의 시가를 과세표준으로 하여 과세한다.

② 용역의 무상공급 : 공급으로 보지 아니하므로 과세대상에서 제외한다.
(단, 특수관계자간 사업용 부동산 무상임대용역에 대해 과세)

(3) 부수되는 재화 또는 용역

부수되는 재화 또는 용역이란 주된 재화 또는 주된 용역의 공급에 필수적으로 부수되는 재화 또는 용역을 말한다.

구 분	범 위	사 례
주된 거래와 관련된 부수 재화 또는 용역	대가관계 : 해당 대가가 주된 거래인 재화 또는 용역의 공급대가에 통상적으로 포함되어 공급되는 재화 또는 용역	• 재화의 공급시 배달· 운반 용역 • 보증수리용역
	공급관계 : 거래의 관행으로 보아 통상적으로 주된 거래인 재화 또는 용역의 공급에 부수하여 공급되는 것으로 인정되는 재화 또는 용역	
주된 사업과 관련된 부수 재화 또는 용역	우발적·일시적 공급 : 주된 사업과 관련하여 우발적·일시적으로 공급되는 재화 또는 용역	• 사업용 고정자산의 매각
	부산물 : 주된 사업과 관련하여 주된 재화의 생산에 필수적으로 부수하여 생산되는 재화(용역은 포함되지 않음)	• 부산물의 매각

(4) 재화의 수입

재화의 수입이란 다음 중 어느 하나에 해당하는 물품을 우리나라에 인취(재화를 인도받아 반입하는 행위)하는 것으로 한다.

❶ 외국으로부터 우리나라에 도착된 물품(외국선박에 의하여 공해에서 채집되거나 잡힌 수산물 포함)으로서 수입신고가 수리되기 전의 것
❷ 수출신고가 수리된 물품(수출신고가 수리된 물품으로서 선적(기적 포함)되지 아니한 물품을 보세구역에서 반입하는 경우는 제외한다.)

(5) 거래시기(공급시기)

거래시기란 재화 또는 용역의 공급이 이루어지는 시점(공급시기)을 결정하는 시간적 기준으로서 거래징수 및 세금계산서 발급시기가 될 뿐만 아니라 재화·용역의 공급이 어느 과세기간에 속하는 것인가를 결정하는 기준이 된다.

❶ 재화의 공급시기

구 분	거래형태	공급시기
일반적 공급시기	재화의 이동이 필요한 경우	재화가 인도되는 때
	재화의 이동이 필요하지 않는 경우	재화가 이용가능하게 되는 때
	기타	재화의 공급이 확정되는 때
	※ 공급시기는 세금계산서를 발급해야 하는 시기이며 추후 발급시 가산세가 부과된다.	

구 분	거래형태	공급시기
거래형태별 공급시기	현금판매 · 외상판매 · 할부판매	재화가 인도되거나 이용가능하게 되는 때
	장기할부판매	대가의 각 부분을 받기로 한 때
	반환조건부 · 동의조건부 · 기타조건부 및 기한부판매	조건이 성취되거나 기한이 경과되어 판매가 확정되는 때
	재화의 공급으로 보는 가공	가공된 재화를 인도하는 때
	자가공급 · 개인적공급 · 사업상증여	재화가 사용 또는 소비되는 때
	폐업시 잔존재화	폐업하는 때
	무인판매기에 의한 재화 공급	무인판매기에서 현금을 인취하는 때
	기타의 경우	재화가 인도되거나 이용가능한 때
	내국물품을 외국으로 반출하거나 대외무역에 의한 중계무역방식으로 수출하는 경우	수출재화의 선(기)적일

❷ 용역의 공급시기

구 분	거래형태	공급시기
일반적 공급시기	용역의 공급시기는 역무가 제공되거나 재화 · 시설물 또는 권리가 사용되는 때	
거래형태별 공급시기	통상적인 공급(할부판매포함)	역무의 제공이 완료되는 때
	완성도기준지급 · 중간지급 · 장기할부 또는 기타조건부로 공급하거나 그 공급단위를 구획할 수 없는 용역(예 : 임대료)	그 대가의 각 부분을 받기로 한 때
	간주임대료*	예정신고기간 종료일 또는 과세기간 종료일
	출판물에 의한 광고용역의 공급시기	출판물이 사실상 출판되는 때
	2과세기간 이상에 거쳐 부동산임대용역을 공급하고 그 대가를 선불 또는 후불로 받는 경우에 월수로 안분한 임대료	예정신고기간 종료일 또는 과세기간 종료일
	폐업 전에 공급한 용역의 공급시기가 폐업일 이후에 도래하는 경우	폐업일
	위 이외의 경우	역무의 제공이 완료되거나 그 공급가액이 확정 되는 때

* 간주임대료란 부가가치세법상 사업자가 부동산임대용역을 공급하고 전세금(임대보증금)을 받는 경우에는 이 전세금(임대보증금)에 대한 이자상당액을 임대료로 간주하여 부가세로 납부하는 제도를 말한다.

(6) 거래장소(공급장소)

거래장소란 재화 또는 용역이 공급되는 장소를 말하며, 공급장소라고도 한다.

구 분		공급장소
재화의 공급장소	재화의 이동이 필요한 경우	재화의 이동이 시작되는 장소
	재화의 이동이 필요하지 않은 경우	재화가 공급되는 시기에 재화가 있는 장소
용역의 공급장소	일반적인 경우	역무가 제공되거나 재화.시설물 또는 권리가 사용되는 장소
	국내외에 걸쳐 용역이 제공되는 국제운송의 경우 사업자가 비거주자 또는 외국법인인 경우	여객이 탑승하거나 화물이 적재되는 장소

02 영세율 거래

(1) 영세율이란

일정한 재화 또는 용역의 공급에 대하여 '0%'의 세율을 적용함으로써 납부세액 계산시 매출세액은 '0원'이 되고 여기에서 부담한 매입세액을 공제하면 납부세액이 (-)가 되므로 결국 매입세액을 전액 환급받게 되어 부가가치세 부담이 전혀 없는 제도로 완전면세제도이다.

(2) 영세율 적용대상

구 분	내 용
수출하는재화	• 내국물품을 외국으로 반출하는 직수출의 재화 • 내국신용장 또는 구매확인서에 의해 공급하는 재화(간접수출 또는 국내수출) • 한국국제협력단, 한국국제보건의료재단, 대한적십자사에 공급하는 재화 포함
국외제공용역	해외건설 공사와 같이 용역제공의 장소가 국외인 경우를 말함
선박 · 항공기의 외국항행용역	선박이나 항공기에 의하여 여객이나 화물을 국내에서 국외로, 국외에서 국내로 또는 국외에서 국외로 수송하는 용역 및 그 부수재화 또는 용역
기타 외화획득 재화 또는 용역	• 국내에서 비거주자 또는 외국법인에게 공급하는 일정한 재화·용역 (대금을 외국환은행에서 원화로 받는 것에 한함) • 국내에 상주하는 외교공관과 이에 준하는 국제기구, 국제연합군 또는 미국군에게 공급하는 재화 또는 용역(외화 수령여부 불문) • 수출업자와 직접 도급계약에 의해 수출재화를 임가공하는 용역
조세특례제한법상 영세율 적용대상 재화·용역	조세정책의 목적으로 규정

※ 신용장(L/C, Letter of Credit) : 무역 거래에서 대금의 결제를 원활히 하기 위하여 수입업자가 거래하는 은행이 수출대금의 지급을 약속하는 증서

03 면세 거래

(1) 면세란

면세란 국민들의 복리후생적 등을 위하여 일정한 재화·용역의 공급과 재화의 수입에 대하여 부가가치세를 면제하는 제도를 말한다.

면세제도는 면세대상거래의 매출세액만을 면제하고, 전단계에서 발생한 매입세액은 공제 또는 환급하지 않는 부분면세방법을 택하고 있다. 면세제도를 두는 이유는 면세 재화 또는 용역을 공급받는 소비자의 세부담을 경감하기 위한조치이다.

※ 면세사업자는 면세를 포기하지 않는 한 영세율을 적용받을 수 없다.

(2) 부가가치세법에 의한 면세대상

구 분	면 세 대 상
기초생활 필수품	① 미가공 식료품 등(식용에 공하는 농산물 · 축산물 · 수산물 · 임산물 포함) → 국적불문 ② 국내에서 생산된 식용에 공하지 아니하는 미가공 농 · 축 · 수 · 임산물 ③ 수돗물(생수는 과세) ④ 연탄과 무연탄(유연탄 · 갈탄 · 착화탄은 과세) ⑤ 여성용 생리처리 위생용품과 영유아용 기저귀와 분유(액상형 분유 포함) ⑥ 여객운송용역 • 시내버스, 시외버스, 지하철, 마을버스, 우등(29인승 이상) 고속버스는 면세 • 우등(29인승 이하) 고속버스, 전세버스, 고속철도, 택시운송용역은 과세 ⑦ 우표 · 인지 · 증지 · 복권 · 공중전화(수집용 우표는 과세) ⑧ 판매가격이 200원 이하인 담배(일반 담배는 과세) ⑨ 주택과 이에 부수되는 토지의 임대용역(도시계획안 5배, 외 10배) • 건물의 임대 공급 → 과세 • 주택의 임대 공급 → 면세
국민후생용역	① 의료보건용역과 혈액(의약품의 단순판매는 과세) • 치료를 제외한 미용.성형목적의 모든 의료용역, 수의사 및 동물병원이 제공하는 애완동물 진료용역은 과세(수급자가 기르는 반려동물 진료는 면세) ② 교육용역(무허가 · 무인가, 성인대상 무도학원, 자동차운전학원의 교육용역은 과세)
문화관련 재화용역	① 도서(도서대여용역 포함) · 신문(인터넷 신문 포함) · 잡지 · 관보 · 뉴스통신(광고는 과세) ② 예술창작품 · 예술행사 · 문화행사 · 비직업운동경기 ③ 도서관 · 과학관 · 박물관 · 미술관 · 동물원 · 식물원에서의 입장권
부가가치 구성요소	① 금융 · 보험용역 ② 토지의 공급(토지의 임대는 과세) ③ 인적용역(변호사업 · 공인회계사업 · 세무사업 · 관세사업 · 기술사업 · 건축사업 등의 인적용역은 과세)

구 분	면세대상
기타의 재화용역	① 종교 · 학술 · 지선 · 구호 · 기타 공익을 목적으로 하는 단체가 공급하는 재화 · 용역 ② 국가 · 지방자치단체 · 지방자치단체조합이 공급하는 재화 · 용역 ③ 국가 · 지방자치단체 · 지방자치단체조합 또는 공익단체에 무상 공급하는 재화 · 용역(유상 공급은 과세) ④ 국민주택 및 당해 주택의 건설용역(국민주택초과분양 : 과세) ⑤ 국민주택 리모델링 용역 ⑥ 중소기업창업투자회사 및 기업구조조정전문회사가 제공하는 자산관리 · 운용용역

(3) 면세 포기

구 분	내 용
면세포기의 대상	① 영세율 적용대상인 재화와 용역 ② 공익단체 중 학술연구단체와 기술연구단체가 실비 또는 무상으로 공급하는 재화 또는 용역
면세포기 절차	신고만으로 가능하며 승인절차는 불필요하다. 면세포기 신고 후에는 지체 없이 사업자등록을 하여야 하며, 면세포기에는 시기의 제한이 없고 언제든지 가능하다.
면세포기의 효력	① 면세포기를 하면 과세사업자로 전환된다. ② 면세포기를 한 사업자는 신고한 날로부터 3년간은 부가가치세 면세를 적용받지 못한다. (∵ 안정성 확보)

04 영세율과 면세의 비교

구 분	면 세	영세율
기본원리	일정거래에 납세의무 면제 ① 매출세액 : 거래징수 없음 ② 매입세액 : 환급되지 않음	일정 과세거래에 0%세율 적용 ① 매출세액 : 0원 ② 매입세액 : 전액 환급
목적	세부담의 역진성 완화	국가간 이중과세 방지, 수출산업 지원 및 육성
면세정도	부분면세(불완전면세)	완전면세
과세대상 여부	기초생활필수품 등	수출 등 외화획득 재화·용역의 공급
사업자 여부	부가가치세법상 사업자가 아님	부가가치세법상 사업자임
의무이행여부	부가가치세법상 각종 의무를 이행할 필요가 없음 예외) ① 매입처별 계산서합계표 제출의무는 있음 ② 대리납부의무	① 영세율 사업자는 부가가치세법상 사업자이므로 제반의무를 이행해야 함 ② 매출처별·매입처별 세금계산서합계표 제출의무가 있음

단원정리문제 과세 및 영세율·면세 거래

01 다음 중 부가가치세법상 재화의 공급에 해당하는 것은?

① 자기의 다른 사업장에서 원료로 사용하기 위해 반출하는 경우
② 판매용 휘발유를 대표자의 개인용 차량에 사용하는 경우
③ 수선비로 대체하여 사용하는 경우
④ 광고선전을 위해 자기의 다른 사업장으로 반출하는 경우

02 다음 중 부가가치세법상 과세거래인 것은?

① 질권, 저당권 또는 양도담보 목적으로 동산, 부동산 및 부동산상의 권리를 제공하는 경우
② 사업자가 사업을 폐업하는 때 사업장에 잔존하는 재화
③ 상속세 및 증여세법, 지방세법 또는 종합부동산세법에 따라 조세를 물납하는 경우
④ 임치물을 수반하지 않는 창고증권의 양도

03 다음 중 부가가치세법상 과세여부에 대한 설명으로 맞는 것은?

① 국가, 지방자치단체, 지방자치단체조합 또는 대통령령으로 정하는 공익단체에 유상으로 공급하는 재화 또는 용역 : 과세
② 전기 : 면세
③ 국민주택 규모 초과 주택의 임대 : 과세
④ 수돗물 : 과세

04 다음은 부가가치세법상 공급시기에 관한 내용이다. 잘못된 것은?

① 상품권 등을 현금 또는 외상으로 판매하고 그 후 그 상품권 등이 현물과 교환되는 경우 : 재화가 실제로 인도되거나 이용가능하게 되는 때
② 내국신용장에 의한 재화의 공급 : 재화를 인도하는 때
③ 재화의 공급으로 보는 가공의 경우 : 가공된 재화를 인도하는 때
④ 전력이나 그 밖에 공급단위를 구획할 수 없는 재화를 계속적으로 공급하는 경우 : 예정신고기간 또는 과세기간 종료일

05 다음 중 부가가치세법상 용역의 공급에 해당하지 않는 것은?

① 상표권의 양도
② 부동산임대업의 임대
③ 특허권의 대여
④ 건설업의 건설용역

06 다음 중 부가가치세법상 공급시기가 잘못된 것은?

① 폐업 시 잔존재화의 경우 : 재화가 사용 또는 소비되는 때
② 장기할부판매의 경우 : 대가의 각 부분을 받기로 한 때
③ 무인판매기로 재화를 공급하는 경우 : 무인판매기에서 현금을 꺼내는 때
④ 외상판매의 경우 : 재화가 인도되거나 이용가능하게 되는 때

07 다음 중 부가가치세법상 재화의 공급시기에 대한 설명으로 옳지 않은 것은?

① 무인판매기를 이용하여 재화를 공급하는 경우 : 사업자가 무인판매기에서 현금을 꺼내는 때
② 기획재정부령으로 정하는 장기할부판매의 경우 : 대가의 각 부분을 받기로 한 때
③ 폐업시 남아있는 재화가 공급으로 간주되는 경우 : 폐업 후 남아있는 재화가 사용, 소비되는 때
④ 수입재화를 보세구역 내에서 보세구역 외의 국내에 공급하는 경우 : 해당 재화의 수입신고수리일

08 다음 중 부가가치세법상 재화의 간주공급에 해당하지 않는 경우는?(단, 사업자가 자기 생산, 취득시 매입세액을 공제 받았다.)

① 면세사업을 위하여 직접 사용 또는 소비하는 경우
② 고객에게 무상으로 공급하는 경우(광고선전 목적이 아닌 경우)
③ 개인적 목적으로 사용 또는 소비하는 경우
④ 사업을 위하여 대가를 받지 아니하고 다른 사업자에게 인도하거나 양도하는 견본품

09 다음 중 부가가치세법상 면세 대상 재화나 용역에 해당하지 않는 것은?

① 가공되지 아니한 식료품
② 시내버스에 의한 여객운송용역
③ 성형수술을 위한 의료보건용역
④ 정부의 인허가를 받은 학원 등에서 제공하는 교육용역

10 다음 중 부가가치세법상 영세율과 면세에 대한 설명으로 잘못된 것은?

① 면세제도는 세부담의 누진성을 완화하기 위하여 주로 기초생활필수품 등에 적용하고 있다.
② 선박 또는 항공기에 의한 외국항행용역의 공급에 대하여는 영세율을 적용한다.
③ 영세율은 완전면세제도이고, 면세는 불완전면세제도이다.
④ 국내거래라도 영세율이 적용되는 경우가 있다.

11 면세사업만 영위한 사업자가 부가가치세법상 면세의 포기를 신고한 경우 신고한 날부터 몇 년간 부가가치세 면세를 적용받지 못하는가?

① 3년 ② 1년 ③ 5년 ④ 6개월

12 다음 중 부가가치세법상 면세포기에 관한 설명으로 잘못된 것은?

① 영세율 적용대상인 재화 또는 용역을 공급하는 면세사업자도 면세포기를 함으로써 매입세액을 공제받을 수 있다.
② 면세의 포기를 신고한 사업자는 신고한 날로부터 3년간 면세 재적용을 받지 못한다.
③ 면세포기는 과세기간 종료일 20일 전에 면세포기신고서를 관할세무서장에게 제출하여야 한다.
④ 면세사업관련 매입세액은 공제받지 못할 매입세액으로 매입원가에 해당한다.

13 다음은 부가가치세법상 면세에 관한 설명이다. 틀린 것은?

① 면세제도는 부가가치세 부담이 전혀 없는 완전면세형태이다.
② 면세사업자는 부가가치세법상 사업자가 아니다.
③ 면세제도는 부가가치세의 역진성 완화에 그 취지가 있다.
④ 영세율 적용의 대상이 되는 경우 및 학술연구단체 또는 기술연구단체가 공급하는 경우에 한하여 면세포기를 할 수 있다.

14 다음 중 부가가치세법상 재화 또는 용역의 공급으로 보지 않는 것은?

① 법률에 따라 조세를 물납하는 경우
② 사업자가 폐업할 때 당초매입세액이 공제된 자가생산·취득재화 중 남아있는 재화
③ 사업자가 당초 매입세액이 공제된 자가생산·취득재화를 사업과 직접적인 관계없이 자기의 개인적인 목적으로 사용하는 경우
④ 특수관계인에게 사업용 부동산 임대용역을 무상으로 제공하는 경우

15 다음 중 부가가치세법상 재화의 공급시기에 대한 내용이다. 틀린 것은?

① 원양어업 및 위탁판매수출 : 수출재화의 공급가액이 확정되는 때
② 위탁가공무역방식의 수출 : 위탁재화의 공급가액이 확정되는 때
③ 외국인도수출 : 외국에서 해당재화가 인도되는 때
④ 내국물품을 외국으로 반출하는 경우 : 수출재화의 선적일 또는 기적일

정답 및 해설

01	02	03	04	05	06	07	08	09	10	11	12	13	14	15
②	②	①	④	①	①	③	④	③	①	①	③	①	①	②

01 ② 사업자가 자가생산 · 취득재화를 사업과 직접 관계없이 자기의 개인적인 목적이나 그 밖의 목적을 위하여 사용 · 소비하거나 그 사용인 또는 그 밖의 자가 사용 · 소비하는 것으로서 사업자가 그 대가를 받지 않거나 시가보다 낮은 대가를 받는 경우 재화의 공급으로 본다.

02 ② 사업자가 폐업할 때 자기생산·취득재화 중 남아 있는 재화는 자기에게 공급하는 것으로 본다.

03 ① 유상으로 공급하는 경우에는 부가가치세 과세 대상이다.

04 ④ 각 대가를 받기로 한 때가 공급시기이다.

05 ① 상표권의 양도는 재화의 공급이다.

06 ① 폐업 시 잔존재화는 의제공급에 해당하는 것으로 공급시기는 폐업하는 때로 한다.

07 ③ 폐업 시 남아있는 재화를 재화의 공급으로 간주하는 경우 공급시기는 폐업일로 본다.

08 ④ 사업을 위하여 대가를 받지 아니하고 다른 사업자에게 인도하거나 양도하는 견본품의 경우에는 재화의 공급으로 보지 아니한다.

09 ③ 쌍커풀 수술등 미용목적의 진료용역은 면세대상 의료보건 용역에서 제외한다.

10 ① 면세 제도는 세부담의 역진성을 완화하기 위함이다.

11 ① 면세의 포기를 신고한 사업자는 신고한 날부터 3년간 면세를 적용받을 수 없다.

12 ③ 면세포기는 과세기간 중 언제라도 할 수 있으며 승인을 요하지 아니한다.

13 ① 부가가치세법에서는 매출금액에 영의 세율을 적용함으로써 매출단계에서도 부가가치세를 면제받고 전단계 거래에서 부담한 매입세액도 환급받게 되어 부가가치세 부담이 전혀 없게 되는 완전면세형태인 영세율제도와 그 적용대상이 되는 단계의 부가가치세만을 단순히 면제해 줌으로써 전단계 거래에서는 부가가치세를 부담(매입세액불공제)하게 되는 면세제도가 있다.

14 ① 법률에 따라 조세를 물납하는 것은 재화의 공급으로 보지 아니한다.

15 ② 위탁가공무역방식의 수출은 외국에서 해당 재화가 인도되는 때

제 3 장

과세표준과 납부세액의 계산

01 과세표준

재화의 과세표준이란 부가가치세가 포함되지 않은 순수한 매출액을 말하는데, 일반과세자의 경우 부가가치세의 과세표준이 된다. 공급가액은 부가가치세가 포함되지 않은 금액을 의미하며, 공급가액에 부가가치세액을 포함하여 공급대가*라고 한다.

* 공급대가 = 공급가액 + 부가가치세액

(1) 공급유형별 과세표준(기본원칙-시가)

구 분	내 용
금전으로 대가를 받은 경우	그 금전가액
금전이외의 물건 등으로 받은 경우	자신이 공급한 재화 등의 시가
부당하게 낮은 대가를 받은 경우	자신이 공급한 재화 등의 시가
자가공급(판매목적 타사업장 반출은 제외), 개인적공급, 사업상 증여 및 폐업시 잔존재화의 경우	당해 재화의 시가
판매목적 타사업장의 반출의 경우	당해 재화의 취득가액(다만, 취득가액에 일정액을 가산하여 공급하는 경우에는 그 공급가액)

구 분	내 용
용역의 공급에 대하여 부당하게 낮은 대가를 받은 경우	자기가 공급한 용역의 시가
대가를 외국통화 기타 외국환으로 받은 경우	• 공급시기 도래 전에 원화로 한 경우 : 그 환가한 금액 • 공급시기 이후에 외국통화 기타 외국환 상태로 보유하거나 지급받은 경우 : 공급시기의 기준환율 또는 재정환율에 의하여 계산한 금액
재화의 수입에 대한 과세표준	관세의 과세가격과 관세, 개별소비세, 주세, 교통 · 에너지 · 환경세 및 교육세 · 농어촌특별세의 합계액

(2) 거래형태별 과세표준

구 분	과세표준
외상판매 및 할부판매	공급한 재화의 총가액
장기할부판매	계약에 따라 받기로 한 대가의 각부분
마일리지 결제시	자기적립 마일리지 등으로 결제받은 금액은 제외

(3) 과세표준에 포함하지 않는 항목

다음과 같이 공급가액에 포함되지 않는 항목이 발생하면 공급가액에서 차감한다.

❶ 부가가치세
❷ 매출에누리액 · 매출환입액 · 매출할인액
❸ 공급받는자에게 도달하기 전에 파손 · 훼손 · 멸실된 재화의 가액
❹ 국고보조금과 공공보조금
❺ 확정된 공급대가의 지급지연으로 인하여 수령하는 연체이자
❻ 반환조건부 용기대금 및 포장비용
❼ 대가와 구분하여 기재한 종업원 봉사료
❽ 공급받는자가 부담하는 원재료 등의 가액
❾ 임차인이 부담하여야 할 보험료 · 수도료 · 공공요금 등을 임대료와 구분하여 징수하는 경우

(4) 과세표준에 포함되는 항목

❶ 할부판매 · 장기할부판매의 경우 이자 상당액
❷ 대가의 일부로 받는 운송비, 포장비, 하역비, 운송보험료, 산재보험료 등
❸ 개별소비세, 주세, 교통세 · 에너지세 · 환경세, 교육세 및 농어촌특별세 상당액
❹ 대손금, 판매장려금, 하자보증금 등

TIP

판매장려금 지급액

구분	소득세	부가가치세
판매장려금	지급액 : 필요경비 수입액 : 총수입금액	지급액 : 과세표준에서 차감 안함 수입액 : 과세표준에 포함 안함
판매장려금품	-	지급시 : 간주공급(사업상 증여)

(5) 과세표준계산의 계산특례

❶ 간주공급

원칙	당해자산의 시가
판매목적 타사업장 반출	취득가액을 과세표준으로 함
감가상각자산	취득가액 × (1 - 체감률 × 경과된 과세기간의 수) ※ • 체감률 : 건물·구축물인 경우 5%, 기타자산 25% • 취득가액 : 매입세액을 공제받은 해당 재화의 가액(취득세 등 기타부대비용은 제외)

❷ 부동산임대용역(전세금 또는 임대보증금)의 과세표준

부동산 임대용역을 공급하고 전세금 또는 임대보증금을 받은 경우에는 금전 이외의 대가를 받은 것으로 보아, 다음 산식에 의해 계산한 금액을 부가가치세 과세표준으로 하며, 이를 통상 간주임대료라 칭한다.

$$\text{간주임대료} = \text{임대보증금(전세금)} \times \frac{\text{대상기간의 일수}}{\text{365(윤년의 경우 366)}} \times \left\{ \begin{array}{c} \text{과세기간 종료일 현재 계약기간} \\ \text{1년 만기 정기예금 이자율} \end{array} \right\}$$

※ 계약기간 1년 만기 정기예금 이자율은 서울시내에 본점을 둔 시중은행의 이자율을 감안하여 국세청장이 정한 율(수시로 변동될 수 있다)을 말한다.

❸ 공통사용재화(과세+면세)의 공급

과세와 면세 공통사용 재화를 공급하는 경우에는 과세사업의 공급가액에 대해서만 부가가치세를 납부해야 하며 이를 위해 산식은 다음과 같다.

$$재화의\ 공급가액 \times 직전과세기간^{*}의 \frac{과세되는\ 공급가액}{총공급가액}$$

* 세금계산서를 발행하기 위하여 직전과세기간으로 한다.

❹ 토지와 건물의 일괄양도

㉠ 안분계산
- 토지의 공급 : 면세
- 건물
  - 면세사업 : 면세
  - 과세사업 : 과세→부가가치세 과세

(건물의 면세사업·과세사업) ㉡ 안분계산(직전과세기간 기준)

❺ 안분계산시 시가가 불분명 할 때

감정평가가액 → 기준시가 → 장부가액 → 취득가액

02 세금계산서

세금계산서란 사업자가 재화 또는 용역을 공급하는 때에는 과세표준에 세율을 적용하여 계산한 부가가치세를 그 재화 또는 용역을 공급받는 자로부터 징수하고 그 징수사실을 증명하기 위하여 발급하는 증서를 말한다.

(1) 세금계산서의 종류

구 분	내 용
세금계산서	사업자간의 거래에서 10% 과세되는 재화 또는 용역의 공급에 대하여 발행하는 세금계산서
영세율세금계산서	국내사업자간의 거래 중에서 내국신용장에 의한 국내공급 등 영세율(0%)이 적용되는 경우에 발행하는 세금계산서
수입세금계산서	재화의 수입에 대하여 세관장이 교부하는 세금계산서

(2) 세금계산서의 필요적 기재사항

❶ 공급하는 자의 사업자등록번호와 성명
❷ 공급받는 자의 사업자등록번호 (공급받는 자의 성명은 아님)
❸ 공급가액과 부가가치세액
❹ 작성연월일
➔ 위 사항을 기재하지 않거나 잘못 기재한 경우에는 세금계산서를 발급하지 않은 것으로 본다.

(3) 전자세금계산서 발급 및 전송

❶ 전자세금계산서 발급 대상

구 분	내 용
발급대상	• 법인 • 직전년도 사업장별 공급가액(과세분+면세분) 합계액이 3억원 이상인 개인사업자
발급기한	거래시기가 속하는 달의 다음달 10일까지 발급
전송기한	발급일(전자서명일)의 다음날까지 국세청에 전송
세액공제	• 공제대상 : 전자세금계산서 발급내역을 다음달 11일까지 국세청에 전송한 개인사업 • 발급건당 200원(연간한도 100만원, 법인사업자 제외)

TIP

전자계산서

- 전자계산서는 소득세법 및 법인세법상 규정이다.
- 발급의무자는 법인사업자, 전자세금계산서 의무발급대상 사업자로서 면세사업 겸업자, 직전년도 사업장별 총수입금액(과세분+면세분)이 3억원 이상인 개인사업자

❷ 세금계산서 발급 · 국세청 전송시기

구 분	월합계 세금계산서(7월)의 경우		
	작성일자	발급기한	전송기한
종이세금계산서	7월 31일	~ 8월 10일	-
전자세금계산서			발급일 다음날

❸ 전자세금계산서 관련 가산세

구 분	내 용	가산세율
미발급	전자세금계산서를 확정신고기한까지 발급하지 않은 경우 전자세금계산서 발급의무자가 종이세금계산서를 발급한 경우	2% (1%)
지연발급	공급시기가 속하는 다음달 10일이 자나서 확정신고기한내 발급한 경우	1%
지연전송	전송기한이 지난 후 확정신고기한까지 전송한 경우	0.3%
미전송	전송기한이 지난 후 확정신고기한까지 미전송한 경우	0.5%

(4) 수정세금계산서

❶ 환입

당초에 공급한 재화가 환입된 경우 재화가 환입된 날을 작성일자로 기재하고 비고란에 당초 세금계산서 작성일자를 부기한 후 붉은색 글씨로 쓰거나 부(-)의 표시를 하여 발급할 수 있다.

❷ 착오 또는 정정사유

세금계산서를 발급한 후 그 기재사항에 관하여 착오 또는 정정사유가 발생한 경우에는 부가가치세의 과세표준과 세액을 경정하여 통지하기 전까지 세금계산서를 수정하여 발행할 수 있다.

❸ 공급가액의 증감

당초의 공급가액에 추가되는 금액 또는 차감되는 금액이 발생한 경우에는 그 증감사유가 발생한 날에 수정 발급할 수 있다.

❹ 계약해제

계약이 해제된 때에는 계약해제일을 공급일자로 하여 세금계산서를 수정하여 발급할 수 있다.

❺ 내국신용장 또는 구매확인서 개설·발급된 경우

과세기간 종료 후 25일 이내 내국신용장 등이 개설된 때에는 작성일자는 당초 세금계산서 작성일자를 기재하고 비고란에 내국신용장 등의 개설일, 발급일을 부기하여 수정 발급할 수 있다.

❻ 이중발급

당초에 발급한 세금계산서의 내용대로 부의 표시를 하여 발급할 수 있다.

❼ 면세거래를 과세거래로 잘못 적용한 경우

당초 세금계산서를 작성일자로 기재하고 비고란에 사유발생일을 부기하여 수정 발급할 수 있다.

(5) 영수증

영수증은 세금계산서의 필요적 기재사항 중 '공급받는자와 부가가치세액'을 따로 기재하지 않은 세금계산서를 말한다. 신용카드매출전표 · 현금영수증 · 간이영수증 등이 해당된다.

영수증 발급대상자	세금계산서 및 영수증 발급의무 면제
㉠ 소매업 ㉡ 음식점업(다과점업을 포함) ㉢ 숙박업 ㉣ 미용 · 목욕탕 및 유사서비스업 ㉤ 여객운송업 ㉥ 입장권을 발행하여 영위하는 사업 ㉦ 변호사업, 공인회계사업, 세무사업 등 기타 이와 유사한 사업서비스업(사업자에게 공급하는 것은 제외) ㉧ 우정사업조직이 소포우편물을 방문접수하여 배달하는 용역을 공급하는 사업 ㉨ 주로 사업자가 아닌 소비자에게 재화 또는 용역을 공급하는 사업으로서 세금계산서발급이 불가능하거나 현저히 곤란한 사업 등 ※ 세금계산서 발급이 불가능하거나 현저히 곤란한 사업에는 양복점, 양장점, 양화점, 주거용 건물공급업, 운수업, 주차장 운영업, 부동산중개업 등이 해당된다.	㉠ 택시운송 사업자, 노점 또는 행상을 하는 사업자 ㉡ 무인 자동판매기를 이용하여 재화 또는 용역을 공급하는 자 ㉢ 소매업 또는 미용 · 목욕탕 및 유사서비스업을 영위하는 자가 공급하는 재화 또는 용역(다만, 소매업, 음식점업, 숙박업 등은 공급받는 자가 세금계산서의 발급을 요구하지 아니하는 경우에 한함) ㉣ 자가공급(판매목적 타사업장 반출의 경우는 제외), 개인적공급, 사업상증여, 폐업시 잔존재화로서 공급의제 되는 재화 ㉤ 영세율 적용대상이 되는 일정한 재화 · 용역 • 수출하는 재화 • 항공기의 외국항행용역 • 국외제공 용역 • 기타 외화획득 재화 또는 용역 중 일정한 것 ㉥ 부동산임대용역 중 간주임대료에 해당하는 부분

03 납부세액의 계산

(1) 부가가치세 계산구조

	구분	내용
	과 세 표 준	재화 · 용역의 공급가액
(×)	세 율	10% (영세율 : 0%)
	매 출 세 액	대손세액가감
(-)	매 입 세 액	세금계산서상의 매입세액, 의제매입세액 등
	납 부 세 액	
(-)	공 제 세 액	신용카드매출전표등발행세액공제, 예정신고미환급세액, 예정신고기간고지세액
(+)	가 산 세	
	차감납부세액	(△)환급세액

(2) 매출세액

매출세액은 일정기간의 재화 또는 용역의 공급에 대한 가액의 합계액 즉, 그 기간의 과세표준에 세율을 적용하여 계산한다.

매출세액 = (과세표준 × 세율) ± 대손세액가감

❶ 공급가액과 부가가치세액

- 100/100 : 과세표준
- 10/110 : 부가가치세 매출세액

❷ 대손세액가감

부가가치세가 과세되는 재화 또는 용역을 공급하는 경우 공급을 받는 자의 파산 · 강제집행 등의 사유로 인하여 재화 또는 용역의 공급에 대한 외상매출금, 기타 매출채권(부가가치세 포함)의 전부 또는 일부가 대손되어 회수할 수 없는 경우에는 대손세액을 그 대손의 확정이 된 날이 속하는 과세기간(확정신고기간)의 매출세액에서 차감할 수 있다.

$$\text{대손세액} = \text{대손금액} \times \frac{10}{110}$$

구 분	내 용
대손사유	• 채무자의 파산·강제집행·형의 집행 또는 사업의 폐지로 인하여 회수할 수 없는 채권 • 채무자의 사망·실종·행방불명 등으로 인하여 회수할 수 없는 채권 • 외상매출금 및 미수금으로서 상법, 어음법, 수표법 상의 소멸시효가 완성된 채권 • 대여금 및 선급금으로서 민법 상의 소멸시효가 완성된 것 • 부도발생일로부터 6월 이상 경과한 수표 또는 어음상의 채권과 외상매출금 • 물품의 수출로 인하여 발생한 채권으로서 외국환관리에 관한 법령에 의하여 한국은행총재 또는 외국환은행의 장으로부터 채권회수의무를 면제받은 것 • 세무서장으로부터 국세결손처분을 받은 채무자에 대한 채권. 다만, 당해 사업자가 채무자의 재산에 대하여 저당권을 설정하고 있는 것을 제외한다.
절차	대손 확정이 된 날이 속하는 부가가치세 확정신고시 반영한다.

※ 다만, 당해 사업자가 대손금액의 전부 또는 일부를 회수한 경우에는 회수한 대손금액에 관련된 대손세액을 회수한 날이 속하는 과세기간의 매출세액에 가산한다.

[대손세액의 처리방법]

	공급자	공급 받는자
대손확정시	매출세액에서 차감 대손세액(-)	매입세액에서 차감 대손처분받은 세액(-)
회수 또는 변제시	매출세액에 가산 대손세액(+)	매입세액에 가산 변제대손세액(+)

(3) 매입세액

공제받을 수 있는 매입세액 = 총매입세액 - 불공제 매입세액

❶ 공제대상 매입세액

공제대상 매입세액은 자기의 사업을 위하여 사용하였거나 사용할 목적으로 재화·용역의 공급 또는 재화의 수입에 대한 부가가치세액을 말한다.

❷ 공제받지 못할 매입세액

㉠ 매입처별 세금계산서합계표의 미제출 및 부실, 허위기재한 경우의 매입세액

㉡ 세금계산서의 미수취 및 부실, 허위기재한 경우의 매입세액

㉢ 업무와 관련 없는 지출에 대한 매입세액

㉣ 개별소비세가 과세되는 자동차(영업용 제외)의 구입·임차·유지에 대한 매입세액

* 공제대상 차량 : 경차(1,000cc미만), 화물차, 8인승초과(밴) 등

* 불공제대상 차량 : 1,000cc초과하는 8인승이하 승용차 등

㉤ 면세관련 매입세액

㉥ 접대비관련 매입세액

㉦ 공통매입세액 면세사업분

㉧ 사업자 등록전 매입세액(공급시기가 속하는 과세기간이 지난 후 20일 이내 등록한 경우 공제 가능)

㉨ 대손처분 받은 세액

❸ 공통매입세액의 안분계산

부가가치세 납부세액 계산시 면세사업관련 매입세액은 매출세액에서 공제되지 않는다. 사업자가 과세사업과 면세사업 겸영하는 경우로서 그 귀속이 불분명한 경우에는 다음과 같은 산식에 의하여 계산한다. 과세표준을 참고하며, 공급가액이 없는 경우 면적 또는 관련 비율을 기준할 수 있다.

$$\text{면세사업 관련 매입세액} = \text{공통매입세액} \times \frac{\text{면세공급가액(당해과세기간)}}{\text{총공급가액(당해과세기간)}}$$

[공급가액이 없는 경우 안분계산]

구 분	공통매입세액 안분계산의 순서
건물	예정사용면적비율 → 매입가액비율 → 예정공급가액비율
건물 이외의 자산	매입가액비율 → 예정공급가액비율 → 예정사용면적비율

❹ 납부세액(또는 환급세액)의 재계산

과세 · 면세사업을 겸영하는 사업자가 과세사업과 면세사업에 공통으로 사용할 감가상각 자산을 매입하였을 경우 공통매입세액의 안분계산방법에 의하여 매입세액공제를 받는다.

㉠ 재계산의 요건

구 분	내 용
재계산대상	• 공통사용 재화일 것 : 과세사업과 면세사업을 겸영하는 사업자가 공급받는 공통사용 재화로서 공통매입세액을 안분계산하여 매입세액을 공제받은 경우이어야 한다. • 감가상각 자산일 것 : 재계산의 대상이 되는 자산은 감가상각 자산이어야 한다. • 당해 과세기간의 면세비율이 취득 과세기간(또는 직전 재계산한 과세기간)의 면세비율보다 5%이상 증가하거나 감소한 경우이어야 한다.
재계산 시기	확정신고시에만 재계산하며 예정신고시에는 재계산하지 않는다.

㉡ 재계산의 방법

$$\text{가산(또는 공제)되는 매입세액} = \text{해당 재화의 매입세액} \times (1\text{-체감률}\times\text{경과된 과세건수}) \times \text{증가(또는 감소)된 면세비율}$$

• 체감률 : 건물 및 구축물 5%, 기타의 감가상각자산 25%
• 경과된 과세기간 수 : 과세기간 개시일 후에 취득한 경우에는 그 과세기간의 개시일에 취득한 것으로 봄
• 면세공급가액 비율 = 면세공급가액 / 총공급가액

❺ 의제매입세액공제

의제매입세액은 사업자등록을 한 사업자에 대해서만 적용되며 미등록사업자, 면세사업자는 의제매입세액이 적용되지 않는다. 과세사업을 영위하는 사업자가 면세로 공급받은 농·축·수·임산물과 소금(공업용 소금 제외)을 원재료로 하여 제조·가공한 재화 또는 창출한 용역의 공급이 과세되는 경우에는 매입세액으로 공제할 수 있다.

㉠ 면세 농수산물 등의 매입가격 $\times \frac{2}{102}$ {음식업(개인) $\frac{8}{108}$ · 음식업(법인) $\frac{6}{106}$ · 과세유흥장사업자 $\frac{2}{102}$}

※ 제조업 : • 중소기업 및 개인 사업자 $\frac{4}{104}$, 음식점업 개인 사업자 과세표준 2억원 이하 $\frac{9}{109}$

• 간이과세자 및 개인사업자 중 과자점업, 도정업, 제분업, 떡방앗간 $\frac{6}{106}$

㉡ 공제한도

구 분	공 제 한 도			
개인사업자	2억원 이하	과세표준의 55%	음식점업	과세표준의 65%
	2~4억원			60%
	4억원 초과	45%		50%
법인사업자	해당 과세기간의 과세표준 × 40%			
간이과세자	한도 없음			

※ 국내 면세농산물 등의 가액 : 운임 · 보험료 등의 매입부대비용을 제외한 순수한 매입가액

※ 수입한 농산물 : 관세의 과세가액 - 취득가액 속에 2%(또는 8%)의 부가가치세가 포함되어 있다고 가정하는 것이다.

❻ 재활용폐자원 매입세액공제

재활용폐자원 및 중고자동차를 수집하는 사업자가 국가 등과 부가가치세 과세사업을 영위하지 않는 자 또는 영수증을 발급하여야 하는 간이과세자로부터 재활용폐자원 등을 취득하여 제조·가공하거나 이를 공급하는 경우에는 다음의 금액을 매입세액으로 공제한다.

㉠ 중고자동차 : 공제대상금액* × $\frac{10}{110}$

㉡ 재활용폐자원 : 공제대상금액* × $\frac{3}{103}$

* 공제대상금액 = MIN[①, ②]

① 재활용폐자원 취득가액

② 재활용폐자원 공급가액 × 80% - 세금계산서수령 재활용폐자원 매입가액

(4) 경감공세액

❶ 신용카드 매출전표등 발행공제

일반과세자 중 영수증 발급의무자(직전년도 공급가액 10억이하 개인사업자만 해당됨)가 신용카드매출전표(직불카드영수증·기명식 선불카드영수증·현금영수증 포함)를 발행하거나 전자화폐로 대금결제를 받는 경우에는 신용카드매출전표 발행세액공제를 적용받을 수 있다.

세액공제액 = 발행금액 또는 결제금액 × 1.3% (연간 1,000만원 한도)

※ 음식점, 숙박업을 하는 간이과세자는 2.6%

❷ 전자신고에 대한 세액공제

납세자가 직접 전자신고방법에 의하여 부가가치세 확정신고를 하는 경우에는 해당 납부세액에서 1만원을 공제하거나 환급세액에 가산한다.

(5) 가산세

❶ 신고관련 가산세

<table>
<tr><th colspan="2">항 목</th><th>가 산 세</th></tr>
<tr><td colspan="2">미등록 · 허위등록 가산세</td><td>공급가액 × 1%</td></tr>
<tr><td rowspan="6">세금계산서
불성실 가산세</td><td>부실기재</td><td>부실기재 한 공급가액 × 1%</td></tr>
<tr><td>지연발급
(과세기간의 확정신고기간내
발급한 경우)</td><td>공급가액 × 1%</td></tr>
<tr><td>전자세금계산서 미전송</td><td>공급가액 × 0.5%</td></tr>
<tr><td>전자세금계산서 지연전송</td><td>공급가액 × 0.3%</td></tr>
<tr><td>세금계산서 미발급, 가공, 위장발급</td><td>공급가액 × 2%, 3%</td></tr>
<tr><td>전자세금계산서 발급대상자가
종이세금계산서 발급시</td><td>공급가액 × 1%</td></tr>
<tr><td rowspan="2">매출처별
세금계산서 합계표
불성실 가산세</td><td>미제출, 부실기재</td><td>공급가액 × 0.5%</td></tr>
<tr><td>지연제출
(예정신고 분 → 확정신고시 제출)</td><td>공급가액 × 0.3%</td></tr>
<tr><td rowspan="3">매입처별
세금계산서 합계표
불성실 가산세</td><td>지연수취
(공급시기 이후에 발급받은 경우)</td><td rowspan="3">공급가액 × 0.5%</td></tr>
<tr><td>미제출 후 경정시 제출</td></tr>
<tr><td>공급가액의 과다기재</td></tr>
<tr><td colspan="2">영세율 과세표준 신고불성실 가산세*</td><td>무신고 또는 미달 신고한 과세표준 × 0.5%</td></tr>
<tr><td>신용카드 매출전표
미제출 가산세</td><td>미제출</td><td>공급가액 × 0.5%</td></tr>
</table>

항 목		가 산 세
신고불성실가산세*	무신고	일반무신고 산출세액 × 20% 부당무신고 산출세액 × 40%
	과소(초과환급)신고	일반과소신고 산출세액 × 10% 부당과소신고 산출세액 × 40%
납부불성실가산세		미납세액 × 기간(납부기한의 다음날~납부일) × 0.025%

* 1. 수정신고 감면율
1개월 이내 90%, 3개월 이내 75%, 6개월 이내 50%, 1년 이내 30%, 1년 6개월 이내 20%, 2년 이내 10%

* 2. 기한후신고 감면율(무신고 가산세만 해당)
1개월 이내 50%, 3개월 이내 30%, 6개월 이내 20%

❷ 가산세의 중복적용 배제

우선 적용되는 가산세	적용배제 가산세
미등록 등 (1%)	• 세금계산서불성실가산세(지연발급, 부실기재) • 전자세금계산서 지연전송, 미전송가산세 • 매출처별세금계산서합계표 불성실가산세
세금계산서 미발급 (2%)	• 미등록가산세 등 • 세금계산서불성실가산세(부실기재) • 전자세금계산서 지연전송, 미전송가산세 • 매출처별세금계산서합계표 불성실가산세
세금계산서 지연발급 (1%)	• 세금계산서불성실가산세(부실기재) • 전자세금계산서 지연전송, 미전송가산세 • 매출처별세금계산서합계표 불성실가산세
세금계산서 지연 (0.3%), 미전송 (0.5%)	• 매출처별세금계산서합계표 불성실가산세
세금계산서 부실기재 (1%)	• 전자세금계산서 지연전송, 미전송가산세 • 매출처별세금계산서합계표 불성실가산세

04 부가가치세 신고 및 납부

(1) 예정신고와 납부

사업자는 각 예정신고기간에 대한 과세표준과 납부세액(또는 환급세액)을 그 예정신고기간 종료 후 25일 이내에 신고 및 납부하여야 한다. 개인사업자는 각 예정신고기간마다 직전 과세기간에 대한 납부세액의 1/2에 상당하는 금액을 결정하여 납세고지서를 발부하고 당해 예정신고기한 내에 징수한다. 다만, 징수금액이 30만원 이하인 경우에는 고지하지 않는다.

TIP

예정신고 및 납부를 할 수 있는 경우

- 휴업 · 사업부진으로 인하여 각 예정신고기간의 공급가액 또는 납부세액이 직전과세기간의 공급가액 · 납부세액의 1/3에 미달하는 자
- 각 예정신고기간분에 대하여 조기환급을 받고자 하는 자

(2) 확정신고와 납부

사업자는 각 과세기간에 대한 과세표준과 납부세액(또는 환급세액)을 그 과세기간 종료 후 25일 이내에 각 사업장관할세무서장에게 신고하고 납부세액을 납부하여야 한다.

(3) 환급

환급이란 환급세액(매입세액이 매출세액보다 많은 경우)을 사업자에게 되돌려 주는 것을 말하며, 다음과 같다.

❶ 일반환급

사업장 관할세무서장은 당해 과세기간에 대한 환급세액을 각 과세기간별로 그 확정신고기한 경과 후 30일 이내에 사업자에게 환급하여야 한다.

❷ 조기환급

조기환급이란 환급세액을 예정·확정신고 또는 조기환급신고기한 경과 후 15일 이내에 환급하는 것을 말한다. 조기환급을 신청할 수 있는 경우는 영세율 규정이 적용되는 때와 사업설비(감가상각자산)을 신설하거나 취득, 확장 또는 증축을 하는 때에만 조기환급이 가능하다.

05 간이과세자

간이과세제도는 주로 최종소비자와 거래한 영세한 개인사업자에 대하여 납세의무를 간편하게 이행할 수 있도록 하는 납세편의 제도이다.

구 분	내 용
적용대상	직전 1역년의 공급대가가 8,000만원(부동산 임대업 및 과세유흥업은 4,800만원) 미만인 개인사업자 (단, 법인은 어떠한 경우에도 간이과세자가 될 수 없음)
과세표준	공급대가(공급가액 + VAT)의 합계액
납부세액	납부세액 = 공급대가 × 당해 업종의 부가가치율 × 10%
세금계산서	공급대가 4,800만원 이상인 사업자의 경우 발급
예정신고납부	예정부과를 원칙으로 함(징수하여야할 금액이 30만원 미만인 경우에는 여정부과를 생략함)
대손세액공제	적용받을 수 없음
매입세액	세금계산서 등을 발급받은 매입액(공급대가) × 0.5% (2021.7.1. 이후 적용)
의제매입세액	농산물 등의 매입가격 ×($\frac{6}{106}$, $\frac{8}{108}$ 단, 제조업과 음식점업에 한함)
신용카드매출전표발행 세액공제	신용카드매출전표 등 발행금액 × 1.3% (음식점업 및 숙박업은 2.6%)
납부의무면제	해당 과세기간 공급대가가 4,800만원 미만인 경우
포기제도	포기하고자하는 달의 전달 마지막 날까지 신고하고 일반과세자 될 수 있음 (단, 3년간 계속 일반과세 적용됨)
기장의무	직전년도 공급대가 합계액이 4,800만원 미만 및 신규 사업자는 발급받은 세금계산서 · 영수증 보관시 장부기록 의무를 이행한 것으로 간주함 (2021.7.1. 이후 적용)
가산세	① 미등록 및 허위등록 가산세 : 공급대가 × 0.5% ② 세금계산서 관련 가산세 있음
부가가치세 신고시 제출서류	부가가치세 신고서, 매출처별 · 매입처별 세금계산서합계표 등 (2021.7.1. 이후 적용)

단원정리문제 과세표준 및 납부세액

01 다음 중 부가가치세법상 과세 대상인 것은?

① 국내생산 비식용 미가공인 농 · 축 · 수 · 임산물
② 국민주택규모를 초과한 주택과 그 부수토지의 임대용역
③ 우표, 인지, 증지, 복권
④ 고속철도에 의한 여객운송용역

02 다음 중 부가가치세법상 과세대상인 재화의 공급으로 보는 것은?

① 공장건물이 국세징수법에 따라 공매된 경우
② 자동차운전면허학원을 운영하는 사업자가 구입 시 매입세액공제를 받은 개별소비세과세 대상 소형승용차를 업무목적인 회사 출퇴근용으로 사용하는 경우
③ 에어컨을 제조하는 사업자가 원재료로 사용하기 위해 취득한 부품을 동 회사의 기계장치 수리에 대체하여 사용하는 경우
④ 컨설팅회사를 운영하는 사업자가 고객에게 대가를 받지 않고 컨설팅용역을 제공하는 경우

03 다음은 부가가치세법상 과세표준에 대한 설명이다. 틀린 것은?

① 부가가치세 포함여부가 불분명한 대가의 경우 110분의 100을 곱한 금액을 공급가액(과세표준)으로 한다.
② 상가를 임대하고 받은 보증금에 대하여도 간주임대료를 계산하여 과세표준에 포함하여야 한다.
③ 대가의 지급지연으로 받는 연체이자도 과세표준에 포함한다.
④ 대가를 외국환으로 받고 받은 외국환을 공급시기 이전에 환가한 경우 환가한 금액을 과세표준으로 한다.

04 다음은 부가가치세법상 전자세금계산서에 대한 설명이다. 틀린 것은?

① 전자세금계산서는 원칙적으로 발급일의 다음날까지 국세청에 전송해야 한다.
② 후발급특례가 적용되는 경우 재화나 용역의 공급일이 속하는 달의 다음달 10일까지 세금계산서를 발급할 수 있다.
③ 전자세금계산서 발급대상 사업자가 적법한 발급기한 내에 전자세금계산서 대신에 종이세금계산서를 발급한 경우 공급가액의 1%의 가산세가 적용된다.
④ 당해 연도의 사업장별 재화와 용역의 공급가액의 합계액이 3억원 이상인 개인사업자는 반드시 전자로 세금계산서를 발급하여야 한다.

05 다음 중 부가가치세법상 세금계산서 발급의무 면제에 해당하지 않는 것은?

① 영세율 적용분 중 내국신용장 · 구매확인서에 의한 재화의 공급
② 공급받는 자가 세금계산서 발급을 요구하지 않는 경우의 소매업
③ 폐업시 잔존재화
④ 택시운전사, 노점상

06 다음 중 세금계산서를 발급해야하는 거래인 것은?

① 소매업자가 공급하는 재화로서 상대방이 세금계산서 발급을 요구하지 않는 경우
② 판매목적 타사업장 반출을 제외한 재화의 간주공급
③ 국내사업장이 있는 비거주자 또는 외국법인에게 공급하는 외화획득용역
④ 부동산 임대에서 발생한 간주임대료에 대한 부가가치세를 임대인이 부담하는 경우

07 다음은 세금계산서의 작성, 발급, 전송 등에 관한 사항이다. 설명이 잘못된 것은?

① 2021년 1월 15일을 작성일자로 한 세금계산서를 2월 15일에 발급한 경우 매출자에게는 세금계산서 관련 가산세가 적용된다.
② 2021년 1월 15일을 작성일자로 한 세금계산서를 2월 15일에 발급받은 경우 매입자에게는 세금계산서 관련 가산세가 적용된다.
③ 2021년 1월 15일을 작성일자로 한 세금계산서를 7월 15일에 발급한 경우 매출자에게는 세금계산서 관련 가산세가 적용된다.
④ 2021년 1월 15일을 작성일자로 한 세금계산서를 7월 15일에 발급받은 경우 매입자에게는 매입세액이 공제되지 않는다.

08 다음은 부가가치세법상 전자세금계산서에 대한 설명이다. 틀린 것은?

① 전자세금계산서 발급의무자가 전자세금계산서를 지연전송한 경우 공급가액의 1% 가산세가 적용된다.
② 월합계로 발급하는 세금계산서는 재화 및 용역의 공급일이 속하는 달의 다음달 10일까지 세금계산서를 발급할 수 있다.
③ 전자세금계산서를 발급한 사업자가 국세청장에게 전자세금계산서 발급명세를 전송한 경우에는 세금계산서의 보존의무가 면제된다.
④ 직전연도의 사업장별 공급가액(과세분+면세분)의 합이 3억원 이상인 개인사업자는 전자세금계산서를 발급하여야 한다.

09 다음 중 부가가치세법상 수정(전자)세금계산서 발급사유와 발급절차에 관한 설명으로 잘못된 것은?

① 상대방에게 공급한 재화가 환입된 경우 수정(전자)세금계산서의 작성일은 재화가 환입된 날을 적는다.
② 계약의 해제로 재화 · 용역이 공급되지 않은 경우 수정(전자)세금계산서의 작성일은 계약해제일을 적는다.
③ 계약의 해지등에 따라 공급가액에 추가 또는 차감되는 금액이 발생한 경우 수정(전자)세금계산서의 작성일은 증감사유가 발생한 날을 적는다.
④ 재화 · 용역을 공급한 후 공급시기가 속하는 과세기간 종료 후 25일 이내에 내국신용장이 개설된 경우 수정(전자)세금계산서의 작성일은 내국신용장이 개설된 날을 적는다.

10 다음 중 부가가치세 매입세액공제가 가능한 경우는?

① 토지의 취득에 관련된 매입세액
② 관광사업자의 비영업용 소형승용자동차(5인승 2,000cc) 취득에 따른 매입세액
③ 음식업자가 계산서를 받고 면세로 구입한 축산물의 의제매입세액
④ 소매업자가 사업과 관련하여 받은 영수증에 의한 매입세액

11 당기에 면세사업과 과세사업에 공통으로 사용하던 업무용 트럭 1대를 매각하였다. 다음 중 공급가액의 안분계산이 필요한 경우는?

	공통사용재화 공급가액	직전과세기간 총공급가액	직전과세기간 면세공급가액	당기과세기간 총공급가액	당기과세기간 면세공급가액
①	490,000원	100,000,000원	50,000,000원	150,000,000원	10,000,000원
②	45,000,000원	신규사업개시로 없음		200,000,000원	150,000,000원
③	35,000,000원	300,000,000원	14,000,000원	500,000,000원	41,000,000원
④	55,000,000원	200,000,000원	9,000,000원	150,000,000원	20,000,000원

12 다음 중 부가가치세법상 신용카드 매출전표 발행에 따른 세액공제에 대한 설명으로 잘못된 것은?

① 음식점업 또는 숙박업을 하는 간이과세자의 경우 발급금액 또는 결제금액에 2.6퍼센트를 곱한 금액을 납부세액에서 공제한다.
② 신용카드매출전표 등 발행세액공제의 각 과세기간별 한도는 500만원이다.
③ 직전연도의 재화 또는 용역의 공급가액의 합계액이 사업장을 기준으로 10억원을 초과하는 개인사업자는 신용카드매출전표 등 발행세액공제를 적용할 수 없다.
④ 법인사업자는 신용카드매출전표 등 발행세액공제를 적용받을 수 없다.

13 다음은 부가가치세법상 의제매입세액공제에 관한 내용이다. 올바른 것은?

① 의제매입세액공제는 구입한 원재료에 대한 한도없이 전액에 대하여 의제매입세액 공제율을 적용하여 공제받을 수 있다.
② 의제매입세액공제는 부가가치세 확정신고 뿐만 아니라, 부가가치세 예정신고할 때에도 공제 받을 수 있다.
③ 간이과세자는 의제매입세액공제를 받을 수 없다.
④ 개인사업자(일반과세자임)인 음식점은 농어민으로부터 구입시 의제매입세액공제를 받을 수 없다.

14 다음 중 부가가치세 납부세액 계산시 공제대상 매입세액에 해당되는 것은?

① 사업과 무관한 부가가치세 매입세액
② 공장부지 및 택지의 조성 등에 관련된 부가가치세 매입세액
③ 자동차판매업의 영업에 직접 사용되는 8인승 승용자동차 부가가치세 매입세액
④ 거래처 체육대회 증정용 과세물품 부가가치세 매입세액

15 **다음 중 부가가치세법상 일반과세사업자가 당해 과세기간분 부가가치세 확정신고시 공제받을 수 있는 매입세액은?**

① 면세사업용도에 사용할 재화를 구입하고 교부받은 세금계산서상 매입세액
② 신규 사업자인 간이과세자로부터 재화를 구입하고 교부받은 세금계산서상 매입세액
③ 세금계산서 대신에 교부받은 거래명세표상의 매입세액
④ 당해 과세기간 부가가치세 예정신고시 누락된 상품매입 세금계산서상의 매입세액

16 **부가가치세법상 조기환급기간이라 함은 예정신고기간 중 또는 과세기간 최종 3개월 중 매월 또는 매2월을 말한다. 다음 중 조기환급기간으로 적절하지 않은 것은?**

① 2021년 7월
② 2021년 7월~2021년 8월
③ 2021년 9월~2021년 10월
④ 2021년 11월

17 **다음 중 부가가치세법상 환급과 관련한 설명 중 틀린 것은?**

① 예정신고기한에 대한 조기환급세액은 예정신고일로부터 15일 내에 환급한다.
② 조기환급은 수출 등 영세율사업자와 설비투자를 한 사업자가 부담한 부가가치세를 일찍 환급하여 자금부담을 덜어주고 이를 통해 수출과 투자를 촉진하는데 그 목적이 있다.
③ 조기환급기간은 예정신고기간 중 또는 과세기간 최종 3개월 중 매월 또는 매2월의 기간을 말한다.
④ 일반환급은 환급세액을 확정신고 한 사업자에게 확정신고 기한이 속한 말일부터 30일 이내에 환급하는 것을 말한다.

정답 및 해설

01	02	03	04	05	06	07	08	09	10	11	12	13	14	15	16	17
④	②	③	④	①	③	④	①	④	③	④	②	②	③	④	③	④

01 ④ 고속철도에 의한 KTX 등 고속전철은 과세에 속한다.

02 ② 사업자가 자기의 과세사업을 위하여 자가생산 · 취득재화 중 승용자동차를 고유의 사업목적(판매용, 운수업용 등)에 사용하지 않고 비영업용 또는 업무용(출퇴근용 등)으로 사용하는 경우는 간주공급에 해당한다.

03 ③ 대가의 지급지연으로 받는 연체이자는 과세표준에 포함하지 않는다.

04 ④ 직전 연도의 공급가액(과세분+면세분)의 합이 3억원 이상인 개인 사업자는 전자로 세금계산서를 발급하여야 한다.

05 ① 영세율이 적용되는 경우 내국신용장, 구매확인서에 의하는 경우 영세율세금계산서를 발급하여야 하며, 직수출의 경우 세금계산서발급이 면제된다.

06 ③ 국외제공용역은 용역을 제공받는 자가 국내에 사업장이 없는 비거주자 또는 외국법인인 경우에 한하여 세금계산서 발급의무가 면제된다.

07 ④ 공급시기가 속하는 과세기간의 확정신고기한 이내에 세금계산서를 수취하면 매입세액공제를 받을 수 있다.

08 ① 지연전송분 0.3%

09 ④ 공급시기가 속하는 과세기간 종료 후 25일 이내에 내국신용장이 개설된 경우 당초 세금계산서 작성일을 적는다.

10 ③ 음식업자가 계산서를 받고 면세로 구입한 축산물의 의제매입세액은 매입가액의 8/108(개인) 또는 6/106(법인)을 공제한다. (유흥주점은 2/102)

11 ④ 해당 공통사용재화의 공급가액이 5천만원 이상인 경우에는 직전과세기간의 면세공급가액이 총공급가액의 5% 미만이라 하더라도 안분계산한다.

12 ② 연간한도액은 1,000만원이다.

13 ② ① 공제한도 있음
② 예정신고 또는 확정신고시에 공제 가능
③ 간이과세자 중 음식점업은 의제매입세액공제 가능
④ 의제매입세액공제신고서를 작성하여 제출하면 공제가능

14 ③ 자동차판매업의 영업에 직접 사용되는 승용자동차는 매입세액공제대상이다.

15 ④ 예정신고시 누락된 상품매입 세금계산서상의 매입세액은 공제가능하다.

16 ③ 예정신고기간 또는 과세기간 최종 3개월로 구분하여 각각 매월 또는 매2월에 대하여 조기환급신고를 할 수 있으므로 예정신고기간에 해당하는 2021년 9월과 과세기간 최종 3개월에 해당하는 2021년 10월에 대하여 함께 조기환급신고를 할 수 없다.

17 ④ 확정신고한 사업자는 확정신고기한 경과 후 30일 이내에 환급한다.

NCS 국가직무능력표준 National Competency Standards

제 4 부

소득세 신고

[과정/과목명 : 0203020204_17v4/원천징수]

능력단위 요소명	훈 련 내 용
근로소득 원천징수하기	3.1 소득세법에 따라 세무정보시스템 또는 급여대장을 통해 임직원의 인적공제 사항을 작성·관리할 수 있다. 3.2 회사의 급여규정에 따라 임직원 및 일용근로자의 기본급, 수당, 상여금 등의 급여금액을 정확하게 계산할 수 있다. 3.3 세법에 의한 임직원 및 일용근로자의 급여액에 대한 근로소득금액을 과세 근로소득과 비과세 근로소득으로 구분하여 계산할 수 있다. 3.4 간이세액표에 따라 급여액에 대한 산출된 세액을 공제 후 지급할 수 있다. 3.5 중도퇴사자에 대한 근로소득 정산에 의한 세액을 환급 또는 추징할 수 있다. 3.6 근로소득에 대한 원천징수 결과에 따라 원천징수이행상황신고서를 작성하고 신고 후 세액을 납부할 수 있다. 3.7 환급받을 원천징수세액 이 있는 경우 납부세액과 상계 및 환급 신청할 수 있다. 3.8 기 신고한 원천징수 수정 또는 경정요건이 발생할 경우 수정신고 및 경정청구 할 수 있다.

제 1 장

소득세 총설

[과정/과목명 : 0203020204_17v4/원천징수]

능력단위 요소명	훈 련 내 용
근로소득 원천징수하기	3.1 소득세법에 따라 세무정보시스템 또는 급여대장을 통해 임직원의 인적공제 사항을 작성·관리할 수 있다. 3.2 회사의 급여규정에 따라 임직원 및 일용근로자의 기본급, 수당, 상여금 등의 급여금액을 정확하게 계산할 수 있다. 3.3 세법에 의한 임직원 및 일용근로자의 급여액에 대한 근로소득금액을 과세 근로소득과 비과세 근로소득으로 구분하여 계산할 수 있다. 3.4 간이세액표에 따라 급여액에 대한 산출된 세액을 공제 후 지급할 수 있다. 3.5 중도퇴사자에 대한 근로소득 정산에 의한 세액을 환급 또는 추징할 수 있다. 3.6 근로소득에 대한 원천징수 결과에 따라 원천징수이행상황신고서를 작성하고 신고 후 세액을 납부할 수 있다. 3.7 환급받을 원천징수세액 이 있는 경우 납부세액과 상계 및 환급 신청할 수 있다. 3.8 기 신고한 원천징수 수정 또는 경정요건이 발생할 경우 수정신고 및 경정청구 할 수 있다.

제 1 절

소득세의 개념

01 소득세의 의의

개인의 소득을 과세대상으로 하여 부과하는 국세이며, 소득금액을 과세표준으로 하는 조세로서, 납세자와 담세자가 일치하므로 직접세에 해당한다.

02 소득세의 특징

(1) 열거주의 과세방법(단, 이자, 배당소득은 유형별 포괄주의)

소득이란 특정 경제주체가 일정기간에 얻은 경제적 이익을 말하며, 소득세법상 소득이란 소득세법상 열거된 소득을 의미한다. 즉, 소득세법은 열거주의에 의해 과세 대상소득을 규정하고 있으므로 열거되지 아니한 소득은 비록 담세력이 있더라도 과세되지 않는다. 다만, 예외적으로 이자소득, 배당소득은 열거되지 않은 소득이라도 유사한 소득을 포함하는 유형별 포괄주의를 채택하고 있다.

(2) 개인단위과세제도

소득세법은 개인별 소득을 기준으로 과세하는 개인단위과세제도를 원칙으로 하되, 예외적으로 가족이 공동으로 사업을 경영하는데 있어 지분 또는 손익분배비율을 허위로 정하는 등 법 소정 사유가 있는 경우에 한하여 합산과세를 하고 있다.

(3) 종합과세방법과 분류과세방법의 병행

소득세의 모든 소득은 종합과세, 분리과세 또는 분류과세 중 어느 한 방법으로 과세된다.

구 분	내 용
종합과세	이자, 배당, 사업, 근로, 연금, 기타소득의 6가지 소득을 합산하여 과세한다.
분리과세	종합소득으로 합산 과세되는 소득 중 기준금액 이하인 금융소득, 일용근로소득, 소액 연금소득, 복권당첨소득 등에 대하여 원천징수하여 분리과세한다.
분류과세	장기간 발생되는 소득인 퇴직소득 또는 양도소득의 결집효과를 완화하기 위하여 종류별로 종합소득과 구분하여 과세한다.

(4) 인적공제 · 누진과세

소득세법은 개인에게 과세되는 것이므로 개인의 인적사항이 다르면 부담능력도 다르다는 것을 고려하여 부담능력에 따른 과세를 채택하고 있다. 또한 개인의 세금부담능력(담세력)은 소득의 증가에 비례하여 누진적으로 증가하므로 소득세법은 누진과세를 채택하고 있다.

(5) 신고납세제도

소득세는 신고납세제도를 채택하고 있으므로 납세의무자의 확정신고로 과세표준과 세액이 확정된다. 즉, 납세의무자는 과세기간의 다음연도 5월 1일~5월 31일까지 과세표준확정신고를 함으로써 소득세가 확정되며 정부의 결정은 원칙적으로 필요하지 않다.

03 소득세의 구분

(1) 거주자의 소득세

구 분		내 용
종합소득	금융소득	• 이자소득(분리과세 이자소득은 제외) • 배당소득(분리과세 배당소득은 제외)
	사업성 있는 소득	• 사업소득 (부동산임대소득은 사업소득에 포함)
	그 외 종합소득	• 근로소득(일용근로소득은 제외) • 연금소득(분리과세 연금소득은 제외) • 기타소득(분리과세 기타소득은 제외)
분류과세소득		퇴직소득, 양도소득

(2) 비거주자의 소득세

구 분	내 용
종합과세	국내사업장이 있는 비거주자와 국내에 부동산소득(양도소득 제외)이 있는 비거주자에 대하여는 국내원천소득을 종합하여 과세한다.
분리과세	국내사업장이 없는 비거주자에 대하여는 국내원천소득(퇴직소득, 양도소득을 제외)을 소득별로 분리하여 과세한다.

04 납세의무자

소득세의 납세의무자는 자연인인 개인에 한정된다. 다만, 법인격이 없는 사단 · 재단 기타 단체 중 국세기본법의 규정에 의하여 법인으로 보는 단체 외의 사단 · 재단 기타 단체는 그 단체를 개인(거주자)으로 보아 소득세 납세의무자가 된다.

05 거주자와 비거주자의 구분

구 분	내 용
거주자	국내에 주소를 두거나 183일 이상 거소를 둔 개인을 거주자라 하며, 국내외 (무제한납세의무자) 원천소득에 대하여 소득세를 과세한다.
비거주자	거주자가 아닌 자를 비거주자라 하며 비거주자에 대하여는 국내원천소득에 (제한납세의무자) 대해서만 소득세를 과세한다.

06 과세기간 및 확정신고기한

과세대상소득과 세금을 계산하는 기초가 되는 한 단위의 기간을 과세기간이라 한다.

구 분	과 세 기 간	확 정 신 고 기 한
원칙	1월 1일 ~ 12월 31일	다음연도 5월 31일
사망시	1월 1일 ~ 사망일	상속개시일이 속하는 달의 말일부터 6개월이 되는 날
출국시	1월 1일 ~ 출국한 날	출국일 전일

07 납세지

납세지는 납세의무자가 세법에 의한 의무를 이행하고 권리를 행사하는 기준이 되는 장소로서 관할세무서를 정하는 기준이 되는 장소를 말한다.

구 분	내 용
거주자	거주자의 납세지는 사업장소재지가 아닌 주소지이다. 주소지가 없는 경우에는 거소지 다만, 부동산임대소득 또는 사업소득이 있는 거주자가 사업장소재지를 납세지로 신청한 때에는 "그 사업장소재지"를 납세지로 지정할 수 있다.
비거주자	비거주자의 납세지는 주된 국내사업장의 소재지로 하며, 국내사업장이 없는 경우에는 국내원천소득이 발생하는 장소로 한다. 국내사업장이 2이상이 있는 경우에는 주된 국내사업장의 소재지로 하되, 주된 사업장을 판단할 수 없는 때에는 국세청장 또는 관할 지방국세청장이 납세지를 지정한다.

제 2 절

금융소득(이자·배당소득)

01 이자소득

금전을 대여하고 받는 대가로서 예금이자와 할인액 등이 해당된다. 원천징수의무자는 그 수입시기(소득지급시)에 원천징수세율을 적용하여 미리 원천징수세액을 신고·납부하고, 소득자는 분리과세 금융소득을 제외한 금융소득의 합계가 2천만원을 초과할 경우 종합소득에 합산하여 과세표준신고를 하여야 한다.

이자소득금액 = 이자소득 총수입금액

↓

이자소득 총수입금액 = 이자소득 - 비과세소득 - 분리과세소득

(1) 이자소득의 범위

❶ 채권 또는 증권의 이자와 할인액
❷ 예금의 이자와 할인액
❸ 채권 또는 증권의 환매조건부매매차익
❹ 보험기간이 10년 미만인 저축성보험의 보험차익(2003. 12. 31. 이전 계약 체결분 7년)
❺ 직장공제회 초과반환금(1999.1.1이후 가입분)
❻ 비영업대금의 이익 : 금전의 대여를 사업 목적으로 하지 않는 자가 일시적·우발적으로 금전을 대여함에 따라 지급받는 이자, 수수료 등(사업성에 있는 경우 사업소득으로 봄)
❼ 위와 유사한 소득으로서 자금대여의 대가성이 있는 것(이자소득에 대해 부분적 포괄주의 적용)

(2) 비과세 이자소득

❶ 공익신탁의 이익
❷ 근로자우대저축의 이자

❸ 비과세종합저축의 이자소득 : 노인·장애인·기초생활수급자 등의 저축
❹ 농어가목돈마련저축의 이자소득
❺ 재형저축의 이자소득

(3) 이자소득으로 보지 않는 소득

❶ 외상매출금의 지급기일을 연장하고 추가로 받는 금액을 소비대차로 전환하지 않은 경우(사업소득)
❷ 사업활동과 관련하여 발생하는 이자성격의 소득(사업소득)
❸ 손해배상금에 대한 법정이자로 계약의 위약 또는 해약이 원인인 경우(기타소득)

(4) 이자소득의 수입시기

이자소득	수입시기(귀속연도)
무기명채권(공채 또는 사채)이자와 할인액	그 지급을 받은 날
기명채권(공채 또는 사채)의 이자와 할인액	약정에 의한 이자지급일
보통예금 · 정기예금 · 적금 또는 부금의 이자	① 원칙 : 실제로 이자를 지급받는 날 ② 원본에 전입하는 뜻의 특약이 있는 이자: 그 특약에 의하여 원본에 전입된 날 ③ 해약으로 인하여 지급되는 이자 : 그 해약일 ④ 계약기간을 연장하는 경우 : 그 연장하는 날
통지예금의 이자	인출일
저축성 보험의 보험차익	보험금 또는 환급금의 지급일 또는 중도해지일
비영업대금의 이익	약정에 의한 이자 지급일

02 배당소득

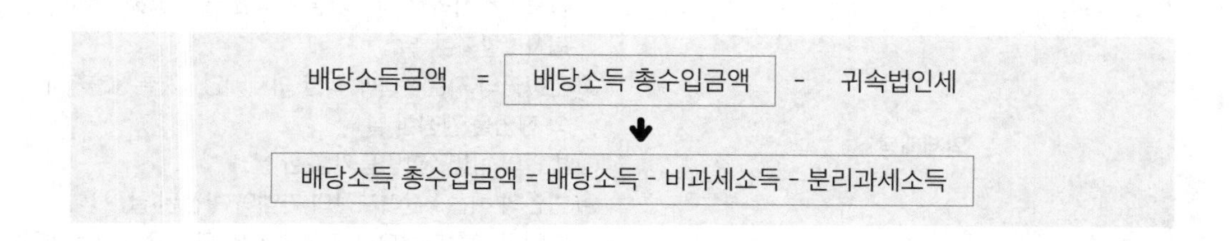

(1) 배당소득의 범위

❶ 이익배당 또는 건설이자의 배당
❷ 국내 또는 국외에서 받는 집합투자기구로부터의 이익
❸ 자본감소 · 해산 · 합병 · 분할 등으로 인한 의제배당
❹ 법인세법에 의하여 배당으로 소득처분된 금액(인정배당)
❺ 「국제조세조정에 관한 법률」의 규정에 따라 배당받은 것으로 간주된 금액(간주배당)
❻ 공동사업에서 발생한 소득금액 중 출자공동사업자에 대한 손익분배비율에 상당하는 금액(공동사업자로 경영참가시는 사업소득으로 분류)
❼ 위와 유사한 소득으로서 수익분배의 성격이 있는 것 - 배당소득에 대해 부분적 포괄주의가 적용된다.

(2) 비과세 배당소득

❶ 비과세종합저축의 배당소득 : 노인 · 장애인 · 기초생활수급자 등
❷ 재형저축의 배당소득
❸ 장기보유 우리사주의 배당소득
❹ 농협·수협 등의 조합에 대한 출자금의 배당소득
❺ 개인종합자산관리계좌의 이자소득과 배당소득

(3) 배당소득의 수입시기 및 귀속연도

배당소득	수입시기(귀속연도)
무기명주식의 이익이나 배당	지급을 받은 날
잉여금의 처분에 의한 배당	해당 법인의 잉여금처분 결의일
법인의 건설이자의 배당	해당 법인의 건설이자 배당결의일
출자공동사업자의 배당	과세기간 종료일
유형별 포괄주의에 의한 배당	지급을 받은 날
비영업대금의 이익	약정에 의한 이자 지급일
의제배당	① 감자 : 주식의 소각 · 자본의 감소를 결정한 날이나, 퇴사 · 탈퇴한 날 ② 잉여금의 자본전입에 의한 의제배당 : 자본 · 출자에의 전입을 결정한 날 ③ 법인의 합병 : 합병등기를 한 날 ④ 법인의 해산 : 잔여재산의 가액이 확정된 날 ⑤ 법인이 분할합병으로 인하여 소멸 또는 존속하는 경우 : 그 분할등기 또는 분할합병등기를 한 날

배당소득	수입시기(귀속연도)
법인세법에 의하여 배당으로 처분된 것(인정배당)	법인의 해당 사업연도의 결산확정일
집합투자기구로부터의 이익	집합투자기구로부터의 이익을 지급받은 날

03 금융소득 종합과세

금융소득종합과세를 판정하기 전에 무조건 분리과세대상, 무조건 종합과세대상, 조건부 종합과세대상을 구분하여야 한다.

과세방법	내용	원천징수세율
무조건 분리과세	실지명의가 확인되지 아니하는 이자소득과 배당소득	42%
	비실명(차명계좌 포함) 이자소득과 배당소득 (차등과세)	90%
	직장공제회 초과반환금	기본세율
무조건 종합과세	국외에서 받은 이자소득과 배당소득	-
	출자공동사업자의 배당소득	25%
조건부 종합과세	일반적인 이자소득과 배당소득	14%
	비영업대금 이익	25%

※ 2천만원 초과하는 경우 - 종합과세 / 2천만원 이하인 경우 - 분리과세

제 3 절

사업소득

01 사업소득

사업소득이란 개인이 영리를 목적으로 독립적 · 계속적으로 영위하는 사회활동에서 발생한 소득을 말한다.

총수입금액 - 필요경비 = 사업소득금액

02 사업소득의 범위

❶ 농업(작물재배업등 곡물 및 기타 식량작물 재배업 제외),광업, 제조업, 전기, 가스, 증기 및 수도사업, 도매업, 소매업, 운수업, 통신업, 숙박 및 음식점업, 출판업, 영상업, 방송통신업, 정보서비스업, 금융 및 보험업에서 발생하는 소득
❷ 하수·폐기물처리, 원료재생 및 환경복원업에서 발생하는 소득
❸ 건설업(주택신축판매업 포함)에서 발생하는 소득
❹ 부동산업 및 임대업에서 발생하는 소득
❺ 교육서비스업에서 발생하는 소득
❻ 보건업 및 사회복지서비스업에서 발생하는 소득
❼ 사회 및 개인서비스업, 가사서비스업에서 발생하는 소득
❽ 위 외의 소득과 유사한 소득으로 영리를 목적으로 자기의 계산과 책임하에 계속적·반복적으로 행하는 활동을 통하여 얻는 소득

03 비과세 사업소득

구 분	내 용
논·밭의 임대소득에 대한 비과세	논·밭을 작물생산에 이용하게 함으로써 발생하는 소득
주택임대소득에 대한 비과세	• 1개의 주택을 소유하는 자의 주택임대소득 • 주거용 건물임대업 수입금액의 합계액 2천만원 이하의 소득은 종합과세 또는 분리과세
농가부업소득	• 농가부업규모의 축산소득은 전액 비과세 • 연 3,000만원 이하의 농가부업소득 • 연 5,000만원 이하 어로어업(내수면어업 및 연근해어업) 소득
전통주의 제조에서 발생하는 소득	연 1,200만원 이하의 전통주 제조에서 발생하는 소득
조림기간이 5년 이상인 임목의 벌채 또는 양도로 인한 소득	연간 600만원 이하의 소득
작물재배업에서 발생하는 소득	• 곡물 및 식량작물재배업(사업소득)을 제외한 소득 • 과세시간의 수입금액의 합계액이 10억원 이하인 소득

04 사업소득의 과세방법

(1) 원천징수

사업소득에 대하여는 원천징수의무가 있다. 보험모집수당이나 방문판매수당, 음료외판원등 사업소득세의 연말정산대상소득에 대하여는 해당 소득만 있는 경우에 한하여 과세표준확정신고를 하지 않을 수 있다.

구 분	원천징수세율
원천징수대상(의료보건용역 및 인적용역) 사업소득	3%
봉사료수입금액(봉사료 금액이 20%를 초과시)	5%

(2) 종합과세

사업소득은 모두 종합소득과세표준에 합산된다. 사업소득 중 분리과세되는 소득은 없으며 보험모집수당, 방문판매수당 및 음료외판원 등 연말정산대상 사업소득인 경우에도 종합소득에 합산된다.

제 4 절

기타소득

01 기타소득

기타소득이란 이자 · 배당 · 부동산임대 · 사업 · 근로 · 연금소득 · 퇴직소득 · 양도소득 외의 소득으로 소득세법에 과세대상 소득을 말한다.

기타소득은 대체로 일시적 · 우발적으로 발생하는 소득들로 이루어져 있는 바, 기타소득에 해당되는 소득이라 하더라도 사업적인 조직을 갖추고 행하는 경우와 그 소득이 계속적 · 반복적으로 발생되는 경우는 사업소득으로 보아야 한다.

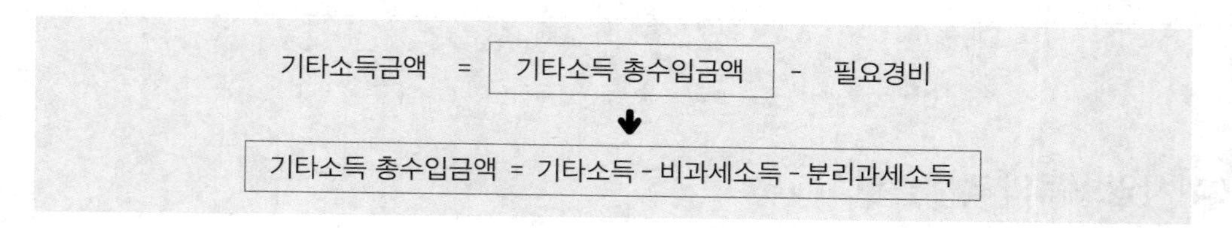

※ 필요경비 : 기타소득의 필요경비는 당해연도의 총수입금액에 대응하는 실제 발생비용의 합계액으로 하며 특정한 기타소득(일시적 강연료, 자문료, 공익사업 관련 지상권 설정·대여소득, 무형자산의 양도·대여소득 등)의 경우에는 총수입금액의 60%(원천징수 8.8%)의 필요경비가 인정된다.

02 기타소득의 범위

기타소득의 범위	필요경비
① 공익법인이 주무관청의 승인을 받아 시상하는 상금 및 부상 ② 계약의 위약 또는 해약으로 인하여 받는 위약금과 배상금 중 주택입주지체상금 ③ 서화·골동품의 양도로 발생하는 소득*(양도가액이 6천만원 이상인 것) * 기타소득으로 구분되지 않는 기준 1. 서화 · 골동품 거래를 위해 사업장 등 물적시설을 갖춘 경우 2. 거래를 위한 목적으로 사업자등록을 한 경우	MAX[①수입금액의 80%, ②실제소요경비]

기타소득의 범위	필요경비
① 인적용역을 일시적으로 제공하고 지급받는 대가 • 고용관계 없이 다수인에게 강연을 하고 강연료 등의 대가를 받는 용역 • 라디오·텔레비전방송 등을 통하여 해설·계몽 또는 연기의 심사 등을 받는 보수 또는 이와 유사한 성질의 대가를 받는 용역 • 변호사·공인회계사·세무사·건축사·측량사·변리사, 기타 전문적 지식 또는 특별한 기능을 가진 자가 당해 지식 또는 기능을 활용하여 보수 또는 기타 대가를 받고 제공하는 용역 • 그 외의 용역으로서 고용관계 없이 수당 또는 이와 유사한 성질의 대가를 받고 제공하는 용역 ② 일시적 문예창작소득(문예·학술·미술·음악, 사진에 속하는 창작품) • 원고료 • 저작권사용료인 인세 • 미술·음악 또는 사진에 속하는 창작품에 대하여 받는 대가 ③ 광업권, 어업권, 산업재산권, 산업정보, 산업상 비밀, 상표권, 영업권(점포임차권포함), 토사석 채취허가에 따른 권리, 지하수의 개발·이용권 기타 이와 유사한 자산이나 권리를 양도하거나 대여하고 그 대가로 받는 금품 ④ 공익사업과 관련된 지상권, 지역권의 설정 및 대여하고 대가를 받는 금품 ⑤ 통신판매중개를 통하여 물품 또는 장소를 대여하고 대가(연 500만원 이하)를 받는 금품	MAX[①수입금액의 60%, ②실제소요경비]
① 상금·현상금·포상금·보로금 기타 이에 준하는 금품 ② 저작자 또는 실연자·음반제작자·방송사업자 외의 자가 저작권 또는 저작인접권의 양도 또는 사용의 대가로 받는 금품(저작자 등에게 귀속되면 사업소득임) ③ 영화 필름·라디오·텔레비전 방송용 테이프 또는 필름 기타 이와 유사한 자산이나 권리의 양도·대여 또는 사용의 대가로 받는 금품 ④ 계약의 위약 또는 해약으로 인하여 받는 위약금과 배상금, 부당이득 반환시 지급받는 이자 ⑤ 물품(유가증권 포함) 또는 장소를 일시적으로 대여하고 사용료로서 받는 금품 ⑥ 유실물의 습득 또는 매장물의 발견으로 인하여 보상금을 받거나 새로 소유권을 취득하는 경우 그 보상금 또는 자산 ⑦ 무주물의 점유로 소유권을 취득하는 자산 ⑧ 거주자·비거주자 또는 법인과 특수관계에 있는 자가 그 특수관계로 인하여 당해 거주자 등으로부터 받는 경제적 이익으로서 급여·배당 또는 증여로 보지 아니하는 금품 ⑨ 재산권에 관한 알선수수료·사례금 ⑩ 법인세법에 의하여 처분된 기타소득 ⑪ 뇌물 및 알선수재, 배임수재에 의하여 받는 금품 ⑫ 복권·경품권, 기타 추첨권에 의하여 받는 당첨금품 ⑬ 사행행위 등 규제 및 처벌특례법에 규정하는 행위에 참가하여 얻은 재산상의 이익	실제소요경비
⑭ 경마투표권, 승차투표권, 소싸움경기투표권 및 체육진흥투표권의 환급금	단위투표금액 합계액
⑮ 슬롯머신(비디오게임 포함) 및 투전기, 기타 이와 유사한 기구를 이용하는 행위에 참가하여 받는 당첨금품 등(카지노에서 획득한 소득은 과세제외)	당첨 당시 슬롯머신 등에 투입한 금액
⑯ 종교인 소득(근로소득 신고시 인정)	의제필요경비

03 비과세 기타소득

❶ 국가유공자등 예우 및 지원에 관한 법률에 의하여 받는 보상금·학자금 및 귀순북한동포보호법에 의하여 받는 정착금·보로금 및 기타 금품
❷ 국가보안법에 의하여 받는 상금과 보로금
❸ 상훈법에 의한 훈장과 관련하여 받는 부상과 기타 법률에 의하거나 국가 또는 지방자치단체로부터 받는 상금과 부상(공무원이 공무수행에 따라 받는 포상금 제외)
❹ 법규의 준수 등을 위하여 신고·고발한 사람이 받는 포상금
❺ 종업원 등 또는 대학의 교직원이 퇴직한 후에 지급받는 직무발명보상금으로 500만원 이하의 금액(근로소득에서 비과세되는 직무발명보상금이 있는 경우에는 500만원에서 해당금액을 차감한다)
❻ 국군포로의 송환 및 대우 등에 관한 법률에 따라 국군포로가 지급받는 정착금, 그 밖의 금품
❼ 서화·골동품을 박물관 또는 미술관에 양도함으로서 발생하는 소득

04 기타소득의 과세방법

구분	내용
무조건 분리과세	① 각종 복권당첨금, 승마투표권, 경륜 · 경정의 승자투표권, 소싸움경기투표권 및 체육진흥투표권의 구매자가 받는 환급금, 슬롯머신 등을 이용하는 행위에 참가하여 받는 당첨금품은 20%(3억원 초과시 초과분에 대하여 30%) 세율로 원천징수 당함으로 납세의무가 종결된다. ② 서화·골동품의 양도소득
선택적 분리과세	① 연 300만원 이하의 기타소득금액은 거주자의 선택에 의하여 분리과세하거나 종합과세한다. ② 계약금이 대체된 위약금 • 배상금 ③ 종업원 등 또는 대학교 직원이 근로와 관계없거나 퇴직 후 지급받는 직무발명보상금
종합과세	뇌물 · 알선수재 및 배임수재에 의하여 받은 금품
과세최저한	① 승마투표권 또는 승자투표권의 환급금으로서 매 건마다 당해 권면에 표시된 금액의 합계액이 10만원 이하이고 단위투표금액 당 환급금이 단위투표금액의 100배 이하인 때 ② 슬롯머신 등의 당첨금품 등이 매 건마다 200만원 미만인 때 ③ 기타소득금액이 매 건마다 5만원 이하인 때

제 5 절

연금소득

01 연금소득

과세되는 연금소득은 연금형태로 지급받는 것이어야 한다.

연금소득금액 = 총연금액 - 연금소득공제액 (900만원 한도)

02 연금소득의 범위

구 분	범 위
공적연금소득 (종합과세)	① 국민연금소득 : 국민연금법에 따라 받는 각종 연금 ② 직역연금소득 : 공무원연금법 · 군인연금법 · 사립학교교직원연금법 또는 별정우체국법에 따라 받는 각종연금 ③ 국민연금과 직역연금의 연계에 관한 법률에 따라 받는 연계노령연금. 연계퇴직연금
사적연금소득 (1,200만원이하 선택적 분리과세)	① 퇴직연금소득 • 퇴직보험의 보험금을 연금형태로 퇴직자가 지급받는 연금 • 근로자퇴직급여보장법에 따라 지급받는 연금 ② 개인연금소득 ③ 기타연금소득

03 비과세 연금소득

❶ 국민연금법에 따라 지급받는 유족연금 및 장애연금

❷ 공무원연금법·군인연금법·사립학교교직원연금법 또는 별정우체국법에 따라 받는 유족연금·장해연금 또는 상이연금

❸ 산업재해보상보험법에 따라 받는 각종 연금

❹ 국군포로의 송환 및 대우 등에 관한 법률에 따른 국군포로가 받는 연금

❺ 국민연금과 직역연금의 연계에 관한 법률에 따라 받는 연계노령유족연금 및 연계퇴직유족연금

제 6 절

근로소득

01 근로소득

근로소득이란 고용관계, 그 밖에 이와 유사한 계약에 의하여 근로를 제공하고 받는 모든 대가로서 봉급 · 급료 · 수당 등 그 명칭과 관계가 없으며, 해당 과세기간에 발생한 소득을 말한다.

근로소득(총급여액) = 근로대가(급여 + 상여금) - 비과세소득

02 근로소득의 분류

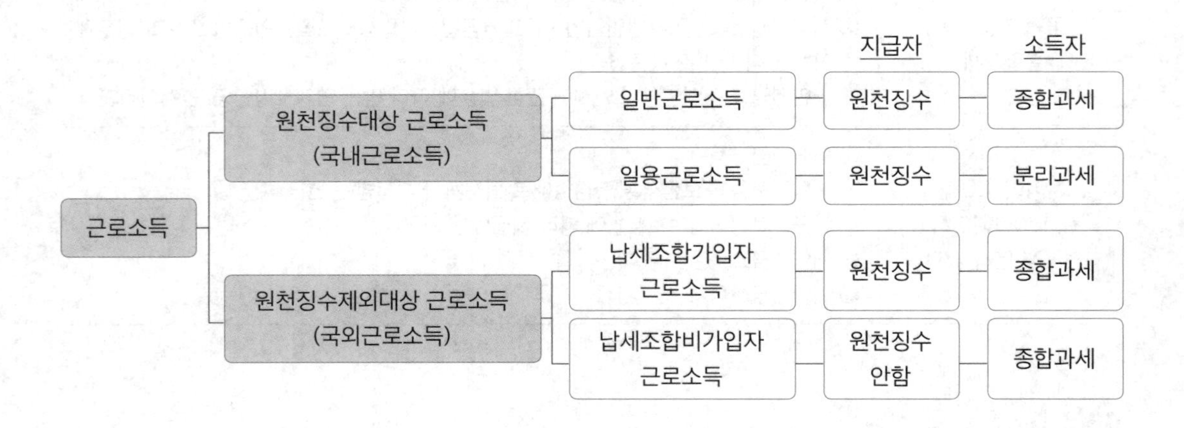

03 근로소득의 범위

(1) 근로의 제공으로 인하여 받는 봉급 등

❶ 근로를 제공함으로써 받는 봉급·급료·보수·세비·임금·상여·수당과 이와 유사한 성질의 급여

❷ 법인의 주주총회·사원총회 또는 이에 준하는 의결기관의 결의에 따라 상여로 받는 소득
❸ 법인세법에 따라 상여로 처분된 금액
❹ 퇴직함으로써 받는 소득으로서 퇴직소득에 속하지 아니하는 소득
❺ 종업원등 또는 대학의 교직원이 지급받는 직무발명보상금
※ 퇴직 후 지급 받은 경우는 기타소득으로 과세

(2) 근로소득에 포함하는 항목

❶ 각종 수당
㉠ 근로수당, 가족수당, 출납수당, 직무수당, 시간외근무수당, 벽지수당, 해외근무수당 등
㉡ 기술수당, 보건수당 및 연구수당 등 그 밖에 이와 유사한 성질의 급여
❷ 기밀비(판공비 포함) · 교제비 기타 이와 유사한 명목으로 받는 것으로서 업무를 위하여 사용된 것이 분명하지 아니한 급여
❸ 종업원이 받는 공로금 · 위로금 · 개업축하금 · 학자금 · 장학금(종업원의 수학 중인 자녀가 사용자로부터 받는 학자금 · 장학금 포함) 등 이와 유사한 성질의 급여
❹ 여비의 명목으로 받는 연액 또는 월액의 급여
❺ 주택을 제공받음으로 얻는 이익
❻ 주택(주택에 부수된 토지 포함)의 구입 · 임차에 소요되는 자금을 저리 또는 무상으로 대여받음으로써 얻는 이익
❼ 종업원 또는 가족을 수익자로 하는 보험 등에 대하여 사용자가 부담하는 보험료
❽ 법인의 임원 또는 종업원이 특수관계에 있는 법인으로부터 부여받은 주식매수선택권을 근무하는 기간 중 행사함으로 얻은 이익(주식매수선택권 행사당시의 시가와 실제 매수가액과의 차액을 말하며, 주식에는 신주인수권을 포함)
❾ 공무원에게 지급되는 직급보조비 및 국가 · 지자체 공무원이 공무수행에 따라 받는 포상금(모범공무원 수당 포함)

(3) 근로소득으로 보지 않는 소득

❶ 내국법인의 종업원으로서 소액주주기준에 해당하는 우리사주조합원이 조합을 통하여 취득한 주식의 취득가액과 시가와의 차액
❷ 단체순수 보장성보험과 단체환급부 보장성보험 중 연 70만원 이하의 보험료
❸ 사업자가 종업원에게 지급하는 경조금 중 사회통념상 타당하다고 인정되는 금액
❹ 사용자가 근로자의 업무능력향상 등을 위하여 연수기관 등에 위탁하여 연수를 받게 하는 경우에 근로자가 지급받는 교육훈련비
❺ 종업원이 출·퇴근을 위하여 차량을 제공받는 경우의 운임
❻ 주주가 아닌 임원, 임원이 아닌 종업원 등이 받는 사택 제공 이익
❼ 중소기업 종업원의 주택 구입·임차 자금 저리 대여 이익

04 비과세 근로소득

(1) 실비변상적 성질의 급여

❶ 일직, 숙직료 또는 여비로서 실비변상정도의 금액

❷ 자가운전보조금(월 20만원 이내)

종업원 소유차량을 종업원이 직접 운전하여 사용자의 업무수행에 이용하고 시내출장 등에 소요된 실제여비를 지급받는 대신에 그 소요경비를 해당 사업체의 규칙 등에 의하여 정한 지급기준에 따라 받는 금액

❸ 선원이 받는 승선수당, 경찰공무원이 받는 함정근무수당, 항공수당, 소방공무원이 받는 화재진화수당(월 20만원 이내)

❹ 초·중등교육법에 의한 교육기관의 교원이 받는 연구보조비(월 20만원 이내)

❺ 방송통신·신문사 등의 기자가 받는 취재수당(월 20만원 이내)

❻ 국가·지자체 공무원이 공무수행에 따라 받는 포상금(연간 240만원 이내) 등

(2) 국외근로소득 중 비과세

❶ 일반근로자 : 국외 등에서 근로를 제공하고 받는 보수 중 월 100만원(외왕선원, 원양어업선원 및 해외건설 근로자는 300만원) 이내의 금액

❷ 공무원 등 : 국외 등에서 근무하고 받는 수당 중 당해 근로자가 국내에서 근무할 경우에 지급받을 금액 상당액을 초과하여 받는 금액

(3) 생산직근로자가 받는 야간근로수당 등

❶ 비과세 요건

㉠ 공장·광산 근로자, 어업, 운전, 청소, 경비 관련 종사자

㉡ 서비스 관련 종사자 중 미용·숙박·조리·음식·매장 판매, 상품 대여, 여가 및 관광서비스 종사자, 가사 관련 단순 노무직 등

㉢ 직전년도 총급여액이 3,000만원 이하로서 월정액급여가 210만원 이하인 자

㉣ 통상임금에 가산하여 받는 연장근로, 휴일근로, 야간근로수당일 것

❷ 비과세 금액

㉠ 광산근로자·일용근로자 : 전액 인정

㉡ '㉠'외의 생산직근로자, 돌봄, 미용, 숙박 등 서비스 관련 종사자 : 연 240만원

(4) 근로자가 받는 식사대 등

❶ 사내급식 또는 이와 유사한 방법으로 제공받는 식사, 기타 음식물은 전액 비과세로 인정된다.

❷ 식사 또는 기타 음식물을 제공받지 않는 경우 월 10만원 이하는 비과세로 인정된다.

(5) 그 밖의 비과세 소득

❶ 근로의 제공으로 인한 부상, 질병, 사망과 관련하여 근로자나 그 유가족이 받는 연금과 위자료의 성질이 있는 급여
❷ 국민연금법에 의한 노령연금, 장해연금, 유족연금과 반환일시금
❸ 고용보험법에 따라 받는 실업급여, 육아휴직급여, 육아기 근로시간 단축급여, 출산전후휴가급여, 배우자 출산휴가급여
❹ 공무원연금법 등에 의한 퇴직자, 사망자의 유족이 받는 급여
❺ 학교와 직업훈련시설의 입학금, 수업료, 수강료, 기타 공납금 등으로 다음의 요건을 갖춘 학자금
- 종업원의 업무와 관련있는 교육, 훈련에 대한 학자금일 것
- 사업체의 규칙 등에 의해 정해진 지급기준에 따라 지급된 금액일 것
- 교육, 훈련기간이 6월 이상인 경우 교육, 훈련 후 당해 교육기간을 초과하여 근무하지 않는 경우 반환하는 조건일 것

❻ 국민건강보험법, 고용보험법, 국민연금법, 공무원연금법 등에 의하여 국가, 지방자치단체 또는 사용자가 부담하는 부담금

05 근로소득의 과세방법

(1) 일반근로소득자(종합과세소득)

매월분의 급여 또는 상여금 지급시 근로소득간이세액표에 의하여 소득세를 원천징수하고 다음 연도 2월분 급여지급시 연말정산으로 과세한다.

(2) 일용근로소득자(분리과세소득)

일용근로소득자는 일급여액에 대하여 원천징수하고 지급시 원천징수로서 납세의무가 종결되는 분리과세를 적용하여 과세한다. 근로자가 근로계약에 따라 일정한 고용주에게 3개월 이상 계속하여 고용되어 있지 아니하고, 근로단체를 통하여 여러 고용주의 사용인으로 취업하는 경우에 해당된다.

일용근로자에게 지급하는 급여는 지급시 다음의 산식에 따라 계산된 세액을 원천징수하는 것으로 납세의무가 종결된다.

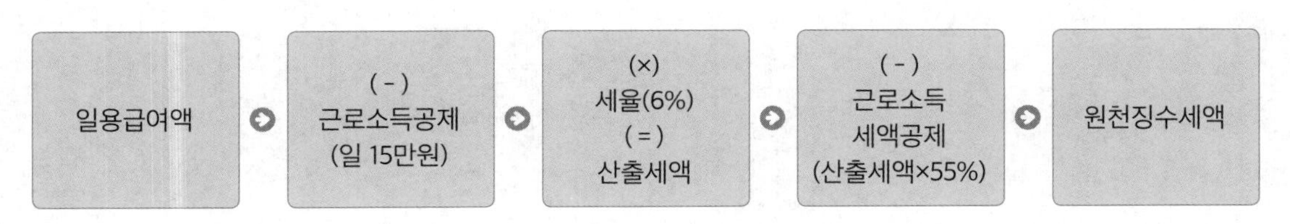

06 근로소득금액의 계산

근로소득금액 = 총급여액 - 근로소득공제

(1) 총급여액

총급여액은 해당과세기간에 발생한 근로소득의 합계액에서 비과세소득을 차감한 금액을 말한다.

(2) 근로소득공제(공제한도 2,000만원)

총급여액	근로소득 공제액
500만원 이하	총급여액 × 70%
500만원 초과 1,500만원 이하	350만원 + (총급여액 - 500만원) × 40%
1,500만원 초과 4,500만원 이하	750만원 + (총급여액 - 1,500만원) × 15%
4,500만원 초과 1억원 이하	1,200만원 + (총급여액 - 4,500만원) × 5%
1억원 초과	1,475만원 + (총급여액 - 1억원) × 2%

07 근로소득의 수입시기

❶ 급여 : 근로를 제공한 날
❷ 인정상여 : 근로를 제공한 날
❸ 잉여금처분에 의한 상여 : 해당 법인의 잉여금처분결의일
❹ 임원퇴직소득 한도초과액 : 지급받거나 지급받기로 한 날

단원정리문제 소득세 총설

01 다음 중 소득세의 특징으로 옳지 않은 것은?

① 소득세는 납세자와 담세자가 동일한 직접세에 해당한다.
② 소득세는 개인별 소득을 기준으로 과세하는 개인단위과세제도를 원칙으로 한다.
③ 소득세의 과세방법에는 종합과세, 분리과세, 분류과세가 있다.
④ 소득세는 소득금액과 관계없이 단일세율을 적용한다.

02 다음 소득세법상 납세의무자에 대한 설명 중 옳지 않은 것은?

① 소득세법상 거주자가 되려면 국내에 주소를 두거나 1년 이상 거소를 두어야 한다.
② 거주자는 국내외원천소득에 대한 납세의무가 있다.
③ 비거주자는 국내원천소득에 대한 납세의무가 있다.
④ 비거주자는 국외원천소득에 대한 납세의무가 없다.

03 다음 중 소득세법상 종합과세대상이 아닌 소득은?

① 국외에서 받은 이자소득(원천징수대상이 아님)이 1,200만원 있는 경우
② 로또에 당첨되어 받은 3억원의 복권당첨금
③ 소득세법상 성실신고대상사업자가 업무용 차량을 매각하고 200만원의 매각차익이 발생한 경우
④ 회사에 근로를 제공한 대가로 받은 급여 2,000만원

04 다음 중 소득세법상 비과세 근로소득에 해당하지 않는 것은?

① 고용보험법에 의한 육아휴직수당
② 근로기준법에 의한 연차수당
③ 국민연금법에 따라 받는 사망일시금
④ 국민건강보험법에 따라 사용자가 부담하는 건강보험료

05 거주자 고우진이 교육청에서 주관한 1:100 퀴즈 대회에서 우승하여 그 원천징수세액이 40만원인 경우(지방세 제외) 소득세법상 기타소득총수입금액은 얼마인가?

① 1,000만원 ② 200만원 ③ 400만원 ④ 800만원

06 다음 중 소득세법상 총수입금액과 소득금액이 동일한 것은?

① 사업소득 ② 기타소득 ③ 근로소득 ④ 이자소득

07 소득세법상 사업소득의 수입시기 중 바르게 연결된 것은?

① 상품, 제품 또는 그 밖의 생산품의 판매 : 상대방이 구입의사를 표시한 날
② 무인 판매기에 의한 판매 : 그 상품을 수취한 날
③ 인적 용역의 제공 : 용역대가를 지급받기로 한 날 또는 용역의 제공을 완료한 날 중 빠른 날
④ 상품 등의 위탁 판매 : 그 상품 등을 수탁자에게 인도한 날

08 다음은 소득세법에 대한 설명이다. 틀린 것은?

① 거주자란 국내에 주소를 두거나 183일 이상 거소를 둔 개인을 말한다.
② 외국을 항행하는 선박 또는 항공기 승무원의 경우 생계를 같이하는 가족이 거주하는 장소 또는 승무원이 근무기간 외의 기간 중 통상 체재하는 장소가 국내에 있는 때에는 당해 승무원의 주소는 국내에 있는 것으로 본다.
③ 국내에 거소를 둔 기간은 입국하는 날의 다음날부터 출국하는 날까지로 한다.
④ 미국시민권자나 영주권자의 경우 비거주자로 본다.

09 다음 중 소득세법상 근로소득으로 보지 않는 금액은?

① 법인세법에 의해 상여로 처분된 금액
② 종업원에게 지급하는 통근수당
③ 종업원이 사택을 제공받음으로써 얻는 이익
④ 종업원이 회사로부터 주택의 구입에 소요되는 자금을 무상으로 대여받음으로써 얻는 이익

10 다음 중 근로소득으로 보지 않는 것은?

① 단체순수보장성보험과 단체환급부보장성보험의 보험료 중 1인당 연 70만원 이하의 금액
② 법인의 주주총회 · 사원총회 또는 이에 준하는 의결기관의 결의에 따라 상여로 받는 소득
③ 종업원 또는 대학의 교직원이 퇴직 전에 지급받는 직무발명보상금 중 300만원 초과금액
④ 근로를 제공함으로써 받는 봉급 · 급료 · 보수 · 세비 · 임금 · 상여 · 수당과 이와 유사한 성질의 급여

11 다음 중 소득세법상 이자소득으로 볼 수 없는 것은?

① 사채이자
② 연금계좌에서 연금외 수령한 소득 중 운용수익
③ 채권, 증권의 환매조건부 매매차익
④ 비영업대금의 이익

12 다음의 근로소득 중 소득세법상 비과세 대상이 아닌 것은?

① 근로자가 제공받는 월 10만원 상당액의 현물식사
② 고용보험법에 따라 받는 실업급여, 육아휴직급여, 출산 전 · 후 휴가급여
③ 근로자가 6세 이하 자녀보육과 관련하여 받는 급여로서 월 10만원 이내의 금액
④ 본인차량을 소유하지 않은 임직원에게 지급된 자가운전보조금으로서 월 20만원 이내의 금액

13 다음 중 소득세법상 근로소득의 범위에 해당하지 않는 것은?

① 법인의 주주총회의 결의에 따라 상여로 받는 소득
② 법인세법에 따라 상여로 처분된 금액
③ 근로자가 회사로부터 주택의 구입 · 임차에 소요되는 자금을 무상으로 대여받는 이익
④ 법인의 임직원이 고용관계에 따라 부여받은 주식매수선택권을 퇴사 후에 행사함으로 얻은 이익

14 다음 중 소득세법상 과세기간에 대한 설명으로 틀린 것은?

① 일반적인 소득세의 과세기간은 1월 1일부터 12월 31일까지 1년으로 한다.
② 거주자가 사망한 경우의 과세기간은 1월 1일부터 사망한 날까지로 한다.
③ 신규사업자의 사업소득의 과세기간은 사업개시일부터 12월 31일까지로 한다.
④ 거주자가 주소 또는 거소를 국외로 이전하여 비거주자가 되는 경우의 과세기간은 1월 1일부터 출국한 날까지로 한다.

15 다음 중 소득세법상 원천징수대상 소득이 아닌 것은?

① 프리랜서 저술가 등이 제공하는 500,000원의 인적용역소득
② 일용근로자가 지급받은 200,000원의 일급여
③ 은행으로부터 지급받은 1,000,000원의 보통예금 이자소득
④ 공무원이 사업자로부터 받은 10,000,000원의 뇌물로서 국세청에 적발된 경우의 기타소득

정답 및 해설

01	02	03	04	05	06	07	08	09	10	11	12	13	14	15
④	①	②	②	①	④	③	④	③	①	②	④	④	③	④

01 ④ 소득세는 단계별 초과누진세율을 적용하여 소득이 많은 개인에게 상대적으로 많은 세금을 납부하게 한다.

02 ① 거주자란 국내에 주소를 두거나 183일 이상의 거소를 둔 개인을 말한다.

03 ② 복권당첨금의 소득은 분리과세되며 종합소득에 합산되지 않는다.
① 국외에서 받은 이자소득은 무조건 종합과세대상이다.
③ 소득세법상 성실신고대상사업자의 차량매각차익은 2016년부터 종합소득세과세대상이다.
④ 근로소득자의 급여는 종합과세대상소득에 해당한다.

04 ② 연차수당은 소득세가 과세되는 근로소득에 해당한다.

05 ① $(x - 0.8x) \times 0.2 = 400{,}000$원, $\therefore x = 10{,}000{,}000$원

06 ④ 사업 · 기타소득은 필요경비 차감 후, 근로소득은 근로소득공제 후 소득금액을 산출한다.

07 ③ [사업소득의 수입시기]
① 상품, 제품 또는 그 밖의 생산품의 판매 : 그 상품 등을 인도한 날
② 무인 판매기에 의한 판매 : 당해 사업자가 무인판매기에서 현금을 인출하는 때
④ 상품 등의 위탁 판매 : 수탁자가 그 위탁품을 판매하는 날

08 ④ 비거주자란 거주자가 아닌 개인을 말한다. 거주자란 국내에 주소를 두거나 183일 이상의 거소를 둔 개인을 말한다.

09 ③ 주주 또는 출자자가 아닌 임원(주권상장법인의 주주 중 소액주주인 임원을 포함한다)과 임원이 아닌 종업원(비영리법인 또는 개인의 종업원을 포함한다) 및 국가·지방자치단체로부터 근로소득을 지급받는 사람이 사택을 제공받음으로써 얻는 이익은 근로소득으로 보지 않는다.

10 ① 단체순수보장성보험, 단체환급부보장성보험은 근로소득에서 제외한다.

11 ② 연금계좌에서 연금외 수령한 소득 중 운용수익은 이연퇴직소득세를 납부하거나 기타소득으로 과세한다.

12 ④ 본인차량을 소유하지 않은 임직원에게 지급된 자가운전보조금은 과세대상에 해당한다.

13 ④ 고용관계 없이 부여받은 주식매수선택권의 행사 또는 퇴사 후에 행사하여 얻은 이익에 대하여는 기타소득으로 과세한다.

14 ③ 소득세의 과세기간은 사업개시나 폐업에 의하여 영향을 받지 않는다.

15 ④ 기타소득 중 뇌물 또는 알선수재 및 배임수재에 의하여 받는 금품은 원천징수소득에서 제외한다.

제 2 장

종합소득 과세표준 및 세액계산

[과정/과목명 : 0203020204_17v4/원천징수]

능력단위 요소명	훈 련 내 용
근로소득 원천징수하기	3.1 소득세법에 따라 세무정보시스템 또는 급여대장을 통해 임직원의 인적공제 사항을 작성·관리할 수 있다. 3.2 회사의 급여규정에 따라 임직원 및 일용근로자의 기본급, 수당, 상여금 등의 급여금액을 정확하게 계산할 수 있다. 3.3 세법에 의한 임직원 및 일용근로자의 급여액에 대한 근로소득금액을 과세 근로소득과 비과세 근로소득으로 구분하여 계산할 수 있다. 3.4 간이세액표에 따라 급여액에 대한 산출된 세액을 공제 후 지급할 수 있다. 3.5 중도퇴사자에 대한 근로소득 정산에 의한 세액을 환급 또는 추징할 수 있다. 3.6 근로소득에 대한 원천징수 결과에 따라 원천징수이행상황신고서를 작성하고 신고 후 세액을 납부할 수 있다. 3.7 환급받을 원천징수세액 이 있는 경우 납부세액과 상계 및 환급 신청할 수 있다. 3.8 기 신고한 원천징수 수정 또는 경정요건이 발생할 경우 수정신고 및 경정청구 할 수 있다.

제 1 절

종합소득 과세표준

01 종합소득 과세표준의 계산구조

종합소득 과세표준 = 종합소득금액 - 종합소득공제*

* 소득세법과 조세특례제한법에 의한 공제

02 종합소득공제

구분	내 용
소득세법	① 인적공제 • 기본공제 • 추가공제 : 경로우대공제, 장애인공제, 부녀자공제, 한부모공제 ② 연금보험료공제 ③ 특별공제 : 사회보험료공제, 주택자금공제 등
조세특례제한법	① 신용카드 등 사용금액에 대한 소득공제 ② 기타 소득공제(소기업·소상공인 공제부금, 우리사주조합 출연금에 대한 소득공제 등)

(1) 인적공제

인적공제 = 기본공제 + 추가공제

❶ 기본공제(인당 150만원)

종합소득이 있는 거주자(자연인에 한함)에 대하여 공제대상 가족 수에 1인당 연 150만원을 곱하여 계산한 금액을 공제한다.(인원수 제한 없음)

구 분		나이요건	소득요건	비고
근로자 본인		제한없음	제한없음	
배우자(법정혼인만 인정)			연간 소득금액의 합계액 100만원 이하 단, 근로소득만 있는 경우 총급여액 500만원 이하	장애인은 나이요건 없으나 소득요건의 제한을 받음
부양가족	직계존속 (계부, 계모 포함)	만60세 이상		
	직계비속, 입양자 (의붓자녀 포함)	만20세 이하		
	형제자매	만20세 이하, 만60세 이상		
	국민기초생활 보호대상자	-		
	위탁아동(5개월이상)	18세 미만*		

* 보호기간이 연장된 위탁아동 포함(20세 이하인 경우)

TIP

소득요건 100만원 이하의 기준

소득종류		소득금액계산	소득금액 100만원 이하 사례
① 종합소득	근로소득	총급여액(연간근로소득 - 비과세소득)-근로소득공제	총급여액 333만원 - 근로소득공제 233만원 = 100만원 (근로소득만 있는 경우 총급여액 500만원 이하)
	연금소득	총연금액 - 연금소득공제	• 공적연금 : 총연금액 516만원 - 연금소득공제 416만원 = 100만원 • 사적연금 : 총연금액 1,200만원 이하로서 분리과세 선택 가능
	사업소득	총수입금액 - 필요경비	총수입금액에서 필요경비를 차감한 금액이 100만원
	기타소득	총수입금액 - 필요경비	총수입금액에서 필요경비를 차감한 금액이 100만원 (기타소득금액 300만원 이하는 분리과세 가능)
	이자·배당소득	총수입금액	이자소득과 배당소득의 합계금액이 2천만원 이하인 경우 분리과세 가능
	소 계	위의 소득금액의 합계액	종합소득금액 100만원 (단, 비과세 및 분리과세소득은 제외)
② 퇴직소득		퇴직소득 = 퇴직소득금액	비과세소득을 제외한 금액이 100만원인 퇴직금
③ 양도소득		양도차익 - 필요경비 - 장기보유특별공제	필요경비와 장기보유특별공제금액을 차감한 금액이 100만원인 양도소득금액
연간 소득금액의 합계액 (①+②+③)			종합소득·퇴직소득·양도소득이 있는 경우 각 소득금액을 합계한 금액으로 함

② 추가공제

기본공제 대상자를 전제로 하고 추가공제는 중복하여 적용이 가능하다.

구 분	공제요건	공제금액(인당)
장애인공제*1	기본공제대상자 중 장애인	200만원
경로우대공제	기본공제대상자 중 70세 이상인 자	100만원
부녀자공제*2	배우자가 없는 여성근로자로서 기본공제대상 부양가족이 있는 세대주 또는 배우자가 있는 여성근로자(소득금액이 3천만원 이하 조건)	50만원
한부모공제	배우자가 없는 자로서 부양자녀(20세 이하)가 있는 자	100만원

※ *1 장애인은 국가유공자 등 예우 및 지원에 관한 법률에 의한 상이자, 항시 치료를 요하는 중증환자 등 포함
*2 부녀자공제와 한부모공제는 중복적용 배제

(2) 연금보험료 공제

종합소득이 있는 거주자가 공적연금 관련법에 따른 기여금 또는 개인부담금을 납부한 경우에는 해당 과세기간의 종합소득금액에서 해당 과세기간에 납부한 연금보험료 등을 공제한다.

❶ 국민연금법에 따라 부담하는 연금보험료

② 공적연금관리법(공무원연금, 군인연금, 사학연금 등)에 따른 기여금 또는 부담금

(3) 특별소득공제

❶ 보험료공제

근로소득이 있는 거주자(일용근로자 제외)가 해당 과세기간에 국민건강보험법, 고용보험법, 또는 노인장기요양보험법에 따라 근로자가 부담하는 보험료를 지급한 경우 그 금액을 해당 과세기간의 근로소득금액에서 공제한다. 사회보험 중 근로자가 부담한 국민건강보험료(노인장기요양보험료 포함), 고용보험료 전액을 공제한다.

② 주택자금공제

주택자금공제는 일정요건을 갖춘 세대주의 주택임차차입금원리금상환액 공제, 주택마련저축공제금액과 장기주택저당차입금이자상환액공제를 말한다.

구 분	공제요건	공제금액(인당)
주택마련저축*1 (조특법)	청약저축·주택청약종합저축 납입액(240만원 한도), 근로자주택마련저축 납입액(180만원 한도)이 있는 경우	납입액의 40%
주택임차 차입금	무주택 세대주*2,국민주택규모의 주택 임차차입금 원리금(원금+이자)을 상환하는 경우	상환액의 40%

구 분	공제요건	공제금액(인당)
장기주택저당 차입금	무주택 또는 1주택 보유세대의 세대주(세대원 포함)인 근로자가 기준시가 5억원 이하인 주택을 구입하기 위한 차입금의 이자 상환액 공제(한도 1,800만원)	이자상환액 전액

*1 15년 이후 가입자는 총급여 7천만원 이하, '14년 이전 7천만원 초과자 120만 한도

*2 무주택 세대주(세대구성원도 요건 충족시 가능)로서 총급여 5천만원 이하인 근로소득자가 국민주택(주거용 오피스텔 추가) 규모 이하

(4) 신용카드 등 사용금액에 대한 소득공제

❶ 공제대상자

본인, 배우자 및 생계를 같이하는 직계존비속으로 소득금액의 제한을 받으나 나이제한은 없다. 다만, 기본공제 대상자인 형제자매의 신용카드 등 사용금액은 공제대상이 아니다.

❷ 제외되는 사용금액(해외사용분 제외)

㉠ 사업소득과 관련된 비용, 법인의 비용

㉡ 자동차 구입 비용(중고자동차의 경우 구입금액의 10% 공제 가능)

㉢ 보험료, 공제료, 리스료

㉣ 교육비(초·중·고 학원비는 공제 가능)

㉤ 제세공과금(국세, 지방세, 전기요금, 수도요금, 아파트관리비, TV 시청료(유선방송 이용료 포함), 고속도로 통행료 등)

㉥ 상품권 등 유가증권 구입비

㉦ 정치자금 기부금 및 세액공제를 적용받는 월세액

㉧ 면세점(시내·출국장 면세점, 기내 면세점 등) 사용금액

❸ 특별세액공제와 중복가능

㉠ 의료비 세액공제

㉡ 교육비특별세액공제(취학전 아동의 학원비 및 체육시설 수강료, 중·고등학생 교복 구입비용)

❹ 추가공제

전통시장 사용분, 대중교통 사용분, 총급여 7천만원 이하자 도서·공연·박물관·미술관 사용분 공제대상금액은 공제한도 초과금액의 범위 내에서 각각 100만원씩 추가공제가 가능하다.

(5) 소득공제 종합한도

거주자의 종합소득에 대한 소득세를 계산할 때 종합한도 적용대상 소득공제(주택자금 소득공제 등)에 해당하는 공제금액의 합계액이 2,500만원을 초과하는 경우 초과액은 없는 것으로 한다.

❶ 공제한도 : 2,500만원

❷ 공제한도 소득공제

㉠ 소득세법상 특별소득공제(건강보험료, 고용보험료 등은 제외)

㉡ 조세특례제한법상 청약저축, 신용카드 등 사용금액, 우리사주조합출자에 대한 소득공제 등

제 2 절

종합소득 세액계산

01 세액계산의 구조

	종합소득과세표준	
(×)	기 본 세 율	6% ~ 45%
	산 출 세 액	
(-)	세 액 감 면	• 소득세법, 조세특례제한법상 세액감면
(-)	세 액 공 제	• 소득세법, 조세특례제한법상 세액공제
	결 정 세 액	
(+)	가 산 세	
	총 부 담 세 액	
(-)	기 납 부 세 액	• 중간예납세액, 원천징수세액, 수시부과세액, 예정신고납부세액
	자 진 납 부 세 액	

02 기본세율

과 세 표 준	산 출 세 액
1,200만원 이하	과세표준의 6%
1,200만원 초과 4,600만원 이하	72만원 + 1,200만원을 초과하는 금액의 15%
4,600만원 초과 8,800만원 이하	582만원 + 4,600만원을 초과하는 금액의 24%
8,800만원 초과 1억5천만원 이하	1,590만원 + 8,800만원을 초과하는 금액의 35%
1억5천만원 초과 3억원 이하	3,760만원 + 1억5천만원을 초과하는 금액의 38%
3억원 초과 5억원 이하	9,460만원 + 3억원 초과하는 금액의 40%
5억원 초과 10억원 이하	1억 7,460만원 + 5억원 초과하는 금액의 42%
10억원 초과	3억 8,460만원 + 10억원 초과하는 금액의 45%

03 세액공제

(1) 자녀세액공제

❶ 기본세액공제

종합소득이 있는 거주자의 기본공제 대상자에 해당하는 자녀(입양자 및 위탁아동 포함) 중 7세 이상, 20세 이하의 자녀 수에 대하여 세액공제한다.

자 녀 수	공 제 요 건
1명	15만원
2명	30만원
3명 이상	30만원 + 2명 초과 1명당 30만원

❷ 출산·입양 세액공제 : 첫째 30만원, 둘째 50만원, 셋째 이상 70만원

(2) 연금계좌 세액공제(대상액의 12%, 15%)

종합소득이 있는 거주자가 연금계좌에 납입한 금액의 12%(총급여 5,500만원 이하인 자 또는 종합소득금액 4,000만원 이하인 자는 15%)에 해당하는 금액을 해당 과세기간의 산출세액에서 공제한다.

구 분	내 용	공 제 액
퇴직연금	근로자퇴직급여보장법에 따른 DC형 퇴직연금 · 개인형 퇴직연금(IRP) 근로자 납입액	연금계좌 납입액 (연 700만원 한도) × 12%
과학기술인공제	과학기술인공제회법에 따른 퇴직연금 근로자 납입액	
연금저축	연금저축계좌 납입액이 연 400만원(총급여 1억2천만원 또는 종합소득금액 1억 초과자는 300만원)	

(3) 특별세액공제

❶ 보험료 세액공제 : 대상액의 12%, 15%

구 분	내 용	한 도	공제율
보장성 보험료	기본공제대상자를 피보험자로 하는 보험 중 만기에 환급되는 금액이 납입보험료를 초과하지 아니하는 보험(보장성보험)의 보험료	연100만원	12%
장애인전용 보장성 보험료	기본공제대상자 중 장애인을 피보험자 또는 수익자로 하고 만기에 환급되는 금액이 납입보험료를 초과하지 아니하는 보험(장애인전용보장성보험)의 보험료	연100만원	15%

❷ 의료비 세액공제 : 대상액의 15%, 20%

근로소득이 있는 거주자가 기본공제대상자(나이 및 소득요건 제한 없음)을 위해 해당 과세기간에 지출한 의료비 중 총급여액의 3%를 초과하는 금액에 15%(난임시술비 20%)에 해당하는 금액을 종합소득 산출세액에서 공제한다.

㉠ 세액공제대상 의료비

구 분	한 도
① 본인, 65세이상, 장애인 의료비, 난임시술비, 건강보험 산정 특례자 등	전액공제
② ①이외의 의료비(본인 등외 의료비)	700만원

㉡ 세액공제대상 의료비 범위

구 분	내 용
세액공제대상 의료비	• 진찰 · 진료 · 질병예방을 위한 의료기관 지출액(미용 · 성형수술을 위한 비용 제외) • 치료 · 요양을 위한 의약품(한약 포함) 구입비(건강증진을 위한 의약품 구입비용 제외) • 장애인보장구 구입 · 임차비용 • 의사 · 치과의사 · 한의사 등의 처방에 따른 의료기기 구입 · 임차비용 • 시력보정용 안경 · 콘택트렌즈 구입비(1명당 50만원 이내 금액) • 보청기 구입비 • 노인장기요양보험법에 따른 장기요양급여 비용 중 실제 지출한 본인일부부담금 • 해당 과세기간 총급여액 7천만원 이하 근로자가 지출한 산후조리원비(출산 1회당 200만원 이내)
공제되지 않는 의료비	• 언어재활을 위한 사설학원비용 • 외국에 소재한 병원에 지출한 의료비 • 간병인에게 지급한 간병비 • 건강기능식품 구입비용, 건강증진을 위한 의약품 구입비용 • 사내근로복지기금에서 보조받은 의료비 • 근로자가 가입한 실손보험 등에 의하여 보험회사로부터 수령한 보험금으로 지급한 의료비 • 미용·성형수술을 위한 비용

❸ 교육비 세액공제 : 대상액의 15%

근로소득이 있는 거주자가 그 거주자와 기본공제대상자(나이제한 없음)를 위하여 해당 과세기간에 교육비를 지급한 경우 대상금액의 15%에 해당하는 금액을 해당 과세기간의 종합소득 산출세액에서 공제한다.

㉠ 대상금액 한도

구 분	세액공제 대상금액 한도
근로자 본인	전액 공제가능 • 대학원교육비, 직업능력개발훈련시설 수강료, 시간제 등록 포함 • 학자금대출 원리금 상환에 지출한 교육비(상환연체로 추가 지급액 제외)
장애인 특수교육비 (소득 · 나이 제한없음)	전액 공제가능 (장애인재활교육을 위해 사회복지시설 등에 지급한 비용) * 장애아동 발달재활서비스 제공기관 이용료는 나이요건(만 18세 미만) 제한
기본공제대상자인 (나이 제한없음) 배우자 · 직계비속 · 형제자매, 입양자 및 위탁아동	① 취학전 아동, 초 · 중 · 고등학생 → 1명당 연 300만원 ② 대학생 → 1명당 연 900만원 ③ 대학원생 → 공제대상 아님

＊직계존속은 교육비 세액공제대상이 아님(장애인 특수교육비는 공제가능)

㉡ 주요 교육비 세액공제 대상

구 분	공제대상기관	공제대상 교육비
취학전 아동	유치원 · 보육시설 · 학원 · 체육시설 · 외국교육기관(유치원)	보육료, 입학금, 보육비용, 그 밖의 공납금 및 학원 · 체육시설 수강료(1주 1회이상 이용), 방과후수업료(특별활동비 · 도서구입비 포함, **재료비 제외**), 급식비 ※ 유치원 종일반 운영비 포함
초 · 중 · 고등학생	초 · 중 · 고등학교 인가된 외국인학교*1 인가된 대안학교 외국교육기관	수업료, 입학금 방과후 학교 수강료(도서구입비 포함, 재료비 제외) 학교급식법에 의한 급식비 학교에서 구입한 교과서대 교복구입비용(중 · 고생 1인당 50만원 이내) 현장체험학습비용(학생 1인당 30만원 이내)
대학생	대학교 특수학교*2 특별법에 의한 학교 외국교육기관	수업료, 입학금 등

*1 학교로 인가받지 않은 국내 외국인학교는 교육비 공제대상 교육기관에 해당하지 않음

*2 경찰대, 육군 · 해군 · 공군사관학교, 한국예술종합학교 등이 해당

❹ 기부금 세액공제 : 대상금액의 15%, 30%

기본공제대상자(나이요건 제한 없음, 소득요건 제한 있음)가 해당 과세기간에 지급한 공제대상 기부금의 15%(1천만원 초과분 30%, 정치자금기부금 3천만원 초과분 25%)에 해당하는 금액을 해당 과세기간의 종합소득산출세액에서 공제한다.

㉠ 세액공제 대상 한도

종 류	세액공제 대상금액 한도	세액공제율
정치자금기부금	근로소득금액 100%	10만원 이하 : 100/110 10만원 초과 : 15% (3천만원 초과분 25%)
법정기부금	근로소득금액 100%	법정+우리사주+지정 15% (1천만원 초과분 30%)
우리사주조합 기부금	(근로소득금액-정치자금기부금 · 법정기부금 세액공제 대상금액) × 30%	
지정기부금[*1] (종교단체 제외)	(근로소득금액-정치자금기부금 · 법정기부금 · 우리사주조합기부금 세액공제 대상금액) × 30%	
종교단체 지정기부금	(근로소득금액-정치자금기부금 · 법정기부금 · 우리사주조합기부금 세액공제 대상금액) × 10%	

*1 종교단체 지정기부금(10% 한도)을 포함하여 30%를 초과할 수 없음

㉡ 기부금 종류

구 분	세액공제 대상금액 한도
법정기부금	• 국가 또는 지방자치단체 · 국방헌금과 위문금품 • 천재지변 이재민 구호금품 · 특별재난지역복구 자원봉사 • 학교 및 공공의료기관등의 시설비.교육비.장학금 또는 연구비 • 사회복지공동모금회, 대한적십자사등 사회복지시설 • 불우이웃돕기 결연기관 · 정치자금기부금(세액공제분 제외) • 문화예술진흥기금 등
우리사주조합기부금	우리사주조합에 지출하는 기부금(우리사주조합원이 지출하는 기부금 제외)
지정기부금	• 지정기부금단체의 고유목적사업비로 지출하는 기부금:사회복지법인, 유치원, 초.중.고, 대학, 기능대학, 원격대학, 정부인가 학술연구단체.장학단체.기술진흥단체, 정부인가 문화.예술단체.환경보호운동단체, 의료법인, 기획재정부장관이 지정한 지정기부금단체 • 학교의 장이 추천하는 개인에게 지출하는 교육비.연구비 또는 장학금 • 불우이웃돕기, 지역새마을사업을 위하여 지출한 비용 등 • 노동조합비, 교원단체회비, 공무원직장협의회 회비 등

ⓒ 유형별 공제대상 및 이월공제

종 류	공제대상 기부금		이월공제	
	근로자 본인	기본공제대상 배우자, 직계존속, 직계비속, 형제자매 등	가능 여부	이월공제 연수 (2013년 이후 기부분부터)
정치자금기부금	○	×	×	-
법정기부금	○	○	○	10년
우리사주조합기부금	○	×	×	-
지정기부금	○	○	○	10년

※ 기부금은 이월분이 있는 경우 당해 지출분보다 먼저 공제한다.

❺ 표준세액공제 : 연 13만원

근로소득자가 특별소득공제, 특별세액공제, 월세액 세액공제를 신청하지 아니한 경우에 적용하여 해당 과세기간의 종합소득 산출세액에서 13만원을 공제한다. 또한 정치자금기부금과 우리사주조합기부금은 중복 적용이 가능하다.

제 3 절

원천징수

01 원천징수

원천징수(tax withholding)란 소득을 지급하는 사람(지급자)이 소득 또는 수입금액을 지급할 때 그 지급을 받는 사람(소득자)이 내야 할 세금을 미리 징수하여 정부에 납부하는 제도이다. 소득을 지급하는 사람을 '원천징수의무자'라 하고, 소득을 지급받는 사람을 '납세의무자'라고 한다.

02 소득세법상 원천징수

소득의 지급자가 개인에게 이자, 배당, 사업, 근로, 연금, 기타, 퇴직소득금액을 지급하는 경우와 법인에게 이자소득금액과 증권투자신탁수익의 분배금을 지급하는 경우 원천징수해야 한다.

소득자가 거주자인 경우 원천징수는 다음과 같다.

구분		원천징수	대표적인 원천징수 세율
종합소득	이자 · 배당소득	○	일반 금융소득 : 14%(실지명의가 확인되지 않은 경우 42%) 비영업대금이익과 출자공동사업자의 배당소득 : 25%
	사업소득	×	일반사업소득, 부동산임대소득
		○	부가가치세 면세가 적용되는 인적용역 · 의료보건용역 : 지급액의 3%(매출액의 20% 초과하는 봉사료 5%)
	근로소득	○	근로소득 간이세액표에 의한 원천징수 일용근로자의 근로소득에 대해서는 6%(1일 15만원 근로소득공제)
	연금소득	○	공적연금 : 연금소득간이세액표에 의한 원천징수 사적연금 : 연말정산없이 원천징수(3~5%)

구분		원천징수	대표적인 원천징수 세율
종합소득	기타소득	○	• 연금계좌에서 연금외 수령한 자기불입분 및 운용수익 : 15%(사망 등 부득이한 사유로 받는 경우 12%) • 서화 및 골동품의 양도 : 소득금액의 20% • 복권등 당첨금 : 소득금액의 20%(3억 초과 30%)
		○	그 외 기타소득의 20%(30%)
퇴직소득		○	기본세율 적용
양도소득		×	일반 양도소득

03 원천세 신고 및 납부

원천세신고는 원천징수이행상황신고서를 작성하여 다음달 10일까지 관할세무서에 제출하며, 원천세는 원천징수세액을 다음달 10일까지 금융기관에 납부한다.

04 연말정산(근로소득)

근로소득의 연말정산은 원천징수의무자가 근로자에게 지급한 1년간(1.1~12.31까지)의 총급여액에 대한 근로소득세액을 종합과세의 방법으로 세액을 정확하게 계산하여 확정한 후, 매월 급여 지급시 간이세액표에 의하여 이미 원천징수납부한 세액과 비교하여 과부족을 정산하는 절차이다.

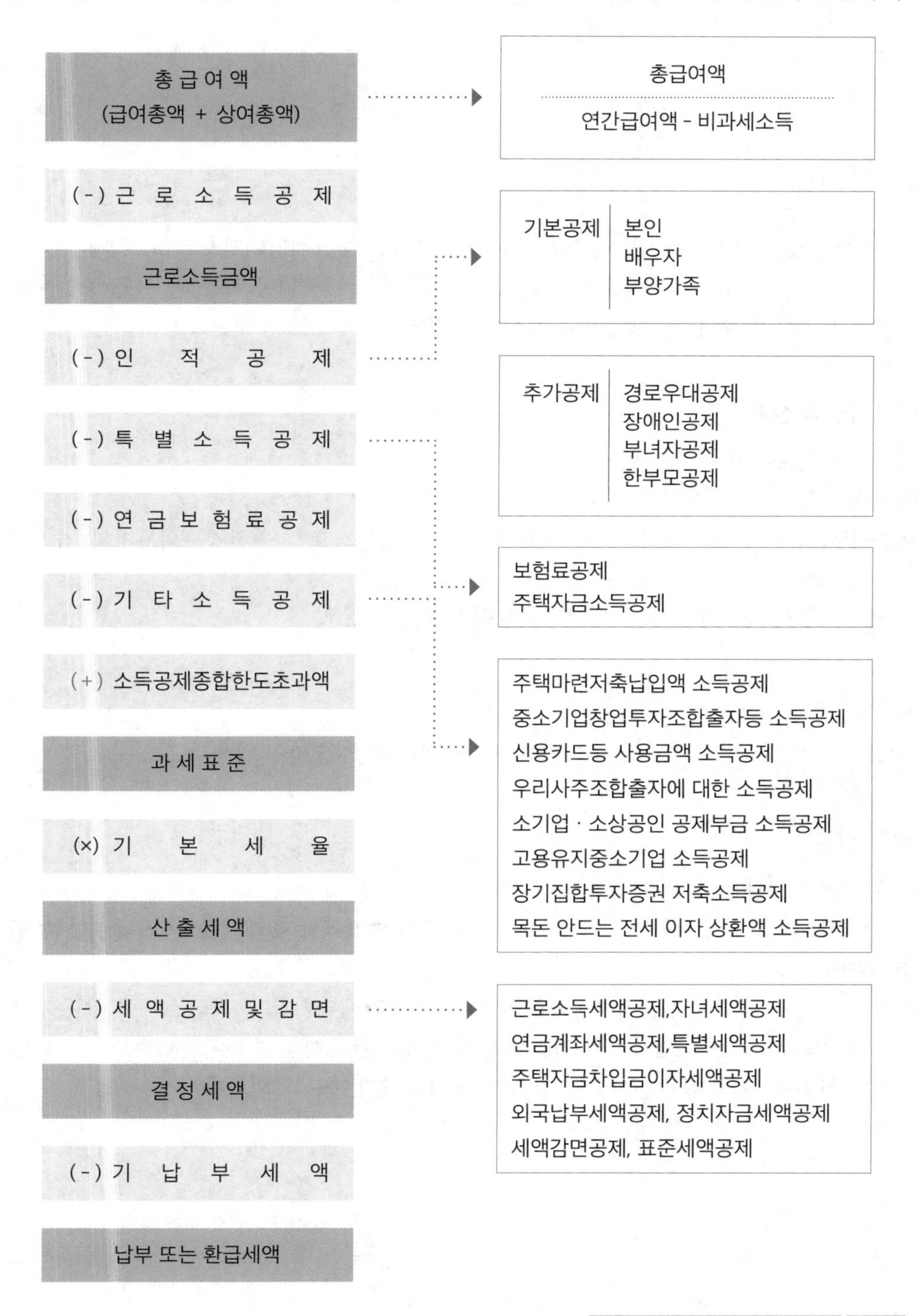

제 4 절

종합소득세 신고와 납부

01 중간예납

사업소득이 있는 거주자는 1월 1일부터 6월 30일까지를 중간예납기간으로 하여 계산한 일정액의 소득세를 11월 30일(분납세액은 다음연도 1월말)까지 납부하여야 하는데, 이를 중간예납이라 한다. 이렇게 납부한 중간예납세액은 확정신고시 기납부세액으로 공제된다.

(1) 중간예납 대상자

❶ 신규사업자
❷ 사업소득 중 수시 부과하는 소득
❸ 보험모집인, 방문판매인 등 연말정산대상 사업소득으로서 원천징수의무자가 직전연도에 사업소득세의 연말정산을 한 경우
❹ 납세조합이 소득세를 매월 원천징수하여 납부하는 경우

(2) 징수

고지납부가 원칙이며 소액부징수 30만원 미만인 때에는 징수하지 않는다.

(3) 신고·납부

❶ 임의적 신고대상자
사업부진으로 중간예납 기준액의 30%에 미달시 중간예납 추계액을 신고·납부할 수 있다.
❷ 강제적 신고대상자
중간예납기준액이 없는 거주자가 해당 연도의 중간예납기간 중 종합소득이 있는 경우에는 11월 1일부터 11월 30일까지의 기간내에 중간예납 추계액을 중간예납세액으로 하여 신고 · 납부하여야 한다. 다만, 복식부기의무자가 아닌 사업자는 제외한다.

02 과세표준 확정신고

해당 과세기간에 종합소득 · 퇴직소득 · 양도소득이 있는 거주자는 해당 소득의 과세표준을 그 과세기간의 해당 연도의 다음 연도 5월 1일부터 5월 31일까지 납세지 관할세무서장에게 신고하여야 한다. 이를 과세표준 확정신고라 한다. 이러한 과세표준 확정신고는 해당 과세기간의 과세표준이 없거나 결손금액이 있는 경우에도 하여야 한다.

(1) 신고의무자

❶ 해당연도의 종합소득금액이 있는 거주자(종합소득 과세표준이 없거나 결손금이 있는 거주자를 포함)

❷ 국내사업장이 있는 경우의 국내원천소득이 있는 비거주자

(2) 신고기한

❶ 과세표준 확정신고의무자는 과세표준을 해당 연도의 다음 연도 5월 1일부터 5월 31일까지 신고를 하여야 한다.

❷ 거주자가 사망한 경우 그 상속인은 1월 1일부터 사망한 날까지의 소득에 대하여 상속개시일로부터 6월이 되는 날까지 사망일이 속하는 과세기간에 대한 해당 거주자의 과세표준확정신고를 하여야 한다.

(3) 과세표준 확정신고 의무가 없는 자

다음에 해당하는 거주자는 해당 소득에 대한 과세표준 확정신고를 하지 아니할 수 있다.

❶ 근로소득만 있는 거주자

❷ 퇴직소득만 있는 거주자

❸ 연말정산대상 사업소득만 있는 자(보험모집인, 방문판매원, 음료배달원)

❹ 연말정산대상 연금소득만 있는 자

❺ 위 ①·② 또는 ②·③ 또는 ②·④ 소득만 있는 자

❻ 분리과세 이자소득·분리과세 배당소득·분리과세 연금소득·분리과세 기타소득만 있는 자

❼ ①내지 ⑤에 해당하는 자로서 분리과세 이자소득·분리과세 배당소득·분리과세 연금소득·분리과세 기타소득이 있는 자

03 자진납부

거주자는 해당 연도의 과세표준에 대한 종합소득 · 퇴직소득 · 양도소득 산출세액에서 감면세액 · 세액공제액 · 기납부세액을 공제한 금액을 과세표준 확정신고기한까지 납세지 관할세무서에 납부하여야 한다.

❶ 중간예납세액
❷ 토지 등 매매차익 예정신고 산출세액 또는 결정·경정한 세액 포함
❸ 수시부과세액
❹ 원천징수세액(채권 등의 이자소득에 대한 원천징수세액은 해당 거주자의 보유기간의 이자상당액에 대한 세액에 한한다)
❺ 납세조합의 징수세액과 그 공제액

04 분납

납부할 세액(가산세 및 감면분 추가납부세액은 제외)이 1천만원을 초과하는 거주자는 다음의 세액을 납부기한이 지난 후 2개월 이내에 분납할 수 있다.

납부할 세액	분할납부할 세액
2,000만원 이하인 경우	1,000만원을 초과하는 금액
2,000만원 초과인 경우	납부할 세액의 50% 이하의 금액

05 소액부 징수

❶ 원천징수세액이 1천원 미만인 경우(이자소득은 제외)
❷ 납세조합의 징수세액이 1천원 미만인 경우
❸ 중간예납세액이 30만원 미만인 경우

06 결손금과 이월결손금의 공제

(1) 결손금과 이월결손금의 의의

결손금이란 소득금액계산시 필요경비가 총수입금액을 초과하는 경우 해당 금액을 말하며, 이월결손금이란 해당 결손금이 다음 연도 이후로 이월된 경우 이를 일컫는 말이다.

(2) 결손금 공제

사업소득(주거용 부동산임대업 포함)의 결손금은 종합소득금액계산시 다음 순서로 공제한다.

① 근로소득 ➡ ② 연금소득 ➡ ③ 기타소득 ➡ ④ 이자소득 ➡ ⑤ 배당소득

※ 사업소득 중 다음의 부동산임대업에서 발생한 결손금은 타소득에서 공제할 수 없고, 추후 발생하는 해당 부동산임대업의 소득금액에서만 공제가능하므로 무조건 다음 연도로 이월된다.

(3) 이월결손금 공제

사업소득의 이월결손금과 부동산임대업에서 발생한 이월결손금은 해당 이월결손금이 발생한 연도의 종료일부터 10년 이내에 끝나는 과세연도의 소득금액을 계산할 때 먼저 발생한 이월결손금부터 순서대로 다음의 구분에 따라 공제한다.

❶ 사업소득(주거용 부동산 임대업 포함)의 이월결손금

① 사업소득 ➡ ② 근로소득 ➡ ③ 연금소득 ➡ ④ 기타소득 ➡ ⑤ 이자소득 ➡ ⑥ 배당소득

❷ 사업소득 중 부동산임대업에서 발생한 이월결손금

사업소득 중 부동산임대업에서 발생한 이월결손금은 해당 부동산임대업의 소득금액에서 공제한다.

07 지급명세서 제출의무

(1) 제출의무자

소득세 납세의무가 있는 개인에게 소득을 국내에서 지급하는 자

(2) 제출기한

❶ 원칙 : 익년 2월말일
❷ 근로소득, 퇴직소득, 원천징수대상사업소득 : 익년 3월 10일
❸ 일용근로자의 근로소득 : 지급일이 속하는 분기의 마지막의 다음달 10일(4/10, 7/10, 10/10, 익년 1/10)
❹ 휴업(폐업)의 경우 : 휴업(폐업)일이 속하는 달의 다음달 말일

(3) 근로소득 간이지급명세서 제출의무

❶ 제출의무자 : 상용근로소득, 원천징수대상 사업소득을 지급하는 자
❷ 제출내용 : 소득자의 인적사항, 지급액 등
❸ 제출기한 : 지급일이 속하는 반기의 마지막 달의 다음달 10일(7/10, 익년 1/10)

단원정리문제 종합소득 과세표준 및 세액계산

01 다음 중 소득세법상 근로소득 원천징수시기의 특례에 대한 내용으로 틀린 것은?

① 법인의 이익 또는 잉여금의 처분에 따라 지급하여야 할 상여를 그 처분을 결정한 날로부터 3개월이 되는 날까지 지급하지 아니한 경우에는 그 3개월이 되는 날에 그 상여를 지급한 것으로 보아 소득세를 원천징수한다.
② 원천징수의무자가 12월분의 근로소득을 다음 연도 2월 말일까지 지급하지 아니한 경우에는 그 근로소득을 다음 연도 2월 말일에 지급한 것으로 보아 소득세를 원천징수한다.
③ 원천징수의무자가 1월부터 11월까지의 근로소득을 해당 과세기간의 12월 31일까지 지급하지 아니한 경우에는 그 근로소득을 다음 연도 1월 말일에 지급한 것으로 보아 소득세를 원천징수한다.
④ 법인의 이익 또는 잉여금의 처분이 11월 1일부터 12월 31일까지의 사이에 결정된 경우에 다음 연도 2월 말일까지 그 상여를 지급하지 아니한 경우에는 그 상여를 다음 연도 2월 말일에 지급한 것으로 보아 소득세를 원천징수한다.

02 소득세법상 다음 자료에 의한 소득만 있는 거주자 김철수의 2021년도 종합소득금액을 계산하면 얼마인가?

• 기타소득금액 : 30,000,000원	• 퇴직소득금액 : 25,000,000원
• 양도소득금액 : 10,000,000원	• 근로소득금액 : 15,000,000원

① 35,000,000원
② 40,000,000원
③ 45,000,000원
④ 55,000,000원

03 다음 중 소득세법상 원천징수 신고납부절차에 대한 설명 중 옳지 않은 것은?

① 원천징수의무자는 원천징수한 소득세를 그 징수일이 속하는 달의 다음달 10일까지 신고납부하여야 한다.
② 반기별 납부 승인 받은 소규모사업자는 해당 반기의 마지막 달의 다음달 10일까지 원천징수한 세액을 신고 납부할 수 있다.
③ 법인세법에 따라 처분된 배당, 상여, 기타소득에 대한 원천징수세액은 반기별 납부에서 제외된다.
④ 과세미달 또는 비과세로 인하여 납부할 세액이 없는 자는 원천징수이행상황신고서에 포함하지 않는다.

04 개인사업자 이영희는 인터넷쇼핑몰을 경영한 결과 당해 손익계산서상 당기순이익이 10,000,000원으로 확인되었다. 다음의 세무조정 사항을 반영하여 소득세법상 사업소득금액을 계산하면 얼마인가?

• 총수입금액산입 세무조정항목 : 1,000,000원
• 필요경비불산입 세무조정항목 : 9,000,000원
• 필요경비산입 세무조정항목 : 8,000,000원
• 총수입금액불산입 세무조정항목 : 6,000,000원

① 5,000,000원
② 6,000,000원
③ 11,000,000원
④ 16,000,000원

05 **다음 중 소득세법에 대한 설명 중 올바른 것은?**

① 거주자의 종합소득에 대한 소득세는 해당 연도의 종합소득과세표준에 6~35%의 세율을 적용하여 계산한 금액을 그 세액으로 한다.
② 기타소득금액의 연간합계액이 400만원 이하인 경우에는 종합과세와 분리과세를 선택할 수 있다.
③ 소득세법은 종합과세제도이므로 퇴직소득과 양도소득을 제외한 거주자의 그 밖의 모든 소득을 합산하여 과세한다.
④ 사업소득이 있는 자가 11월 30일에 폐업을 하여 그 이후 다른 소득이 없는 경우에도 소득세의 과세기간은 1월 1일부터 12월 31일까지로 한다.

06 **소득세법상 근로소득자와 사업소득자(다른 종합소득이 없는 자)에게 공통으로 적용될 수 있는 공제항목을 나열한 것은?**

가. 부녀자공제	나. 자녀세액공제	다. 연금계좌 세액공제
라. 기부금세액공제	마. 신용카드소득공제	

① 가, 나, 마　　② 가, 라, 마
③ 나, 다, 마　　④ 가, 나, 다

07 **다음은 소득세법상 결손금공제에 관한 설명이다. 틀린 것은?**

① 사업소득(주택임대업이 아닌 부동산임대업 제외)의 결손금은 다른 소득금액과 통산하고 통산 후 남은 결손금은 다음연도로 이월시킨다.
② 주택임대업이 아닌 부동산임대업에서 발생한 결손금은 다른 소득금액과 통산하지 않고 다음 연도로 이월시킨다.
③ 2013년 1월 1일 이후 발생한 이월결손금은 발생연도 종료일로부터 10년 내에 종료하는 과세기간의 소득금액계산시 먼저 발생한 것부터 순차로 공제한다.
④ 사업소득의 결손금 공제순서에는 특별한 제한이 없다.

08 다음 중 소득세법상 결손금공제에 관한 설명 중 틀린 것은?

① 2013년 1월 1일 이후 발생한 이월결손금은 발생연도 종료일로부터 10년간 소득금액에서 공제한다.
② 결손금과 이월결손금이 동시에 존재할 때에는 이월결손금을 우선적으로 공제한 후 결손금을 공제한다.
③ 사업소득(주택임대소득이 아닌 부동산임대소득은 제외)의 결손금은 다른 소득금액과 통산한다.
④ 결손금은 사업자가 비치 · 기록한 장부에 의하여 사업소득금액을 계산할 때 필요경비가 총수입금액을 초과하는 경우 그 초과하는 금액을 말한다.

정답 및 해설

01	02	03	04	05	06	07	08
③	③	④	②	④	④	④	②

01 ③ 원천징수의무자가 1월부터 11월까지의 근로소득을 해당 과세기간의 12월 31일까지 지급하지 아니한 경우에는 그 근로소득을 12월 31일에 지급한 것으로 보아 소득세를 원천징수한다.

02 ③ 기타소득금액 30,000,000원 + 근로소득금액 15,000,000원 = 45,000,000원

03 ④ 원천징수의무자는 원천징수이행상황신고서를 원천징수 관할세무서장에게 제출하여야 하며, 이때 원천징수이행상황신고서에는 원천징수하여 납부할 세액이 없는 자에 대한 것도 포함하여야 한다.

04 ② 당기순이익 10,000,000원 + 총수입금액산입 및 필요경비불산입 10,000,000원 - 총수입금액불산입 및 필요경비산입 14,000,000원 = 6,000,000원

05 ④ 소득세의 과세기간은 1월 1일부터 12월 31일까지 1년으로 한다.

06 ④ 기부금세액공제의 경우 근로자만 적용받을 수 있으며, 사업소득이 있는 자는 기부금을 필요경비에 산입할 수 있다. 신용카드소득공제는 근로자에게만 적용된다.

07 ④ 사업소득(부동산임대업 제외)에서 발생한 결손금은 근로소득금액→연금소득금액→기타소득금액→이자소득금액→배당소득금액의 순서로 공제한다.

08 ② 결손금과 이월결손금이 동시에 존재할 때에는 결손금을 우선 공제하고 그 다음에 이월결손금을 공제한다.

실무 편

NCS 국가직무능력표준 National Competency Standards

제 1 부

전표처리

[과정/과목명 : 0203020201_17v4/전표처리]

능력단위 요소명	훈 련 내 용
전표처리하기	2.1 회계상 거래를 부가가치세신고 여부에 따라 일반전표와 매입매출전표로 구분할 수 있다. 2.2 부가가치세신고와 관련이 없는 회계상 거래를 일반전표에 처리할 수 있다. 2.3 부가가치세신고와 관련이 있는 회계상 거래를 매입매출전표에 처리할 수 있다.

제 1 장

프로그램의 시작

한국세무사회주관 국가공인
전산세무회계자격시험
교육용 프로그램 KcLep™
세무사랑 Pro = 케이렙 = KcLep = NewZen 뉴젠솔루션
한국세무사회 본 프로그램은 교육용으로만 허가되어 있습니다
v. 20210304
최신버전 입니다.
종목선택
2. 전산세무2급
드라이브
C:₩KcLepDB
회사코드
회사명
로그인
회사등록
합격수기가 증명하는
전산세무회계 0원 강의!
와우패스
바로가기 ›

제 1 절

프로그램 설치와 데이터관리

01 프로그램의 설치

1단계 http://license.kacpta.or.kr 사이트에서 아래 케이렙(수험용) 다운로드를 클릭하여 설치파일을 다운받는다.

2단계 ① 설치파일 KcLepSetup.exe를 더블클릭하여 설치한다.
② 사용권 계약 및 사용권 정보 수집 동의에 체크한 후 다음을 클릭한다.

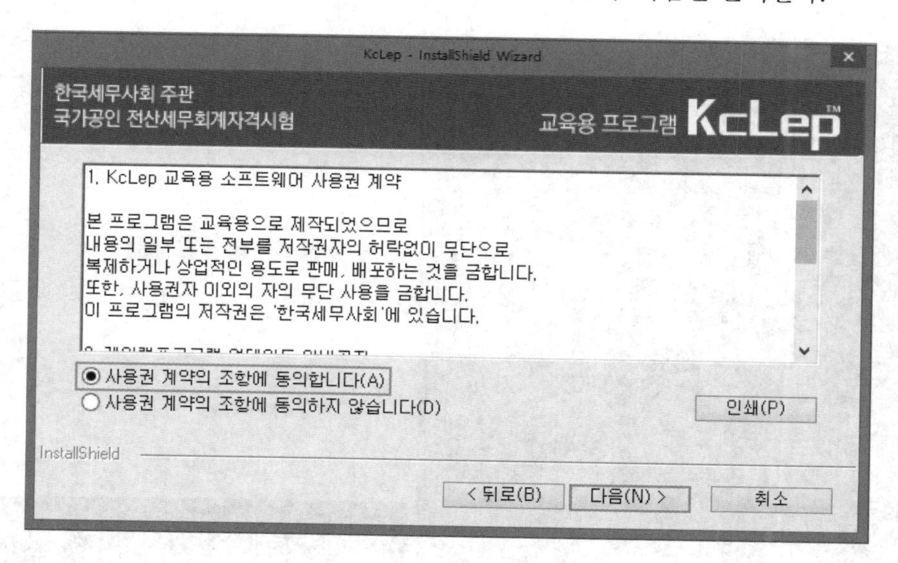

3단계 설치가 완료되면 KcLep(케이렙) 아이콘( )이 생성된다.

02 프로그램 실행

프로그램 설치 후 바탕화면에서 아이콘( )을 더블클릭하여 프로그램을 실행시킨다.

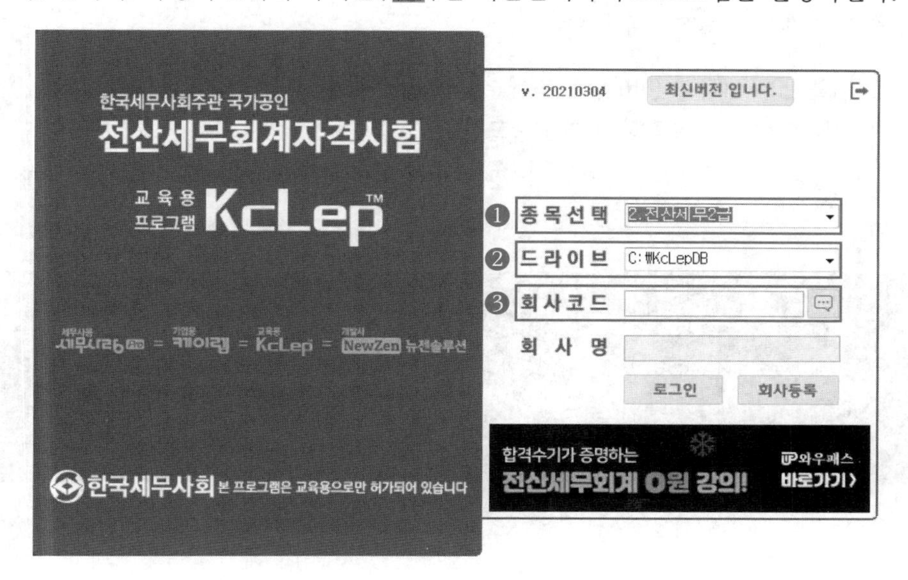

❶ 종목선택 / ❷ 드라이브

❶ 종목선택	❷ 드라이브
응시하는 시험의 급수를 선택한다. 2.전산세무2급 1.전산세무1급 2.전산세무2급 3.전산회계1급 4.전산회계2급	작업하는 회사의 DB를 저장할 드라이브를 선택한다. TIP [C:₩KcLepDB] 폴더를 선택하면 해당 폴더에 작업 파일이 저장된다.

❸ 회사코드

유 형	방 법
설치 후 처음 등록시	[1단계] 먼저 회사등록 을 눌러 회사등록을 한다. [2단계] 등록한 회사코드를 직접 입력하거나 말풍선 아이콘( )을 클릭하여 작업할 회사를 선택한다.
이미 등록된 회사 선택시	작업할 회사코드를 직접 입력하거나 말풍선 아이콘을 클릭하여 등록된 회사를 선택한다.

03 백데이터 다운로드 및 복구

실전연습문제를 연습하기 위해서는 백데이터를 다운로드한 다음 복구하여 회사코드를 선택하고 로그인하여 문제를 해결하도록 한다.

1단계 도서출판 아이콕스 (http://icoxpublish.com) 사이트에서 자료실 〉 세무회계 〉 전산세무 2급 데이터를 클릭하여 다운로드한다.

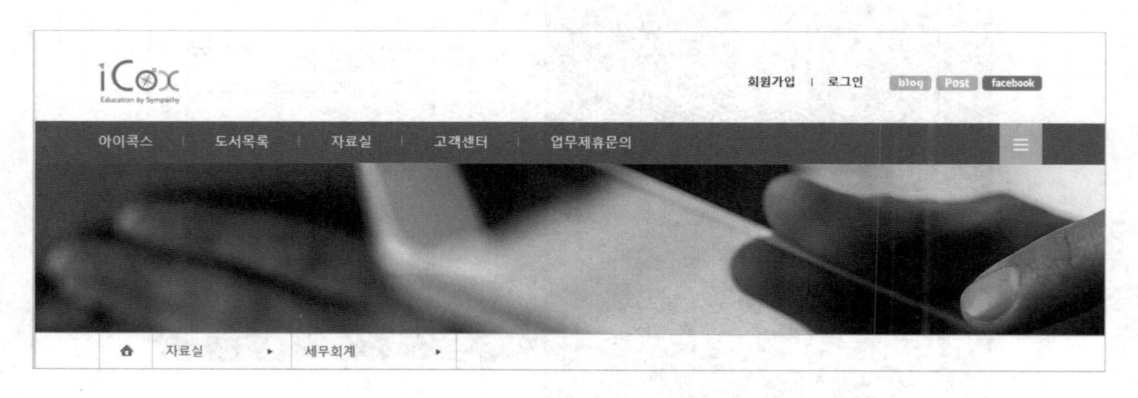

2단계 다운로드한 파일을 더블클릭하면 '컴퓨터 〉 C드라이브 〉 KcLepDB 〉 KcLep' 폴더 안에 회사코드 폴더가 생성된다.

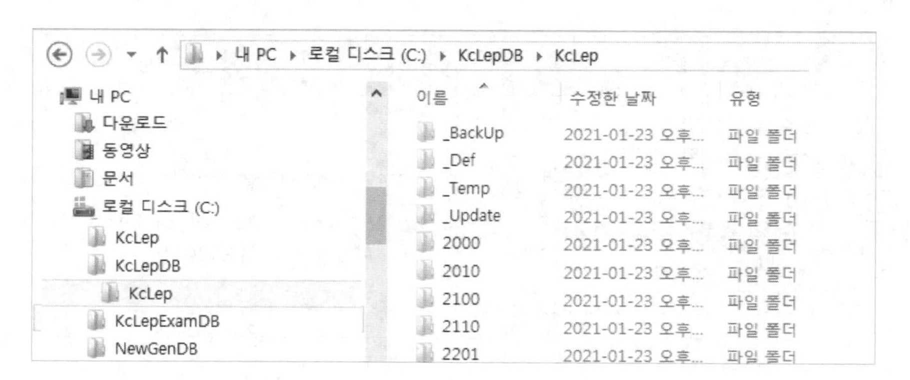

TIP

데이터 관리

1개의 회사는 각각 다른 회사코드(4자리 숫자)로 되어 있고 4자리 숫자로 된 폴더가 사라지면 1개의 회사 데이터가 모두 사라지게 되므로 데이터 관리에 유의해야 한다.

3단계 백데이터가 '내컴퓨터 > C드라이브 > KcLepDB > KcLep'에 존재한다면 [회사등록] 메뉴의 상단 F4 회사코드재생성 버튼을 클릭한다. 회사코드 재생성이 끝나면 연습문제 회사의 리스트가 추가로 생성되어 백데이터를 사용할 수 있다.

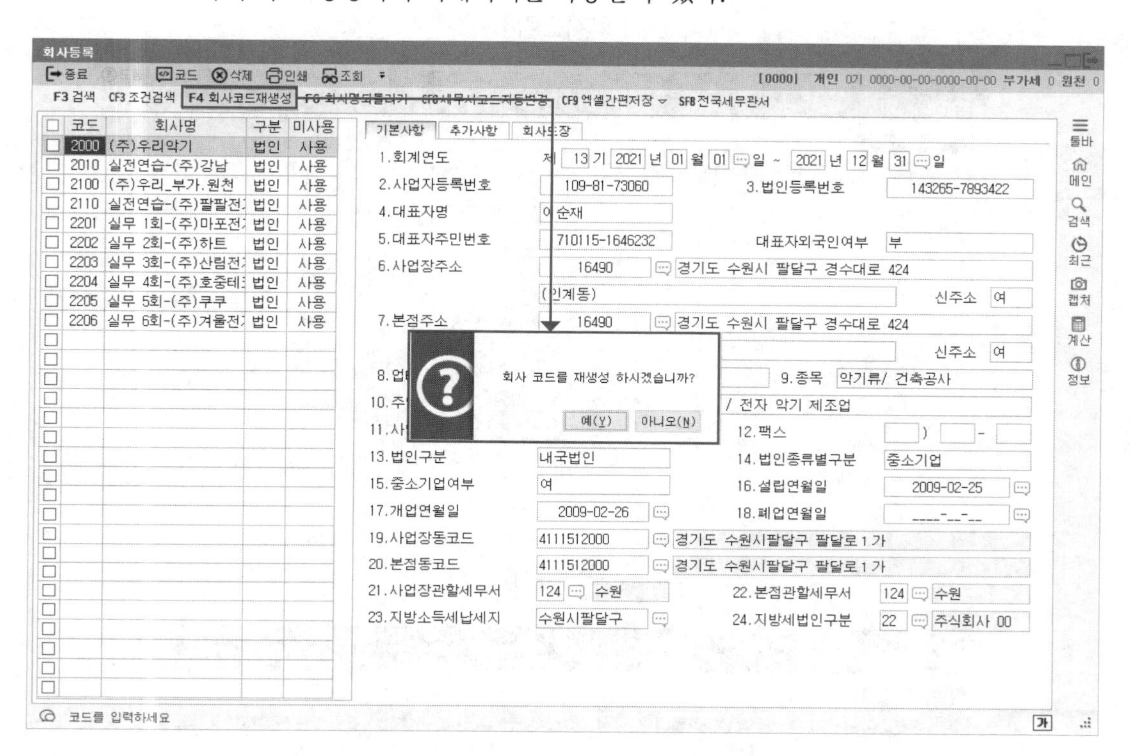

전산세무 2급 기본메뉴 구성

| 회계관리 |

| 부가가치 |

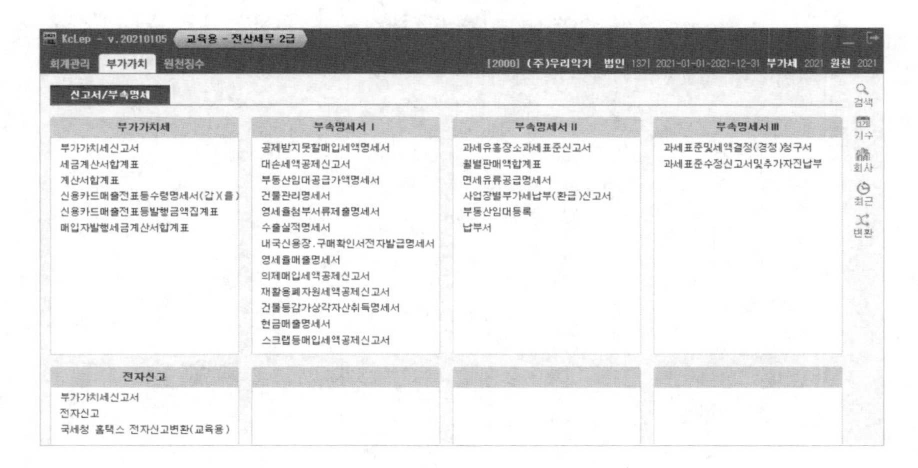

| 원천징수 |

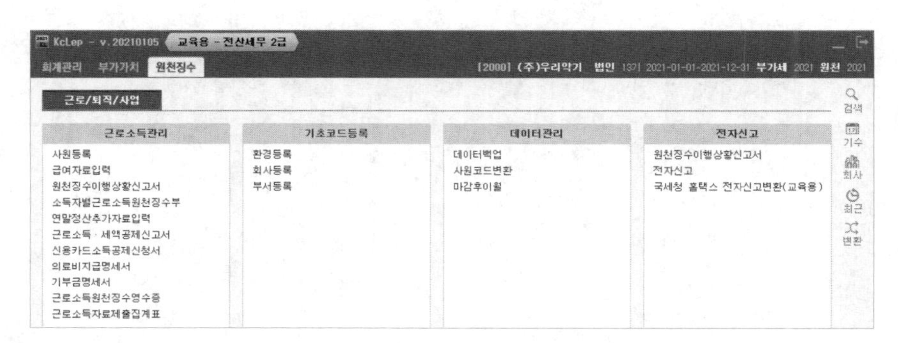

제 2 절

기초정보관리

01 회사등록

회계 프로그램을 운용하여 작업할 기본회사를 등록하는 메뉴로 프로그램운영상 가장 먼저 등록되어야 하며, [회사등록]에 등록된 사항은 프로그램운용 전반에 영향을 미치므로 정확히 입력해야 한다.

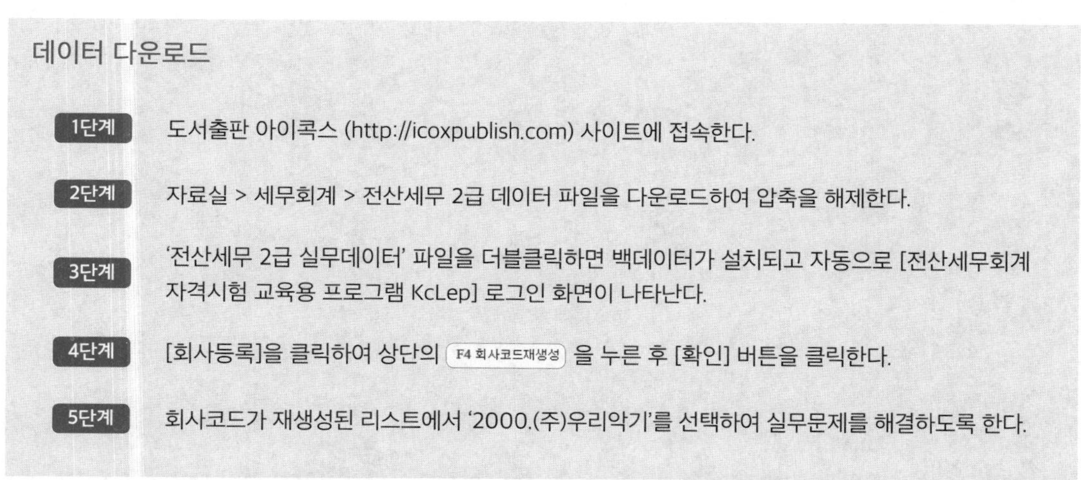
데이터 다운로드

1단계 도서출판 아이콕스 (http://icoxpublish.com) 사이트에 접속한다.

2단계 자료실 > 세무회계 > 전산세무 2급 데이터 파일을 다운로드하여 압축을 해제한다.

3단계 '전산세무 2급 실무데이터' 파일을 더블클릭하면 백데이터가 설치되고 자동으로 [전산세무회계 자격시험 교육용 프로그램 KcLep] 로그인 화면이 나타난다.

4단계 [회사등록]을 클릭하여 상단의 F4 회사코드재생성 을 누른 후 [확인] 버튼을 클릭한다.

5단계 회사코드가 재생성된 리스트에서 '2000.(주)우리악기'를 선택하여 실무문제를 해결하도록 한다.

제 2 장

전표처리

[과정/과목명 : 0203020201_17v4/전표처리]

능력단위 요소명	훈 련 내 용
전표처리하기	2.1 회계상 거래를 부가가치세신고 여부에 따라 일반전표와 매입매출전표로 구분할 수 있다. 2.2 부가가치세신고와 관련이 없는 회계상 거래를 일반전표에 처리할 수 있다. 2.3 부가가치세신고와 관련이 있는 회계상 거래를 매입매출전표에 처리할 수 있다.

제 1 절

회계상 거래 일반전표입력

01 일반전표입력

[일반전표입력] 메뉴는 기업에서 발생하는 모든 거래 중 부가가치세와 관련 없는 거래를 입력하는 메뉴로 입력된 자료는 각종 장부 및 재무제표에 자동으로 반영하여 작성된다.

일반전표입력

종료 코드 삭제 인쇄 조회 [2000] (주)우리악기 109-81-73060 법인 13기 2021-01-01-2021-12-31 부가세 2021 원천

F3 자금관리 F4 복사 F6 검색 F7 카드매출 F8 적요수정 SF2 번호수정 CF5 삭제한데이터 CF8 전기분전표 CF9 전표삽입 SF5 일괄삭제및기타

2021 년 01 월 1 일 변경 현금잔액: 202,942,366 대차차액:

일	번호	구분	계정과목		거래처		적요		차변	대변
1	00011	입금	0294	임대보증금	01056	(주)종우물산		사무실보증금	(현금)	30,000,000
1										
		합	계						30,000,000	30,000,000

카드등사용여부

NO : 11 (입금) 전 표 일 자 : 2021 년 1 월 1 일

계정과목		적요	차변(출금)	대변(입금)
0294	임대보증금	사무실보증금		30,000,000
0101	현금		30,000,000	
	합	계	30,000,000	30,000,000

전표 현재라인 인쇄

전표 선택일괄 인쇄[F9]

구분을 입력하세요. 1.출금, 2.입금, 3.차변, 4.대변, 5.결산차변, 6.결산대변

[주요항목별 입력내용 및 방법]

구 분	입력내용 및 방법
일	① 일자를 직접 입력하여 일일거래를 입력한다. ② 해당월만 입력 후 일자를 입력하지 않은 경우 월거래를 연속으로 입력한다.

구 분	입력내용 및 방법
번호	전표번호를 말하며 일자별로 자동으로 부여되어 작성된다. 전표번호 수정은 상단의 [SF2 번호수정]을 클릭하여 변경할 수 있다.
구분	[1: 출금, 2: 입금, 3: 차변, 4: 대변, 5: 결산차변, 6: 결산대변] ① 현금전표 - 출금전표: 1, 입금전표: 2. ② 대체전표 - 차변: 3, 대변: 4 ③ 결산전표 - 결산차변: 5, 결산대변: 6 (결산대체 분개시만 사용함)
계정과목	1. 계정코드를 모를 경우 입력방법 ① 코드란에 커서 위치시 F2 도움을 받아 원하는 계정을 부분 검색하여 Enter 로 입력한다. ② 코드란에 커서 위치시 계정과목명 앞 두 글자를 입력하여 Enter 로 입력한다. 2. 계정코드를 아는 경우 직접 계정코드를 입력
거래처	1. 거래처코드를 모를 경우 입력방법 ① 코드란에 커서 위치시 F2 도움을 받아 원하는 거래처를 부분 검색하여 Enter 하여 입력한다. (사업자등록번호로도 검색이 가능하다) ② 코드란에 커서 위치시 '+' 키를 누르고 원하는 거래처를 입력하고 Enter 한다. 2. 신규거래처일 경우 입력방법 코드란에 커서 위치시 '+' 키를 누른 후 거래처를 입력하고 Enter, 수정 ➔ 세부항목을 눌러 기본사항을 입력 ➔ 확인 ➔ 등록한다.
적요	적요는 숫자 0, 1~8, F8 중 해당번호를 선택 입력한다. ① 0 : 임의의 적요를 직접 입력하고자 할 때 선택한다. ② 1~8 : 화면 하단에 보여지는 내장적요로 해당번호를 선택 입력한다. 기 내장적요 외에 빈번하게 사용하는 적요의 경우에는 적요 코드도움 창에서 편집 ➔ F8 키를 눌러 기 등록된 적요를 수정 또는 추가할 수 있다. ③ F3 : 받을어음, 지급어음 등 자금관리를 하고자 할 경우 선택하며, 받을어음현황, 지급어음현황 등에 반영된다.

02 출금전표

현금 지출이 있는 출금거래를 입력하는 전표로서 출금거래의 대변 계정과목은 항상 현금이 되므로 전표에서는 입력이 생략되며 전표 아래의 분개내용은 대변에 현금계정이 표시된다.

실무문제 출금전표

■ 다음은 (주)우리악기의 거래자료이다. [일반전표입력] 메뉴에 입력하시오.

01 2월 4일 매출처 대표와 매화식당에서 식사를 하고 식사대 100,000원을 현금으로 지급하였다.

02 2월 4일 공장 건물에 대한 재산세 300,000원을 현금으로 납부하였다.

실무문제 따라하기

날짜를 입력한 다음 구분란에서 1.출금을 선택하고 차변계정과목과 금액을 입력한다.

[1] 2월 4일

구분	계정과목	거래처	적요	차변	대변
출금	0813.접대비	매화식당	2.일반 국내접대비	100,000	(현금)

TIP 매출거래처 접대목적으로 지출한 비용은 접대비 계정으로 800번대(판관비)를 선택하여 입력한다.

[2] 2월 4일

구분	계정과목	거래처	적요	차변	대변
출금	0517.세금과공과금		4.공장재산세 납부	300,000	(현금)

TIP 공장 건물의 재산세는 제조원가를 구성하는 500번대 세금과공과금 계정을 선택하여 입력한다.

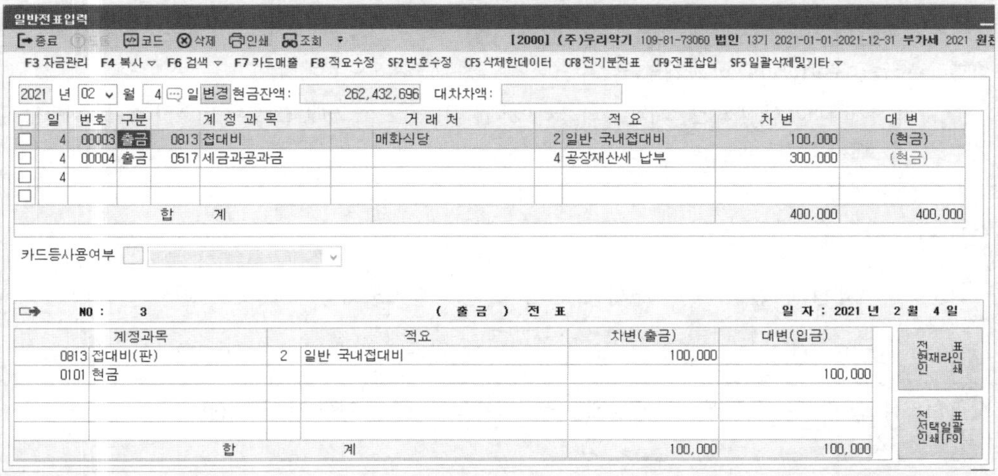

일반전표입력

종료 코드 삭제 인쇄 조회 [2000] (주)우리악기 109-81-73060 법인 13기 2021-01-01-2021-12-31 부가세 2021

F3 자금관리 F4 복사 F6 검색 F7 카드매출 F8 적요수정 SF2 번호수정 CF5 삭제한데이터 CF8 전기분전표 CF9 전표삽입 SF5 일괄삭제및기타

2021 년 02 월 4 일 변경 현금잔액: 262,432,696 대차차액:

일	번호	구분	계정과목		거래처	적요		차변	대변
4	00003	출금	0813	접대비	매화식당	2	일반 국내접대비	100,000	(현금)
4	00004	출금	0517	세금과공과금		4	공장재산세 납부	300,000	(현금)
4									
합계								400,000	400,000

카드등사용여부

NO : 3 (출금) 전표 일자 : 2021 년 2 월 4 일

계정과목		적요		차변(출금)	대변(입금)
0813	접대비(판)	2	일반 국내접대비	100,000	
0101	현금				100,000
합계				100,000	100,000

전표 현재라인 인쇄 / 전표 선택일괄 인쇄[F9]

03 입금전표

현금의 수입이 있는 입금거래를 입력하는 전표로서 입금거래의 차변 계정과목은 항상 현금이 되므로 전표에서는 입력이 생략되며 전표 아래의 분개내용은 차변에 현금계정이 표시된다.

실무문제 입금전표

■ 다음은 (주)우리악기의 거래자료이다. [일반전표입력] 메뉴에 입력하시오.

01 2월 6일 (주)비티엔상사에 제품을 판매하기로 하고 계약금 5,000,000원을 현금으로 받고 입금표를 발급해 주었다.

02 2월 6일 보유중인 (주)GG의 주식에 대한 500,000원의 중간배당이 결정되어 현금으로 수령하였다.(원천세는 고려할지 말 것)

실무문제 따라하기

날짜를 입력한 다음 구분란에서 2.입금을 선택하고 대변계정과목과 금액을 입력한다.

[1] 2월 6일

구분	계정과목	거래처	적요	차변	대변
입금	0259.선수금	01054.비티엔상사	2.매출 관련 선수금 현금수령	(현금)	5,000,000

TIP
- 제품을 판매하기로 하고 계약금을 수령한 경우 선수금 계정으로 처리한다.
- 특정거래처에 대한 채권 · 채무 등의 거래에 대하여는 반드시 거래처코드를 입력하여 거래처원장에 반영한다.

[2] 2월 6일

구분	계정과목	거래처	적요	차변	대변
입금	0903.배당금수익	(주)GG	1.현금배당금 수령	(현금)	500,000

TIP 보유하고 있는 유가증권에 대한 현금배당금 수령시 배당금수익 계정으로 처리한다.

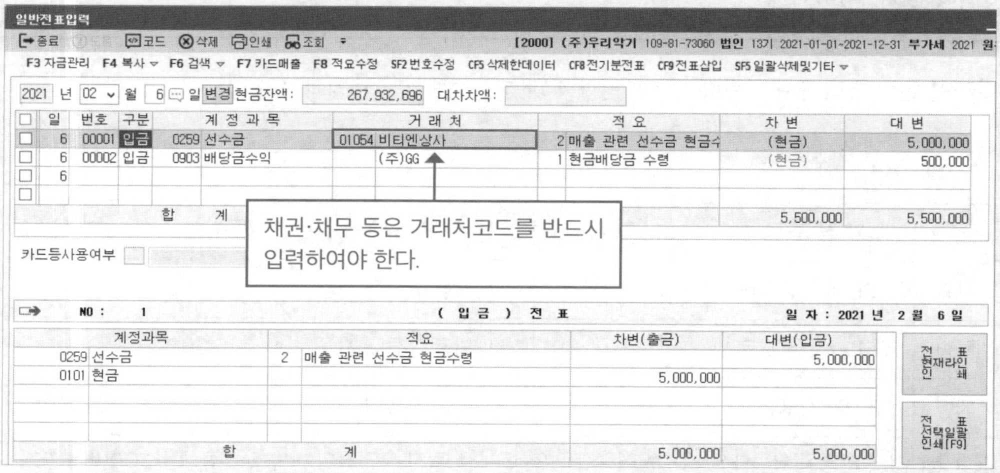

일반전표입력

종료 | 도움 | 코드 | 삭제 | 인쇄 | 조회 | [2000] (주)우리악기 109-81-73060 법인 13기 2021-01-01~2021-12-31 부가세 2021

F3 자금관리 F4 복사 F6 검색 F7 카드매출 F8 적요수정 SF2 번호수정 CF5 삭제한데이터 CF8 전기분전표 CF9 전표삽입 SF5 일괄삭제및기타

2021 년 02 월 6 일 변경 현금잔액: 267,932,696 대차차액:

일	번호	구분	계정과목	거래처	적요	차변	대변
6	00001	입금	0259 선수금	01054 비티엔상사	2 매출 관련 선수금 현금수	(현금)	5,000,000
6	00002	입금	0903 배당금수익	(주)GG	1 현금배당금 수령	(현금)	500,000
6							
			합계			5,500,000	5,500,000

채권·채무 등은 거래처코드를 반드시 입력하여야 한다.

카드등사용여부

NO : 1 (입금) 전표 일자 : 2021 년 2 월 6 일

계정과목	적요	차변(출금)	대변(입금)
0259 선수금	2 매출 관련 선수금 현금수령		5,000,000
0101 현금		5,000,000	
합계		5,000,000	5,000,000

전표 현재라인 인쇄 / 전표 선택일괄 인쇄[F9]

TIP 거래처코드를 반드시 입력해야 되는 계정

외상매출금, 받을어음, 미수금, 선급금, 단기대여금, 장기대여금, 가지급금, 외상매입금, 지급어음, 미지급금, 선수금, 단기차입금, 장치차입금, 유동성장기부채 등

04 대체전표

대체전표란 현금의 수입과 지출이 없는 거래전표로, 현금의 수입과 지출이 전혀 따르지 않는 전부 대체거래와 일부 현금의 수입과 지출이 있는 일부 대체거래를 입력한다.

실무문제 대체전표

■ 다음은 (주)우리악기의 거래자료이다. [일반전표입력] 메뉴에 입력하시오.

01 2월 7일 영업부서의 난방용 유류대 350,000원과 공장 작업실의 난방용 유류대 740,000원을 보통예금 계좌에서 이체하여 결제하였다.

02 2월 7일 제품을 생산하기 위해 희망전자(주)으로부터 재료를 매입하기로 하고 계약금 1,000,000원을 보통예금 계좌에서 인출하여 지급하였다.
(사업자등록번호 : 112-81-21646, 대표자 : 김철수, 거래처코드 2000번으로 등록하시오)

실무문제 따라하기

날짜를 입력한 다음 구분란에서 3.차변과 4.대변을 선택하고 계정과목과 금액을 입력한다..

[1] 2월 7일

구분	계정과목	거래처	적요	차변	대변
차변	0815.수도광열비		난방용 유류대 지급	350,000	
차변	0515.가스수도료		난방용 유류대 지급	740,000	
대변	0103.보통예금		난방용 유류대 지급		1,090,000

TIP 영업부의 난방용 유류대는 800번대 수도광열비 계정, 공장 작업실의 난방용 유류대는 500번대 가스수도료 계정으로 분리하여 처리한다.

[2] 2월 7일

구분	계정과목	거래처	적요	차변	대변
차변	0131.선급금	2000.희망전자(주)	원재료대금 선지급	1,000,000	
대변	0103.보통예금		원재료대금 선지급		1,000,000

TIP 신규거래처 등록 : 거래처코드란에서 '+' 또는 '00000'를 입력한 후 거래처명 '희망전자(주)'를 입력하고 Enter 한 다음 거래처코드 '02000', [수정]을 이용하여 하단의 거래처등록 내용을 입력한 후 [등록]한다.

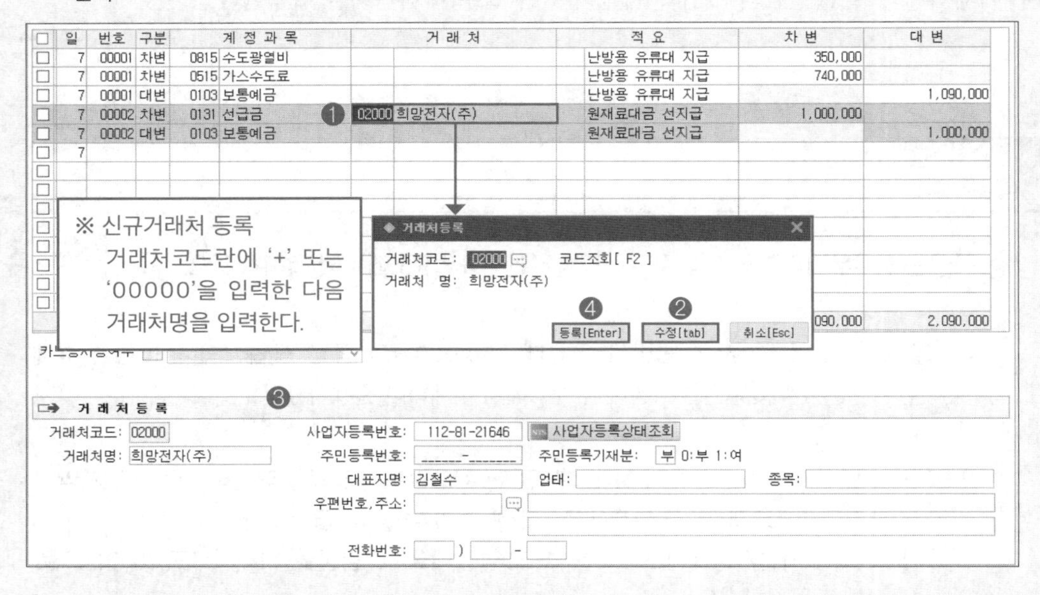

참고

자격시험 적요 입력방법

전산세무회계 자격시험에서 적요 입력은 채점 대상이 아니므로 생략하지만 타계정 대체거래는 적요번호를 반드시 선택하여 입력하여야 한다. 실무에서는 회계처리한 전표의 내용을 알아보기 위해 적요의 중요성이 강조되고 있으므로 간략하게 입력하는 연습이 필요하다.

05 유가증권 구입 및 매각

실 무 Check

[단기매매증권과 매도가능증권의 차이]

구 분	단기매매증권	매도가능증권
구입의도	단기간 시세차익 목적	시장성이 없으며 장기투자 목적
취득가액	매입가액 단, 취득시 부대비용은 영업외비용인 수수료비용 계정으로 처리	매입가액 + 취득시 부대비용
처분시	처분가액 - 장부가액 (단기매매증권처분손익 - 영업외비용)	처분가액 - 장부가액 (매도가능증권처분손익* - 영업외비용)
기말평가시	공정가액 (단기매매증권평가손익 - 영업외비용)	공정가액(공정가액이 없는 경우 원가법) (매도가능증권평가손익* - 기타포괄손익누계액(자본 항목))

* 단, 매도가능증권평가손익이 있는 경우 먼저 상계처리

실무문제 유가증권 구입 및 매각

■ 다음은 (주)우리악기의 거래자료이다. [일반전표입력] 메뉴에 입력하시오.

01 3월 2일 단기간 시세차익을 목적으로 기흥전자(주)의 주식 500주(액면가액 주당 20,000원)를 주당 19,000원에 매입하고, 증권수수료 등 제비용 70,000원을 포함하여 보통예금 계좌에서 이체하여 지급하였다.

02 3월 2일 장기적인 투자목적으로 (주)네이스 회사채를 다음과 같이 매입하고 대금과 매입수수료는 당좌수표를 발행하여 지급하였다. 단, 회사는 만기까지 보유할 의도가 없다.

[유가증권 매입 보고서]

일자	회사명	종류	수량	액면가액 (좌당)	취득가액 (좌당)	매입수수료
2021.3.2.	(주)네이스	회사채(3년만기)	1,000	10,000원	8,000원	100,000원

03 3월 2일 장기투자목적으로 구입하였던 주식 300주(장부가액 : 3,000,000원)를 한국증권거래소에서 1주당 9,000원에 처분하고, 수수료 80,000원을 차감한 잔액을 보통예금 계좌로 이체받았다. (단, 전년도 매도가능증권평가손실 잔액 500,000원이 계상되어 있다.)

실무문제 따라하기

[1] 3월 2일 (차) 0107.단기매매증권 9,500,000 (대) 0103.보통예금 9,570,000
0984.수수료비용 70,000

TIP
- 500주 × 19,000원 = 9,500,000원
- 단기시세 차익을 목적으로 구입한 주식은 단기매매증권 계정, 취득시 부대비용은 영업외비용인 수수료비용 계정으로 별도 처리한다.

[2] 3월 2일 (차) 0178.매도가능증권 8,100,000 (대) 0102.당좌예금 8,100,000

TIP 장기투자 목적으로 구입하고 만기까지 보유할 의사가 없는 회사채는 매도가능증권(비유동자산) 계정에 취득시 부대비용을 포함하여 회계처리한다.

[3] 3월 2일 (차) 0103.보통예금 2,620,000 (대) 0178.매도가능증권 3,000,000
0971.매도가능증권처분손실 880,000 0395.매도가능증권평가손실 500,000

TIP
- 처분가액(300주 × 9,000원) - 장부가액(3,000,000원) - 수수료(80,000원) - 매도가능증권평가손실(500,000원) = -880,000원 (처분손실)
- 매도가능증권 처분시 매도가능증권평가손실을 상계처리한 후 차액을 매도가능증권처분손실 계정으로 처리한다.

□	일	번호	구분	계 정 과 목		거 래 처	적 요	차 변	대 변
□	2	00008	차변	0107	단기매매증권	기흥전자(주)	1 주식매입	9,500,000	
□	2	00008	차변	0984	수수료비용		1 유가증권 취득수수료	70,000	
□	2	00008	대변	0103	보통예금		주식매입		9,570,000
□	2	00009	차변	0178	매도가능증권	(주)네이스	회사채 매입	8,100,000	
□	2	00009	대변	0102	당좌예금		회사채 매입		8,100,000
□	2	00010	차변	0103	보통예금		주식매각	2,620,000	
□	2	00010	차변	0971	매도가능증권처분손실		주식매각	880,000	
□	2	00010	대변	0178	매도가능증권		주식매각		3,000,000
□	2	00010	대변	0395	매도가능증권평가손실				500,000
□	2								
□									
		합 계						21,170,000	21,170,000

카드등사용여부

NO : 9 (대 체) 전 표 일 자 : 2021 년 3 월 2 일

계정과목		적요	차변(출금)	대변(입금)
0178	매도가능증권	회사채 매입	8,100,000	
0102	당좌예금	회사채 매입		8,100,000

전표 현재라인 인쇄

06 대손 발생과 회수

❶ 대손 발생

구 분	대손 발생	대손 회수
매출채권	대손상각비(판관비)	대손충당금(판관비)
기타채권	기타의대손상각비(영업외비용)	대손충당금(영업외수익)

❷ 대손처리한 채권회수시 회계처리

구분	차 변		대 변	
대손세액공제 적용채권	현금 등	×××	대손충당금 부가세예수금	××× ×××
대손세액공제 미적용채권	현금 등	×××	대손충당금	×××

실무문제 대손 발생과 회수

■ 다음은 (주)우리악기의 거래자료이다. [일반전표입력] 메뉴에 입력하시오.

01 3월 3일 해동악기의 파산으로 인하여 외상대금 1,200,000원이 회수불능되어 전액 대손처리하기로 하였다.(본 문제에 한하여 부가가치세는 고려하지 않으며, 대손충당금 계정을 확인하여 처리하시오.)

02 3월 3일 당사는 종로상사에게 대여한 단기대여금 5,000,000원을 회수불능채권으로 보아 전액 대손처리하였다.

03 3월 3일 작년에 대손충당금과 상계로 대손처분하고 부가가치세법상 대손세액공제처리 하였던 협진상사의 외상매출금 3,300,000원(부가가치세 포함)을 현금으로 회수하였다.(단, 부가가치세신고서의 반영은 생략한다.)

실무문제 따라하기

[1] 3월 3일 (차) 0109.대손충당금 1,200,000 (대) 0108.외상매출금(해동악기) 1,200,000

TIP [합계잔액시산표] 메뉴에서 3월 3일로 외상매출금 계정의 대손충당금(0109) 금액을 확인한 다음 대손충당금(판관비) 계정으로 처리한다.

[2] 3월 3일 (차) 0954.기타의대손상각비 5,000,000 (대) 0114.단기대여금(종로상사) 5,000,000

TIP [합계잔액시산표] 메뉴에서 단기대여금 계정의 대손충당금(0115) 금액이 없음을 확인한 다음 당기 비용인 기타의대손상각비(영업외비용) 계정으로 처리한다.

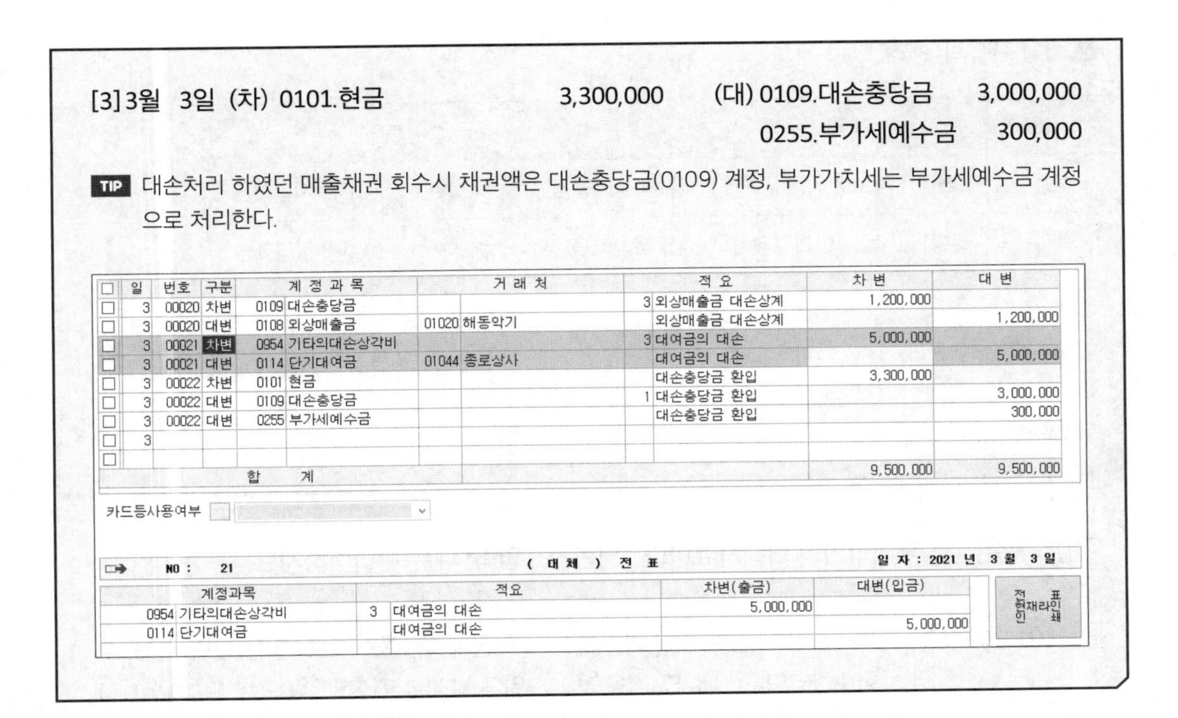

[3] 3월 3일 (차) 0101.현금 3,300,000 (대) 0109.대손충당금 3,000,000
0255.부가세예수금 300,000

TIP 대손처리 하였던 매출채권 회수시 채권액은 대손충당금(0109) 계정, 부가가치세는 부가세예수금 계정으로 처리한다.

일	번호	구분	계 정 과 목		거 래 처		적 요		차 변	대 변
3	00020	차변	0109	대손충당금			3	외상매출금 대손상계	1,200,000	
3	00020	대변	0108	외상매출금	01020	해동악기		외상매출금 대손상계		1,200,000
3	00021	차변	0954	기타의대손상각비			3	대여금의 대손	5,000,000	
3	00021	대변	0114	단기대여금	01044	종로상사		대여금의 대손		5,000,000
3	00022	차변	0101	현금				대손충당금 환입	3,300,000	
3	00022	대변	0109	대손충당금			1	대손충당금 환입		3,000,000
3	00022	대변	0255	부가세예수금				대손충당금 환입		300,000
3										
			합 계						9,500,000	9,500,000

카드등사용여부

NO : 21 (대 체) 전 표 일 자 : 2021 년 3 월 3 일

계정과목		적요		차변(출금)	대변(입금)
0954	기타의대손상각비	3	대여금의 대손	5,000,000	
0114	단기대여금		대여금의 대손		5,000,000

전표 현재라인 인쇄

07 어음관리

실 무 Check

❶ 받을어음의 관리

구 분	거 래	분 개			
보 관	외상대금 어음회수	(차) 받을어음	×××	(대) 외상매출금	×××
	건물 매각시 어음회수	(차) 미수금	×××	(대) 건물	×××
결 제	만기된 어음의 결제시	(차) 당좌예금	×××	(대) 받을어음	×××
부 도	은행에서 지급거절	(차) 부도어음과수표	×××	(대) 받을어음	×××
배 서	외상대금지급시 어음양도	(차) 외상매입금	×××	(대) 받을어음	×××
할 인	매각거래시	(차) 매출채권처분손실 당좌예금	××× ×××	(대) 받을어음	×××
	차입거래시	(차) 이자비용 당좌예금	××× ×××	(대) 단기차입금	×××

❷ 지급어음의 관리

구 분	거 래	분 개			
발행	물품대금으로 어음발행	(차) 외상매입금	×××	(대) 지급어음	×××
결제	발행된 어음의 만기결제시	(차) 지급어음	×××	(대) 당좌예금	×××

실무문제 어음관리

다음은 (주)우리악기의 거래자료이다. [일반전표입력] 메뉴에 입력하시오.

01 3월 6일 (주)두성라이프의 제품매출에 대한 외상매출금 5,000,000원을 약속어음으로 회수하였다. 동 대금잔액은 2월 28일에 발생한 매출할인 조건부(2/10, n/15) 거래에 대한 것으로서 동 공급에 관한 최초의 결제이다.(단, 부가가치세는 고려하지 않는다.)

02 3월 6일 운전자금 확보를 위해 주거래처인 (주)영광악기로부터 매출대금으로 받은 약속어음 2,000,000원을 곧바로 농협은행에서 할인하고 할인료 10,000원을 차감한 잔액을 당좌예금 계좌로 입금받았다. 단, 어음할인은 매각거래로 간주한다.

03 3월 6일 상품 매입처인 두리유통이 당사의 외상매입금 6,600,000원에 대한 상환을 요구하면서 이 중 600,000원을 면제하여 주다. 나머지 외상매입금은 1개월 만기로 전자어음을 발행하여 지급하였다.

04 3월 6일 금일 (주)G악기에 발행하였던 어음 10,000,000원이 만기되어 당좌예금 계좌에서 결제됨을 거래은행으로부터 통지받았다.

실무문제 따라하기

[1] 3월 6일

(차) 0110.받을어음((주)두성라이프) 4,900,000 (대) 0108.외상매출금((주)두성라이프) 5,000,000
0406.매출할인 100,000

TIP 5,000,000원 × 2% = 100,000원 (제품매출할인)

[2] 3월 6일

(차) 0102.당좌예금 1,990,000 (대) 0110.받을어음((주)영광악기) 2,000,000

0956.매출채권처분손실 10,000

TIP 어음할인시 매각거래로 간주하는 경우 할인료는 매출채권처분손실 계정으로 처리한다.

[3] 3월 6일

(차) 0251.외상매입금(두리유통) 6,600,000 (대) 0252.지급어음(두리유통) 6,000,000

0918.채무면제이익 600,000

TIP 거래처로부터 외상대금을 면제받은 경우 채무면제이익 계정으로 처리한다.

[4] 3월 6일

(차) 0252.지급어음((주)G악기) 10,000,000 (대) 0102.당좌예금 10,000,000

□	일	번호	구분	계 정 과 목		거 래 처		적 요		차 변	대 변
□	6	00017	차변	0110	받을어음	01003	(주)두성라이프	3	외상매출금 어음회수	4,900,000	
□	6	00017	차변	0406	매출할인			1	매출할인의 외상대금상계	100,000	
□	6	00017	대변	0108	외상매출금	01003	(주)두성라이프	5	외상매출대금 받을어음		5,000,000
□	6	00018	차변	0102	당좌예금			4	받을어음 당좌입금	1,990,000	
□	6	00018	차변	0956	매출채권처분손실				어음 할인액	10,000	
□	6	00018	대변	0110	받을어음	01049	(주)영광악기	5	어음할인액		2,000,000
□	6	00019	차변	0251	외상매입금	01013	두리유통	2	외상매입금 지급어음 발	6,600,000	
□	6	00019	대변	0252	지급어음	01013	두리유통	3	외상매입금반제 어음발행		6,000,000
□	6	00019	대변	0918	채무면제이익			4	외상대금 채무면제이익		600,000
□	6	00020	차변	0252	지급어음	01047	(주)G악기	2	지급어음 결제	10,000,000	
□	6	00020	대변	0102	당좌예금		(주)G악기	5	지급어음 당좌결제		10,000,000
□	6										
□											
			합		계					23,600,000	23,600,000

카드등사용여부

NO : 19 (대 체) 전 표 일 자 : 2021 년 3 월 6 일

계정과목		적요		차변(출금)	대변(입금)
0251	외상매입금	2	외상매입금 지급어음 발행	6,600,000	
0252	지급어음	3	외상매입금반제 어음발행		6,000,000
0918	채무면제이익	4	외상대금 채무면제이익		600,000
	합		계	6,600,000	6,600,000

전표 현재라인 인쇄

전표 선택일괄 인쇄[F9]

08 사채발행

실 무
Check

사채를 발행하면 발행회사는 미래에 채무액을 상환하여야 할 의무가 있고 사채의 가격은 미래에 지급될 것으로 기대되는 현금유출액 즉, 액면금액과 이자의 현재가치로 결정되어야 한다.

❶ 사채의 가격결정에 영향을 미치는 요소

- 만기에 지급될 금액 : 액면금액(사채표면에 기재된 금액)
- 이자 : 이자율과 이자지급기일
- 돈 빌리는 기간 : 사채의 발행일과 만기일

❷ 사채의 가격결정시 고려해야 할 이자율

- 액면이자율 : 발행회사가 사채의 구입자에게 지불하기로 약정한 이자율
- 시장이자율 : 일반투자자들이 사채를 구입하는 대신 다른 곳에 투자하는 경우 받을 수 있는 평균이자율을 말하며, 이 시장이자율(유효이자율)로 할인하여 현재가치를 계산한다.

실무문제 사채발행

■ 다음은 (주)우리악기의 거래자료이다. [일반전표입력] 메뉴에 입력하시오.

01 3월 7일 당사는 회사채 5,000좌(액면가액 1좌당 10,000원, 만기 3년, 액면이자율 10%)를 48,500,000원에 발행하고 대금은 보통예금 계좌로 이체받았다. 또한, 사채등록비 및 인쇄비용 1,500,000원을 별도 현금으로 지급하였다.

실무문제	따라하기

[1] 3월 7일 (차) 0103.보통예금 48,500,000 (대) 0291.사채 50,000,000
0292.사채할인발행차금 3,000,000 0101.현금 1,500,000

TIP 사채할인발행시 발행가액과 액면가액의 차이는 사채할인발행차금 계정, 사채발행과 관련된 비용은 사채할인발행차금 계정에 가산(+)하여 처리한다.

□	일	번호	구분	계정과목	거래처		적요	차변	대변
□	7	00001	차변	0103 보통예금			회사채 발행	48,500,000	
□	7	00001	차변	0292 사채할인발행차금		1	사채발행시 할인차금	3,000,000	
□	7	00001	대변	0291 사채		1	회사채 발행		50,000,000
□	7	00001	대변	0101 현금			사채관련비용		1,500,000
□	7								
□									
			합 계					51,500,000	51,500,000

카드등사용여부

NO : 1 (대체) 전 표 일 자 : 2021 년 3 월 7 일

계정과목		적요	차변(출금)	대변(입금)
0103 보통예금		회사채 발행	48,500,000	
0292 사채할인발행차금	1	사채발행시 할인차금	3,000,000	
0291 사채	1	회사채 발행		50,000,000
0101 현금		사채관련비용		1,500,000
합		계	51,500,000	51,500,000

전표 현재라인 인쇄

전표 선택일괄 인쇄[F9]

09 주식 발행 및 감자

실 무 Check

구 분	자본잉여금	자본조정
신주발행	주식발행초과금	주식할인발행차금
	주식할인발행차금은 주식발행초과금과 우선 상계처리하고 잔액이 남은 경우 주식발행연도부터 3년간 매기 균등액을 이익잉여금 처분시 상각한다.	
자본금감소(감자)	감자차익	감자차손
	감자차손은 이익잉여금 처분시 미처분이익잉여금과 상계 처리한다.	
자기주식처분	자기주식처분이익	자기주식처분손실
	자기주식처분손실의 잔액이 발생하면 이익잉여금 처분시 미처분이익잉여금과 상계 처리한다.	

실무문제 주식 발행 및 감자

■ 다음은 (주)우리악기의 거래자료이다. [일반전표입력] 메뉴에 입력하시오.

01 3월 8일 자본을 감소하기 위하여 주식 1,000주(액면가액 10,000원)를 1주당 12,000원으로 주주에게 현금으로 매입함과 동시에 소각하였다.(단, 자본 항목을 확인하여 처리할 것)

02 3월 8일 자기주식 500주(액면가액 10,000원)를 1주당 12,000원에 현금으로 매입하였다.

실무문제 따라하기

[1] 3월 8일 (차) 0331.자본금 10,000,000 (대) 0101.현금 12,000,000
0342.감자차익 1,500,000
0399.감자차손 500,000

TIP
- 1,000주 × 액면가액 10,000원 = 10,000,000원 (자본금)
- 주식 소각시 [합계잔액시산표] 메뉴에서 감자차익 계정의 금액을 확인하여 우선 상계처리한다.

[2] 3월 8일 (차) 0383.자기주식 6,000,000 (대) 0101.현금 6,000,000

□	일	번호	구분	계정과목		거래처		적요	차변	대변
□	8	00014	차변	0331	자본금			자본 감소시 소각	10,000,000	
□	8	00014	차변	0342	감자차익			자본 감소시 상계처리	1,500,000	
□	8	00014	차변	0389	감자차손			자본 감소시 차손발생	500,000	
□	8	00014	대변	0101	현금			자본 감소시 주식매입		12,000,000
□	8	00015	차변	0383	자기주식			자기주식 매입	6,000,000	
□	8	00015	대변	0101	현금			자기주식 매입		6,000,000
□	8									
□										
				합	계				18,000,000	18,000,000

카드등사용여부

NO : 15 (대체) 전표 일 자 : 2021 년 3 월 8 일

계정과목		적요	차변(출금)	대변(입금)
0383	자기주식	자기주식 매입	6,000,000	
0101	현금	자기주식 매입		6,000,000

전표 현재라인 인쇄

10 이익잉여금의 처분

실 무
Check

구 분	현금배당	주식배당
배당기준일	분개없음	분개없음
배당선언일	(차) 이월이익잉여금 ××× (대) 미지급배당금 ×××	(차) 이월이익잉여금 ××× (대) 미교부주식배당금 ×××
배당지급일	(차) 미지급배당금 ××× (대) 현금 ×××	(차) 미교부주식배당금 ××× (대) 자본금 ×××
중간배당 결의일	(차) 중간배당금 ××× (대) 미지급배당금 ×××	※ 기중에 이사회 결의 등에 의해서 중간배당을 할 수 있으나 현금배당만 가능하다.

실무문제

■ 다음은 (주)우리악기의 거래자료이다. [일반전표입력] 메뉴에 입력하고, 전기분 이익잉여금처분계산서를 작성하시오.

01 3월 10일　처분확정일의 회계처리를 입력하시오.

▶ <자료> 2021년 3월 10일 주주총회에 의한 이익처분내역

• 이익준비금	(상법규정에 의해 10% 적립)
• 현금배당금	10,000,000원
• 주식배당금	5,000,000원

02 3월 15일　전기분 이익잉여금처분계산서대로 주주총회에서 확정(배당결의일 3월 10일)된 배당액을 지급하였다. 원천징수세액 1,540,000원을 제외한 8,460,000원을 현금으로 지급하였고, 주식배당 5,000,000원은 주식을 발행(액면발행)하여 교부하였다.

실무문제 따라하기

[1] ① 3월 10일 일반전표입력

(차) 0375.이월이익잉여금	16,000,000	(대) 0351.이익준비금	1,000,000
		0265.미지급배당금	10,000,000
		0387.미교부주식배당금	5,000,000

TIP 이익준비금은 상법규정에 의해 현금배당금의 10%를 적립한다.

□	일	번호	구분	계정과목		거래처		적요	차변	대변
□	10	00002	차변	0375	이월이익잉여금			1 이익잉여금 배당처분액	16,000,000	
□	10	00002	대변	0351	이익준비금			4 이익준비금 당기적립액		1,000,000
□	10	00002	대변	0265	미지급배당금			2 잉여금 배당처분		10,000,000
□	10	00002	대변	0387	미교부주식배당금			잉여금 배당처분		5,000,000
□	10									
□										
		합	계						16,000,000	16,000,000

카드등사용여부

NO : 2 (대 체) 전 표 일 자 : 2021 년 3 월 10 일

계정과목		적요		차변(출금)	대변(입금)
0375	이월이익잉여금	1	이익잉여금 배당처분액	16,000,000	
0351	이익준비금	4	이익준비금 당기적립액		1,000,000
0265	미지급배당금	2	잉여금 배당처분		10,000,000
0387	미교부주식배당금		잉여금 배당처분		5,000,000
합		계		16,000,000	16,000,000

전표 현재라인 인쇄 / 전표 선택일괄 인쇄[F9]

② 전기분 잉여금처분계산서 (처분확정일자 : 2021년 3월 10일)

전기분잉여금처분계산서

종료 도움 코드 삭제 인쇄 조회 [2000] (주)우리악기 109-81-73060 법인 13기 2021-01-01~2021-12-31 부가세 2021

F4 칸추가 F6 불러오기 CF3 기본 과목으로 변경

처분확정일자 : 2021 년 3 월 10 일

과목	계정과목명		제 12(전)기 2020년01월01일~2020년12월31일 금액	
	코드	계정과목	입력금액	합계
I.미처분이익잉여금				168,240,000
1.전기이월미처분이익잉여금			95,590,000	
2.회계변경의 누적효과	0369	회계변경의누적효과		
3.전기오류수정이익	0370	전기오류수정이익		
4.전기오류수정손실	0371	전기오류수정손실		
5.중간배당금	0372	중간배당금		
6.당기순이익			72,650,000	
II.임의적립금 등의 이입액				
1.				
2.				
합계(I + II)				168,240,000
III.이익잉여금처분액				16,000,000
1.이익준비금	0351	이익준비금	1,000,000	
2.재무구조개선적립금	0354	재무구조개선적립금		
3.주식할인발행차금상각액	0381	주식할인발행차금		
4.배당금			15,000,000	
가.현금배당	0265	미지급배당금	10,000,000	
주당배당금(률)		보통주(원/%)		
		우선주(원/%)		
나.주식배당	0387	미교부주식배당금	5,000,000	
주당배당금(률)		보통주(원/%)		
		우선주(원/%)		
5.사업확장적립금	0356	사업확장적립금		
6.감채적립금	0357	감채적립금		
7.배당평균적립금	0358	배당평균적립금		
IV.차기이월미처분이익잉여금				152,240,000

[2] 3월 15일 일반전표입력

(차) 0265.미지급배당금 10,000,000 (대) 0254.예수금 1,540,000
0387.미교부주식배당금 5,000,000 0101.현금 8,460,000
0331.자본금 5,000,000

일	번호	구분	계정과목	거래처	적요	차변	대변
15	00006	차변	0265 미지급배당금		1 미지급 배당금 지급	10,000,000	
15	00006	차변	0387 미교부주식배당금		미교부주식 배당금 지급	5,000,000	
15	00006	대변	0254 예수금		원천징수세액 예수		1,540,000
15	00006	대변	0101 현금		미지급 배당금 지급		8,460,000
15	00006	대변	0331 자본금		5 주식배당시의 자본증가		5,000,000
15							
		합 계				15,000,000	15,000,000

카드등사용여부

NO : 6 (대체) 전 표 일 자 : 2021 년 3 월 15 일

계정과목	적요	차변(출금)	대변(입금)
0265 미지급배당금	1 미지급 배당금 지급	10,000,000	
0387 미교부주식배당금	미교부주식 배당금 지급	5,000,000	
0254 예수금	원천징수세액 예수		1,540,000
0101 현금	미지급 배당금 지급		8,460,000
0331 자본금	5 주식배당시의 자본증가		5,000,000
합 계		15,000,000	15,000,000

전표 현재라인 인쇄 / 전표 선택일괄 인쇄[F9]

11 퇴직연금 및 중도퇴사자 퇴직금 지급

실무 Check

구 분		확정급여형(DB형)	확정기여형(DC형)
운용방법		퇴직급여충당부채를 설정해야 하며, 납부시 퇴직연금운용자산으로 처리한다.	기업이 납부해야 할 부담금(기여금)을 퇴직급여(비용)로 인식하고, 퇴직연금운용자산, 퇴직급여충당부채 및 퇴직연금미지급금은 인식하지 아니한다.
운용책임		회 사	종업원
회계처리	납부시	(차) 퇴직연금운용자산 ××× (대) 현 금 ×××	(차) 퇴직급여 ××× (대) 현 금 ×××
	운용수익 발생시	(차) 퇴직연금운용자산 ××× (대) 이자수익* ×××	분개없음
		* 퇴직연금운용자산의 적립금에서 발생하는 수익은 회사에 귀속되는 수익으로 퇴직연금운용수익 또는 이자수익 계정으로 처리한다.	
	결산시	(차) 퇴직급여 ××× (대) 퇴직급여충당부채 ×××	분개없음

실무문제 퇴직연금 및 중도퇴사자 퇴직금 지급

■ 다음은 (주)우리악기의 거래자료이다. [일반전표입력] 메뉴에 입력하시오.

01 3월 16일 확정기여형 퇴직연금제도를 설정하고 있는 당사는 퇴직연금의 부담금(기여금) 1,500,000원(제조 1,000,000원, 관리 500,000원)을 보통예금 계좌에서 이체하여 납부하였다.(본 문제에 한하여 확정기여형 퇴직연금에 가입한 것으로 한다.)

02 3월 16일 퇴직연금운용자산 계좌에 이자 300,000원이 입금되었다. 당사는 전임직원의 퇴직금 지급보장을 위하여 은행에 확정급여형(DB) 퇴직연금에 가입되어 있다.

03 3월 16일 사무직원 홍길동씨가 퇴사하여 퇴직금을 우리은행 보통예금 통장에서 지급하고 퇴직소득원천징수영수증을 발급하였다. 단, 퇴직급여충당부채 잔액은 충분하며, 퇴직금 중 3,000,000원은 퇴직연금급여형에 가입되어 있다.

■ 소득세법 시행규칙 [별지 제24호서식(1)] <개정 2018.3.10. 개정>

(제 2 쪽)

관리번호	퇴직소득원천징수영수증/지급명세서 ([ ]소득자 보관용 [ ]발행자 보관용 [√]발행자 보고용)	거주구분	거주자1 / 비거주자2
		내·외국인	내국인1 / 외국인9
		거주지국 대한민국	거주지코드 KR
		징수의무자구분	사업장1 / 공적연금사업자3

구분	항목	내용	항목	내용
징수의무자	① 사업자 등록번호	109-81-73060	② 법인명(상호)	(주)우리악기 / ③ 대표자(성명) 이순재
	④ 법인(주민)등록번호	143265-7893422	⑤ 소재지(주소)	경기도 수원시 팔달구 경수대로 424
소득자	⑥ 성 명	홍길동	⑦ 주민등록번호	560411-1711118
	⑧ 주 소		⑨ 임원여부	[ ]여 [√]부
	⑩ 확정급여형 퇴직연금 제도가입일	2017/09/01		
⑪ 귀속연도	2010년 3월 1일 부터 2021년 3월 16일 까지		⑫ 퇴직사유	□ 정년퇴직 □ 정리해고 □ 자발적 퇴직 □ 임원퇴직 □ 중간정산 □ 기타

	구 분	중간지급 등	최종	정산
퇴직급여현황	⑬ 근무처명		(주)우리악기	
	⑭ 사업자등록번호		109-81-73060	
	⑮ 퇴직급여		12,000,000	12,000,000
	⑯ 비과세 퇴직급여			
	⑰ 과세대상퇴직급여(⑮-⑯)		12,000,000	12,000,000

~ 중간생략 ~

	구 분	소득세	지방소득세	농어촌특별세	계
납부명세	㊸신고대상세액(㊳)	400,000	40,000		440,000
	㊹이연퇴직소득세(㊷)				
	㊺차감원천징수세액(㊳-㊷)	400,000	40,000		440,000

위의 원천징수세액(퇴직소득)을 정히 영수(지급)합니다. 2021년 03월 16일

실무문제 따라하기

[1] 3월 16일 (차) 0508.퇴직급여 1,000,000 (대) 0103.보통예금 1,500,000
0806.퇴직급여 500,000

TIP 확정기여형 퇴직연금제도를 설정한 경우 회사가 납부하여할 부담금(기여금)을 퇴직급여(비용)으로 인식한다.

[2] 3월 16일 (차) 0186.퇴직연금운용자산 300,000 (대) 0901.이자수익 300,000

TIP 퇴직연금운용자산의 이자가 발생하면 이자수익 계정으로 처리한다.

[3] 3월 16일

(차) 0295.퇴직급여충당부채 12,000,000 (대) 0254.예수금 440,000
(적요 1.퇴직시 급여충당부채 상계(판관)) 0186.퇴직연금운용자산 3,000,000
0103.보통예금 8,560,000

TIP 퇴직시 퇴직급여충당부채 잔액을 확인하여 상계 처리하고 반드시 적요 1.퇴직시 퇴직급여충당부채 상계(판관)을 입력하여 반영한다.

□	일	번호	구분	계 정 과 목	거 래 처	적 요	차 변	대 변
□	16	00012	차변	0508 퇴직급여		퇴직연금 기여금 이체	1,000,000	
□	16	00012	차변	0806 퇴직급여		퇴직연금 기여금 이체	500,000	
□	16	00012	대변	0103 보통예금		퇴직연금 기여금 이체		1,500,000
□	16	00013	차변	0186 퇴직연금운용자산		퇴직연금운용자산 이자입	300,000	
□	16	00013	대변	0901 이자수익		퇴직연금운용자산 이자입		300,000
□	16	00014	차변	0295 퇴직급여충당부채		1 퇴직시 퇴직급여충당부치	12,000,000	
□	16	00014	대변	0254 예수금		퇴직시 소득세 등 예수		440,000
□	16	00014	대변	0186 퇴직연금운용자산		퇴직시 퇴직연금 상계		3,000,000
□	16	00014	대변	0103 보통예금				8,560,000
□	16							
□								
				합 계			13,800,000	13,800,000

카드등사용여부

적요

1 퇴직시 퇴직급여충당부채 상계(판관)	6 퇴직급여충당부채 환입
2 퇴직시 퇴직급여충당부채 상계(제조)	7 퇴직급여충당부채당기설정액
3 퇴직시 퇴직급여충당부채 상계(도급)	8 퇴직시 퇴직급여충당부채 상계(보관)
4 퇴직시 퇴직급여충당부채 상계(분양)	9 퇴직시 퇴직급여충당부채 상계(운송)
5 퇴직급여충당부채 전기 설정액	

12 기타 비용 거래

실 무 Check

❶ 운용리스의 회계처리

구 분	리스 제공자	리스 이용자
리스료 수익과 비용의 인식	(차) 현금 · 미수수익 ××× (대) 리스료수익 ×××	(차) 임차료(리스료) ××× (대) 현금 · 미지급비용 ×××
감가상각비의 인식	(차) 감가상각비 ××× (대) 감가상각누계액 ×××	회계처리 없음

❷ 외환회계

외화자산과 부채의 회수(상환)시 환율로 인한 장부가액과 회수액(상환액)의 차액은 '외환차손' 또는 '외환차익' 계정으로 회계처리한다.

❸ 소비대차계약

당사자의 일방이 금전(金錢), 기타의 대체물(代替物)의 소유권을 상대방에게 이전할 것을 약정하고, 상대방은 그와 같은 종류, 품질, 수량으로 반환할 것을 약정함으로써 성립하는 계약이다. 주로 금전소비대차로 발생되며, '단기대여금' 또는 '단기차입금' 계정으로 회계처리한다.

❹ 재고자산의 타계정으로 대체액

- 재고자산(상품, 원재료, 제품 등)을 구매(또는 생산)한 원래의 목적으로 사용되지 않고, 수선비, 접대비 · 기부금 등으로 사용된 경우에 해당한다.
- 재고자산의 대변계정 기입시 적요8.타계정으로대체액을 선택하여야 원가계산시 차감하여 반영된다.

❺ 비용의 구분

- 공장 및 생산용으로 발생된 비용은 500번대(제조경비) 계정과목을 사용하여야 원가를 구성하는 [제조원가명세서]에 반영되고, 판매와 관리를 위하여 지출된 비용은 800번대(판관비) 계정과목을 사용하여야 [손익계산서]에 반영된다.

실무문제 기타 비용 거래

다음은 (주)우리악기의 거래자료이다. [일반전표입력] 메뉴에 입력하시오.

01 3월 22일 (주)하늘캐피탈과 운용리스계약을 맺고 본사 임원이 승용차를 사용하고 있다. 리스료 1,800,000원을 매월 25일에 지급하기로 약정하고 금일 우리은행 보통예금 계좌에서 이체하여 지급하였다.

02 3월 22일 미국 Post.com으로부터 작년 1월 10일 차입한 외화장기차입금 $10,000에 대해 원화를 외화($)로 환전하여 상환하였다. 단, 전기말 외화부채와 관련해서는 적절하게 평가하였고, 환전수수료 등 기타 부대비용은 없다고 가정한다.

일자	환율
2020.1.10.	1,100원/1$
2020.12.31.	1,120원/1$
2021.3.22.	1,150원/1$

03 3월 22일 고산전자에 대한 외상매입금 10,000,000원 중 5,000,000원은 보통예금 계좌에서 이체하였고, 나머지 금액은 다음과 같은 내용의 금전대차거래로 전환하기로 하였다.

- 이자율 : 연 12% (단, 원리금 상환지체시 연 30% 추가)
- 원금상환기한 : 차용일로부터 10개월
- 이자지급기한 : 원금 상환시 일시지급
- 차용일 : 3월 22일

04 3월 22일 당사가 제조한 제품(원가 2,000,000원, 판매가 3,000,000원)을 공장종업원의 생일 선물로 사용하였다.

05 3월 22일 한국기술교육재단에서 실시하는 정기교육에 본사 회계부서 직원을 참가시키면서 교육참가비와 교재비 합계 150,000원을 국민카드로 결제하다.

실무문제 따라하기

[1] 3월 22일

(차) 0819.임차료 1,800,000 (대) 0103.보통예금 1,800,000

TIP 본사 임원용 차량에 대한 리스료는 임차료(판) 계정으로 처리한다.

[2] 3월 22일

(차) 0305.외화장기차입금(Post.com.) 11,200,000 (대) 0101.현금 11,500,000
0952.외환차손 300,000

TIP 장부가액($10,000 × 1,120원) - 상환액($10,000 × 1,150원) = -300,000원 (외환차손)

[3] 3월 22일

(차) 0251.외상매입금(고산전자) 10,000,000 (대) 0103.보통예금 5,000,000
0260.단기차입금(고산전자) 5,000,000

TIP 외상대금을 금전대차거래로 전환한 경우 기간에 따라 단기차입금 계정으로 처리한다.

[4] 3월 22일

(차) 0511.복리후생비 2,000,000 (대) 0146.상품 2,000,000
(적요 8.타계정으로 대체액 손익계산서 반영분)

TIP 당사의 제품을 공장종업원을 위해 사용하는 경우 원가로 처리하며 적요 8.타계정으로 대체액을 선택하여 손익계산서에 반영한다.

[5] 3월 22일

(차) 0825.교육훈련비 150,000 (대) 0253.미지급금(국민카드) 150,000

TIP 교육비를 법인카드로 결제한 경우 미지급금 계정으로 처리하고 거래처는 카드사인 국민카드를 선택한다.

□	일	번호	구분	계 정 과 목		거 래 처		적 요		차 변	대 변
□	22	00011	차변	0819	임차료				리스료 지급	1,800,000	
□	22	00011	대변	0103	보통예금				리스료 지급		1,800,000
□	22	00012	차변	0305	외화장기차입금	01066	Post.com.		외화차입금 상환	11,200,000	
□	22	00012	차변	0952	외환차손			4	차입금상환시 환차손	300,000	
□	22	00012	대변	0101	현금				외화차입금 상환		11,500,000
□	22	00013	차변	0251	외상매입금	01031	고산전자		외상대금 상환	10,000,000	
□	22	00013	대변	0103	보통예금				외상대금 상환		5,000,000
□	22	00013	대변	0260	단기차입금	01031	고산전자		외상대금 차입금으로 전		5,000,000
□	22	00014	차변	0511	복리후생비				종업원 업무에 사용	2,000,000	
□	22	00014	대변	0150	제품			8	타계정으로 대체액 손익		2,000,000
□	22	00015	차변	0825	교육훈련비				위탁교육훈련비 카드결제	150,000	
□	22	00015	대변	0253	미지급금	99604	국민카드		위탁교육훈련비 카드결제		150,000
□	22										
□											
				합	계					25,450,000	25,450,000

카드등사용여부

NO : 14 (대 체) 전 표 일 자 : 2021 년 3 월 22 일

계정과목			적요	차변(출금)	대변(입금)
0511	복리후생비(제)		종업원 업무에 사용	2,000,000	
0150	제품	8	타계정으로 대체액 손익계산서 반영분		2,000,000
합			계	2,000,000	2,000,000

전표 현재라인 인쇄

전표 선택일괄 인쇄[F9]

(주)강남(회사코드 : 2010)은 제조, 도매 및 무역업을 영위하는 중소기업이며, 당기(22기)회계기간은 2021. 1. 1. ~ 2021. 12. 31.이다. 다음 거래를 일반전표입력 메뉴에 추가 입력하시오.

01 7월 1일 영업부 사원이 당일 해외출장을 가면서 (주)대한항공으로부터 항공권을 800,000원에 구매하고 인터넷뱅킹을 통하여 보통예금 계좌에서 이체하였다.

02 7월 2일 정기예금 10,000,000원이 금일 만기가 도래하여 은행으로부터 다음과 같이 입금증을 받고 이자를 포함한 전액이 당사 보통예금 계좌로 입금되었다. 당사는 이자에 대하여 미수수익으로 계상한 금액은 없으며, 법인세는 자산계정으로 한다.

입 금 증

• 성명 : (주)강남 귀하	• 계좌번호 : 12-1258689-123 • 거래일자 : 2021.07.02
찾으신 거래내역	• 정기예금 총액 : 10,000,000원 • 이자소득 : 600,000원 • 법 인 세 : 92,400원 • 차감수령액 : 10,507,600원

항상 저희은행을 찾아주셔서 감사합니다.
계좌번호 및 거래내역을 확인하시기 바랍니다.
국민은행 강남 지점 (전화:) 취급자:

03 7월 3일 단기간 매매차익 목적으로 구입하였던 상장법인 (주)사랑건설의 주식 300주(매입가액 주당 @10,000원)를 한국증권거래소에서 1주당 9,000원에 처분하고, 매각수수료 80,000원을 차감한 잔액을 보통예금 계좌로 이체받았다.

04 7월 4일 단기매매증권인 (주)철수식품의 주식 500주를 주당 13,000원에 매각하고, 매각수수료 250,000원을 제외한 매각대금을 국민은행 보통예금 계좌로 송금 받았다. (주)철수식품 주식에 대한 거래현황은 다음과 같으며, 단가의 산정은 이동평균법에 의한다.

취득일자	주식수	취득단가	취득가액
3월 15일	300주	13,200원	3,960,000원
5월 20일	400주	12,500원	5,000,000원

05 7월 5일 단기매매증권인 삼성(주)의 주식 300주를 주당 22,000원에 매각하고 매각대금은 현금으로 받았다. 삼성(주)의 주식은 모두 2월 10일에 주당 19,000원에 400주를 취득한 것으로서 취득시 수수료 등 제비용 70,000원이 지출되었다. 주식 매각에 대한 회계처리를 하시오.

06 7월 6일 전달 20일(선적일) 홍콩 니하오사에 외상으로 수출한 제품의 수출대금 $120,000을 금일 달러화로 송금받은 후 즉시 원화로 환전하여 보통예금 계좌에 입금하였다.

• 전월 20일 적용환율 : 1,300원/$	• 금일 적용환율 : 1,320원/$

07 7월 7일 매출처 한라상사에 대한 외상매출금 4,700,000원을 금일자로 연 8% 이자율로 동점에 3개월간 대여하기로 하고 이를 대여금으로 대체하다.

08 7월 8일 회사는 매출처인 (주)미스터의 제품매출에 대한 외상매출금 5,000,000원을 보통예금 계좌로 송금받았다. 동 대금잔액은 6월 30일에 발생한 (2/10, n/15)의 매출할인 조건부 거래에 대한 것으로 동결제는 동공급에 관한 최초의 결제이다. (단, 부가가치세는 고려하지 않는다.)

09 7월 9일 운전자금 확보를 위해 주거래처인 해일기업(주)로부터 매출대금으로 받은 약속어음 30,000,000원을 곧바로 빛나은행에서 할인하고 할인료 500,000원을 차감한 잔액을 현금으로 수령하다. 단, 어음할인은 매각거래로 간주한다.

10 7월 10일 회사는 부족한 운영자금문제를 해결하기 위해 보유중인 (주)갑동의 받을어음 1,000,000원을 미래은행에 처분하고 현금으로 수령하였다. 동 매출채권의 만기일은 2021년 8월 10일이며 매출채권 처분시 지급해야 할 은행수수료는 연 12%를 지급한다. (은행수수료는 월할계산하며, 차입거래로 처리하시오.)

11 7월 11일 (주)이랑전기에 대한 외상매입금 1,000,000원을 보관하고 있던 (주)용화의 받을어음으로 배서하여 양도하였다.

12 7월 12일 매출처 디아이티에 제품을 매출하고 수령한 디아이티 발행 전자어음 1,000,000원을 국민은행에 추심의뢰 하였는데 금일 만기가 도래하였다. 이에 대하여 국민은행으로부터 추심수수료 5,000원을 차감한 잔액을 당사 당좌예금 계좌에 입금하였다는 통지를 받다.

13 7월 13일 작년에 매출하였던 재윤통신의 외상매출금 3,000,000원이 대표자의 실종으로 인하여 회수불가능하여 당일 대손처리하기로 하였다. 대손충당금 잔액을 확인하여 회계처리하시오.

14 7월 14일 당사는 (주)여행전자에게 대여한 단기대여금 1,000,000원을 회수불능채권으로 보아 전액 대손처리하였다. 대손충당금 잔액을 조회하여 처리할 것.

15 7월 15일 매출처인 (주)흥국의 부도로 2020년 1월 31일에 대손처리했던 외상매출금 10,000,000원 중 5,000,000원이 자기앞수표로 회수되었다. 외상매출금의 대손처리가 이루어진 기간의 부가가치세 신고에서는 대손세액공제를 받지 않았다.

16 7월 16일 전기에 대손충당금과의 상계로 대손처분하고 부가가치세법상 대손세액공제처리하였던 외상매출금 550,000원(부가가치세 포함)을 현금으로 회수하였다. (단, 부가가치세신고서의 반영은 생략한다.)

17 7월 17일 당사는 전월 (주)연희상사에 일시적으로 대여한 자금 5,000,000원과 이에 대한 이자를 합하여 총 5,423,000원(원천징수세액 77,000원 차감후 금액임)을 금일 보통예금 계좌로 입금받았다. 단, 원천징수세액은 비용처리하지 아니한다.

18 7월 18일 전기말에 일본 스타트사에 무이자부로 단기 대여해준 ¥1,000,000을 금일 보통예금 계좌로 상환받았다. 단, 상환시 적용된 환율은 1,000원/100¥이며, 관련계정을 조회한 후 처리하시오.

19 7월 19일 퇴직연금 자산에 이자 300,000원이 입금되다. 당사는 전임직원의 퇴직금 지급 보장을 위하여 (주)미래설계증권에 확정급여형(DB형) 퇴직연금에 가입되어 있다.

20 7월 20일 확정기여형(DC형) 퇴직연금제도를 설정하고 있는 (주)강남은 퇴직연금의 부담금(기여금) 1,500,000원(제조 1,000,000원, 관리 500,000원)을 은행에 현금으로 납부하였다.

21 7월 21일 4월 15일에 수입하였던 원재료에 대하여 다음과 같은 비용이 보통예금 계좌에서 지급되었다.

- 통관서류작성 대행 수수료 : 10,000원
- 창고까지 운반한 비용 : 20,000원

22 7월 22일 일본 스타트사로부터 원재료를 수입하고, 당해 원재료 수입과 관련하여 발생한 다음의 경비를 현금으로 지급하였다.

품 목	금 액	비 고
관 세	500,000원	납부영수증을 교부받다.
운반수수료	48,000원	간이영수증을 교부받다.

23 7월 23일 매입처 (주)오로라로부터 매입하였던 원재료에 대한 외상대금 8,200,000원 중 품질불량으로 인하여 에누리 받은 700,000원을 제외한 잔액을 당좌수표로 발행하여 지급하였다. 단, 부가가치세는 고려하지 아니한다.

24 7월 24일 상품으로 구입한 전화기(원가 2,000,000원, 시가 3,000,000원)를 공장종업원의 업무에 사용하였다. 회사는 비용으로 처리한다.

25 7월 25일 당사에서 제작한 제품인 공기청정기(30개, @300,000원)를 수재민돕기성금으로 전달하였다.

26 7월 26일 (주)비즈로부터 투자목적으로 사용할 토지를 20,000,000원에 현금으로 매입하였다. 당일 취득세와 등록세 100,000원은 현금으로 납부하였다.

27 7월 27일 당산전자(주)에게 투자부동산 전부를 11,000,000원(장부가액 10,000,000원)에 매각하면서 대금은 만기가 6개월인 전자어음으로 수취하였다.

28 7월 28일 (주)달상사에 상품 100개, @10,000원(부가가치세 별도)를 주문하고 대금 중 계약금 300,000원을 현금으로 지급하고 나머지 잔액은 물건을 인도 받을 날에 지급하기로 하였다.

29 7월 29일 생산부서 황영복 과장을 박람회 참석을 위하여 출장보내며 출장비 250,000원을 현금으로 지급하고 사후에 정산하기로 하였다. 회사는 전도금 계정을 사용하기로 하였다.

30 7월 30일 생산부서 황영복 과장이 박람회 출장을 다녀온 후 제출한 지출결의서 내역이다. 회사는 황영복 과장의 출장시 전도금으로 처리하였다.

[지출 결의서 내역]

- 항공기이용권 : 183,000원
- 숙박시설 이용료 : 50,000원
- 현금반환액 : 17,000원

31 8월 1일 공장용 주차장부지(토지)를 취득하고, 이와 관련하여 아래와 같은 지출이 발생하였다. 단, 토지구입과 관련해서 전월에 계약금으로 5,000,000원을 지급한 사실이 있으며, 모든 거래는 비사업자인 김혜수와의 거래이다.

항 목	지출액(원)	비 고
잔금지급액	25,000,000	전액 보통예금에서 이체
중개수수료	729,600	원천징수세액(기타소득세 및 지방소득세) 70,400원을 차감한 금액은 전액 현금지급

32 8월 2일 새로운 공장을 짓기 위하여 건물이 있는 부지를 구입하고 동시에 건물을 철거하였다. 건물이 있는 부지의 구입비로 10,000,000원을 보통예금 계좌에서 이체하고, 철거비용 100,000원은 당좌수표로 지급하였다.

33 8월 3일 공장부지로 사용할 토지를 다음과 같이 매입하였다. 그 중 토지취득 관련세액과 중개수수료는 현금으로 납부하고, 토지매입대금은 보통예금 계좌에서 이체하였다.

- 토지 : 50,000,000원
- 취득세와 농어촌특별세 : 1,100,000원
- 등록세 및 교육세 : 1,200,000원
- 취득에 관련된 중개수수료 : 300,000원

34 8월 4일 최대주주 최민철로부터 시가 20,000,000원의 토지를 증여받았다. 당일 소유권이전 비용으로 취득세 및 등록세 500,000원을 현금으로 지출하였다.

35 8월 5일 신축공장건물에 대한 소유권 보존 등기비용으로서 취득세 및 등록세 합계 2,000,000원이 보통예금 계좌에서 인출되었다.

36 8월 6일 제품을 보관하기 위한 창고용 건물(취득가액 : 10,000,000원, 감가상각누계액 : 3,000,000원)이 금일 화재로 완전히 소실되었다. 다행히 창고에 보관하던 제품은 없었으며, 동 건물은 손해보험에 가입하지 않았다. 단, 회계처리시 당기초부터 금일까지의 감가상각은 고려하지 않는다.

37 8월 7일 공장 건설을 위해 소요되는 자금을 조달하기 위하여 신한은행에서 차입한 차입금에 대한 이자 2,500,000원이 발생하여 신한은행 보통예금 계좌에서 이체하였다. 당기 차입금에 대한 이자는 기업회계기준상 자본화대상요건을 충족하였고 공장은 현재 건설중이다.

38 8월 8일 당사는 사옥으로 사용할 목적으로 (주)제일건설로부터 건물과 토지를 21,000,000원에 일괄 취득하였고, 대금은 전자어음(만기 : 2021.12.5.)을 발행하였다. 단, 취득당시 건물의 공정가액은 8,000,000원, 토지의 공정가액은 7,000,000원이었으며, 건물과 토지의 취득원가는 상대적 시장가치에 따라 안분(소숫점 이하 첫째자리 반올림)하며, 부가가치세는 고려하지 않기로 한다.

39 8월 9일 제조설비를 취득하는 조건으로 상환의무가 없는 정부(국고)보조금 30,000,000원을 보통예금 계좌로 수령하였다. 명칭이 동일한 계정과목이 여러개 있는 경우 문제에서 제시한 내용에 알맞은 계정과목을 선택하시오.

40 8월 10일 사용중인 공장건물을 새로 신축하기 위하여 기존건물을 철거하였다. 철거당시의 기존건물의 취득가액 및 감가상각 누계액의 자료는 다음과 같다.

1. 건물의 취득가액 : 10,000,000원
2. 철거당시 감가상각누계액 : 8,000,000원(철거시점까지 상각완료 가정)
3. 건물철거비용 : 300,000원(간이과세자로부터 영수증 수취함, 가산세는 고려하지말 것)을 현금으로 지급함

41 8월 11일 보유중인 사업용 토지 일부분을 반짝광고(주)에 40,000,000원(장부가액 23,000,000원)에 매각하고 대금은 반짝광고(주)의 전기이월 외상매입금 15,000,000원과 상계처리하고 잔액은 보통예금 계좌에 입금하였다.

42 8월 12일 전년도말로 내용연수가 경과하여 운행이 불가능한 승용차(취득가액 8,500,000원, 감가상각누계액 8,499,000원)를 폐차대행업체를 통해 폐차시키고, 당해 폐차대행업체로부터 고철비 명목으로 10,000원을 현금으로 받다. 단, 부가가치세는 고려하지 않는다.

43 8월 13일 당좌거래개설보증금 1,700,000원을 현금으로 예치하여 우리은행 당좌거래를 개설하였다.

44 8월 14일 더케이상사에 대한 외상매입금 10,000,000원 중 5,000,000원은 보통예금 계좌에서 이체하였고, 나머지 금액은 다음과 같은 내용의 금전대차거래로 전환하기로 하였다.

- 이 자 율 : 연 12% (단, 원리금 상환지체시 연 30% 추가)
- 원금상환기한 : 차용일로부터 10개월
- 이자지급기한 : 원금 상환시 일시지급
- 차 용 일 : 8월 14일

45 8월 15일 상품 매입처인 딜라잇상사가 당사에 외상매입금 8,000,000원에 대한 상환을 요구하면서 이 중 50%를 면제하여 주다. 당사는 외상매입금을 보통예금 계좌에서 이체하여 지급하였다.

46 8월 16일 매입처 (주)이랑전기로부터 외상으로 매입한 상품 중 품질불량으로 인해 에누리 받은 금액이 500,000원이다. 단, 부가가치세는 고려하지 아니한다.

47 8월 17일 당사는 2020년 8월 9일에 일본에 소재한 교토상사로부터 원재료 ¥1,000,000을 구매하면서 이를 외상매입금으로 처리하였고, 금일 동 외상매입금 전액을 현금으로 상환하였다. 단, 전기말 외화자산부채와 관련해서는 적절하게 평가하였다.

일 자	환 율
2020. 08. 09	1,000원/100¥
2020. 12. 31	900원/100¥
2021. 08. 17	950원/100¥

48 8월 18일 (주)경일상사에 원재료를 구입하기로 하고 계약금 5,000,000원을 어음(만기일 2021년 12월 18일)으로 발행하여 지급하였다.

49 8월 19일 장기성예금으로 처리되어 있던 외환은행 정기적금이 금일 만기가 도래하여 원금 5,000,000원과 이자 1,000,000원 중 원천징수세액 15.4%를 제외한 잔액은 보통예금 통장으로 대체하였다. 원천징수세액은 자산계정으로 처리한다.

50 8월 20일 당사는 제품을 교환할 수 있는 상품권(1장당 10,000원) 300장을 시중에 판매하고 현금 3,000,000원을 획득하였다. 단, 본 거래에 대해서만 거래처 입력은 생략할 것.

51 8월 21일 당사는 (주)갑동에 제품을 공급하기로 계약을 맺고, 계약금 11,000,000원을 보통예금 계좌로 이체받았다.

52 8월 22일 미국 뉴욕은행으로부터 금년 1월 10일 차입한 단기차입금 $10,000에 대해 원화를 외화($)로 환전하여 상환하였다. 상환당시 환율은 1$당 1,200원이었다. 차입당시 거래내역을 조회하여 회계처리하시오. 환전수수료 등 기타 부대비용은 없다고 가정한다.

53 8월 23일 사채를 액면금액 1,000,000원으로 발행하여 대금은 보통예금 통장으로 입금되고, 사채발행 관련 법무사수수료 100,000원이 현금으로 지급되었다. 하나의 전표로 입력하시오.

54 8월 24일 회사는 사채(액면가액 : 5,000,000원, 만기 : 3년)를 현재가치로 발행하였다. 사채의 현재가치는 4,810,000원이며 사채발행 대금은 보통예금 계좌로 입금 받고, 사채발행과 관련된 비용은 150,000원은 당좌수표를 발행하여 지급하였다.

55 8월 25일 회사는 사채 1,000좌(액면가액 @10,000원)를 1좌당 12,000원에 발행하여 보통예금 계좌로 입금받고, 사채발행비 300,000원은 현금으로 지급하였다. 장부상 사채할인발행차금 잔액은 440,000원이 있음을 확인하다.

56 8월 30일 전기에 발행한 사채 20,000,000원을 19,000,000원에 조기상환하고 이자 2,000,000원을 포함하여 당좌예금 계좌에서 현금으로 인출하여 상환하였다.

57 9월 1일 자본을 감소하기 위하여 주식 1,000주(액면가액 : 5,000원)를 1주당 4,000원으로 주주에게 현금으로 매입함과 동시에 소각하였다. 자본금 감소를 위한 회계처리를 하시오.

58 9월 2일 당사는 유상증자를 위해 신주 10,000주(액면가액 : 5,000원, 발행가액 : 5,000원)를 발행하여 발행가액 전액을 당사의 보통예금 계좌로 납입받았으며, 이번 신주발행과 관련하여 발생한 총비용 3,000,000원은 당좌수표로 지급하였다. 단, 회계처리시 유상증자와 관련한 사항은 모두 금일에 이루어진 것으로 가정하며, 주식발행초과금 잔액 100,000원이 계상되어 있다.

59 9월 3일 임시주주총회에서 증자를 결의하여 주식 1,000주(액면가액 : 5,000원, 발행가액 : 6,000원)를 발행하고 주식발행비용 200,000원을 제외한 금액을 국민은행 보통예금 계좌로 입금하였다. 주식 관련 거래는 본 거래만 있는 것으로 가정한다.

60 9월 4일 자본감소(주식소각)를 위해 당사의 기발행주식 중 1,100주(액면가 @5,000원)를 1주당 6,000원으로 매입하여 소각하고, 매입대금은 당사 보통예금 계좌에서 지급하였다. 장부상 감자차익 잔액은 1,000,000원이다.

61 2월 28일 주주총회에서 전기분 이익잉여금처분계산서(안)대로 처분이 확정되었다. 전기분 이익잉여금처분계산서 내역은 다음과 같으며, 이익잉여금 처분에 관한 회계처리를 하시오.

- 이익준비금 : 현금배당의 10%
- 현금배당 : 5,000,000원
- 주식배당 : 2,000주(1주당 @5,000원)
- 배당 확정일 : 2021년 2월 28일
- 배당 지급일 : 2021년 3월 10일

62 3월 10일 전기분 이익잉여금처분계산서대로 주주총회에서 확정(배당결의일 2월 28일)된 배당액을 지급하였다. 원천징수세액 770,000원을 제외한 4,230,000원을 현금으로 지급하였고, 주식배당은 주식을 액면발행(2,000주, 1주당 @5,000원)하여 교부하였다.

63 9월 5일 전기분 이익잉여금처분계산서대로 주주총회에서 확정(배당결의일 8월 31일)된 배당액을 지급하였다. 원천징수세액 3,080,000원을 제외한 16,920,000원을 보통예금 계좌에서 인출하여 현금으로 지급하였고, 주식배당은 20,000,000원은 주권을 발행하여 교부하였으며, 주권발행과 관련된 비용 800,000원은 당좌수표를 발행하여 지급하였다. 본 거래에 한하여 당일 지급하는 것으로 가정한다.

64 9월 6일 임시주주총회에서 중간배당을 확정하고 당일 8,000,000원을 원천징수세액 15.4%를 공제하고 현금으로 지급하였다.

65 9월 7일 당사는 자기주식 1,000주(액면가액 @5,000원)를 1주당 6,500원에 매입하고, 대금은 보통예금 계좌에서 이체하였다.

66 9월 8일 보유중인 자기주식 500주(취득원가 1주당 6,500원)을 1주당 7,000원에 현금으로 처분하였다.

67 9월 9일 지난번 취득한 자기주식 1,300,000원을 1,000,000원에 판매하고 대금은 전액 (주)고독상사 발행 전자어음으로 수령하였다. 회사의 재무상태표상 자기주식처분이익 250,000원이 계상되어 있다.

68 9월 10일 다음의 급여내용이 보통예금에서 이체되었다.

<table>
<tr><th colspan="3">급 여 명 세</th></tr>
<tr><th>사 원</th><th>부 서</th><th>지급일</th></tr>
<tr><td>김하나</td><td>경리부</td><td>9월 10일</td></tr>
<tr><th colspan="2">급 여 내 용</th><th>공 제 내 용</th></tr>
<tr><td colspan="2">- 기 본 금 : 1,000,000원
- 상 여 금 : 2,000,000원</td><td>- 소 득 세 : 100,000원
- 지방 소득세 : 10,000원
- 국 민 연 금 : 90,000원
- 건 강 보 험 : 54,000원
- 고 용 보 험 : 10,000원</td></tr>
<tr><th colspan="2">차 인 지 급 액</th><th>2,736,000원</th></tr>
</table>

69 9월 11일 직원에 대한 건강보험료 1,720,000원을 현금으로 납부하였다. 전월 급여 지급시에 공장직원에 대한 건강보험료 520,000원과 본사직원에 대한 건강보험료 340,000원을 예수해 두었으며 당사는 건강보험료 중 회사부담분에 대한 비용처리로 건강보험료를 납부하는 때에 회계처리하고 있다. 건강보험료 납부시의 분개를 행하시오.

70 9월 12일 원재료 매입처 직원과 식사를 하고 식대 250,000원을 법인카드(하나카드)로 결제하였다.

71 9월 13일 공장 생산직 직원의 퇴직금 3,000,000원에 대하여 원천징수 후 차액을 보통예금 계좌에서 지급하였다. 원천징수세액은 퇴직소득세 100,000원과 지방소득세 10,000원이다. 퇴직급여충당부채 잔액(사무직 50%, 생산직 50%)은 조회하여 적절한 회계처리를 하시오.

72 9월 14일 사무직원 김대희씨가 퇴사하여 퇴직금을 우리은행 보통예금 통장에서 지급하였다. 퇴직급여명세서의 내용은 다음과 같다.

내 역	금 액
퇴직급여	12,000,000원
퇴직소득세, 지방소득세	440,000원
차감지급액	11,560,000원

* 김대희씨의 퇴사 직전 회사의 퇴직급여충당부채 잔액은 2,000,000원 있었고, 퇴직보험 및 퇴직연금에 가입한 내역은 없다.

73 9월 15일 본사 영업부의 사회보험 및 근로소득세 납부내역은 다음 표와 같다. 회사는 보통예금 계좌에서 이체하여 납부하였다. 국민연금은 세금과공과 계정을 사용하고 건강보험과 장기요양보험은 복리후생비, 고용보험 및 산재보험은 보험료 계정을 사용한다.

구 분	근로소득세	지방소득세	국민연금	건강보험	장기요양보험	고용보험	산재보험
회사부담분			50,000원	30,000원	2,000원	550원	1,200원
본인부담분	100,000원	10,000원	50,000원	30,000원	2,000원	850원	
계	100,000원	10,000원	100,000원	60,000원	4,000원	1,400원	1,200원

74 9월 16일 본사의 이전과 관련한 변경등기로 등록세 100,000원 및 법무사수수료 100,000원을 현금으로 지급하였다.

75 9월 17일 경리직원의 개정세법 교육을 위하여 외부강사를 초빙하여 수강후 강의료를 국민은행 보통예금 계좌에서 송금함과 동시에 다음의 기타소득에 관한 원천징수영수증을 교부하였다.

- 강의료지급총액 500,000원
- 필요경비 400,000원
- 소득금액 100,000원
- 소득세원천징수세액 20,000원(지방소득세 별도)

76 9월 18일 제조공장 현장직원들의 능률향상을 위하여 강사를 초빙하여 교육을 실시하고 강의료 200,000원 중에서 사업소득 원천징수세액 및 지방소득세 6,600원을 공제한 내역으로 강사에게 사업소득원천징수영수증을 교부하였으며, 강의료는 보통예금 통장으로 계좌이체하였다.

77 9월 17일 회사는 공장 벽면이 노후되어 새로이 도색작업을 하고 이에 대한 비용 1,000,000원을 (주)금강에 500,000원은 현금으로 결제하고 잔액은 법인카드(하나카드)로 결제하였다.

78 9월 18일 원재료로 사용하기 위해 구입한 부품(매입원가 : 700,000원)을 생산공장의 기계장치를 수리하는데 사용하였다. 수리와 관련된 비용은 수익적 지출로 처리하시오

79 9월 19일 수출영업부에서 무역협회(법정단체임) 일반회비로 200,000원을 현금으로 지불하였다.

80 9월 20일 영업부서의 난방용 유류대 350,000원과 공장 작업실의 난방용 유류대 740,000원을 보통예금 계좌에서 이체하여 결제하였다.

81 9월 21일 방송국에 납품입찰을 들어가기 위하여 보증보험에 가입하면서 보험료 900,000원(보험기간 : 2021. 9. 21. ~ 2022. 9. 20.)을 현금으로 지급하였다.

82 9월 22일 보유중인 길동상사의 유가증권에 대해 1,500,000원의 중간배당이 결정되어 보통예금 계좌에 입금되었다.(원천세는 고려하지 말 것)

83 9월 23일 회사는 보유중인 다음의 유가증권(보통주 10,000주, 액면가액 : 1주당 500원, 장부가액 : 1주당 1,000원)에 대하여 현금배당액(1주당 80원)과 주식배당액을 당일 수령하였다.

구 분	수 령 액	공정가치(1주당)	발행가액(1주당)
현금배당	현금 800,000원		
주식배당	보통주 1,000주	900원	600원

84 9월 24일 신한은행 보통예금 통장에서 다음과 같이 예금이자가 입금되었다. 원천징수세액 자산으로 처리할 것

- 결산이자금액 : 100,000원
- 법 인 세 : 14,000원
- 지방 소득세 : 1,400원
- 차감 지급액 : 84,600원

85 9월 25일 대표이사로부터 시가 50,000,000원(대표이사의 취득가액 : 20,000,000원)의 공장용 건물을 증여받았다. 당일 취득세 등으로 500,000원을 현금으로 지출하였다.

86 3월 13일 본사건물에 대해 전년도에 납부한 전기료 중 과오납부한 금액 200,000원이 당사 보통예금 계좌로 입금되어 오류를 수정하였다.(중대한 오류가 아니다.)

87 3월 13일 전기에 직원 회식비로 현금 지출한 500,000원을 50,000원으로 잘못 분개한 내용이 2021년 3월 13일 확인되어 적절한 분개를 하였다. 전기에 현금과부족에 대해서는 주임종단기채권으로 처리하였다. 단, 오류의 내용이 중대하지는 않은 것으로 간주한다.

88 9월 30일 현재 2기 예정신고 부가가치세 대급금 9,163,655원과 부가가치세 예수금 46,968,509원에 대하여 수정분개를 하였다. 부가세 납부할 세액은 미지급세금으로 처리하시오.

89 10월 25일 제2기 예정신고 부가가치세신고서에 따른 미지급세금 37,804,850원을 보통예금 계좌에서 전자납부하였다.

90 10월 30일 전월에 발생한 화재로 인하여 창고에 보관하였던 원재료(원가 10,000,000원)가 소실되어 보험회사로부터 12,000,000원의 보험금을 금일 수령하여 보통예금 계좌에 입금하였다.

정답 및 해설

01	7월 1일	(차) 여비교통비(판)	800,000	(대) 보통예금	800,000
02	7월 2일	(차) 보통예금	10,507,600	(대) 정기예금	10,000,000
		선납세금	92,400	이자수익	600,000
03	7월 3일	(차) 보통예금	2,620,000	(대) 단기매매증권	3,000,000
		단기매매증권처분손실	380,000		
04	7월 4일	(차) 보통예금	6,250,000	(대) 단기매매증권	6,400,000
		단기매매증권처분손실	150,000		

※ • 장부가액 : (3,960,000원 + 5,000,000원) × 500주/700주 = 6,400,000원
• 처분가액 6,500,000원 - 장부가액 6,400,000원 - 매각수수료 250,000원 = -150,000원 (처분손실)

05	7월 5일	(차) 현금	6,600,000	(대) 단기매매증권	5,700,000
				단기매매증권처분익	900,000

※ 300주 × (22,000원 - 19,000원) = 900,000원

06	7월 6일	(차) 보통예금	158,400,000	(대) 외상매출금(니하오사)	156,000,000
				외환차익	2,400,000

※ $120,000 × (1,320원 - 1,300원) = 2,400,000원 (외환차익)

07	7월 7일	(차) 단기대여금(한라상사)	4,700,000	(대) 외상매출금(한라상사)	4,700,000
08	7월 8일	(차) 보통예금	4,900,000	(대) 외상매출금((주)미스터)	5,000,000
		매출할인(406)	100,000		

※ 매출할인 : 5,000,000원 × 2% = 100,000원

09	7월 9일	(차) 현금	29,500,000	(대) 받을어음(해일기업(주))	30,000,000
		매출채권처분손실	500,000		

10 7월 10일 (차) 현금 990,000 (대) 단기차입금((주)갑동) 1,000,000
이자비용 10,000

※ • 이자비용 : 1,000,000원 × 12% × 1개월/12개월 = 10,000원
• 받을어음을 차입거래로 처분할 경우 단기차입금 계정과 이자비용 계정으로 처리한다.

11 7월 11일 (차) 외상매입금((주)이랑전기) 1,000,000 (대)받을어음((주)용화) 1,000,000

12 7월 12일 (차) 당좌예금 995,000 (대) 받을어음(디아이티) 1,000,000
수수료비용(판) 5,000

13 7월 13일 (차) 대손충당금(109) 500,000 (대) 외상매출금(재윤통신) 3,000,000
대손상각비 2,500,000원

※ [합계잔액시산표] 메뉴를 7월 13일자로 대손충당금을 500,000원을 확인하여 상계처리하고 차액은 대손상각비 계정으로 처리한다.

14 7월 14일 (차) 기타의대손상각비 1,000,000 (대) 단기대여금((주)여행전자) 1,000,000

※ [합계잔액시산표] 메뉴를 7월 14일자로 대손충당금 잔액을 확인한 결과 잔액이 없으므로 모두 영업외비용인 기타의대손상각비 계정으로 처리한다.

15 7월 15일 (차) 현금 5,000,000 (대) 대손충당금(109) 5,000,000

※ 대손처리하였던 매출채권을 회수한 경우 대손충당금 계정으로 처리한다.

16 7월 16일 (차) 현금 550,000 (대) 대손충당금(109) 500,000
부가세예수금 50,000

※ 대손세액공제처리 하였던 외상매출금을 회수한 경우 부가가치세에 대하여 부가세예수금 계정으로 처리하고 나머지는 대손충당금 계정으로 처리한다.

17 7월 17일 (차) 보통예금 5,423,000 (대) 단기대여금((주)연희상사) 5,000,000
선납세금 77,000 이자수익 500,000

18 7월 18일 (차) 보통예금 10,000,000 (대) 단기대여금(스타트사) 9,000,000
외환차익 1,000,000

※ ¥1,000,000 × (상환시 10원 - 장부가 9원) = 1,000,000원 (외환차익)

19 7월 19일 (차) 퇴직연금운용자산 300,000 (대) 이자수익 300,000

20 7월 20일 (차) 퇴직급여(제) 1,000,000 (대) 현금 1,500,000
퇴직급여(판) 500,000

※ 종업원이 관리하는 확정기여형 퇴직연금인 경우 비용인 퇴직급여 계정으로 처리한다.

번호	월	일	차변	금액	대변	금액
21	7월	21일	(차) 원재료	30,000	(대) 보통예금	30,000

※ 재고자산을 매입할 경우 매입관련비용은 재고자산에 포함하여 처리한다.

번호	월	일	차변	금액	대변	금액
22	7월	22일	(차) 원재료	548,000	(대) 현 금	548,000
23	7월	23일	(차) 외상매입금((주)오로라)	8,200,000	(대) 매입환출및에누리(154)	700,000
					당좌예금	7,500,000
24	7월	24일	(차) 소모품비(제)	2,000,000	(대) 상품	2,000,000
					(적요 8.타계정으로 대체액)	

※ 구입하였던 상품을 종업원 업무에 사용된 경우 원가로 처리하고 비용인 소모품비 계정으로 처리한다.

번호	월	일	차변	금액	대변	금액
25	7월	25일	(차) 기부금	9,000,000	(대) 제품	9,000,000
					(적요 8.타계정으로 대체액)	
26	7월	26일	(차) 투자부동산	20,100,000	(대) 현금	20,100,000
27	7월	27일	(차) 미수금(당산전자(주))	11,000,000	(대) 투자부동산	10,000,000
					투자자산처분이익	1,000,000
28	7월	28일	(차) 선급금((주)달상사)	300,000	(대) 현금	300,000
29	7월	29일	(차) 전도금(황영복)	250,000	(대) 현금	250,000
30	7월	30일	(차) 여비교통비(제)	233,000	(대) 전도금(황영복)	250,000
			현금	17,000		
31	8월	1일	(차) 토지	30,800,000	(대) 보통예금	25,000,000
					선급금(김혜수)	5,000,000
					예수금	70,400
					현금	729,600
32	8월	2일	(차) 토지	10,100,000	(대) 보통예금	10,000,000
					당좌예금	100,000
33	8월	3일	(차) 토지	52,600,000	(대) 현금	2,600,000
					보통예금	50,000,000
34	8월	4일	(차) 토지	20,500,000	(대) 자산수증이익	20,000,000
					현금	500,000

번호	날짜	차변	금액	대변	금액
35	8월 5일	(차) 건물	2,000,000	(대) 보통예금	2,000,000
36	8월 6일	(차) 감가상각누계액(건물)	3,000,000	(대) 건물	10,000,000
		재해손실	7,000,000		
37	8월 7일	(차) 건설중인자산	2,500,000	(대) 보통예금	2,500,000
38	8월 8일	(차) 건물	11,200,000	(대) 미지급금((주)제일건설)	21,000,000
		토지	9,800,000		

※ · 건물 : 21,000,000원 × (8,000,000원 / 15,000,000원) = 11,200,000원
· 토지 : 21,000,000원 × (7,000,000원 / 15,000,000원) = 9,800,000원

번호	날짜	차변	금액	대변	금액
39	8월 9일	(차) 보통예금	30,000,000	(대) 정부보조금(104)	30,000,000
40	8월 10일	(차) 감가상각누계액(건물)	8,000,000	(대) 건물	10,000,000
		유형자산처분손실	2,300,000	현금	300,000

※ 사용중인 기존건물 철거시 철거비용과 장부가액은 당기 비용처리한다.

번호	날짜	차변	금액	대변	금액
41	8월 11일	(차) 보통예금	25,000,000	(대) 토지	23,000,000
		외상매입금(반짝광고(주))	15,000,000	유형자산처분이익	17,000,000
42	8월 12일	(차) 현금	10,000	(대) 차량운반구	8,500,000
		감가상각누계액(209)	8,499,000	유형자산처분이익	9,000
43	8월 13일	(차) 특정현금과예금	1,700,000	(대) 현금	1,700,000
44	8월 14일	(차) 외상매입금(더케이상사)	10,000,000	(대) 보통예금	5,000,000
				단기차입금(더케이상사)	5,000,000
45	8월 15일	(차) 외상매입금(딜라잇상사)	8,000,000	(대) 보통예금	4,000,000
				채무면제이익	4,000,000
46	8월 16일	(차) 외상매입금((주)이랑전기)	500,000	(대) 매입환출및에누리(402)	500,000
47	8월 17일	(차) 외상매입금(교토상사)	9,000,000	(대) 현금	9,500,000
		외환차손	500,000		

※ ¥1,000,000 × (9원 - 9.5원) = -500,000원 (외환차손)

번호	날짜	차변	금액	대변	금액
48	8월 18일	(차) 선급금((주)경일상사)	5,000,000	(대) 지급어음((주)경일상사)	5,000,000

번호	일자	차변	금액	대변	금액
49	8월 19일	(차) 보통예금	5,846,000	(대) 장기성예금	5,000,000
		선납세금	154,000	이자수익	1,000,000

※ 선납세금 : 1,000,000원 × 15.4% = 154,000원

번호	일자	차변	금액	대변	금액
50	8월 20일	(차) 현금	3,000,000	(대) 선수금	3,000,000
51	8월 21일	(차)보통예금	11,000,000	(대) 선수금((주)갑동)	11,000,000
52	8월 22일	(차) 단기차입금(뉴욕은행)	13,000,000	(대) 현금	12,000,000
				외환차익	1,000,000

※ $10,000 × (1,200원 - 1,300원) = - 1,000,000원 (외환차익)

번호	일자	차변	금액	대변	금액
53	8월 23일	(차) 보통예금	1,000,000	(대) 사채	1,000,000
		사채할인발행차금	100,000	현금	100,000

※ 액면가액으로 발행하는 경우 수수료는 사채할인발행차금 계정으로 처리한다.

번호	일자	차변	금액	대변	금액
54	8월 24일	(차) 보통예금	4,810,000	(대) 사채	5,000,000
		사채할인발행차금	340,000	당좌예금	150,000
55	8월 25일	(차) 보통예금	12,000,000	(대) 사채	10,000,000
				현금	300,000
				사채할인발행차금	440,000
				사채할증발행차금	1,260,000

※ • 사채할증발행차금 : 발행가액 (1,000좌 × 12,000원) - 액면가액 (1,000좌 × 10,000원) - 사채발행비 300,000원 - 사채할인발행차금 440,000원 = 1,260,000원

• 사채를 할증발행할 경우 장부상 사채할인발행차금이 있는 경우 먼저 상계처리하고 차액을 사채할증발행차금 계정으로 처리한다.

번호	일자	차변	금액	대변	금액
56	8월 30일	(차) 사채	20,000,000	(대) 당좌예금	21,000,000원
		이자비용	2,000,000	사채상환이익(911)	1,000,000원
57	9월 1일	(차) 자본금	5,000,000	(대) 현금	4,000,000
				감자차익	1,000,000
58	9월 2일	(차) 보통예금	50,000,000	(대) 자본금	50,000,000
		주식발행초과금	100,000	당좌예금	3,000,000
		주식할인발행차금	2,900,000		

※ 주식을 액면발행하는 경우 신주발행비에서 주식발행초과금을 제외하고 주식할인발행차금 계정으로 처리한다.

			차변	금액	대변	금액
59	9월	3일	(차) 보통예금	5,800,000	(대) 자본금	5,000,000
					주식발행초과금	800,000
60	9월	4일	(차) 자본금	5,500,000	(대) 보통예금	6,600,000
			감자차익	1,000,000		
			감자차손	100,000		
61	2월	28일	(차) 이월이익잉여금	15,500,000	(대) 이익준비금	500,000
					미지급배당금	5,000,000
					미교부주식배당금	10,000,000
62	3월	10일	(차) 미지급배당금	5,000,000	(대) 현금	4,230,000
			미교부주식배당금	10,000,000	예수금	770,000
					자본금	10,000,000
63	9월	5일	(차) 미지급배당금	20,000,000	(대) 보통예금	16,920,000
			미교부주식배당금	20,000,000	예수금	3,080,000
			주식할인발행차금	800,000	자본금	20,000,000
					당좌예금	800,000
64	9월	6일	(차) 중간배당금	8,000,000	(대) 예수금	1,232,000
					현금	6,768,000

※ 중간배당은 현금배당을 말하며, 중간배당금 또는 미지급배당금 계정으로 처리할 수 있다.

			차변	금액	대변	금액
65	9월	7일	(차) 자기주식	6,500,000	(대) 보통예금	6,500,000
66	9월	8일	(차) 현금	3,500,000	(대) 자기주식	3,250,000
					자기주식처분이익	250,000
67	9월	9일	(차) 미수금((주)고독상사)	1,000,000	(대) 자기주식	1,300,000
			자기주식처분이익	250,000		
			자기주식처분손실	50,000		

※ 자기주식을 처분시 자기주식처분이익이 있는 경우 먼저 상계처리하고 차액은 자기주식처분손실로 처리한다.

			차변	금액	대변	금액
68	9월	10일	(차) 급여(판)	1,000,000	(대) 보통예금	2,736,000
			상여금(판)	2,000,000	예수금	264,000

번호	월	일	차변	금액	대변	금액
69	9월	11일	(차) 예수금	860,000	(대) 현금	1,720,000
			복리후생비(제)	520,000		
			복리후생비(판)	340,000		
70	9월	12일	(차) 접대비(제)	250,000	(대) 미지급금(하나카드)	250,000
71	9월	13일	(차) 퇴직급여충당부채	2,000,000	(대) 보통예금	2,890,000
			퇴직급여 (제)	1,000,000	예수금	110,000
72	9월	14일	(차) 퇴직급여충당부채	2,000,000	(대) 보통예금	11,560,000
			퇴직급여(판)	10,000,000	예수금	440,000
73	9월	15일	(차) 예수금	192,850	(대) 보통예금	276,600
			세금과공과(판)	50,000		
			복리후생비(판)	32,000		
			보험료(판)	1,750		
74	9월	16일	(차) 세금과공과(판)	100,000	(대) 현금	200,000
			수수료비용(판)	100,000		
75	9월	17일	(차) 교육훈련비(판)	500,000	(대) 예수금	22,000
					보통예금	478,000
76	9월	18일	(차) 교육훈련비(제)	200,000	(대) 보통예금	193,400
					예수금	6,600
77	9월	17일	(차) 수선비(제)	1,000,000	(대) 현금	500,000
					미지급금(하나카드)	500,000

※ 노후된 공장벽면의 도색작업은 수익적 지출에 해당하며 제조경비인 수선비로 처리한다.

번호	월	일	차변	금액	대변	금액
78	9월	18일	(차) 수선비(제)	700,000	(대) 원재료	700,000
79	9월	19일	(차) 세금과공과(판)	200,000	(대) 현금	200,000
80	9월	20일	(차) 수도광열비(판)	350,000	(대) 보통예금	1,090,000
			가스수도료(제)	740,000		
81	9월	21일	(차) 보험료(판)	900,000	(대) 현금	900,000

82 9월 22일	(차) 보통예금	1,500,000	(대) 배당금수익	1,500,000
83 9월 23일	(차) 현금	800,000	(대) 배당금수익	800,000

※ 주식배당의 경우 주식의 수량과 단가를 새로이 계산한다.

84 9월 24일	(차) 보통예금	84,600	(대) 이자수익	100,000
	선납세금	15,400		
85 9월 25일	(차) 건물	50,500,000	(대) 자산수증이익	50,000,000
			현금	500,000
86 3월 13일	(차) 보통예금	200,000	(대) 전기오류수정이익(영업외수익)	200,000
87 3월 13일	(차) 전기오류수정손실(영업외비용)	450,000	(대) 주임종단기채권	450,000
88 9월 30일	(차) 부가세예수금	46,968,509	(대) 부가세대급금	9,163,655
			잡이익	4
			미지급세금	37,804,850

※ 부가세 단수차액에 대해서는 잡이익 계정으로 처리한다.

89 10월 25일	(차) 미지급세금	37,804,850	(대) 보통예금	37,804,850
90 10월 30일	(차) 보통예금	12,000,000	(대) 보험금수익	12,000,000

회계상 거래 매입매출전표입력

01 매입매출전표입력

[매입매출전표입력] 메뉴는 기업에서 발생하는 거래 중 부가가치세신고와 관련 있는 거래자료를 입력하며, 이를 통해 부가가치세신고서와 관련 부속명세서를 작성한다. 또한 회계정보는 재무제표와 제 장부에 자동으로 반영되어 작성된다.

[매입매출전표입력] 메뉴는 상단부와 하단부로 나뉘는데, 상단부에는 부가가치세와 관련된 정보를 입력하며, 하단부에는 재무회계와 관련된 정보를 입력한다.

상단부에서 유형은 부가가치세의 유형을 의미하며 과세여부와 증빙을 판단하여 선택하여야 하며, 이를 통해 부가가치세 부속서류와 부가가치세신고서의 해당란에 자동반영될 수 있다.

회계관리 ≫ 전표입력 ≫ 매입매출전표입력

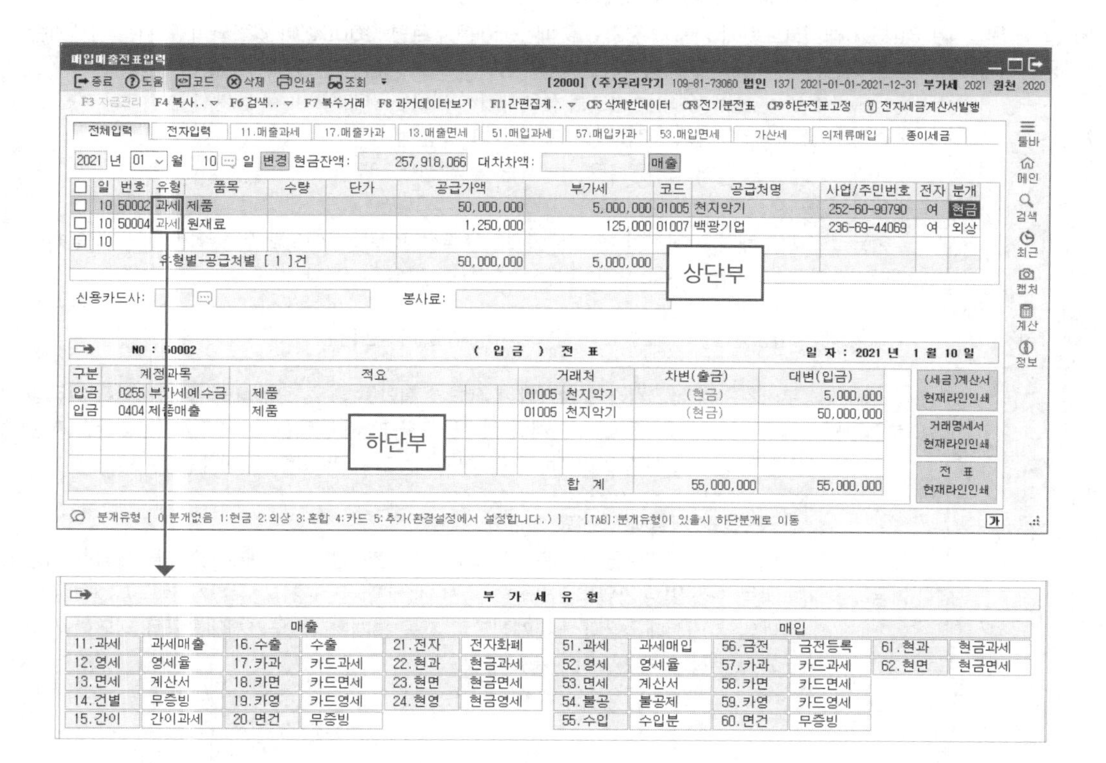

[항목별 입력 내용 및 방법]

항목	입력 내용 및 방법	
월 일	작업하고자 하는 월과 일을 입력한다.	
유형	입력되는 매입·매출자료의 유형코드 2자리를 입력한다. 유형은 크게 매출과 매입으로 구분되어 있으며, 유형코드에 따라 부가가치세신고서, 부속서류 등에 자동 반영되어 작성되므로 정확하게 입력한다.	
수량	물품 수량을 입력한다. (해당사항이 없을 경우 Enter 키를 누르면 단가로 커서가 이동된다)	
단가	물품 단가를 입력한다. (해당사항이 없을 경우 Enter 키를 누르면 공급가액으로 커서가 이동된다)	
공급가액 및 부가가치세	① 수량, 단가를 입력한 경우는 공급가액, 부가가치세가 모두 자동으로 입력된다. ② 공급가액을 직접 입력 시 금액을 입력한 다음 Enter 키를 누르면 부가가치세(공급가액의 10%)가 자동으로 표시되며 환경설정에 따라 공급가액의 절사방법(절사, 올림, 반올림)을 선택할 수 있다.	
코드 및 공급처명	해당 거래처코드 5자리를 입력한다. 거래처코드를 입력하지 않을 경우 매출·매입처별 세금계산서합계표 등의 집계표에 반영이 되지 않는다. ① 거래처코드 등록방법 앞 2글자 거래처명을 입력하거나 F2 키를 누르면 입력된 단어를 포함하는 거래처명들이 조회된다. 해당거래처에 커서를 위치시킨 후 Enter 키를 눌러 입력한다. ② 거래처코드란에서의 신규거래처 등록 현재 거래처코드란에 커서가 위치했을 때 + 키를 누르면 '00000'이 입력되며, 커서는 거래처란으로 이동된다. 거래처명을 입력하고 Enter 키를 누르면 다음과 같은 메시지 박스가 나타난다. • 등록(Enter) : 자동 부여되는 번호를 선택하거나 새로운 거래처코드로 등록시 선택 • 수정(Tab) : 해당 거래처 인적사항 기재를 원할 때 선택 • 취소(Esc) : 해당 거래처의 등록을 원하지 않을 때 선택 ③ 주민등록기재분 세금계산서의 입력 주민등록기재분 해당 거래처일 경우는 공급처등록정보에서 '주민등록번호'란에 입력 후 우측의 해당번호인 숫자 1.여를 선택하면 세금계산서합계표에 자동 반영된다.	
전자	전자(세금)계산서를 발급하거나 수취한 경우 숫자 1.여를 입력한다.	
분개	0.분개없음	부가가치세 신고기간이 임박하여 자료가 취합된 경우, 모든 거래를 분개까지 하려면 많은 시간이 소요되므로 분개를 생략하고자 할 때 선택한다. (부가세 신고 관련 제반 사항은 분개와 상관 없이 작성된다. 부가세신고서, 세금계산서합계표 등)
	1.현금	전액 현금거래일 경우 선택 • 매출-부가세예수금과 기본계정으로 자동 분개된다. (부가세예수금을 제외한 계정과목 수정 및 추가입력 가능) • 매입-부가세대급금과 기본계정으로 자동 분개된다. (부가세대급금을 제외한 계정과목 수정 및 추가입력 가능)

항목	입력 내용 및 방법	
분개	2.외상	전액 외상거래(외상매출·매입금)일 경우 선택 • 매출-차변계정은 외상매출금으로, 대변계정은 부가세예수금과 기본계정으로 자동 분개된다. (부가세예수금은 수정 불가능하며, 기본계정의 경우는 수정 및 추가입력이 가능하다) • 매입-대변계정은 외상매입금으로, 차변계정은 부가세대급금과 기본계정으로 자동 분개된다. (부가세대급금은 수정 불가능하며, 기본계정은 수정 및 추가입력이 가능하다)
	3.혼합	상기 이외의 거래로서 기타 다른 계정과목을 사용하고자 할 때 선택 • 매출-대변계정은 부가세예수금과 기본계정으로 자동 분개되어 표기되며, 차변계정은 사용자가 직접 입력한다. (예 : 받을어음 등 대체계정과목) • 매입-차변계정은 부가세대급금과 기본계정으로 자동 분개되어 표기되며, 대변계정은 사용자가 직접 입력한다. (예 : 지급어음 등 기타 대체계정과목)
	4.카드	과세나 면세 매출분에서 외상매출금이나 미수금 등으로 분개한 다음 신용카드매출전표로 결제한 경우 추가입력시 신용카드매출전표발행집계표에 반영된다. 환경설정에서 외상매출금, 미수금 등 계정과목은 신용카드 기본계정인 카드채권으로 설정되어 있어야 한다.
적요	별도의 적요를 입력하지 않으면 상단 품명란의 적요가 자동으로 입력된다.	
관리	계정과목등록에 현재 입력하는 계정의 관리항목으로 지정된 항목만 조회가 가능하다.	
데이터 정렬방식	매입매출전표입력 화면상에서 마우스 오른쪽 버튼을 클릭하면 우측의 단축메뉴가 나타난다. • 일자순 : 전표일자 순으로 데이터 정렬을 한다. • 입력순 : 사용자가 입력한 전표순으로 데이터 정렬을 한다. • 거래처-일자순 : 거래처코드별, 전표일자 순으로 데이터 정렬을 한다. • 데이터 정렬은 날짜순으로 되어 있으며, 사용자 필요에 따라 수시로 변경할 수 있다.	

02 매출거래 코드유형

코 드	유형	내 용
11.과세	과세매출	일반 과세매출 세금계산서(10%) 발급 시 선택한다.
12.영세	영세율	영세율매출 세금계산서(0%) 발급 시 선택한다.
13.면세	계산서	면세사업자가 매출계산서 발급 시 선택한다.
14.건별	무증빙	과세매출(10%)로 다음에 해당하는 경우에 선택한다. (공급가액과 부가가치세 자동 분리) ① 적격증빙(세금계산서, 신용카드 매출전표, 현금영수증) 이외의 기타증빙이 발급된 경우 ② 증빙이 전혀 발급되지 않은 경우

코 드	유형	내 용
15.간이	간이과세	간이과세자가 영수증 등을 발급 시 선택한다.
16.수출	수출	직수출이나 대행수출의 국외거래로 영세율이 적용되는 경우에 선택한다.
17.카과	카드과세	과세매출(10%)로 신용카드 매출전표를 발급 시 선택한다. (공급가액과 부가가치세 자동 분리)
18.카면	카드면세	면세매출로 신용카드 매출전표를 발급 시 선택한다.
19.카영	카드영세	영세율매출(0%)로 신용카드 매출전표를 발급 시 선택한다.
20.면건	무증빙	면세매출로 다음에 해당하는 경우에 선택한다. ① 적격증빙(계산서) 이외의 기타증빙 발급된 경우 ② 증빙이 전혀 발급되지 않은 경우
21.전자	전자화폐	전자화폐에 의한 매출 시 선택한다.
22.현과	현금과세	과세매출(10%)로 현금영수증을 발급 시 선택한다. (공급가액과 부가가치세 자동 분리)
23.현면	현금면세	면세매출로 현금영수증을 발급 시 선택한다.
24.현영	현금영세	영세율매출(0%)로 현금영수증을 발급 시 선택한다.

실무문제 매출 유형별 연습 - 11.과세

다음은 (주)우리악기의 거래자료이다. [매입매출전표입력] 메뉴에 입력하시오.

01 유형 11.과세 : 10% 부가세가 있는 세금계산서를 발급한 거래

[1] 10월 1일 천지악기에 제품을 판매하고 다음과 같은 전자세금계산서를 발급하였다.

(적 색)

전자 세금계산서 (공급자보관용) 승인번호

공급자				공급받는자			
등록번호	109-81-73060			등록번호	252-60-90790		
상호	(주)우리악기	성명	이순재	상호	천지악기	성명	정찬우
사업장 주소	수원시 팔달구 경수대로 424			사업장 주소	서울시 서초구 반포대로 235		
업태	제조, 도소매	종사업장번호		업태	도,소매	종사업장번호	
종목	악기류			종목	악기류		
E-Mail	wouri@korea.net			E-Mail	cg1004@korea.net		

작성일자			공급가액	세액
2021	10	01	15,000,000	1,500,000
비고				

월	일	품목명	규격	수량	단가	공급가액	세액	비고
10	01	전자악기 #101		10	1,000,000	10,000,000	1,000,000	
10	01	전자악기 #201		10	500,000	5,000,000	500,000	

합계금액	현금	수표	어음	외상미수금	이 금액을 (○ 영수 / ◉ 청구) 함
16,500,000	1,500,000			15,000,000	

[2] 10월 2일 제국악기에 제품을 공급하고 전자세금계산서(공급가액 : 7,000,000원, 세액 : 700,000원)를 발급하였다. 대금은 계약금으로 받은 500,000원을 제외한 잔액을 제국악기 발행 약속어음(만기일 2021.12.31)으로 받았으며, 제품 운송비 50,000원은 현금으로 별도 지급하였다. (하나의 전표로 작성할 것)

[3] 10월 3일 당사는 수석상사에 공장의 기계장치 일부를 매각하고 전자세금계산서를 발급하였다. 매각대금은 전액 외상으로 하였다.

- 매각대금 : 30,000,000원(부가가치세 별도)
- 매각당시 감가상각누계액 : 5,000,000원
- 취득가액 : 32,000,000원

[4] 10월 4일 지난 8월 삼한악기(주)에 판매한 제품 중 2개(@₩300,000, 부가가치세 별도)가 불량품으로 판명되어 반품됨에 따라 수정전자세금계산서를 발급하였다. 대금은 거래처와 협의하여 외상대금과 상계처리하기로 하였다.

실무문제 따라하기

[1] 10월 1일

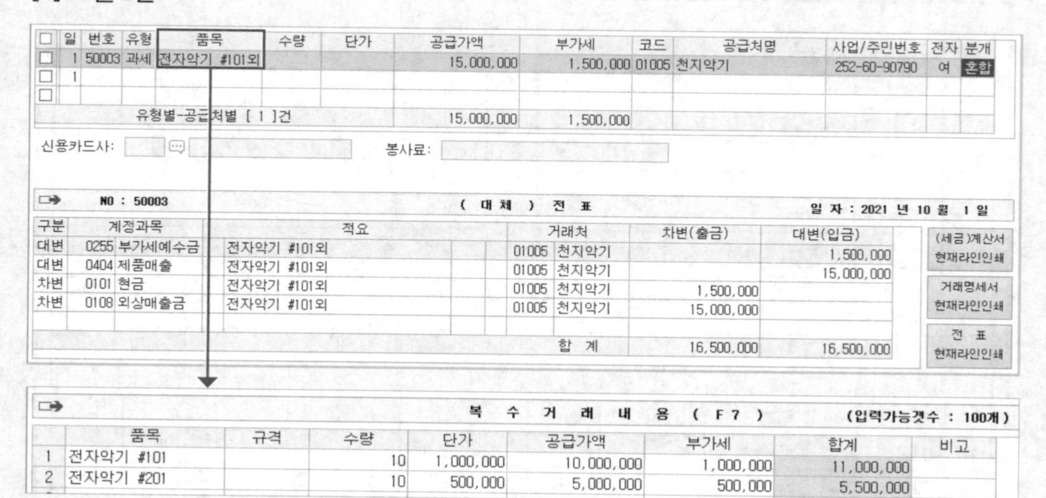

□	일	번호	유형	품목	수량	단가	공급가액	부가세	코드	공급처명	사업/주민번호	전자	분개
□	1	50003	과세	전자악기 #101외			15,000,000	1,500,000	01005	천지악기	252-60-90790	여	혼합
□	1												
□													
				유형별-공급처별 [1]건			15,000,000	1,500,000					

신용카드사: 봉사료:

NO : 50003 (대 체) 전 표 일 자 : 2021 년 10 월 1 일

구분	계정과목		적요	거래처		차변(출금)	대변(입금)
대변	0255	부가세예수금	전자악기 #101외	01005	천지악기		1,500,000
대변	0404	제품매출	전자악기 #101외	01005	천지악기		15,000,000
차변	0101	현금	전자악기 #101외	01005	천지악기	1,500,000	
차변	0108	외상매출금	전자악기 #101외	01005	천지악기	15,000,000	
				합 계		16,500,000	16,500,000

(세금)계산서 현재라인인쇄 / 거래명세서 현재라인인쇄 / 전 표 현재라인인쇄

복 수 거 래 내 용 (F7) (입력가능갯수 : 100개)

	품목	규격	수량	단가	공급가액	부가세	합계	비고
1	전자악기 #101		10	1,000,000	10,000,000	1,000,000	11,000,000	
2	전자악기 #201		10	500,000	5,000,000	500,000	5,500,000	

TIP 상단의 'F7 복수거래' 키를 이용하여 입력한다.

[2] 10월 2일

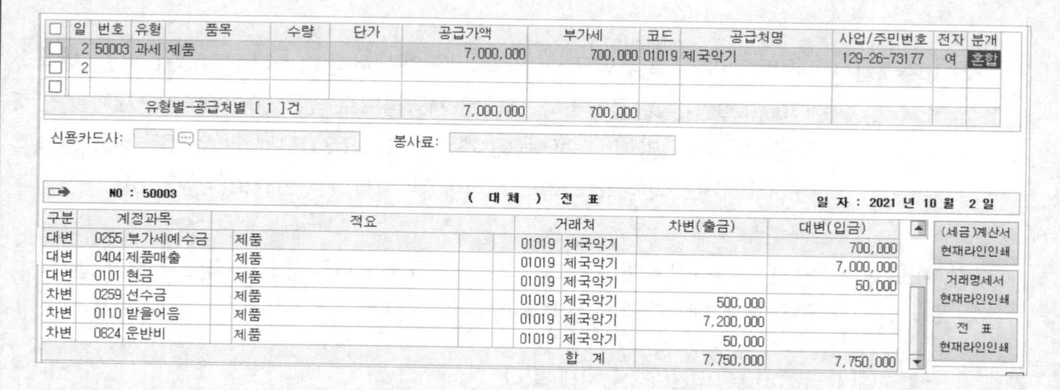

□	일	번호	유형	품목	수량	단가	공급가액	부가세	코드	공급처명	사업/주민번호	전자	분개
□	2	50003	과세	제품			7,000,000	700,000	01019	제국악기	129-26-73177	여	혼합
□	2												
□													
				유형별-공급처별 [1]건			7,000,000	700,000					

신용카드사: 봉사료:

NO : 50003 (대 체) 전 표 일 자 : 2021 년 10 월 2 일

구분	계정과목		적요	거래처		차변(출금)	대변(입금)
대변	0255	부가세예수금	제품	01019	제국악기		700,000
대변	0404	제품매출	제품	01019	제국악기		7,000,000
대변	0101	현금	제품	01019	제국악기		50,000
차변	0259	선수금	제품	01019	제국악기	500,000	
차변	0110	받을어음	제품	01019	제국악기	7,200,000	
차변	0824	운반비	제품	01019	제국악기	50,000	
				합 계		7,750,000	7,750,000

(세금)계산서 현재라인인쇄 / 거래명세서 현재라인인쇄 / 전 표 현재라인인쇄

TIP 미리 받은 계약금은 선수금 계정으로 우선 상계처리하고, 잔액은 받을어음 계정, 제품 운송비는 별도의 운반비 계정으로 처리한다.

[3] 10월 3일

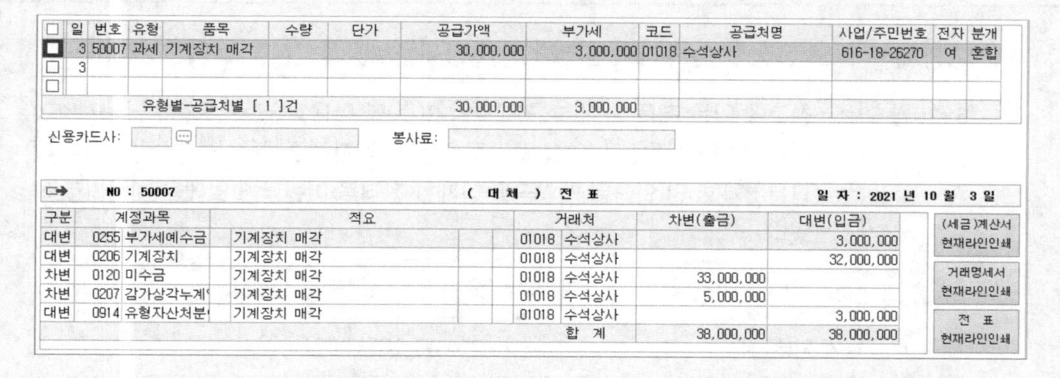

일	번호	유형	품목	수량	단가	공급가액	부가세	코드	공급처명	사업/주민번호	전자	분개
3	50007	과세	기계장치 매각			30,000,000	3,000,000	01018	수석상사	616-18-26270	여	혼합
3												
			유형별-공급처별 [1]건			30,000,000	3,000,000					

신용카드사: 봉사료:

NO : 50007 (대 체) 전 표 일 자 : 2021 년 10 월 3 일

구분	계정과목		적요	거래처		차변(출금)	대변(입금)
대변	0255	부가세예수금	기계장치 매각	01018	수석상사		3,000,000
대변	0206	기계장치	기계장치 매각	01018	수석상사		32,000,000
차변	0120	미수금	기계장치 매각	01018	수석상사	33,000,000	
차변	0207	감가상각누계	기계장치 매각	01018	수석상사	5,000,000	
대변	0914	유형자산처분	기계장치 매각	01018	수석상사		3,000,000
				합 계		38,000,000	38,000,000

(세금)계산서 현재라인인쇄 / 거래명세서 현재라인인쇄 / 전 표 현재라인인쇄

TIP

- 유형자산 매각시 처분가액과 장부가액(취득가액-감가상각누계액)의 차이는 유형자산처분이익 계정으로 처리한다.
- 30,000,000원(공급가액) - (32,000,000원 - 5,000,000원) = 3,000,000원 (처분이익)

[4] 10월 4일

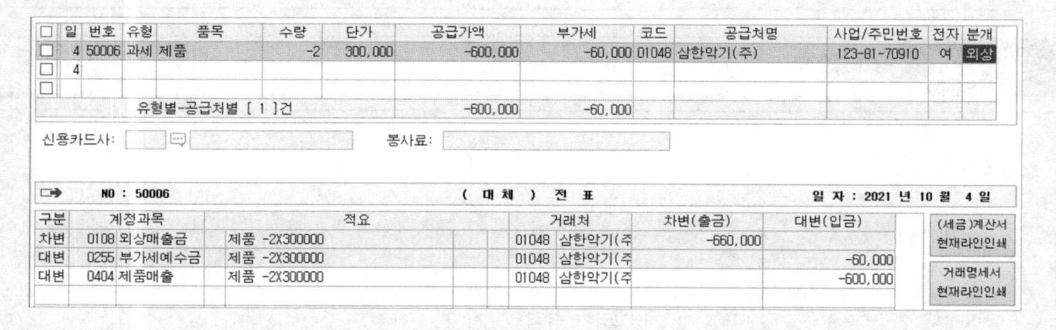

일	번호	유형	품목	수량	단가	공급가액	부가세	코드	공급처명	사업/주민번호	전자	분개
4	50006	과세	제품	-2	300,000	-600,000	-60,000	01048	삼한악기(주)	123-81-70910	여	외상
4												
			유형별-공급처별 [1]건			-600,000	-60,000					

신용카드사: 봉사료:

NO : 50006 (대 체) 전 표 일 자 : 2021 년 10 월 4 일

구분	계정과목		적요	거래처		차변(출금)	대변(입금)
차변	0108	외상매출금	제품 -2X300000	01048	삼한악기(주	-660,000	
대변	0255	부가세예수금	제품 -2X300000	01048	삼한악기(주		-60,000
대변	0404	제품매출	제품 -2X300000	01048	삼한악기(주		-600,000

(세금)계산서 현재라인인쇄 / 거래명세서 현재라인인쇄

TIP

- 판매된 제품이 반품된 경우 수량은 (-), 단가는 (+)로 입력한다.
- 반품 대금을 외상매출금과 상계처리하는 경우 분개란에 2.외상을 선택하여 입력한다.

실무문제 | 매출 유형별 연습 - 12.영세

02 12.영세 : 내국신용장 또는 구매확인서에 의한 영세율세금계산서를 발급한 거래

[5] 10월 5일 창고에 있는 제품 중 일부를 대호악기(주)와 다음과 같은 수출품 납품계약에 의하여 내국신용장(L/C)를 근거로 영세율 전자세금계산서를 발급하였다. 대금은 8월 20일 입금된 계약금을 상계한 잔액을 이번달 말일에 결제하기로 하였다.

계 약 내 용		
계 약 일 자	2021년 08월 20일	
총계약 금액	32,000,000원	
계 약 금	2021. 08. 20.	13,000,000원
납품기일 및 잔액	2021. 10. 05.	19,000,000원

실무문제 | 따라하기

[5] 10월 5일

□	일	번호	유형	품목	수량	단가	공급가액	부가세	코드	공급처명	사업/주민번호	전자	분개
□	5	50003	영세	제품			32,000,000		01004	대호악기(주)	135-86-44332	여	혼합
□	5												
□													
		유형별-공급처별 [1]건					32,000,000						

영세율구분 3 내국신용장 · 구매확인서에 의하여 공급하는 재화

NO : 50003 (대 체) 전 표 일 자 : 2021 년 10 월 5 일

구분	계정과목		적요	거래처		차변(출금)	대변(입금)
대변	0404	제품매출	제품	01004	대호악기(주		32,000,000
차변	0259	선수금	제품	01004	대호악기(주	13,000,000	
차변	0108	외상매출금	제품	01004	대호악기(주	19,000,000	

(세금)계산서 현재라인인쇄

거래명세서 현재라인인쇄

TIP 8월 20일 일반전표에서 선수금 금액을 확인한다.

실무문제 매출 유형별 연습 - 13.면세

03 13.면세 : 면세품을 매출하고 계산서를 발급한 거래

[6] 10월 6일 매출처 (주)서울에 면세가 적용되는 제품 10,000,000원을 매출하고 전자계산서를 발급하였다. 매출대금 중 1/2은 (주)서울이 발행 약속어음으로 받고 1/2은 외상으로 하였다.

실무문제 따라하기

[6] 10월 6일

□	일	번호	유형	품목	수량	단가	공급가액	부가세	코드	공급처명	사업/주민번호	전자	분개
□	6	50002	면세	제품			10,000,000		01006	(주)서울	513-81-19310	여	혼합
□	6												
□													
				유형별-공급처별 [1]건			10,000,000						

신용카드사: 봉사료:

NO : 50002 (대 체) 전 표 일 자 : 2021 년 10 월 6 일

구분	계정과목		적요	거래처		차변(출금)	대변(입금)
대변	0404	제품매출	제품	01006	(주)서울		10,000,000
차변	0110	받을어음	제품	01006	(주)서울	5,000,000	
차변	0108	외상매출금	제품	01006	(주)서울	5,000,000	

(세금)계산서 현재라인인쇄

거래명세서 현재라인인쇄

실무문제 매출 유형별 연습 - 14.건별

04 14.건별 : 10% 부가세가 있는 소매매출을 하고 영수증을 발급한 거래

[7] 10월 7일 두리유통에 제품을 440,000원(부가가치세 포함)을 외상으로 매출하여 거래명세서를 발급해 주었다.

실무문제 따라하기

[7] 10월 7일

□	일	번호	유형	품목	수량	단가	공급가액	부가세	코드	공급처명	사업/주민번호	전자	분개
□	7	50001	건별	제품			400,000	40,000	01013	두리유통	314-19-97051		외상
□	7												
□													
			유형별-공급처별 [1]건				400,000	40,000					

신용카드사: 봉사료:

NO : 50001 (대 체) 전 표 일 자 : 2021 년 10 월 7 일

구분	계정과목	적요	거래처	차변(출금)	대변(입금)
차변	0108 외상매출금	제품	01013 두리유통	440,000	
대변	0255 부가세예수금	제품	01013 두리유통		40,000
대변	0404 제품매출	제품	01013 두리유통		400,000

(세금)계산서 현재라인인쇄 / 거래명세서 현재라인인쇄

TIP 거래명세서는 적격증빙이 아니므로 유형을 14.건별을 선택하고, 공급대가 440,000원을 입력하면 공급가액과 부가세가 자동으로 분리되어 반영된다.

실무문제 매출 유형별 연습 - 16.수출

05 16.수출 : 세금계산서가 발급되지 않은 직수출인 거래

[8] 10월 8일 중국 HK.KING사로 수출할 제품($50,000)이 인천항에서 금일 선적 완료하였다. 수출대금 전액은 10월 20일에 받기로 하였다. 외국환거래법에 의한 기준환율은 다음과 같다.

일자	10월 8일	10월 20일
기준환율	1,200원/1$	1,300원/1$

실무문제 따라하기

[8] 10월 8일

□	일	번호	유형	품목	수량	단가	공급가액	부가세	코드	공급처명	사업/주민번호	전자	분개
□	8	50001	수출	제품			60,000,000		01063	HK.KING			외상
□	8												
□													
			유형별-공급처별 [1]건				60,000,000						

영세율구분 1 직접수출(대행수출 포함) 수출신고번호

NO : 50001 (대 체) 전 표 일 자 : 2021 년 10 월 8 일

구분	계정과목		적요	거래처		차변(출금)	대변(입금)
차변	0108	외상매출금	제품	01063	HK.KING	60,000,000	
대변	0404	제품매출	제품	01063	HK.KING		60,000,000

(세금)계산서 현재라인인쇄 / 거래명세서 현재라인인쇄

TIP $50,000 × 1,200원(선적일 기준환율) = 60,000,000원 (공급가액)

실무문제 매출 유형별 연습 - 17.카과

06 17.카과 : 10% 부가세가 있는 신용카드 매출전표를 발급한 거래

[9] 10월 9일 ㈜수성에게 제품을 1,100,000원(부가가치세 포함)에 매출하고 대금은 거래처의 법인카드인 신한카드로 결제받고 신용카드 매출전표를 발급하였다.

실무문제 따라하기

[9] 10월 9일

□	일	번호	유형	품목	수량	단가	공급가액	부가세	코드	공급처명	사업/주민번호	전자	분개
□	9	50001	카과	제품			1,000,000	100,000	01052	(주)수성	127-86-25877		카드
□	9												
□													
			유형별-공급처별 [1]건				1,000,000	100,000					

신용카드사: 99601 신한카드 봉사료:

NO : 50001 (대 체) 전 표 일 자 : 2021 년 10 월 9 일

구분	계정과목		적요	거래처		차변(출금)	대변(입금)
차변	0108	외상매출금	제품	99601	신한카드	1,100,000	
대변	0255	부가세예수금	제품	01052	(주)수성		100,000
대변	0404	제품매출	제품	01052	(주)수성		1,000,000

(세금)계산서 현재라인인쇄 / 거래명세서 현재라인인쇄

TIP 카드과세인 경우 공급대가 1,100,000원을 입력하면 공급가액과 부가세가 자동으로 분리되어 반영되며, 신용카드사란에 결제카드사인 신한카드를 입력, 분개란에서 4.카드를 선택하면 외상매출금 거래처에 카드거래처가 자동반영된다.

실무문제 매출 유형별 연습 - 22.현과

07 22.현과 : 10% 부가세가 있는 현금영수증을 발급한 거래

[10] 10월 10일 ㈜수성에게 제품을 500,000원(부가가치세 별도)에 매출하고 대금은 현금으로 수령하고 현금영수증을 발급하였다.

실무문제 따라하기

[10] 10월 10일

□	일	번호	유형	품목	수량	단가	공급가액	부가세	코드	공급처명	사업/주민번호	전자	분개
□	10	50006	현과	제품			500,000	50,000	01052	(주)수성	127-86-25877		현금
□	10												
□													
				유형별-공급처별 [1]건			500,000	50,000					

신용카드사: 봉사료:

NO : 50006 (입금) 전 표 일 자 : 2021 년 10 월 10 일

구분	계정과목	적요	거래처	차변(출금)	대변(입금)
입금	0255 부가세예수금	제품	01052 (주)수성	(현금)	50,000
입금	0404 제품매출	제품	01052 (주)수성	(현금)	500,000

(세금)계산서 현재라인인쇄

거래명세서 현재라인인쇄

TIP 현금과세인 경우 공급대가 550,000원을 입력하여 공급가액과 부가세가 자동으로 분리되도록 한다.

03 매입거래 코드유형

코 드	유형	내 용
51.과세	과세매입	매입세액 공제가 가능한 세금계산서(10%)를 수취한 경우 선택한다.
52.영세	영세율	영세율세금계산서(0%)를 수취한 경우 선택한다.
53.면세	계산서	매입계산서를 수취한 경우 선택한다.
54.불공	불공제	세금계산서 수취 시 매입세액이 공제되지 않는 다음에 해당하는 경우에 선택한다. ① 필요적 기재사항 누락 등 ② 사업과 직접 관련 없는 지출 ③ 비영업용 소형승용자동차 구입·유지 및 임차 ④ 접대비 및 이와 유사한 비용 관련 ⑤ 면세사업 관련 ⑥ 토지의 자본적 지출 관련 ⑦ 사업자등록 전 매입세액
55.수입	수입분	재화를 수입하고 세관장으로부터 발급 받은 수입세금계산서 수취 시 선택한다.
56.금전	금전등록	1998년까지만 사용(현재 금전등록기에 의한 매입세액 공제는 허용되지 않음)
57.카과	카드과세	매입세액이 공제 가능한 재화 등을 매입하고 신용카드 매출전표를 수취한 경우 선택한다.
58.카면	카드면세	면세 재화를 공급받고 신용카드 매출전표를 수취한 경우 선택한다.
59.카영	카드영세	영세율 적용 재화를 공급받고 신용카드 매출전표를 수취한 경우 선택한다.
60.면건	무증빙	면세 재화를 공급받고 적격증빙(계산서) 이외의 영수증 또는 영수증을 수취하지 못한 경우 선택한다.
61.현과	현금과세	매입세액이 공제 가능한 재화 등을 매입하고 현금영수증을 수취한 경우 선택한다.
62.현면	현금면세	면세 재화를 공급받고 현금영수증을 수취한 경우 선택한다.

실무문제 매입 유형별 연습 - 51.과세

■ 다음은 (주)우리악기의 거래자료이다. [매입매출전표입력] 메뉴에 입력하시오.

01 유형 51.과세 : 10% 부가세가 있는 세금계산서를 발급한 거래

[1] 11월 1일 비티엔상사로 부터 원재료인 전자부품을 구입하고 전자세금계산서를 수취하였다. 대금은 계약금 1,000,000원을 공제하고 일부는 전자어음을 발행하여 지급하였고 나머지는 다음달 말일에 결제하기로 하였다.

전자 세금계산서 (공급받는자 보관용) 승인번호

공급자	등록번호	220-08-25862			공급받는자	등록번호	109-81-73060		
	상호	비티엔상사	성명	이여름		상호	(주)우리악기	성명	이순재
	사업장주소	서울시 마포구 토정로 290-1				사업장주소	수원시 팔달구 경수대로 424		
	업태	제조	종사업장번호			업태	제조, 도소매업	종사업장번호	
	종목	전자부품				종목	악기류		
	E-Mail	Vitien@naver.com				E-Mail	wouri@korea.net		

작성일자			공란수	공급가액	세액
2021	10	01		50,000,000	5,000,000
비고					

월	일	품목명	규격	수량	단가	공급가액	세액	비고
10	01	재료 A		1,000	20,000	20,000,000	2,000,000	
10	01	재료 B		1,000	30,000	30,000,000	3,000,000	

합계금액	현금	수표	어음	외상미수금	이 금액을 ○ 영수 ◉ 청구 함
55,000,000	1,000,000		40,000,000	14,000,000	

[2] 11월 2일 천지악기로부터 원재료를 55,000,000원(부가가치세 포함)에 매입하고 전자세금계산서를 발급받았다. 대금 중 20,000,000원은 당사가 보관하고 있던 화신전자 발행의 전자어음을 배서양도하고, 잔액은 당좌수표로 지급하였다.

[3] 11월 3일 한울산업(주)로부터 건물의 에스컬레이터를 수선을 받고, 수선비(공급가액 8,000,000원, 세액 800,000원)에 대하여 전자세금계산서를 교부받았다. 대금은 전액 약속어음(만기일 2022.3.3)을 발행하여 지급하였다.(자본적 지출로 처리할 것)

[4] 11월 4일 당사는 영수악기가 소유하고 있던 특허권을 구입하면서 전자세금계산서(공급가액 3,000,000원, 부가가치세 300,000원)를 교부받았고, 그 대가로 당사의 주식 200주(액면가액 10,000원)를 액면발행해서 교부하고, 나머지는 당좌수표로 지급하였다.

[5] 11월 5일 ㈜테크노상사로부터 매입한 원재료 중 10개(@₩80,000)가 불량품으로 판명되어 반품처리하고 수정전자세금계산서를 발급받았다. 대금은 거래처와 협의하여 외상대금과 상계처리하기로 하였다.

실무문제 따라하기

[1] 11월 1일

□	일	번호	유형	품목	수량	단가	공급가액	부가세	코드	공급처명	사업/주민번호	전자	분개
□	1	50002	과세	재료 A외			50,000,000	5,000,000	01054	비티엔상사	220-08-25862	여	혼합
□	1												
□													
			유형별-공급처별 [1]건				50,000,000	5,000,000					

신용카드사: 봉사료:

NO : 50002 (대 체) 전 표 일 자 : 2021 년 11 월 1 일

구분	계정과목	적요	거래처	차변(출금)	대변(입금)
차변	0135 부가세대급금	재료 A외	01054 비티엔상사	5,000,000	
차변	0153 원재료	재료 A외	01054 비티엔상사	50,000,000	
대변	0131 선급금	재료 A외	01054 비티엔상사		1,000,000
대변	0252 지급어음	재료 A외	01054 비티엔상사		40,000,000
대변	0251 외상매입금	재료 A외	01054 비티엔상사		14,000,000
			합 계	55,000,000	55,000,000

(세금)계산서 현재라인인쇄 / 거래명세서 현재라인인쇄 / 전 표 현재라인인쇄

TIP 미리 지급한 계약금은 선급금 계정으로 반제처리하고 전자세금계산서 하단의 어음금액을 확인하여 지급어음 계정으로 처리한다.

[2] 11월 2일

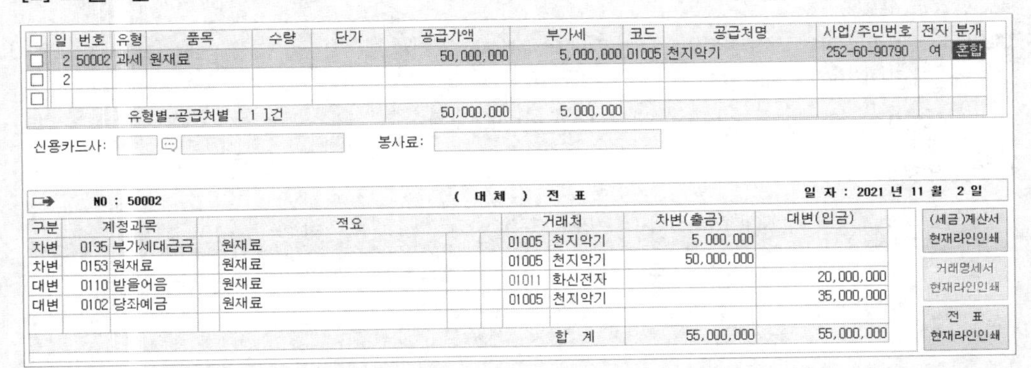

□	일	번호	유형	품목	수량	단가	공급가액	부가세	코드	공급처명	사업/주민번호	전자	분개
□	2	50002	과세	원재료			50,000,000	5,000,000	01005	천지악기	252-60-90790	여	혼합
□	2												
□													
			유형별-공급처별 [1]건				50,000,000	5,000,000					

신용카드사: 봉사료:

NO : 50002 (대 체) 전 표 일 자 : 2021 년 11 월 2 일

구분	계정과목	적요	거래처	차변(출금)	대변(입금)
차변	0135 부가세대급금	원재료	01005 천지악기	5,000,000	
차변	0153 원재료	원재료	01005 천지악기	50,000,000	
대변	0110 받을어음	원재료	01011 화신전자		20,000,000
대변	0102 당좌예금	원재료	01005 천지악기		35,000,000
			합 계	55,000,000	55,000,000

(세금)계산서 현재라인인쇄 / 거래명세서 현재라인인쇄 / 전 표 현재라인인쇄

TIP 보관하고 있던 어음을 배서양도하는 경우 받을어음 계정의 거래처는 어음발행인 화신전자로 수정입력한다.

[3] 11월 3일

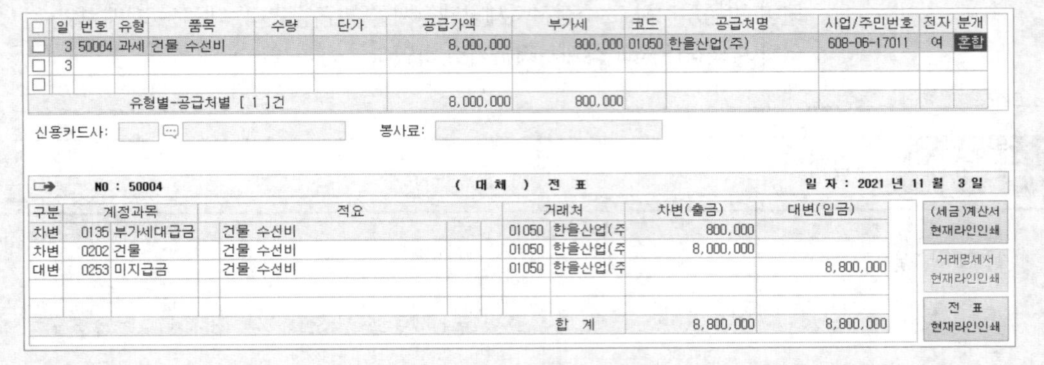

일	번호	유형	품목	수량	단가	공급가액	부가세	코드	공급처명	사업/주민번호	전자	분개
3	50004	과세	건물 수선비			8,000,000	800,000	01050	한울산업(주)	608-06-17011	여	혼합
3												
			유형별-공급처별 [1]건			8,000,000	800,000					

신용카드사: 봉사료:

NO : 50004 (대 체) 전 표 일 자 : 2021 년 11 월 3 일

구분	계정과목		적요	거래처		차변(출금)	대변(입금)
차변	0135	부가세대급금	건물 수선비	01050	한울산업(주	800,000	
차변	0202	건물	건물 수선비	01050	한울산업(주	8,000,000	
대변	0253	미지급금	건물 수선비	01050	한울산업(주		8,800,000
					합 계	8,800,000	8,800,000

(세금)계산서 현재라인인쇄 / 거래명세서 현재라인인쇄 / 전 표 현재라인인쇄

TIP 건물 수선비가 자본적 지출에 해당하면 건물 계정, 결제대금으로 어음을 발행한 경우 미지급금 계정으로 처리한다.

[4] 11월 4일

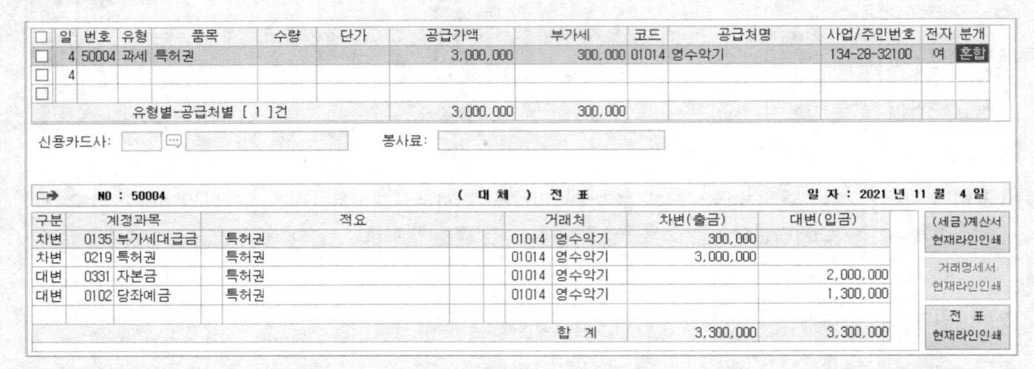

일	번호	유형	품목	수량	단가	공급가액	부가세	코드	공급처명	사업/주민번호	전자	분개
4	50004	과세	특허권			3,000,000	300,000	01014	영수악기	134-28-32100	여	혼합
4												
			유형별-공급처별 [1]건			3,000,000	300,000					

신용카드사: 봉사료:

NO : 50004 (대 체) 전 표 일 자 : 2021 년 11 월 4 일

구분	계정과목		적요	거래처		차변(출금)	대변(입금)
차변	0135	부가세대급금	특허권	01014	영수악기	300,000	
차변	0219	특허권	특허권	01014	영수악기	3,000,000	
대변	0331	자본금	특허권	01014	영수악기		2,000,000
대변	0102	당좌예금	특허권	01014	영수악기		1,300,000
					합 계	3,300,000	3,300,000

(세금)계산서 현재라인인쇄 / 거래명세서 현재라인인쇄 / 전 표 현재라인인쇄

TIP
- 특허권을 구입한 경우 무형자산인 특허권 계정으로 처리하고 대금으로 주식을 액면발행한 경우 자본금 계정으로 처리한다.
- 200주 × 액면가액 10,000원 = 2,000,000원 (자본금)

[5] 11월 5일

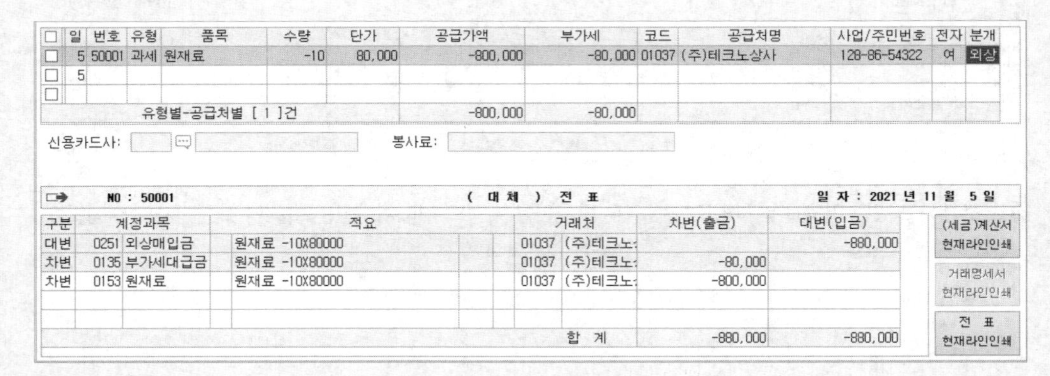

일	번호	유형	품목	수량	단가	공급가액	부가세	코드	공급처명	사업/주민번호	전자	분개
5	50001	과세	원재료	-10	80,000	-800,000	-80,000	01037	(주)테크노상사	128-86-54322	여	외상
5												
			유형별-공급처별 [1]건			-800,000	-80,000					

신용카드사: 봉사료:

NO : 50001 (대 체) 전 표 일 자 : 2021 년 11 월 5 일

구분	계정과목		적요	거래처		차변(출금)	대변(입금)
대변	0251	외상매입금	원재료 -10X80000	01037	(주)테크노		-880,000
차변	0135	부가세대급금	원재료 -10X80000	01037	(주)테크노	-80,000	
차변	0153	원재료	원재료 -10X80000	01037	(주)테크노	-800,000	
					합 계	-880,000	-880,000

(세금)계산서 현재라인인쇄 / 거래명세서 현재라인인쇄 / 전 표 현재라인인쇄

TIP
- 매입한 원재료를 반품하는 경우 수량은 (-), 단가는 (+)로 입력한다.
- 반품 대금을 외상매입금과 상계처리하는 경우 분개란에 2.외상을 선택하여 입력한다.

실무문제 | 매입 유형별 연습 - 53.면세

02 53.면세 : 면세품을 매입하고 계산서를 수취한 거래

[6] 11월 6일 회사의 판매부 직원 홍진주의 결혼식에 사용할 축하화환을 110,000원에 ㈜영진에서 전자계산서를 발급받아 구입하고 보통예금 계좌에서 이체하였다.

실무문제 | 따라하기

[6] 11월 6일

□	일	번호	유형	품목	수량	단가	공급가액	부가세	코드	공급처명	사업/주민번호	전자	분개
□	6	50004	면세	축하화환			110,000		01029	(주)영진	102-81-37082	여	혼합
□	6												
□													
			유형별-공급처별 [1]건				110,000						

신용카드사: 봉사료:

NO : 50004 (대 체) 전 표 일 자 : 2021 년 11 월 6 일

구분	계정과목	적요	거래처	차변(출금)	대변(입금)
차변	0811 복리후생비	축하화환	01029 (주)영진	110,000	
대변	0103 보통예금	축하화환	01029 (주)영진		110,000
			합 계	110,000	110,000

(세금)계산서 현재라인인쇄 / 거래명세서 현재라인인쇄 / 전 표 현재라인인쇄

TIP
- 전자계산서를 수취한 경우 53.면세를 선택하면 공급가액란에서 [의제매입세액 또는 재활용세액 계산] 화면에서 0.해당없음을 입력하고 [확인]을 클릭한다.
- 면세류의 원재료에 대하여 의제매입세액 또는 재활용세액을 자동 계산하며, 부가가치세 부속서류를 자동으로 작성해준다.

실무문제 | 매입 유형별 연습 - 54.불공

03 54.불공 : 세금계산서 수취분 중 매입세액 공제가 불가능한 거래

[7] 11월 7일 영업부에서 사용할 5인용 승용차(공급가액 20,000,000원, 부가가치세 2,000,000원)를 (주)경기자동차로부터 구입하고 전자세금계산서를 받았으며 대금은 (주)하늘캐피탈의 할부금융에서 10개월 상환약정으로 차입하여 지급하였다.

[8] 11월 8일 본사 사옥을 신축할 목적으로 건축물이 있는 토지를 당기 구입하고 기존 건축물 철거와 관련하여 용역비용 2,000,000원(부가가치세 별도, 전자세금계산서 수취)을 (주)종우물산에게 보통예금 계좌에서 이체하였다.

실무문제 따라하기

[7] 11월 7일

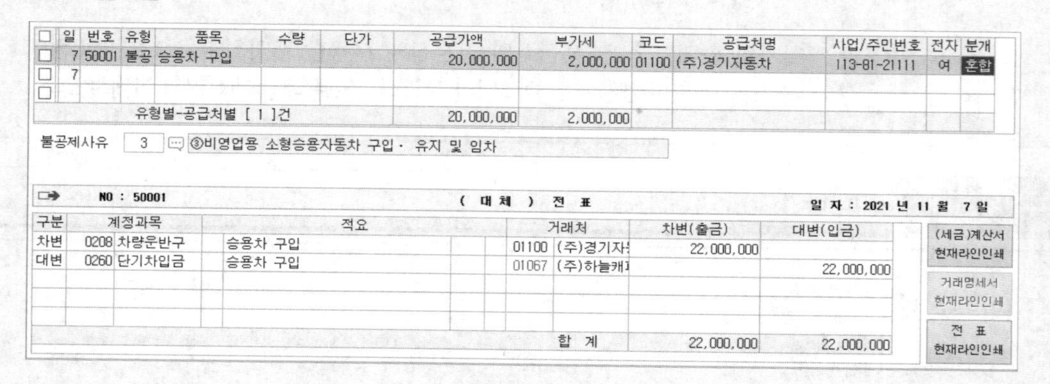

일	번호	유형	품목	수량	단가	공급가액	부가세	코드	공급처명	사업/주민번호	전자	분개
7	50001	불공	승용차 구입			20,000,000	2,000,000	01100	(주)경기자동차	113-81-21111	여	혼합
7												
			유형별-공급처별 [1]건			20,000,000	2,000,000					

불공제사유 3 ③비영업용 소형승용자동차 구입 · 유지 및 임차

NO : 50001 (대 체) 전 표 일 자 : 2021 년 11 월 7 일

구분	계정과목	적요	거래처	차변(출금)	대변(입금)
차변	0208 차량운반구	승용차 구입	01100 (주)경기자	22,000,000	
대변	0260 단기차입금	승용차 구입	01067 (주)하늘캐		22,000,000
			합 계	22,000,000	22,000,000

(세금)계산서 현재라인인쇄
거래명세서 현재라인인쇄
전 표 현재라인인쇄

TIP 5인승이하의 승용차를 구입한 경우 매입세액 불공제에 해당하며, 10개월 할부금융으로 차입한 경우 단기차입금 계정으로 처리한다.

[8] 11월 8일

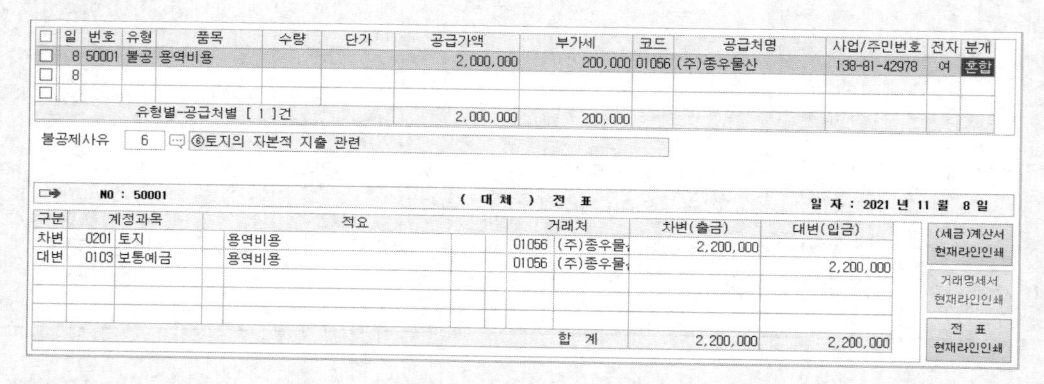

일	번호	유형	품목	수량	단가	공급가액	부가세	코드	공급처명	사업/주민번호	전자	분개
8	50001	불공	용역비용			2,000,000	200,000	01056	(주)종우물산	138-81-42978	여	혼합
8												
			유형별-공급처별 [1]건			2,000,000	200,000					

불공제사유 6 ⑥토지의 자본적 지출 관련

NO : 50001 (대 체) 전 표 일 자 : 2021 년 11 월 8 일

구분	계정과목	적요	거래처	차변(출금)	대변(입금)
차변	0201 토지	용역비용	01056 (주)종우물	2,200,000	
대변	0103 보통예금	용역비용	01056 (주)종우물		2,200,000
			합 계	2,200,000	2,200,000

(세금)계산서 현재라인인쇄
거래명세서 현재라인인쇄
전 표 현재라인인쇄

TIP 신축할 목적으로 토지 취득시 기존 건물 철거 비용은 토지의 자본적 지출에 해당하므로 매입세액 불공제 대상이다.

실무문제 매입 유형별 연습 - 55.수입

04 55.수입 : 재화를 수입하고 세관장이 발급하는 수입세금계산서 수취한 거래

[9] 11월 9일 일본 노무라사로부터 수입한 공장용 기계부품과 관련하여 인천세관으로부터 아래와 같은 내용의 수입전자세금계산서를 발급받았고, 관련 부가가치세는 금일 전액 보통예금 계좌에서 납부하였다.

작성일자	품목	공급가액	세액	합계	비고
11월 9일	기계부품	15,500,000원	1,550,000원	17,050,000원	영 수

실무문제 따라하기

[9] 11월 9일

□	일	번호	유형	품목	수량	단가	공급가액	부가세	코드	공급처명	사업/주민번호	전자	분개
□	9	50001	수입	기계부품			15,500,000	1,550,000	01068	인천세관	312-83-60127	여	혼합
□	9												
□													
		유형별-공급처별 [1]건					15,500,000	1,550,000					

신용카드사: 봉사료:

NO : 50001 (대 체) 전 표 일 자 : 2021 년 11 월 9 일

구분	계정과목	적요	거래처	차변(출금)	대변(입금)
차변	0135 부가세대급금	기계부품	01068 인천세관	1,550,000	
대변	0103 보통예금	기계부품	01068 인천세관		1,550,000

(세금)계산서 현재라인인쇄 / 거래명세서 현재라인인쇄

TIP 수입시 세관장이 발급하는 수입세금계산서를 수취하고 세금를 납부한 경우 부가세대급금 계정으로 분개한다.

실무문제 매입 유형별 연습 - 57.카과

05 57.카과 : 10% 부가세가 있는 신용카드 매출전표를 수취한 거래

[10] 11월 10일 영업부 사무실에서 사용할 목적으로 두리유통에서 필기구를 법인카드인 국민카드로 33,000원(부가가치세 포함)을 결제하고 신용카드 매출전표를 발급받았다. (사무용품비로 처리할 것)

실무문제 따라하기

[10] 11월 10일

□	일	번호	유형	품목	수량	단가	공급가액	부가세	코드	공급처명	사업/주민번호	전자	분개
□	10	50001	카과	필기구			30,000	3,000	01013	두리유통	314-19-97051		카드
□	10												
□													
				유형별-공급처별 [1]건			30,000	3,000					

신용카드사: 99604 국민카드 봉사료:

NO : 50001 (대 체) 전 표 일 자 : 2021 년 11 월 10 일

구분	계정과목	적요	거래처	차변(출금)	대변(입금)
대변	0253 미지급금	필기구	99604 국민카드		33,000
차변	0135 부가세대급금	필기구	01013 두리유통	3,000	
차변	0829 사무용품비	필기구	01013 두리유통	30,000	

(세금)계산서 현재라인인쇄 / 거래명세서 현재라인인쇄

TIP 카드과세인 경우 공급대가 33,000원을 입력하면 공급가액과 부가세가 자동으로 분리되어 반영되며, 신용카드사란에 국민카드를 입력, 분개란에서 4.카드를 선택하면 미지급금 거래처에 카드거래처가 자동반영된다.

실무문제 매입 유형별 연습 - 61.현과

06 61.현과 : 10% 부가세가 있는 현금영수증을 수취한 거래

[11] 11월 11일 공장 생산부서에서 사용할 컴퓨터를 (주)에이스전자에서 구입하고, 대금 2,200,000원(부가가치세 포함) 현금으로 지급하고, 현금영수증(지출증빙용)을 발급받았다. (자산으로 처리할 것)

실무문제 따라하기

[11] 11월 11일

□	일	번호	유형	품목	수량	단가	공급가액	부가세	코드	공급처명	사업/주민번호	전자	분개
□	11	50001	현과	컴퓨터			2,000,000	200,000	01009	(주)에이스전자	121-81-34107		현금
□	11												
□													
				유형별-공급처별 [1]건			2,000,000	200,000					

신용카드사: 봉사료:

NO : 50001 (출 금) 전 표 일 자 : 2021 년 11 월 11 일

구분	계정과목	적요	거래처	차변(출금)	대변(입금)
출금	0135 부가세대급금	컴퓨터	01009 (주)에이스	200,000	(현금)
출금	0212 비품	컴퓨터	01009 (주)에이스	2,000,000	(현금)

(세금)계산서 현재라인인쇄 / 거래명세서 현재라인인쇄

(주)강남(회사코드 : 2010)은 제조, 도매 및 무역업을 영위하는 중소기업이며, 당기(22기)회계기간은 2021. 1. 1. ~ 2021. 12. 31.이다. 다음 거래를 매입매출전표입력 메뉴에 추가 입력하시오.

01 7월 1일 제품을 소공전자의 대표자 이찬원(631201-1512151)에게 판매하고 대금은 현금과 자기앞수표로 받았으며 전자세금계산서를 교부하였다. 소공전자의 사업개시일은 2021년 7월 20일이며, 사업자등록신청일은 2021년 7월 15일이다.

<table>
<tr><td colspan="7">전자세금계산서(공급자 보관용)</td><td colspan="2">승인번호</td><td colspan="3"></td></tr>
<tr><td rowspan="5">공급자</td><td>사업자 등록번호</td><td>105-81-33130</td><td>종사업장 번호</td><td></td><td rowspan="5">공급받는자</td><td>사업자 등록번호</td><td colspan="2">631201-1512151</td><td>종사업장 번호</td><td colspan="2"></td></tr>
<tr><td>상호</td><td>(주)강남</td><td>성명</td><td>윤소현</td><td>상호 (법인명)</td><td colspan="2"></td><td>성명</td><td colspan="2">이찬원</td></tr>
<tr><td>사업장 주소</td><td colspan="3">서울시 강남구 도곡로7길 13</td><td>사업장 주소</td><td colspan="5">서울 양천구 화곡로 22 (신설동)</td></tr>
<tr><td>업태</td><td>제조, 도소매</td><td>종목</td><td>전자제품외</td><td>업태</td><td colspan="2"></td><td>종목</td><td colspan="2"></td></tr>
<tr><td>이메일</td><td colspan="3">gangnam@gangnam.com</td><td>이메일</td><td colspan="5">lee123@naver.com</td></tr>
<tr><td colspan="2">작성일자</td><td colspan="2">공급가액</td><td colspan="3">세액</td><td colspan="5">수정사유</td></tr>
<tr><td colspan="2">2021.07.01.</td><td colspan="2">20,000,000</td><td colspan="3">2,000,000</td><td colspan="5"></td></tr>
<tr><td colspan="2">비고</td><td colspan="10"></td></tr>
<tr><td>월</td><td>일</td><td>품목</td><td>규격</td><td>수량</td><td>단가</td><td colspan="2">공급가액</td><td colspan="2">세액</td><td colspan="2">비고</td></tr>
<tr><td>7</td><td>1</td><td>전자제품</td><td></td><td></td><td></td><td colspan="2">20,000,000</td><td colspan="2">2,000,000</td><td colspan="2"></td></tr>
<tr><td colspan="2">합계금액</td><td>현금</td><td colspan="2">수표</td><td colspan="2">어음</td><td colspan="2">외상미수금</td><td colspan="3" rowspan="2">이 금액을 영수/청구 함</td></tr>
<tr><td colspan="2">22,000,000</td><td>2,000,000</td><td colspan="2">20,000,000</td><td colspan="2"></td><td colspan="2"></td></tr>
</table>

02 7월 2일 한라상사에 6월 28일에 외상으로 판매하였던 제품 중 10개(1개당 공급가액 100,000원, 부가가치세 10,000원)가 불량품으로 판명되어 반품됨에 따라 반품 전자세금계산서를 발급하였다. 대금은 외상매출금과 상계처리하기로 하였다.

03 7월 3일 상품포장시 발생한 폐지를 금일자로 개인사업자인 대일재활용에 처분하고, 현금 3,300,000원(부가가치세 포함)을 받은 후 전자세금계산서를 교부하였다. 단, 폐지에 대한 원가는 없는 것으로 하며, 손익관련 계정과목은 영업외손익 중 가장 적절한 것을 적용하시오.

04 7월 4일 본사에서 사용하던 건물을 (주)더킹광고에 55,000,000(부가가치세 포함)에 매각하고, 전자세금계산서를 발급하였다. 대금은 (주)비빔에 대한 원재료 외상매입금 30,000,000원을 (주)더킹광고에서 대신 변제하기로하고, 나머지 잔액은 보통예금계좌로 송금받았다. 해당 건물 취득원가는 100,000,000원이며 처분시까지 감가상각누계액은 40,000,000원이다.

05 7월 5일 (주)알라딘에 제품을 3,500,000원(부가가치세 별도)에 공급하고 전자세금계산서를 발급하였다. 2,500,000원은 (주)알라딘의 당좌수표로 수령하고, 나머지는 (주)알라딘이 한라상사로부터 받은 받을어음으로 수취하였다.

06 7월 6일 Local L/C에 의하여 (주)오대양에 제품을 30,000,000원에 공급하고, 영세율전자세금계산서를 발급하였다. 대금은 다음달 10일까지 지급 받기로 하였다.

07 7월 7일 수출업체인 (주)대작에 제품용 전자기기 5,000,000원을 동 날짜로 받은 구매확인서에 의해 납품하고 영세율전자세금계산서를 발급한 후 대금은 전액 현금으로 받았다.

08 7월 8일 수출업체인 (주)오대양에 구매확인서에 의하여 제품을 판매하고 영세율전자세금계산서를 발급하였다. 대금 중 4,000,000원은 삼성카드로 결제받아 신용카드매출전표를 발급하였으며, 나머지는 다음달 말일까지 받기로 하였다.

영세율전자세금계산서(공급자 보관용)							승인번호			
공급자	사업자 등록번호	105-81-33130	종사업장 번호		공급받는자	사업자 등록번호	126-85-14730	종사업장 번호		
	상호	(주)강남	성명	윤소현		상호 (법인명)	(주)오대양	성명	오윤하	
	사업장 주소	서울시 강남구 도곡로7길 13				사업장 주소	서울시 강남구 역삼로1길 11 (역삼동)			
	업태	제조, 도소매	종목	전자제품외		업태	도.소매	종목	전자제품	
	이메일	gangnam@gangnam.com				이메일	ohdaeyang@naver.com			

작성일자	공급가액	세액	수정사유
2021.07.08.	14,000,000	0	
비고			

월	일	품 목	규 격	수 량	단 가	공 급 가 액	세 액	비 고
7	8	전자제품				14,000,000	0	

합 계 금 액	현 금	수 표	어 음	외 상 미 수 금	이 금액을 영수/청구 함
14,000,000	4,000,000			10,000,000	

09 7월 9일 (주)용화로부터 면세가 적용되는 제품에 대한 계약서 받고 계약금 1,000,000원을 당사가 발행한 당좌수표로 회수하고 전자계산서를 발급하였다.

10 7월 10일 당사는 (주)가가상사와 다음의 2가지 거래를 하고 7월 10일에 합계전자계산서를 작성하여 발급하였다. 복수거래의 매입매출전표를 입력하고 회계처리는 공급일이 아닌 전자계산서 작성일에 하나의 전표로 처리하시오.

- 7월 5일 : 제품(면세품, 100개, 단가 10,000원)을 외상으로 판매하였다.
- 7월 9일 : 제품(면세품, 50개, 단가 20,000원)을 판매하고 대금은 어음으로 수취하였다.

11 7월 11일 비사업자인 권나라에게 제품을 판매하고, 판매대금 330,000원(부가가치세 포함)을 전액 현금으로 수령하여 보통예금 계좌에 입금처리하였다. 해당 거래에 대하여 별도의 세금계산서나 현금영수증을 발급하지 않았으며 간이영수증만 발급하였다.

12 7월 12일 제품을 소공전자에 10개, 단가 250,000원(부가가치세 별도)을 외상으로 판매하였다. 전자세금계산서를 발급하려고 하였으나 신규 사업을 시작하는 단계로 아직 사업자등록번호가 없어서 대표자 이찬원으로 거래명세서를 발급하였다.

13 7월 13일 보통예금 통장에 550,000원(부가세 포함)이 입금되어 확인한 결과 비사업자인 최공유에게 제품을 판매한 것으로 판명되었으며, 해당 거래에 대하여 별도의 세금계산서나 현금영수증을 발급하지 않았음을 확인하였다.

14 7월 14일 프랑스 뉴월드사에 수출할 제품 $20,000를 선적 완료하였다. 7월 1일에 선적지인도조건으로 수출계약을 체결하였고, 당일 선적을 완료하였다. 대금은 전액 7월 20일에 받기로 하였으며, 환율은 다음과 같다. (공급시기의 회계처리만 할 것)

• 7월 1일 : 1,000원/$ • 7월 14일 : 1,100원/$ • 7월 20일 : 1,200원/$

15 7월 15일 영국 소재 COBA사에게 제품을 $10,000에 직수출(선적일 : 7월 15일)하고 대금 중 $5,000은 당일에 외화예금 계좌로 외화로 입금되었으며 남은 잔액은 8월 31일에 받기로 하였다. 적용 환율은 다음과 같다.

날짜	적용 환율
7월 15일	1$당 1,100원
8월 31일	1$당 1,200원

16 7월 16일 중국 니하오사에 제품을 수출하고, 수출대금은 8월 10일에 미국달러화로 받기로 하였다. 수출과 관련된 내용은 다음과 같다.

- 수출신고일 : 2021. 07. 10.
- 선하증권상(B/L)의 선적일 : 2021.07.16.
- 수출가격 : $30,000
- 계약금입금 : $3,000(2021. 06. 30. 외화로 외화예금 통장에 입금되었으나 원화로 환가함)
- 잔액 및 결제일 : $ 27,000, 2021. 08. 10.

일 자	6월 30일	7월 10일	7월 16일	8월 10일
기준환율	1,300원/1$	1,250원/1$	1,200원/1$	1,230원/1$

17 7월 17일 비사업자인 최공유에게 제품을 판매하고 대금은 신한카드 1,100,000원(부가가치세 포함)로 결제하여 신용카드매출전표를 발급하였다.

18 7월 18일 국내 거주자인 알렉스에게 당사가 생산한 전자제품을 550,000원(공급대가)에 판매하였다. 대금은 삼성카드로 결제받고 신용카드매출전표를 발급하였다.

19 7월 19일 이찬원에게 제품을 판매하고 판매대금은 전액 보통예금 계좌로 입금되었고, 다음의 현금영수증을 발급하였다.

(주)강남
105-81-33130 윤소현
서울시 강남구 도곡로1길 13

현금영수증(소득공제)

구매 2021/07/19/17:06
거래번호 : 0026-0719

제품명	수량	금액
프린터 500	1	250,000
2043655000009		
	과세물품가액	250,000
	부 가 세	25,000
합 계		275,000
받은금액		275,000

20 7월 20일 회사에서 사용하던 복사기를 빛남문구에서 중고로 770,000원(부가가치세 포함)을 판매하고 대금을 전액 현금으로 수령한 후 지출증빙용용 현금영수증을 발급하였다. 복사기 판매 직전의 장부가액은 취득원가 1,200,000원, 감가상각누계액 550,000원이다.(단, 하나의 전표로 입력할 것)

21 8월 1일 당산전자(주)로부터 원재료를 매입하고 전자세금계산서를 수취하였다.

전자세금계산서(공급받는자 보관용) 승인번호

구분	항목	내용	항목	내용
공급자	사업자 등록번호	318-81-04342	종사업장 번호	
공급자	상호	당산전자(주)	성명	신아름
공급자	사업장 주소	서울시 송파구 성남대로 1541-32		
공급자	업태	제조, 도소매	종목	전자부품외
공급자	이메일	DK2000@gmail.com		
공급받는자	사업자 등록번호	105-81-33130	종사업장 번호	
공급받는자	상호 (법인명)	(주)강남	성명	윤소현
공급받는자	사업장 주소	서울시 강남구 도곡로7길 13		
공급받는자	업태	제조, 도소매	종목	전자제품외
공급받는자	이메일	gangnam@gangnam.com		

작성일자	공급가액	세액	수정사유
2021.08.01.	30,000,000	3,000,000	
비고			

월	일	품 목	규 격	수 량	단 가	공 급 가 액	세 액	비 고
8	1	전자부품				20,000,000	2,000,000	
8	1	전자부재료				10,000,000	1,000,000	

합 계 금 액	현 금	수 표	어 음	외 상 미 수 금	이 금액을 영수 청구 함
33,000,000	3,000,000		20,000,000	10,000,000	

22 8월 2일 당사는 (주)더킹광고가 보유하고 있는 디자인권을 5,000,000원(부가가치세 별도)에 취득하고 전자세금계산서를 수취하였으며, 디자인권 취득에 대한 대가로 당사의 주식을 800주 발행하여 교부하였다. 당사의 주식에 대한 정보는 아래와 같다. 하나의 전표로 입력하시오.

• 주식의 액면가액 : 주당 5,000원   • 주식의 시가 : 주당 8,000원

23 8월 3일 기계장치의 생산성 향상을 위하여 엔진을 교체하면서 로스산업에 16,000,000원(부가가치세 별도)을 지급하기로 하고, 전자세금계산서는 당일 수취하였다. 대금은 1개월 후에 지급하기로 하였다.

24 8월 4일 당사는 강남매장에서 사용하는 업무용 컴퓨터를 당사의 매출처인 주주소프트(주)로부터 임차하고 있으며, 이와 관련하여 아래와 같은 내용의 전자세금계산서를 교부받았다. 사용대금은 쌍방합의에 의해 주주소프트(주)에 대한 당사의 외상매출금과 즉시 상계처리하기로 하였다.

품 목	공급가액	세 액	합 계	비 고
업무용컴퓨터 대여	8,500,000원	850,000원	9,350,000원	영 수

25 8월 5일 (주)알라딘에서 6월 1일 구입한 기계장치 15,000,000원(부가가치세 별도)에 하자가 있어 반품하고 수정전자세금계산서를 발급받고 대금은 전액 미지급금과 상계처리 하였다.

26 8월 6일 원재료를 구입하면서 운반대가로 (주)빠른물류에게 3,300,000원(부가가치세 포함)을 어음으로 발행하여 지급하고 전자세금계산서를 수취하였다.

27 8월 7일 당사는 수출품 가공에 사용할 원재료를 (주)동원전자로부터 내국신용장에 의하여 구입하고 교부받은 영세율전자세금계산서내역이다.

수량	단가	공급가액	결제방법
120	150,000	18,000,000	• 현금 : 1,800,000원 • 외상 : 6,200,000원 • 어음발행 : 10,000,000원 (만기 : 2022.1.31)

28 8월 8일 (주)하늘산업으로부터 구매확인서에 의해 상품 10,000,000원을 매입하고 영세율전자세금계산서를 발급받았다. 대금 중 5,000,000원은 즉시 보통예금 계좌에서 계좌이체하고 나머지 금액은 다음 달 10일에 지급하기로 하였다.

29 8월 9일 (주)푸드콜에서 사과(30Box, @30,000원)를 구입하고 전자계산서를 교부받았다. 대금 중 1/2은 당좌수표를 발행하고 1/2은 거래처 (주)대작이 발행한 당좌수표를 배서하여 양도하였다. 사과의 사용내역은 다음과 같다.

- 신규 제품매출처 선물용 10Box
- 생산직, 사무직 사원 선물용 각각 5Box
- 회사 근처 복지센터 무상제공(업무와 관련 없음) 10Box

30 8월 10일 당사는 마케팅 부서의 업무용 리스차량(9인승 승합차, 3,000cc)의 월 운용 리스료 660,000원을 보통예금 계좌에서 이체하여 지급하고, 아주캐피탈로부터 전자계산서를 수취하였다. (임차료 계정과목을 사용할 것)

31 8월 11일 당사는 영업소 건물을 신축할 목적으로 토지를 구입하여 토지 위에 있는 건축물을 (주)제일건설과 철거계약을 하고 즉시 철거한 후 전자세금계산서를 교부받았다. 철거비용은 8,000,000원(부가가치세 별도)이 소요 되었는데, 5,000,000원은 당좌수표로 지급하고 나머지는 외상으로 하였다.

32 8월 12일 당사는 제품 야적장으로 사용할 목적으로 취득한 농지를 야적장 부지에 적합하도록 부지정리작업을 하고, 동 부지정리작업을 대행한 (주)우현물산으로부터 아래와 같은 내용의 전자세금계산서를 교부받았다. 단, 대금 중 부가가치세는 현금으로 지급하고 나머지는 금일자로 당사 발행 전자어음(만기: 2021. 12. 11.)으로 지급하였다.

작성일자	품 목	공급가액	세 액	합 계	비 고
21. 8. 12.	지반평탄화작업	7,000,000원	700,000원	7,700,000원	영수

33 8월 13일 영업부에서 사용할 5인용 승용차(공급가액 20,000,000원 부가가치세 2,000,000원)를 (주)빠르다자동차로부터 구입하고 전자세금계산서를 교부받았으며 이미 지급한 계약금 2,000,000원을 제외한 나머지 금액을 10개월에 걸쳐 납부하기로 약정하고 당월분은 당좌예금의 계좌에서 이체하여 지급하였다.

34 8월 14일 (주)더킹광고로부터 수건을 5,000,000원(부가가치세 별도)에 외상으로 구입하고 전자세금계산서를 수취하였으며, 동 수건은 자재부서 원재료매입거래처에 체육대회 경품으로 제공하였다.

35 8월 15일 컴천재로부터 대표이사 자녀가 개인적으로 사용할 최신형 노트북을 2,200,000원(부가가치세 포함)에 구입하였고 대금은 당사가 보관하고 있던 국민은행 발행 자기앞수표로 지급하고 당사를 공급받는자로 하여 전자세금계산서를 발급받았다.(가지급금의 거래처는 생략할 것)

36 8월 16일 해외기술제휴업체인 ADTEC.CO.,LTD로부터 원재료 부품을 수입하면서 통관절차에 따라 부산세관으로부터 수입전자세금계산서(공급가액 5,200,000원, 부가가치세 520,000원)를 교부받고, 이에 대한 부가가치세를 현금으로 납부하였다.

37 8월 17일 미국 자동차회사인 GM상사로부터 중고 기계장치를 인천세관을 통해 수입하고 수입전자세금계산서(공급가액 50,000,000원, 부가가치세 5,000,000원)를 교부받았다. 부가가치세와 관세 1,000,000원을 국민은행 보통예금 계좌에서 이체하여 납부하였다. 매입매출전표에서 수입세금계산서와 관세에 대해서만 회계처리하시오.

38 8월 18일 당사는 공장 생산라인 직원들의 식사를 근처 식당인 화가식당에서 정기적으로 배달하여 먹고 매월 말 월별정산하여 결제한다. 7월분 공장직원 식사대 1,500,000원(부가가치세 별도)을 회사 법인카드인 롯데카드로 결제하고 신용카드매출전표를 수령하였다. (공장직원에게 별도의 식대비를 지급하고 있지는 않다.)

39 8월 19일 공장에 설치중인 전자동기계의 성능을 시험해 보기로 하였다. 시운전을 위하여 김포주유소에서 휘발유 200리터를 330,000원(1,650원/리터)에 구입하고 대금은 신한법인카드로 결제하고 신용카드매출전표상 공급가액과 세액을 구분표시하여 발급받았다.

40 8월 20일 영업부에서 회사 제품 홍보를 위하여 (주)더킹광고에 티슈제작을 의뢰하면서 계약금 2,200,000원(부가가치세 별도)을 현대카드(법인카드)로 결제하였고 매입세액 공제요건을 충족한 신용카드 매출전표를 수령하였다.

41 8월 21일 본사직원의 컴퓨터 교육용으로 컴퓨터관련 서적 12권(@20,000원)을 동아문고에서 구입하고, 대금은 현대카드로 결제하였다.

42 8월 22일 공장 종업원 결혼식 화환(공급가액 : 150,000원)을 반짝광고(주)에 주문하고, 대금 롯데카드로 결제하였다.

43 8월 23일 영업팀에서 사용할 복사용지를 (주)종이나라에서 현금으로 매입하고, 다음의 현금영수증을 받았다. (복사용지는 자산계정으로 회계처리 할 것)

현금영수증			
가맹점명 (주)종이나라 214-86-08930		한서현	
서울시 동대문구 장한평로 32		TEL : 02-368-8521	
홈페이지 http://www.papera.co.kr			
현금(지출증빙용)			
구매 2021/08/23/11:00	거래번호 : 0012-0025		
상품명	수량	단가	금액
복사용지	100box	20,000	2,000,000
	과세공급가액		2,000,000
	부가가치세		200,000
	합계		2,200,000

44 8월 24일 원재료를 구입하면서 운반비로 일반과세자인 하나택배에 55,000원(부가가치세 포함)을 보통예금 계좌에서 인출하여 현금으로 지급하고 지출증빙용 현금영수증을 수취하였다.

45 8월 25일 본사 직원식당에서 사용할 농산물인 쌀을 비사업자인 김혜수로부터 500,000원에 현금으로 구입하면서 공급확인서를 수취하였다.

정답 및 해설

01 7월 1일

유형 : 11.과세, 공급가액 : 20,000,000, 부가세 : 2,000,000, 거래처 : 이찬원, 전자 : 여, 분개 : 혼합

(차) 현금	22,000,000	(대) 제품매출	20,000,000
		부가세예수금	2,000,000

02 7월 2일

유형 : 11.과세, 공급가액 : -1,000,000 부가세 : -100,000, 거래처 : 한라상사, 전자 : 여, 분개 : 외상

(차) 외상매출금	-1,100,000	(대) 제품매출	-1,000,000
		부가세예수금	-100,000

03 7월 3일

유형 : 11.과세, 공급가액 : 3,000,000, 부가세 : 300,000, 거래처 : 대일재활용, 전자 : 여, 분개 : 현금

(차) 현금	3,300,000	(대) 잡이익	3,000,000
		부가세예수금	300,000

04 7월 4일

유형 : 11.과세, 공급가액 : 50,000,000, 부가세 : 5,000,000, 거래처 : (주)더킹광고, 전자 : 여, 분개 : 혼합

(차) 외상매입금((주)비빔)	30,000,000	(대) 건물	100,000,000
보통예금	25,000,000	부가세예수금	5,000,000
감가상각누계액(건물)	40,000,000		
유형자산처분손실	10,000,000		

05 7월 5일

유형 : 11.과세, 공급가액 : 3,500,000, 부가세 : 350,000, 거래처 : (주)알라딘, 전자 : 여, 분개 : 혼합

(차) 현금	2,500,000	(대) 제품매출	3,500,000
받을어음(한라상사)	1,350,000	부가세예수금	350,000

06 7월 6일

유형 : 12.영세, 구분 : 3, 공급가액 : 30,000,000, 부가세 : 0, 거래처 : (주)오대양, 전자 : 여, 분개 : 외상

(차) 외상매출금	30,000,000	(대) 제품매출	30,000,000

07 7월 7일

유형 : 12.영세, 구분 : 3, 공급가액 : 5,000,000, 부가세 : 0, 거래처 : (주)대작, 전자 : 여, 분개 : 현금

(차) 현금	5,000,000	(대) 제품매출	5,000,000

08 7월 8일

유형 : 12.영세, 구분 : 3, 공급가액 : 14,000,000, 부가세 : 0, 거래처 : (주)오대양, 전자 : 여, 분개 : 혼합

(차) 외상매출금(삼성카드사)	4,000,000	(대) 제품매출	14,000,000
외상매출금	10,000,000		

※ 거래처에 삼성카드사를 입력한 다음 상단의 [F8 적요및카드매출]을 클릭하여 [확인]하여 영수증 이중발급에 대하여 체크한다.

09 7월 9일

유형 : 13.면세, 공급가액 : 1,000,000, 부가세 : 0, 거래처 : (주)용화, 전자 : 여, 분개 : 혼합

(차) 당좌예금	1,000,000	(대) 선수금	1,000,000

※ 당사가 발행한 당좌수표를 회수하는 경우 당좌예금 계정으로 처리한다.

10 7월 10일

유형 : 13.면세, 공급가액 : 2,000,000, 부가세 : 0, 거래처 : (주)가가상사, 전자 : 여, 분개 : 혼합

(차) 외상매출금	1,000,000	(대) 제품매출	2,000,000
받을어음	1,000,000		

11 7월 11일

유형 : 14.건별, 공급가액 : 300,000, 부가세 : 30,000, 거래처 : 권나라, 전자 : 부, 분개 : 혼합

(차) 보통예금	330,000	(대) 제품매출	300,000
		부가세예수금	30,000

12 7월 12일

유형 : 14.건별, 공급가액 : 2,500,000, 부가세 : 250,000, 거래처 : 이찬원, 전자 : 부, 분개 : 외상

(차) 외상매출금	2,750,000	(대) 제품매출	2,500,000
		부가세예수금	250,000

13 7월 13일

유형 : 14.건별, 공급가액 : 500,000, 부가세 : 50,000, 거래처 : 최공유, 전자 : 부, 분개 : 혼합

(차) 보통예금	550,000	(대) 제품매출	500,000
		부가세예수금	50,000

14 7월 14일

유형 : 16.수출, 구분 : 1, 공급가액 : 22,000,000, 부가세 : 0, 거래처 : 뉴월드사, 전자 : 부, 분개 : 외상

(차) 외상매출금	22,000,000	(대) 제품매출	22,000,000

※ $20,000 × 1,100원(선적일) = 22,000,000원 (공급가액)

15 7월 15일

유형 : 16.수출, 구분 : 1, 공급가액 : 11,000,000, 부가세 : 0, 거래처 : COBA사, 전자 : 부, 분개 : 혼합

(차) 외화예금	5,500,000	(대) 제품매출	11,000,000
외상매출금	5,500,000		

※ $10,000 × 1,100원 = 11,000,000원 (공급가액)

16 7월 16일

유형 : 16.수출, 구분 : 1, 공급가액 : 36,300,000, 부가세 : 0, 거래처 : 니하오사, 전자 : 부, 분개 : 외상

(차) 선수금	3,900,000	(대) 제품매출	36,300,000
외상매출금	32,400,000		

※ • 공급가액 : $3,000 × 1,300원(환가일) + $27,000 × 1,200원(선적일) = 36,300,000원
• 계약금을 환가한 경우 과세표준(공급가액)은 환가일 기준환율을 적용한다.

17 7월 17일

유형 : 17.카과, 공급가액 : 1,000,000, 부가세 : 100,000, 거래처 : 최공유, 전자 : 부, 분개 : 카드

(차) 외상매출금(신한카드사)	1,100,000	(대) 제품매출	1,000,000
		부가세예수금	100,000

18 7월 18일

유형 : 17.카과, 공급가액 : 500,000, 부가세 : 50,000, 거래처 : 알렉스, 전자 : 부, 분개 : 카드

(차) 외상매출금(삼성카드사)	550,000	(대) 제품매출	500,000
		부가세예수금	50,000

19 7월 19일

유형 : 22.현과, 공급가액 : 250,000, 부가세 : 25,000, 거래처 : 이찬원, 전자 : 부, 분개 : 현금

(차) 현금	275,000	(대) 제품매출	250,000
		부가세예수금	25,000

20 7월 20일

유형 : 22.현과, 공급가액 : 700,000, 부가세 : 70,000, 거래처 : 빛남문구, 전자 : 부, 분개 : 현금

(차) 현금	770,000	(대) 비품	1,200,000
감가상각누계액(213)	550,000	부가세예수금	70,000
		유형자산처분이익	50,000

21 8월 1일

유형 : 51.과세, 공급가액 : 30,000,000, 부가세 : 3,000,000, 거래처 : 당산전자(주), 전자 : 여, 분개 : 혼합

(차) 원재료	30,000,000	(대) 현금	3,000,000
부가세대급금	3,000,000	지급어음	20,000,000
		외상매입금	10,000,000

22 8월 2일

유형 : 51.과세, 공급가액 : 5,000,000, 부가세 : 5,000,000, 거래처 : (주)더킹광고, 전자 : 여, 분개 : 혼합

(차) 디자인권	5,000,000	(대) 자본금	4,000,000
부가세대급금	500,000	주식발행초과금	1,500,000

23 8월 3일

유형 : 51.과세, 공급가액 : 16,000,000, 부가세 : 1,600,000, 거래처 : 로스산업, 전자 : 여, 분개 : 혼합

(차) 기계장치	16,000,000	(대) 미지급금	17,600,000
부가세대급금	1,600,000		

24 8월 4일

유형 : 51.과세, 공급가액 : 8,500,000, 부가세 : 850,000, 거래처 : 주주소프트(주), 전자 : 여, 분개 : 혼합

(차) 임차료(판)	8,500,000	(대) 외상매출금	9,350,000
부가세대급금	850,000		

25 8월 5일

유형 : 51.과세, 공급가액 : -15,000,000, 부가세 : -1,500,000, 거래처 : (주)알라딘, 전자 : 여, 분개 : 혼합

(차) 기계장치	-15,000,000	(대) 미지급금	-16,500,000
부가세대급금	-1,500,000		

26 8월 6일

유형 : 51.과세, 공급가액 : 3,000,000, 부가세 : 300,000, 거래처 : (주)빠른물류, 전자 : 여, 분개 : 혼합

(차) 원재료	3,000,000	(대) 지급어음	3,300,000
부가세대급금	300,000		

27 8월 7일

유형 : 52.영세, 공급가액 : 18,000,000, 부가세 : 0, 거래처 : (주)동원전자, 전자 : 여, 분개 : 혼합

(차) 원재료	18,000,000	(대) 현금	1,800,000
		외상매입금	6,200,000
		지급어음	10,000,000

28 8월 8일

유형 : 52.영세, 공급가액 : 10,000,000, 부가세 : 0, 거래처 : (주)하늘산업, 전자 : 여, 분개 : 혼합

(차) 상품	10,000,000	(대) 보통예금	5,000,000
		외상매입금	5,000,000

29 8월 9일

유형 : 53.면세, 공급가액 : 900,000, 부가세 : 0, 거래처 : (주)푸드콜, 전자 : 여, 분개 : 혼합

(차) 접대비(판)	300,000	(대) 당좌예금	450,000
복리후생비(제)	150,000	현금	450,000
복리후생비(판)	150,000		
기부금	300,000		

30 8월 10일

유형 : 53.면세, 공급가액 : 660,000, 부가세 : 0, 거래처 : 아주캐피탈, 전자 : 여, 분개 : 혼합

(차) 임차료(판)	660,000	(대) 보통예금	660,000

31 8월 11일

유형 : 54.불공, 불공제사유 : 6, 공급가액 : 8,000,000, 부가세 : 800,000, 거래처 : (주)제일건설, 전자 : 여, 분개 : 혼합

(차) 토지	8,800,000	(대) 당좌예금	5,000,000
		미지급금	3,800,000

32 8월 12일

유형 : 54.불공, 불공제사유 : 6, 공급가액 : 7,000,000, 부가세 : 700,000, 거래처 : (주)우현물산, 전자 : 여, 분개 : 혼합

(차) 토지	7,700,000	(대) 현금	700,000
		미지급금	7,000,000

33 8월 13일

유형 : 54.불공, 불공제사유 : 3, 공급가액 : 20,000,000, 부가세 : 2,000,000, 거래처 : (주)빠르다자동차, 전자 : 여, 분개 : 혼합

(차) 차량운반구	22,000,000	(대) 선급금	2,000,000
		당좌예금	2,000,000
		미지급금	18,000,000

34 8월 14일

유형 : 54.불공, 불공제사유 : 4, 공급가액 : 5,000,000, 부가세 : 500,000, 거래처 : (주)더킹광고, 전자 : 여, 분개 : 혼합

(차) 접대비(제)	5,500,000	(대) 미지급금	5,500,000

35 8월 15일

유형 : 54.불공, 불공제사유 : 2, 공급가액 : 2,000,000, 부가세 : 200,000, 거래처 : 컴천재, 전자 : 여, 분개 : 혼합

(차) 가지급금	2,200,000	(대) 현금	2,200,000

36 8월 16일

유형 : 55.수입, 공급가액 : 5,200,000, 부가세 : 520,000, 거래처 : 부산세관, 전자 : 여, 분개 : 현금

(차) 부가세대급금	520,000	(대) 현금	520,000

37 8월 17일

유형 : 55.수입, 공급가액 : 50,000,000, 부가세 : 5,000,000, 거래처 : 인천세관, 전자 : 여, 분개 : 혼합

(차) 부가세대급금	5,000,000	(대) 보통예금	6,000,000
기계장치	1,000,000		

38 8월 18일

유형 : 57.카과, 공급가액 : 1,500,000, 부가세 : 150,000, 거래처 : 화가식당, 전자 : 부, 분개 : 카드

(차) 복리후생비(제)	1,500,000	(대) 미지급금(롯데카드)	1,650,000
부가세대급금	150,000		

39 8월 19일

유형 : 57.카과, 공급가액 : 300,000, 부가세 : 30,000, 거래처 : 김포주유소, 전자 : 부, 분개 : 카드

(차) 기계장치	300,000	(대) 미지급금(신한법인카드)	330,000
부가세대급금	30,000		

40 8월 20일

유형 : 57.카과, 공급가액 : 2,200,000, 부가세 : 220,000, 거래처 : (주)더킹광고, 전자 : 부, 분개 : 카드

(차) 선급금	2,200,000	(대) 미지급금(현대카드)	2,420,000
부가세대급금	220,000		

41 8월 21일

유형 : 58.카면, 공급가액 : 240,000, 부가세 : 0, 거래처 : 동아문고, 전자 : 부, 분개 : 카드

(차) 도서인쇄비(판)	240,000	(대) 미지급금(현대카드)	240,000

42 8월 22일

유형 : 58.카면, 공급가액 : 150,000, 부가세 : 0, 거래처 : 반짝광고(주), 전자 : 부, 분개 : 카드

(차) 복리후생비(제)	150,000	(대) 미지급금(롯데카드)	150,000

43 8월 23일

유형 : 61.현과, 공급가액 : 2,000,000, 부가세 : 200,000, 거래처 : (주)종이나라, 전자 : 부, 분개 : 현금

(차) 소모품	2,000,000	(대) 현금	2,200,000
부가세대급금	200,000		

44 8월 24일

유형 : 61.현과, 공급가액 : 50,000, 부가세 : 5,000, 거래처 : 하나택배, 전자 : 부, 분개 : 혼합

(차) 원재료	50,000	(대) 보통예금	55,000
부가세대급금	5,000		

45 8월 25일

유형 : 60.면건, 공급가액 : 500,000, 부가세 : 0, 거래처 : 김혜수, 전자 : 부, 분개 : 현금

(차) 복리후생비(판)	500,000	(대) 현금	500,000

NCS 국가직무능력표준
National Competency Standards

제 2 부

결산관리

[과정/과목명 : 0203020202_17v4/결산관리]

능력단위 요소명	훈 련 내 용
손익계정 마감하기	1.1 회계 관련 규정 및 세법에 따라 손익 관련 제반서류를 준비할 수 있다. 1.2 손익계정에 관한 결산정리사항을 분개할 수 있다. 1.3 손익 관련 계정과목의 오류를 수정할 수 있다. 1.4 법인세, 소득세 신고 관련 사항을 분개할 수 있다.
자산부채계정 마감하기	2.1 회계 관련 규정 및 세법에 따라 자산 · 부채 관련 제반서류를 준비할 수 있다. 2.2 자산·부채계정에 관한 결산정리사항을 분개할 수 있다. 2.3 자산·부채 관련 계정과목의 오류를 수정할 수 있다. 2.4 부가가치세신고 관련 사항을 분개할 수 있다.
재무제표 작성하기	3.1 회계 관련 규정에 따라 재무제표를 작성할 수 있다. 3.2 회계 관련 규정에 따라 제출용 재무제표를 작성할 수 있다. 3.3 세법규정에 따라 표준용 재무제표를 작성할 수 있다.

손익계정 마감하기

01 손익계정 결산정리사항

<table>
<tr><th rowspan="2">계정과목</th><th colspan="2">결산정리사항</th><th rowspan="2">결산시
유의사항</th></tr>
<tr><th colspan="2">정리분개</th></tr>
<tr><td rowspan="2">상품매출원가</td><td colspan="2">도소매업의 매출원가 대체</td><td rowspan="2"></td></tr>
<tr><td>(차) 상품매출원가</td><td>(대) 상품</td></tr>
<tr><td rowspan="2">제품매출원가</td><td colspan="2">제조업의 매출원가 대체</td><td rowspan="2"></td></tr>
<tr><td>(차) 제품매출원가</td><td>(대) 제품</td></tr>
<tr><td rowspan="10">제조원가대체</td><td colspan="2">재료소비액 계상</td><td></td></tr>
<tr><td>(차) 원재료비</td><td>(대) 원재료</td><td></td></tr>
<tr><td colspan="2">제조원가(재료소비액) 재공품으로 대체</td><td></td></tr>
<tr><td>(차) 재공품</td><td>(대) 원재료비(500번대 계정)</td><td></td></tr>
<tr><td colspan="2">제조원가(노무비) 재공품으로 대체</td><td></td></tr>
<tr><td>(차) 재공품</td><td>(대) 임금 등(500번대 계정)</td><td></td></tr>
<tr><td colspan="2">제조원가(제조경비) 재공품으로 대체</td><td></td></tr>
<tr><td>(차) 재공품</td><td>(대) 복리후생비 등(500번대 계정)</td><td></td></tr>
<tr><td colspan="2">재공품의 제품 대체</td><td></td></tr>
<tr><td>(차) 제품</td><td>(대) 재공품</td><td></td></tr>
<tr><td rowspan="2">재고자산
감모손실</td><td colspan="2">재고자산의 파손·도난·감모</td><td>비정상감모</td></tr>
<tr><td>(차) 재고자산감모손실</td><td>(대) 해당 재고자산</td><td></td></tr>
<tr><td rowspan="2">선수수익</td><td colspan="2">선수수익의 계상</td><td></td></tr>
<tr><td>(차) 수익계정</td><td>(대) 선수수익</td><td></td></tr>
</table>

<table>
<tr><th rowspan="2">계정과목</th><th>결산정리사항</th><th></th><th rowspan="2">결산시
유의사항</th></tr>
<tr><th colspan="2">정리분개</th></tr>
<tr><td rowspan="2">미수수익</td><td colspan="2">미수수익의 계상</td><td></td></tr>
<tr><td>(차) 미수수익</td><td>(대) 수익계정</td><td></td></tr>
<tr><td rowspan="2">미지급비용</td><td colspan="2">미지급비용의 계상</td><td></td></tr>
<tr><td>(차) 비용계정</td><td>(대) 미지급비용</td><td></td></tr>
<tr><td rowspan="2">선급비용</td><td colspan="2">선급비용의 계상</td><td></td></tr>
<tr><td>(차) 선급비용</td><td>(대) 비용계정</td><td></td></tr>
<tr><td rowspan="2">소모품비</td><td colspan="2">소모품 미사용액 계상</td><td></td></tr>
<tr><td>(차) 소모품</td><td>(대) 소모품비</td><td></td></tr>
</table>

02 결산프로세스

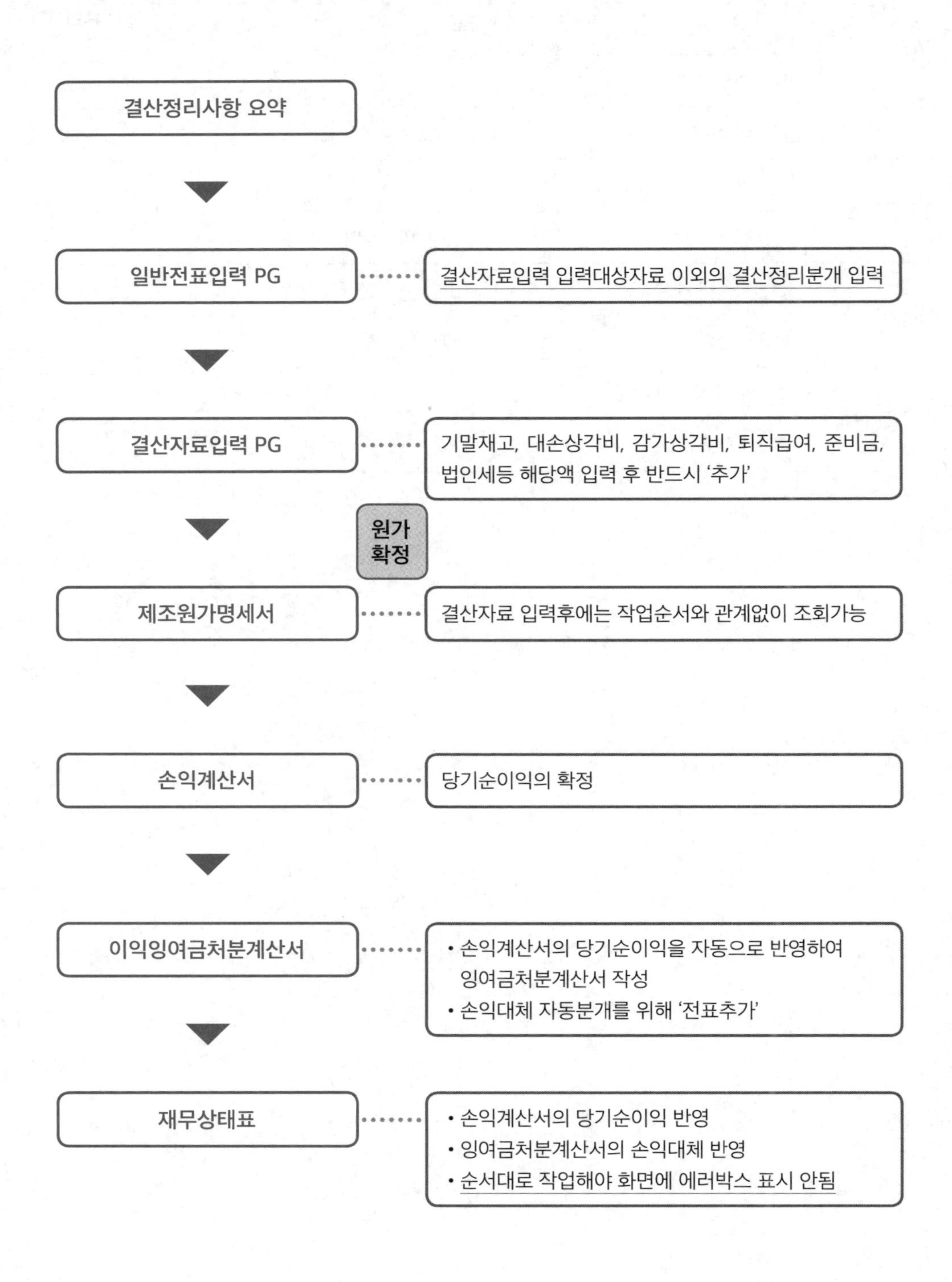

결산정리사항 요약
일반전표입력 PG
결산자료입력 입력대상자료 이외의 결산정리분개 입력
결산자료입력 PG
기말재고, 대손상각비, 감가상각비, 퇴직급여, 준비금, 법인세등 해당액 입력 후 반드시 '추가'
원가 확정
제조원가명세서
결산자료 입력후에는 작업순서와 관계없이 조회가능
손익계산서
당기순이익의 확정
이익잉여금처분계산서
• 손익계산서의 당기순이익을 자동으로 반영하여 잉여금처분계산서 작성
• 손익대체 자동분개를 위해 '전표추가'
재무상태표
• 손익계산서의 당기순이익 반영
• 잉여금처분계산서의 손익대체 반영
• 순서대로 작업해야 화면에 에러박스 표시 안됨

1. 수동결산

[결산자료입력] 메뉴에 자동결산항목으로 표시되지 않은 결산정리항목에 대하여는 결산분개를 12월 31일자로 [일반전표입력] 메뉴에 입력한다.

① 선급비용의 계상
(예 : 보험료, 임차료 등의 선급액)
② 선수수익의 계상
(예 : 임대료 등의 선수액)
③ 미지급비용의 계상
(예 : 이자비용 등의 미지급액)
④ 미수수익의 계상
(예 : 이자수익 등의 미수액)
⑤ 재고자산감모손실 · 평가손실
⑥ 소모품, 소모품비의 적절한 계상
⑦ 비유동부채의 유동성대체
⑧ 가지급금 및 가수금 정리
⑨ 단기매매증권 · 매도가능증권의 평가
⑩ 현금과부족 정리 등

➔

2. 자동결산

[결산자료입력] 메뉴에 해당금액을 입력하고 [전표추가]키를 이용하여 결산분개가 자동으로 입력되도록 하여 결산을 완료하는 방법을 말한다.

① 매출원가 계산을 위한 기말재고액 입력
② 퇴직급여충당부채 추가 설정액
③ 감가상각비 계상
④ 무형자산상각비 계상
⑤ 대손충당금 추가 설정액
⑥ 법인세등 계상

자산부채계정 마감하기

01 자산·부채 결산정리사항

계정과목	결산정리사항		결산시 유의사항
	정리분개		
현금	전도금·소액현금 정산		• 현금 실제 잔액 확인 • 전도금 및 가불금정리
	(차) 경 비	(대) 전도금	
장기성예금	장기성예금, 사용제한예금 재분류		• 예금 장부와 은행조회서 확인 • 미수수익계상 • 예금이자 선급법인세 계상 확인
	(차) 장기성예금	(대) 예금	
외화예금	외화예금의 환산		
	(차) 외화환산손실 또는 (차) 외화예금	(대) 외화예금 (대) 외화환산이익	
당좌예금	당좌예금(-) 재분류		
	(차) 당좌예금	(대) 단기차입금	
외상매출금	외화외상매출금의 평가		
	(차) 외상매출금 또는 (차) 외화환산손실	(대) 외화환산이익 (대) 외상매출금	
받을어음	일반적 상거래외의 어음 재분류		
	(차) 미수금	(대) 받을어음	
대손충당금	매출채권에 대한 대손충당금 설정		
	(차) 대손상각비	(대) 대손충당금	
단기매매증권(유가증권)	공정가액(시가)으로 평가		증권거래소 종가 확인
	(차) 단기매매증권 또는 (차) 단기매매증권평가손실	(대) 단기매매증권평가이익 (대) 단기매매증권	

계정과목	결산정리사항		결산시 유의사항
	정리분개		
감가상각비	유형자산에 대한 감가상각비 계상		수익적지출과 자본적지출 검토
	(차) 감가상각비	(대) 감가상각누계액	
외상매입금	외화외상매입금 평가		기업구매자금의 경우 환어음 결제전은 매입채무이고, 결제후는 단기차입금으로 정리
	(차) 외화환산손실 또는 (차) 외상매입금	(대) 외상매입금 (대) 외화환산이익	
외화차입금	외화차입금의 평가		
	(차) 외화환산손실 또는 (차) 외화차입금	(대) 외화차입금 (대) 외화환산이익	
퇴직급여 충당부채	퇴직급여추계액 계상		퇴직금지급규정에 의한 추계액 산정
	(차) 퇴직급여	(대) 퇴직급여충당부채	
부가가치세	분기별 부가가치세 정리		부가가치세신고서와 검토
	(차) 부가세예수금	(대) 부가세대급금 미지급세금(납부세액)	
소모품	소모품 사용액 계상		
	(차) 소모품비	(대) 소모품	

02 감가상각

(1) 감가상각의 기초

❶ 취득원가

취득유형	취득원가
매입	매입가액 + 취득세 및 기타 부대비용
제조 · 생산 또는 건설	제작원가 + 취득세 및 기타 부대비용

❷ 내용연수와 상각율

취득유형	내용연수와 상각율
무형자산 · 시험연구용자산	법인세법이 정하는 내용연수와 상각방법별 상각율
기타 유형자산	법인세법의 자산별 · 업종별 기준내용연수에 25%를 가감한 내용연수 범위 내 법인이 선택 적용하여 신고한 내용연수와 그 상각율

❸ 잔존가액

감가상각자산의 잔존가액은 '0원'으로 하도록 하고 있으나, 법인세법에 의해 감가상각이 종료되는 경우 종료되는 자산의 취득가액의 5%와 1,000원 중 적은 금액을 비망금액으로 하여 손금산입하지 않도록 하고 있으므로 상각이 완료되는 자산은 대부분 1,000원이 남는다.

❹ 감가상각범위액 계산

상각방법	감가상각범위액의 계산
정 액 법	(취득원가 - 잔존가액) × 내용연수에 따른 상각율
정 률 법	(취득원가 - 감가상각누계액) × 상각율

❺ 자본적 지출과 수익적 지출

구분	내용
자본적 지출	자산 취득 후 생산성증대, 내용연수연장, 원가절감이나 품질향상, 가치증대를 위한 지출, 용도변경을 위한 지출, 거액의 지출 등은 자본적 지출로 유형자산의 원가에 가산한다.
수익적 지출	부품교체, 벽도장 등 원상회복 및 능률유지를 위한 소액의 지출 등은 수익적 지출로 당기 비용으로 처리 한다

(2) 감가상각 실무(고정자산등록)

유형 · 무형고정자산에 대한 감가상각비를 계산하는 곳으로 [고정자산등록]의 입력사항만으로 각 해당 감가상각 계산이 자동으로 이루어진다. [기본등록사항]에서는 감가상각에 필요한 기본사항을 입력하여 당기상각비를 계산하며, [추가등록사항]에서는 자산에 대한 구매시 현황과 담당자 및 자산에 대한 변동사항(부서이동, PJT이동)시 사용하며, 자산변동처리에서 부분매각, 부분폐기 등을 입력하여 관리한다.

[주요항목 입력 내용 및 방법]

항 목	입력 내용 및 방법
자산계정과목	① 계정과목 4자리를 입력하거나, F2 또는 클릭하여 등록할 계정과목을 선택한다. ② 과목을 입력하지 않고 Enter 로 이동하면 전체과목으로 입력이 가능하다.
자산코드/명	숫자 6자리, 한글 10자, 영문은 20자 이내로 구체적인 자산명을 입력한다.
자 산 명	한글 31자, 영문 50자 내외로 입력한다.
취득년월일	해당자산의 취득년월일 또는 사용년월일을 입력한다.
상각방법	0.정률법과 1.정액법 중 해당 번호를 선택한다.
기초가액	유형자산은 취득가액, 무형자산은 장부가액을 입력한다.
전기말상각누계액	유형자산은 전기말까지의 감가상각누계액을 입력하고, 무형자산은 전년도까지 상각액을 입력한다.
전기말장부가액	기초가액에서 전기말상각누계액을 차감한 금액이 자동반영 된다.
당기중 취득및 당기증가	당기 취득자산의 취득가액 또는 기 등록된 자산의 자본적 지출액을 입력한다.
내용연수	해당자산의 내용연수를 F2 또는 클릭하여 확인 후 입력 ➲ 상각률이 자동계산 되어 표시되며 상각범위액도 자동계산 된다.
경비구분	자산의 사용용도에 따라 판매비와관리비 용도는 6.800번대, 제조경비는 1.500번대를 선택하여 결산에 반영한다.

실무문제 고정자산등록

■ 다음은 (주)우리악기의 고정자산내역이다. [고정자산등록] 메뉴에 등록시오.

계정과목	코드	품 명	취득일	취득가액	감가상각 누계액	상각방법	내용연수	업종코드	경비구분
건물	101	본사건물	2007.07. 1.	608,000,000	400,000,000	정액법	20년	3	800번대
기계장치	201	프레스	2016. 8. 3.	30,000,000	11,000,000	정률법	8년	13	500번대
차량운반구	301	화물차	2018.12. 1.	33,000,000	15,000,000	정률법	5년	1	500번대
	302	승용차	2021.11. 7.	22,000,000		정률법	5년	1	800번대
비품	401	컴퓨터	2021.11.11.	2,000,000		정률법	5년	1	500번대
특허권	501	특허권A	2019. 1.10.	10,000,000	4,000,000	정액법	5년	63	800번대
	502	특허권B	2021.11. 4.	2,000,000		정액법	5년	63	800번대

실무문제 따라하기

[1] 고정자산등록

[자산계정과목]에서 (F2) 또는 ⋯ 를 클릭하여 등록하고자 하는 자산의 계정과목 2글자를 입력한 다음 선택하여 입력한다.

① 본사건물의 당기감가상각비 : 30,400,000원

② 기계장치(프레스)의 당기감가상각비 : 5,947,000원

③ 차량운반구의 당기감가상각비 : 화물차 8,118,000원, 승용차 1,653,666원

TIP 당기에 취득한 자산은 4.당기중 취득 및 당기증가(+)란에 취득원가를 입력한다.

④ 비품(컴퓨터)의 당기감가상각비 : 150,333원

⑤ 특허권(특허권A)의 당기감가상각비 : 2,000,000원

TIP
- 무형자산 상각은 직접법을 사용하므로 고정자산등록시 기초가액란에 장부가액을 입력한다.
- 장부가액 6,000,000원 = 취득가액 10,000,000원 - 감가상각누계액 4,000,000원

⑥ 특허권(특허권B)의 당기감가상각비 : 66,666원

03 결산관리

(1) 결산정리사항

구 분	결산정리내용	차 변		대 변	
유가증권평가	장부가액 < 공정가액	단기매매증권	×××	단기매매증권평가이익	×××
	장부가액 > 공정가액	단기매매증권평가손실	×××	단기매매증권	×××
외화자산평가	평가액 > 장부가액	외화자산	×××	외화환산이익	×××
	평가액 < 장부가액	외화환산손실	×××	외화자산	×××
외화부채평가	평가액 > 장부가액	외화환산손실	×××	외화부채	×××
	평가액 < 장부가액	외화부채	×××	외화환산이익	×××
소모품 구입시 비용처리한 경우	구입시	소모품비	×××	현금	×××
	결산시	소모품(미사용액)	×××	소모품비	×××
소모품 구입시 자산처리한 경우	구입시	소모품	×××	현금	×××
	결산시	소모품비(사용액)	×××	소모품	×××
비용의 이연	보험료 선급액 계상시	선급비용(선급보험료)	×××	보험료	×××
수익의 이연	임대료 선수액 계상시	임대료	×××	선수수익(선수임대료)	×××
비용의 예상	임차료 미지급액 계상시	임차료	×××	미지급비용(미지급임차료)	×××
수익의 예상	이자 미수액 계상시	미수수익	×××	이자수익	×××
매출채권의 대손상각	대손충당금잔액이 없을 경우	대손상각비	×××	대손충당금	×××
	대손예상액 > 대손충당금잔액	대손상각비	×××	대손충당금	×××
	대손예상액 < 대손충당금잔액	대손충당금	×××	대손충당금환입	×××
비유동부채의 유동성대체	1년이내 상환될 부분 유동부채로 대체	장기차입금	×××	유동성장기부채	×××
법인세 계상	중간예납액	선납세금	×××	현금	×××
	원천징수액	선납세금	×××	현금	×××
	결산시 수정분개	법인세등	×××	선납세금	×××
	결산시 계상액	법인세등	×××	미지급세금	×××

(2) 자동결산(결산자료입력)

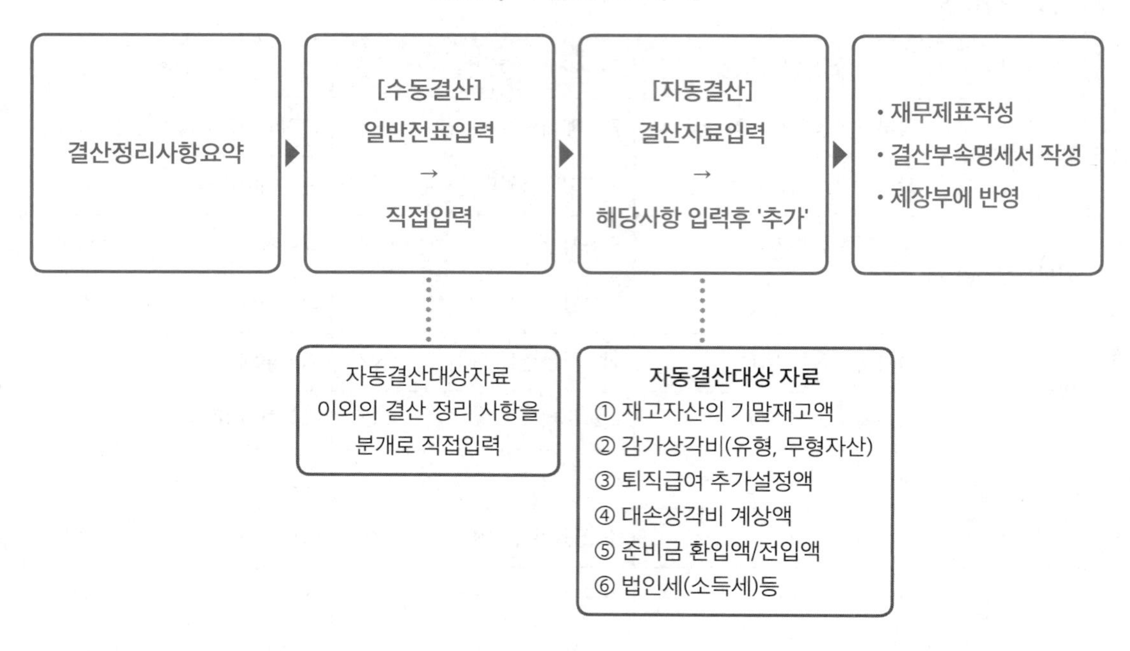

본 메뉴는 결산작업의 마지막 단계로 결산정리사항에 대하여 수동 대체분개(일반전표입력) 하지 않고 [결산자료입력] 메뉴 해당란에 금액만을 입력하여 자동분개 하는 곳이다.

❶ 입력방법

구 분	입 력 방 법
기간	결산 대상기간을 입력
원가설정	환경등록의 [회계]Tab (8.매출원가와 원가경비 선택)에서 '1.사용'을 선택한 매출원가 및 원가경비가 자동화면으로 구성된다. 또는 직접 [F4 원가설정]키를 이용하여 선택할 수 있다.
각 재고자산의 기말재고액	기말원재료재고액, 기말재공품재고액, 기말제품재고액 등 해당란에 입력
퇴직급여(전입액)	퇴직급여충당부채의 추가 설정액을 각 경비별로 직접 입력 또는 상단의 [CF8 퇴직충당]키를 이용하여 입력
감가상각비	유·무형자산의 상각비를 각 경비별로 직접 입력 또는 상단의 [F7 감가상각]키를 이용하여 입력
대손상각비	매출채권의 대손충당금 추가 설정액이 있는 경우 직접입력 또는 상단의 [F8 대손상각]키를 이용하여 입력

구 분	입력방법
법인세비용	법인세등의 추가계상액란에 기납부한 법인세(선납세금)을 차감하고 추가계상할 법인세비용만 입력

❷ 전표추가

결산대상 정리사항을 모두 입력한 다음 상단의 [F3 전표추가]키를 클릭하여 [일반전표입력] 메뉴에 결산분개를 추가하여 일반전표에 자동 반영시킨다.

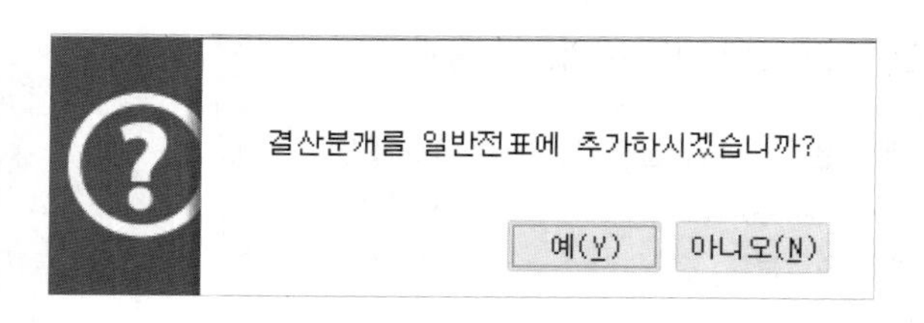

반드시 '전표추가'하여
결산을 완료한다.

TIP

결산자료만 입력하고 'F3 전표추가'를 안하면 결산분개가 생성되지 않아 결산을 완료할 수 없다.

❸ 결산 대체분개의 일괄 삭제

[결산자료입력] 메뉴를 통하여 자동으로 생성된 분개를 일괄 삭제하려고 할 경우 [일반전표입력] 메뉴에서 12월 31일 조회한 다음 Shift + F5 키를 누른 후 일괄삭제 화면에서 [전체선택] → [확인] → [예(Y)]하여 체크된 삭제할 전표 LIST를 확인한 후 상단의 ⊗삭제 키를 클릭하여 삭제한다.

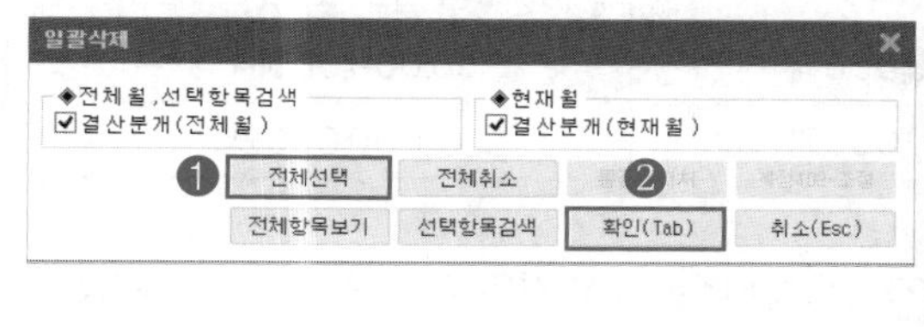

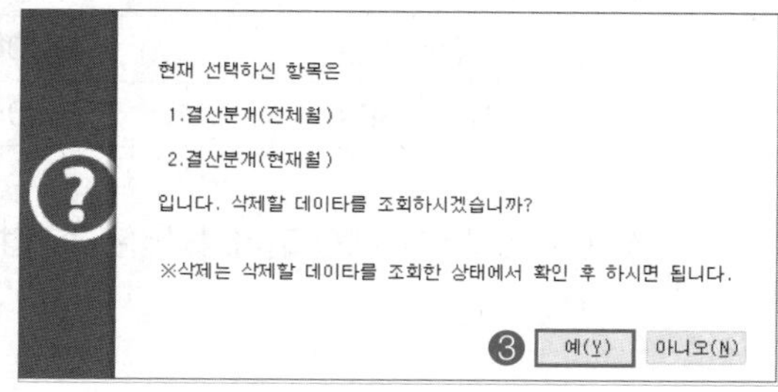

일괄 삭제한 다음 다시 [결산자료입력] 메뉴에서 수정하거나 다시 해당 결산정리사항을 입력한 다음 [F3 전표추가]키를 클릭하면 자동분개가 생성된다.

실무문제 결산관리

■ 다음은 (주)우리악기의 결산정리사항이다. 결산을 완료하시오.

01 생산부서에서 월간기술지를 6개월 정기구독(정기구독기간 2021.12.1. ~ 2022.5.31.)하고 구독료 900,000원을 12월 1일에 전액 지급하고 선급비용으로 회계처리하였다. (단, 월할 계산할 것)

02 당기말 현재까지 경과된 기간에 대해 미지급된 비용 내역은 다음과 같다.

- 제조공장 생산직 급여 미지급분(매월 말일이 지급일자임): 3,000,000원
- 기간경과 이자비용 미지급분(제조원가 아님): 2,000,000원
- 기간경과 영업부서 자동차 보험료 미지급분: 1,000,000원

03 결산일 현재 보유중인 유가증권의 평가액은 다음과 같다.

구 분	장부가액	공정가액
단기매매증권	25,000,000원	24,000,000원
매도가능증권	15,100,000원	16,000,000원

04 기말 현재 단기차입금 중 외화단기차입금(국민은행, $10,000)이 9,000,000원으로 계상되어 있다. 결산일 현재 환율은 1,100원/$이다.

05 결산일 현재 퇴직급여추계액은 다음과 같다.

구 분	퇴직금추계액	설정전 퇴직급여충당부채잔액
생산직 사원	60,000,000원	50,000,000원
사무직 사원	50,000,000원	38,000,000원

06 유·무형자산에 대한 감가상각비는 [고정자산등록] 메뉴에 입력된 자료를 조회하여 계상하시오.

07 기말 현재 재고자산은 다음과 같다.

자 산 명	기말재고액	비고
원 재 료	20,000,000원	
재 공 품	9,000,000원	
제 품	44,200,000원	구매의사를 표시한 시송품 4,200,000원이 포함됨

08 매출채권(외상매출금과 받을어음)의 기말잔액에 대하여 2%의 대손충당금을 보충적으로 설정한다.(원단위미만 절사)

09 당기 법인세등으로 계상할 금액은 20,000,000원이다.

실무문제 따라하기

01. 수동결산(일반전표입력) 12월 31일

[1] (차) 0526.도서인쇄비 150,000 (대) 0133.선급비용 150,000

TIP
- 비용을 자산(선급비용) 처리한 경우 경과분에 대하여 비용 계정으로 처리한다.
- 900,000원 × 1개월 ÷ 6개월 = 150,000원 (경과분)

[2] (차) 0504.임금 3,000,000 (대) 0262.미지급비용 6,000,000
0951.이자비용 2,000,000
0821.보험료 1,000,000

TIP 결산일 현재 당기에 속하는 비용을 지급하지 않은 경우 미지급비용 계정으로 계상한다.

[3] (차) 0957.단기매매증권평가손실 1,000,000 (대) 0107.단기매매증권 1,000,000
(차) 0178.매도가능증권 900,000 (대) 0394.매도가능증권평가이익 900,000

TIP
- 단기매매증권 : 평가액 24,000,000원 - 장부가액 25,000,000원 = 1,000,000원 (평가손실)
- 매도가능증권 : 평가액 16,000,000원 - 장부가액 15,100,000원 = 900,000원 (평가이익)
- 매도가능증권 평가시 [합계잔액시산표] 메뉴에서 매도가능증권평가손익의 잔액을 확인하여 먼저 상계처리한다.

[4] (차) 0955.외화환산손실 2,000,000 (대) 0260.단기차입금(국민은행) 2,000,000

TIP 기말부채 환산액 : 기말평가액 ($10,000 × 1,100원) - 장부가액 9,000,000원 = 2,000,000원 (외화환산손실)

※ 일반전표입력 화면

□	일	번호	구분	계정과목		거래처		적요		차변	대변
□	31	00001	차변	0526	도서인쇄비					150,000	
□	31	00001	대변	0133	선급비용						150,000
□	31	00002	차변	0504	임금					3,000,000	
□	31	00002	차변	0951	이자비용					2,000,000	
□	31	00002	차변	0821	보험료					1,000,000	
□	31	00002	대변	0262	미지급비용						6,000,000
□	31	00003	차변	0957	단기매매증권평가손실					1,000,000	
□	31	00003	대변	0107	단기매매증권						1,000,000
□	31	00004	차변	0178	매도가능증권					900,000	
□	31	00004	대변	0394	매도가능증권평가이익						900,000
□	31	00005	차변	0955	외화환산손실					2,000,000	
□	31	00005	대변	0260	단기차입금	98002	국민은행				2,000,000
□	31										
□											
				합계						10,050,000	10,050,000

02. 자동결산(결산자료입력) 1월~12월

[5] 퇴직급여추계액 설정

상단의 [CF8 퇴직충당]을 클릭하여 퇴직급여추계액란에 금액을 입력한 다음 [결산반영]을 클릭하면 10,000,000원(제조 퇴직급여(전입액)란)과 12,000,000원(판관 퇴직급여(전입액)란)이 반영된다.

퇴직충당부채

코드	계정과목명	퇴직급여추계액	설정전 잔액				추가설정액(결산반영) (퇴직급여추계액-설정전잔액)	유형
			기초금액	당기증가	당기감소	잔액		
0508	퇴직급여 ❶	60,000,000	50,000,000			50,000,000	10,000,000	제조
0806	퇴직급여	50,000,000	50,000,000		12,000,000	38,000,000	12,000,000	판관

❷ 새로불러오기 | 결산반영 | 취소(Esc)

[6] 감가상각비 설정

상단의 [F7 감가상각]을 클릭하여 조회된 화면에서 [결산반영]을 눌러 반영한다.

감가상각

코드	계정과목명	경비구분	고정자산등록 감가상각비	감가상각비 감가상각비X(조회기간월수/내용월수)	결산반영금액
020200	건물	판관	30,400,000	30,400,000	30,400,000
020600	기계장치	제조	5,947,000	5,947,000	5,947,000
020800	차량운반구	제조	8,118,000	8,118,000	8,118,000
020800	차량운반구	판관	1,653,666	1,653,666	1,653,666
021200	비품	제조	150,333	150,333	150,333
021900	특허권	판관	2,066,666	2,066,666	2,066,666
	감가상각비(제조)합계		14,215,333	14,215,333	14,215,333
	감가상각비(판관)합계		34,120,332	34,120,332	34,120,332

새로불러오기 | 결산반영 | 취소(Esc)

[7] 기말재고액 입력

[결산자료입력] 메뉴에서 직접 기말재고액 해당란에 금액을 입력한다.

① 기말원재료재고액

	코드	과목				
		1)원재료비		878,545,000		858,545,000
	0501	원재료비		878,545,000		858,545,000
	0153	① 기초 원재료 재고액		1,500,000		1,500,000
	0153	② 당기 원재료 매입액		877,045,000		877,045,000
	0153	⑩ 기말 원재료 재고액			20,000,000	20,000,000
		3)노 무 비		68,532,000	10,000,000	78,532,000

② 기말재공품재고액 및 기말제품재고액

0455	8)당기 총제조비용		970,154,210		974,369,543
0169	⑩ 기말 재공품 재고액			9,000,000	9,000,000
0150	9)당기완성품제조원가		970,154,210		965,369,543
0150	① 기초 제품 재고액		25,600,000		25,600,000
0150	⑥ 타계정으로 대체액		2,000,000		2,000,000
0150	⑩ 기말 제품 재고액			40,000,000	40,000,000
	3. 매출총이익		148,860,790	44,784,667	193,645,457

TIP 구매의사를 표시한 시송품 4,200,000원은 기말제품재고액에서 차감한다.

[8] 대손충당금 설정액

상단의 [F8 대손상각]을 클릭하여 조회된 화면에서 대손율(%)을 '2.00'을 확인하고 매출채권인 외상매출금의 잔액만 남기고 모두 (Space bar) 를 눌러 삭제한 다음 [결산반영] 한다.

대손상각

대손율(%) 2.00

코드	계정과목명	금액	설정전 충당금 잔액			추가설정액(결산반영) [(금액x대손율)-설정전충당금잔액]	유형
			코드	계정과목명	금액		
0108	외상매출금	702,471,830	0109	대손충당금	7,930,000	6,119,436	판관
0110	받을어음	151,400,000	0111	대손충당금	2,500,000	528,000	판관
0114	단기대여금	37,500,000	0115	대손충당금			영업외
0120	미수금	33,000,000	0121	대손충당금			영업외
0131	선급금	90,191,089	0132	대손충당금			영업외
	대손상각비 합계					6,647,436	판관

새로불러오기 결산반영 취소(Esc)

TIP
- 대손충당금 설정액 = 매출채권의 잔액 × 설정률 - 대손충당금 잔액
- 외상매출금 잔액 702,471,830원 × 2% - 7,930,000원 = 6,119,436원
- 받을어음 잔액 151,400,000원 × 2% - 2,500,000원 = 528,000원

[9] 법인세등 계상

[결산자료입력] 메뉴 하단의 9.법인세등 1).선납세금과 2).추가계상액란에 금액을 입력한다.

	8. 법인세차감전이익		131,781,936	-7,983,101	123,798,835
0998	9. 법인세등			20,000,000	20,000,000
0136	1). 선납세금		13,260,000	13,260,000	13,260,000
0998	2). 추가계상액			6,740,000	6,740,000
	10. 당기순이익		131,781,936	-27,983,101	103,798,835

※ [결산자료입력] 메뉴의 전표추가

해당란에 금액을 모두 입력한 후 반드시 상단의 [F3 전표추가]를 클릭하여 자동분개를 생성한다.

결산자료입력

종료 | 도움 | 코드 | 삭제 | 인쇄 | 조회

[2000] (주)우리악기 109-81-73060 법인 13기 2021-01-01-2021-12-31 부가세 2021

F3 전표추가 | F4 원가설정 | CF4 대손설정 | CF5 결산분개삭제 | F6 잔액조회 | F7 감가상각 | F8 대손상각 | CF8 퇴직충당

기 간 2021 년 01 월 ~ 2021 년 12 월

±	코드	과 목	결산분개금액	결산전금액	결산반영금액	결산후금액
		1. 매출액		1,242,615,000		1,242,615,000
	0404	제품매출		1,242,715,000		1,242,715,000
	0406	매출할인		100,000		100,000
		2. 매출원가		993,754,210		948,969,543
	0455	제품매출원가				948,969,543
		1)원재료비		878,545,000		858,545,000
	0501	원재료비		878,545,000		858,545,000
	0153	① 기초 원재료 재고액				1,500,000
	0153	② 당기 원재료 매입액				877,045,000
	0153	⑩ 기말 원재료 재고액			20,000,000	20,000,000
		3)노 무 비			10,000,000	78,532,000
		1). 임금 외				67,532,000
	0504	임금				59,935,000
	0505	상여금		7,597,000		7,597,000
	0508	2). 퇴직급여(전입액)		1,000,000	10,000,000	11,000,000
	0550	3). 퇴직연금충당금전입액				
		7)경 비		23,077,210	14,215,333	37,292,543
		1). 복리후생비 외		23,077,210		23,077,210
	0511	복리후생비		2,871,560		2,871,560
	0514	통신비		237,400		237,400

결산분개를 일반전표에 추가하시겠습니까?

예(Y) 아니오(N)

※ [일반전표입력] 메뉴의 자동분개 확인

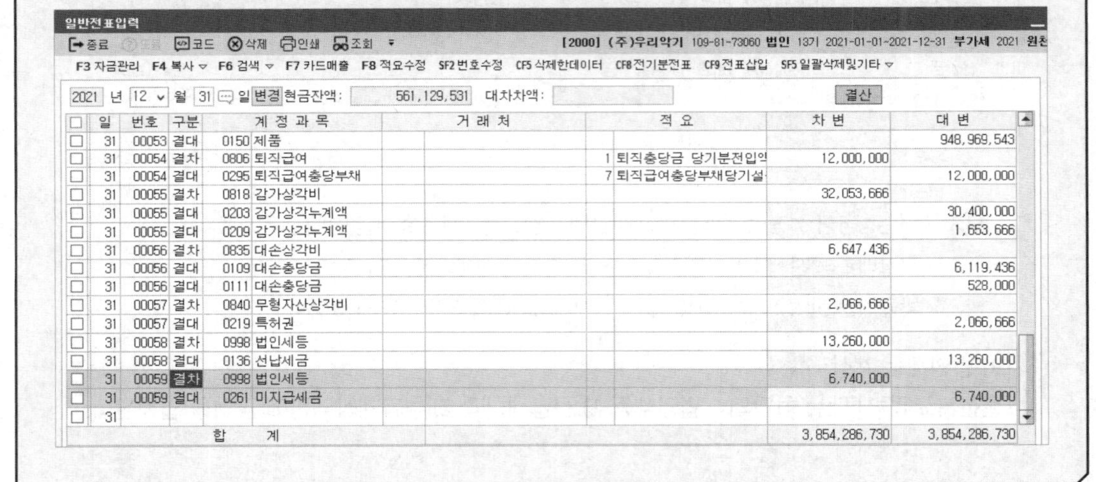

일반전표입력

종료 | 도움 | 코드 | 삭제 | 인쇄 | 조회

[2000] (주)우리악기 109-81-73060 법인 13기 2021-01-01-2021-12-31 부가세 2021 원천

F3 자금관리 | F4 복사 | F6 검색 | F7 카드매출 | F8 적요수정 | SF2 번호수정 | CF5 삭제한데이터 | CF8 전기분전표 | CF9 전표삽입 | SF5 일괄삭제및기타

2021 년 12 월 31 일 변경 현금잔액: 561,129,531 대차차액:

결산

일	번호	구분	계 정 과 목		거 래 처		적 요	차 변	대 변
31	00053	결대	0150	제품					948,969,543
31	00054	결차	0806	퇴직급여			1 퇴직충당금 당기분전입액	12,000,000	
31	00054	결대	0295	퇴직급여충당부채			7 퇴직급여충당부채당기설정		12,000,000
31	00055	결차	0818	감가상각비				32,053,666	
31	00055	결대	0203	감가상각누계액					30,400,000
31	00055	결대	0209	감가상각누계액					1,653,666
31	00056	결차	0835	대손상각비				6,647,436	
31	00056	결대	0109	대손충당금					6,119,436
31	00056	결대	0111	대손충당금					528,000
31	00057	결차	0840	무형자산상각비				2,066,666	
31	00057	결대	0219	특허권					2,066,666
31	00058	결차	0998	법인세등				13,260,000	
31	00058	결대	0136	선납세금					13,260,000
31	00059	결차	0998	법인세등				6,740,000	
31	00059	결대	0261	미지급세금					6,740,000
31									
		합 계						3,854,286,730	3,854,286,730

재무제표 작성하기

[재무제표 작성순서]

제조원가명세서	원가확정 - 순서와 관계없이 조회가능
▼	
손익계산서	당기순손익 확정 - 12월로 조회만 하면 정리됨
▼	
이익잉여금처분계산서	미처분이익잉여금 확정 - "전표추가"에 의해 손익대체분개 자동작성됨
▼	
재무상태표	당기순이익과 미처분이익잉여금의 반영
▼	
합계잔액시산표	• 거래자료입력 후 : 계정을 금액집계의 의미로 조회 • 결산자료입력 / 추가 후 : 원가대체과정에 의한 반영조회 • 잉여금처분계산서 / 전표추가 후 : 손익대체까지 반영조회

01 제조원가명세서

회계관리 ≫ 결산/재무제표 ≫ 제조원가명세서

원가명세서는 손익계산서의 매출원가 중 제조업의 제품매출원가에 대하여 당기제품제조원가가 어떻게 산출된 것인지 그 내역을 기록한 재무제표 부속명세서로 제조업인 경우 제조원가명세서를, 건설업인 경우에는 건설형태에 따라 도급공사 원가명세서, 분양공사 원가명세서 등으로 구분할 수 있으며 관리용, 제출용, 표준용으로 구분되어 작성된다.

제조원가명세서

종료 도움 코드 삭제 인쇄 조회 [2000] (주)우리악기 109-81-73060 법인 13기 2021-01-01~2021-12-31 부가세 2021 원

F4 원가설정 F6 원장조회 F7 제목수정 F11 계정코드 CF6 비율 CF9 영어계정

기간 2021 년 12 월 31 일까지 455 제품매출원가 0500 제조 - 1.제조원가명세서

관리용 | 제출용 | 표준용 0500번대

과 목	제13(당)기 [2021년01월01일~2021년12월31일]		제12(전)기 [2020년01월01일~2020년12월31일]	
	금 액		금 액	
1.원재료비		858,545,000		3,477,486,276
기초원재료재고액	1,500,000			
당기원재료매입액	877,045,000		3,478,986,276	
기말원재료재고액	20,000,000		1,500,000	
2.노무비		78,532,000		79,165,500
임금	59,935,000		65,944,000	
상여금	7,597,000		13,221,500	
퇴직급여	11,000,000			
3.경비		37,292,543		89,159,312
복리후생비	2,871,560		8,350,392	
통신비	237,400			
가스수도료	740,000			
전력비	3,474,120		2,671,410	
세금과공과금	3,099,650		10,771,850	
감가상각비	14,215,333		35,217,496	
임차료	12,000,000		18,000,000	
수선비			200,000	
차량유지비	263,100			
운반비	95,000			
도서인쇄비	150,000			
회의비			4,311,414	
포장비			2,495,000	
소모품비	122,300		6,674,850	
잡비	24,080		466,900	
4.당기 총 제조비용		974,369,543		3,645,811,088
5.기초재공품 재고액				
6.합계		974,369,543		3,645,811,088
7.기말재공품 재고액		9,000,000		
8.타계정으로 대체액				
9.당기제품 제조원가		965,369,543		3,645,811,088

TIP

제조원가명세서에서 확정된 당기제품제조원가는 손익계산서의 제품매출원가를 산정하는데 자동 반영된다.

02 손익계산서

회계관리 ≫ 결산/재무제표 ≫ 손익계산서

손익계산서란 일정기간(보통 1회계기간)동안의 경영성과를 나타내는 보고서로 일정기간 중 실현된 수익에서 발생된 비용을 차감하여 당기순이익을 산출하는 과정을 나타내며, 관리용, 제출용, 표준용으로 구분하여 조회할 수 있다.

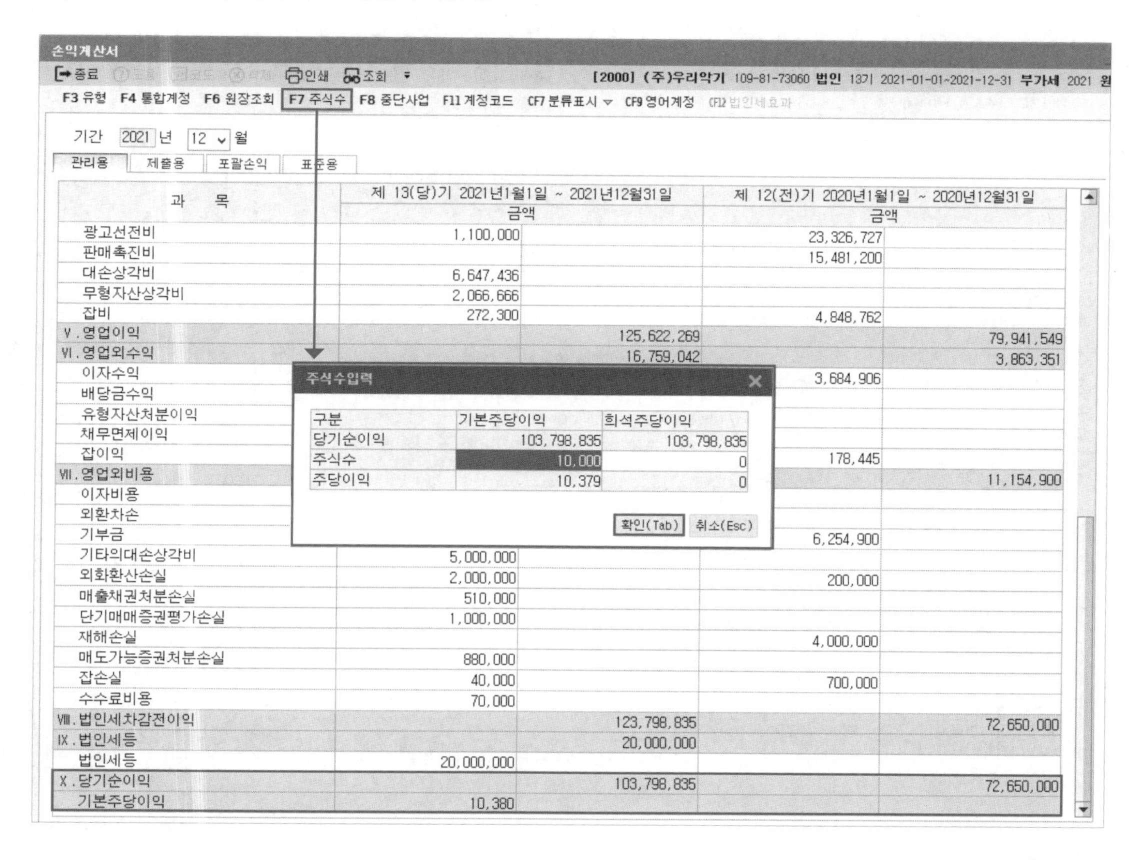

과목	제 13(당)기 2021년1월1일 ~ 2021년12월31일 금액		제 12(전)기 2020년1월1일 ~ 2020년12월31일 금액	
광고선전비	1,100,000		23,326,727	
판매촉진비			15,481,200	
대손상각비	6,647,436			
무형자산상각비	2,066,666			
잡비	272,300		4,848,762	
Ⅴ. 영업이익		125,622,269		79,941,549
Ⅵ. 영업외수익		16,759,042		3,863,351
이자수익			3,684,906	
배당금수익				
유형자산처분이익				
채무면제이익				
잡이익			178,445	
Ⅶ. 영업외비용				11,154,900
이자비용				
외환차손				
기부금			6,254,900	
기타의대손상각비	5,000,000			
외화환산손실	2,000,000		200,000	
매출채권처분손실	510,000			
단기매매증권평가손실	1,000,000			
재해손실			4,000,000	
매도가능증권처분손실	880,000			
잡손실	40,000		700,000	
수수료비용	70,000			
Ⅷ. 법인세차감전이익		123,798,835		72,650,000
Ⅸ. 법인세등		20,000,000		
법인세등	20,000,000			
Ⅹ. 당기순이익		103,798,835		72,650,000
기본주당이익	10,380			

주식수입력

구분	기본주당이익	희석주당이익
당기순이익	103,798,835	103,798,835
주식수	10,000	0
주당이익	10,379	0

확인(Tab) 취소(Esc)

TIP

- 기본주당이익을 계산하기 위해서는 상단의 [F7 주식수]를 클릭하여 주식 10,000주를 입력하여 계산한다.
- 손익계산서의 당기순이익은 이익잉여금처분계산서와 재무상태표에 자동반영된다.

03 이익잉여금처분계산서

회계관리 ≫ 결산/재무제표 ≫ 이익잉여금처분계산서

이익잉여금처분계산서는 이익잉여금의 총변동사항을 명확히 보고하기 위해 작성하는 서식이다. 일반기업회계기준서 (재무상태표일 후 발생한 사건)에 따라 이익잉여금 처분내역을 재무상태표에 표시하지 않는다.

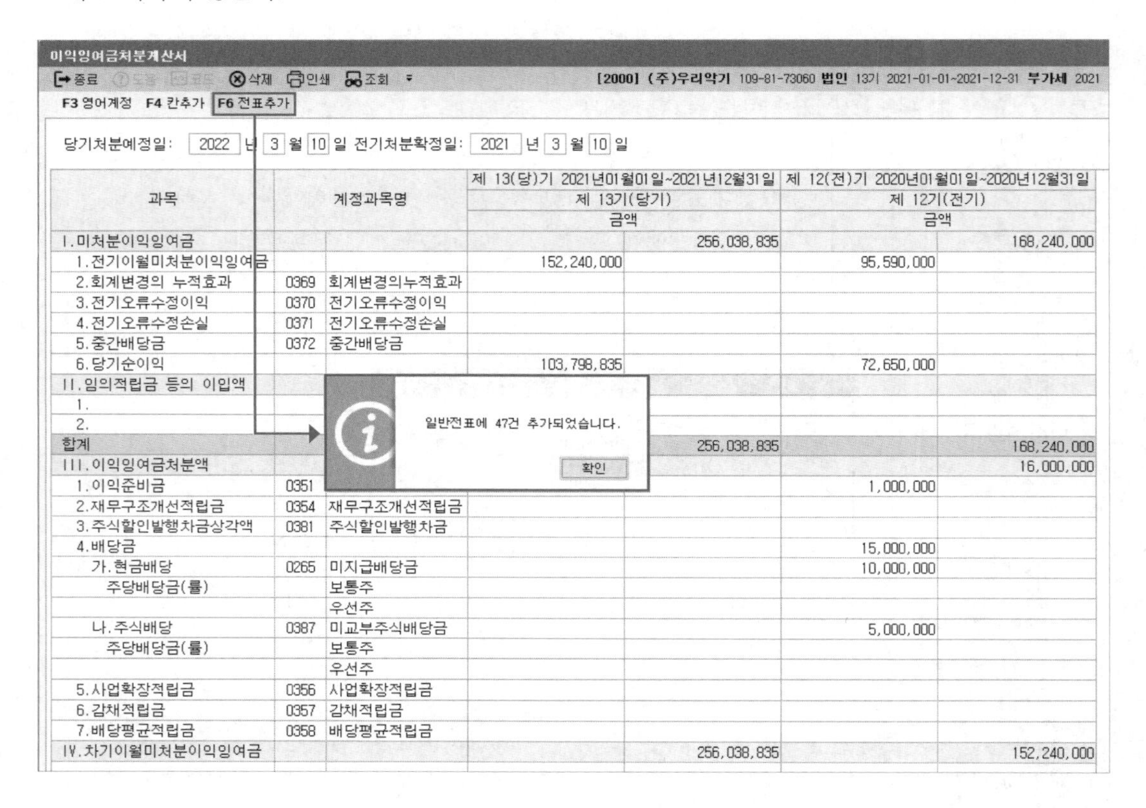
이익잉여금처분계산서

종료 삭제 인쇄 조회 [2000] (주)우리악기 109-81-73060 법인 13기 2021-01-01-2021-12-31 부가세 2021

F3 영어계정 F4 칸추가 F6 전표추가

당기처분예정일: 2022 년 3 월 10 일 전기처분확정일: 2021 년 3 월 10 일

과목		계정과목명	제 13(당)기 2021년01월01일~2021년12월31일 제 13기(당기) 금액		제 12(전)기 2020년01월01일~2020년12월31일 제 12기(전기) 금액	
I.미처분이익잉여금				256,038,835		168,240,000
1.전기이월미처분이익잉여금			152,240,000		95,590,000	
2.회계변경의 누적효과	0369	회계변경의누적효과				
3.전기오류수정이익	0370	전기오류수정이익				
4.전기오류수정손실	0371	전기오류수정손실				
5.중간배당금	0372	중간배당금				
6.당기순이익			103,798,835		72,650,000	
II.임의적립금 등의 이입액						
1.						
2.						
합계				256,038,835		168,240,000
III.이익잉여금처분액						16,000,000
1.이익준비금	0351				1,000,000	
2.재무구조개선적립금	0354	재무구조개선적립금				
3.주식할인발행차금상각액	0381	주식할인발행차금				
4.배당금					15,000,000	
가.현금배당	0265	미지급배당금			10,000,000	
주당배당금(률)		보통주				
		우선주				
나.주식배당	0387	미교부주식배당금			5,000,000	
주당배당금(률)		보통주				
		우선주				
5.사업확장적립금	0356	사업확장적립금				
6.감채적립금	0357	감채적립금				
7.배당평균적립금	0358	배당평균적립금				
IV.차기이월미처분이익잉여금				256,038,835		152,240,000

TIP

- 손익대체를 위하여 반드시 상단의 [F6 전표추가]를 클릭하여 손익대체분개를 자동생성시킨다.
- 손익대체분개가 생성되면 미처분이익잉여금이 이월이익잉여금 계정으로 대체되며 재무상태표에 자동반영된다.

일반전표입력

종료 | 코드 | 삭제 | 인쇄 | 조회 — [2000] (주)우리악기 109-81-73060 법인 13기 2021-01-01~2021-12-31 부가세 2021

F3 자금관리 F4 복사 F6 검색 F7 카드매출 F8 적요수정 SF2 번호수정 CF5 삭제한데이터 CF8 전기분전표 CF9 전표삽입 SF5 일괄삭제및기타

2021 년 12 월 31 일 변경 현금잔액: 561,129,531 대차차액: 손익

일	번호	구분	계 정 과 목	거 래 처	적 요	차 변	대 변
31	00022	대변	0956 매출채권처분손실		손익계정에 대체		510,000
31	00022	대변	0957 단기매매증권평가손실		손익계정에 대체		1,000,000
31	00022	대변	0971 매도가능증권처분손실		손익계정에 대체		880,000
31	00022	대변	0980 잡손실		손익계정에 대체		40,000
31	00022	대변	0984 수수료비용		손익계정에 대체		70,000
31	00022	대변	0998 법인세등		손익계정에 대체		20,000,000
31	00022	차변	0400 손익		비용에서 대체	1,155,575,207	
31	00023	차변	0400 손익		당기순손익 잉여금에 대:	103,798,835	
31	00023	대변	0377 미처분이익잉여금		당기순이익 잉여금에 대:		103,798,835
31	00023	차변	0375 이월이익잉여금		처분전 이익잉여금에 대:	152,240,000	
31	00023	대변	0377 미처분이익잉여금		이월이익잉여금에서 대체		152,240,000
31	00024	대변	0375 이월이익잉여금		처분전 이익잉여금에 대:		256,038,835
31	00024	차변	0377 미처분이익잉여금		이월이익잉여금에서 대처	256,038,835	
31							
			합 계			6,781,413,649	6,781,413,649

04 재무상태표

재무상태표는 일정시점(보고기간 종료일 현재)의 기업의 재무상태를 나타내는 보고서로 자산, 부채. 자본의 기말금액과 증감사항 등을 확인할 수 있다. 입력된 자료에 의하여 매월말 또는 결산월의 재무상태표를 조회할 수 있으며, 관리용, 제출용, 표준용으로 구분된다.

재무상태표

종료 | 인쇄 | 조회 — [2000] (주)우리악기 109-81-73060 법인 13기 2021-01-01~2021-12-31 부가세 2021

F3 유형 F4 통합계정 F6 원장조회 F7 임대주택 F11 계정코드 CF7 제목수정 CF9 퇴직부채 합산여부 CF10 타이틀 변경

기간 2021 년 12 월

관리용 | 제출용 | 표준용

과 목	제 13(당)기 2021년1월1일 ~ 2021년12월31일		제 12(전)기 2020년1월1일 ~ 2020년12월31일	
	금액		금액	
자산				
Ⅰ.유동자산		2,265,960,436		1,432,402,366
① 당좌자산		2,196,960,436		1,405,302,366
현금		561,129,531		172,942,366
당좌예금		260,598,000		125,000,000
보통예금		250,889,922		284,190,000
정기예금		20,000,000		20,000,000
단기매매증권		24,000,000		5,500,000
외상매출금	702,471,830		503,000,000	
대손충당금	14,049,436	688,422,394	5,030,000	497,970,000
받을어음	151,400,000		250,000,000	
대손충당금	3,028,000	148,372,000	2,500,000	247,500,000
단기대여금		37,500,000		50,000,000
미수금		33,000,000		
선급금		90,191,089		1,000,000
선급비용		1,950,000		1,200,000
부가세대급금		80,907,500		
② 재고자산		69,000,000		27,100,000
제품		40,000,000		25,600,000
원재료		20,000,000		1,500,000
재공품		9,000,000		
Ⅱ.비유동자산		820,203,797		797,339,462
① 투자자산		95,000,000		84,000,000

실전연습문제

(주)강남(회사코드 : 2010)은 제조, 도매 및 무역업을 영위하는 중소기업이며, 당기(22기)회계기간은 2021. 1. 1. ~ 2021. 12. 31.이다. 다음 결산자료를 입력하여 결산을 완료하시오. (단, 본 문제에 한하여 입력된 데이터는 무시하고 연습하기로 한다.)

01 회사가 보유하고 있는 단기매매증권의 내역은 다음과 같으며 기말 평가는 기업회계기준에 따라 처리하기로 한다.

일자	주식수	시가	비고
2020년 06월 20일	1,000주	50,000,000	취득
2020년 12월 31일	1,000주	47,000,000	
2021년 05월 20일	1,000주	48,000,000	
2021년 12월 31일	1,000주	52,000,000	

02 기말 현재 보유중인 매도가능증권의 평가액은 다음과 같다. 단, 장부상 매도가능증권처분손실 잔액은 2,000,000원이다.

구 분	수 량	장부가액	공정가액
(주)봄날	1,000주	20,200,000원	22,000,000원

03 당사가 보유하고 있는 유가증권의 내역을 반영하여 기말평가를 하시오. 단, 당기말까지 해당 주식의 매매거래는 없었다.

일 자	금 액	주식수	비 고
2021년 10월 04일	1주당 14,000원으로 취득	500주	단기매매증권으로 인식함
2021년 12월 31일	1주당 공정가액 12,000원	500주	
2021년 10월 04일	1주당 10,000원으로 취득	1,000주	매도가능증권으로 인식함
2021년 12월 31일	1주당 공정가액 9,500원	1,000주	

04 결산일 현재 현금과부족 차변금액인 1,000,000원의 원인이 공장에서 사용하는 차량의 보험료(당기분 500,000원, 차기분 500,000원) 납부액을 누락시켰기 때문인 것으로 확인되었다. 누락사항을 결산일에 수정분개 하시오.

05 기중 현금시재가 부족하여 현금과부족으로 계상하였던 금액 5,000원에 대하여 결산일 현재에도 그 원인을 알 수 없어 당기 비용(영업외비용)으로 처리하다.

06 가지급금 정산내역명세서에 다음과 같은 금액이 있으나 기말 현재 아직까지 반영되지 아니하였다. 관련 증빙은 적정하게 구비되어 있음이 확인되었으며, 정산 후 잔액은 현금으로 회수하다.

가지급금 정산내역서	
• 가지급금 수령액 : 565,000원	• 가지급금 사용내역 - 인사부 회식대금 : 200,000원 - 제조공장 3라인 직장체육비 : 350,000원
• 정산 후 잔액 : 15,000원	
※ 관련증빙을 첨부하오니 확인바랍니다. 2021. 12. 31. 재무팀 담당 귀하	

07 당사는 회사홍보용 우산을 광고선전비(판관비)로 계상하였으나, 결산시 미사용된 잔액 1,000,000원을 소모품(자산)으로 대체하기로 하였다.(단, 음수로 입력하지 말 것)

08 다음 제2기 확정 부가가치세신고서의 일부 내용을 참조하여 부가세대급금과 부가세예수금을 정리한다. 단, 환급 또는 납부세액 발생시 미수금 또는 미지급세금 계정으로 회계처리하고, 전자신고세액공제 10,000원은 영업외수익 중 적절한 계정과목을 선택하여 반영한다.

구분	금액(원)	세액(원)
과세표준 및 매출세액	398,730,000	36,020,000
매입세액	319,450,000	31,945,000
전자신고세액공제		10,000
차감납부할세액		4,065,000

09 결산일 현재 가수금 3,000,000원의 내역이 다음과 같이 확인되었다.

- (주)대일에 대한 거래로 제품매출을 위한 계약금을 받은 금액 : 500,000원
- (주)대일에 대한 외상대금 중 일부를 회수한 금액 : 2,500,000원

10 보험료 계정 중 1,200,000원은 영업부 건물 2년분 화재보험료(2021.06.01.~2023.05.31.)이다. 단, 기간계산시 1월 미만의 기간은 1월로 간주하며, 회계처리시 금액은 음수로 입력하지 아니한다.

11 3월 1일 공장건물에 대한 화재보험에 가입하고 1년분 보험료 1,380,000원을 납부하였다. 보험료 납부당시 회사는 전액 선급비용(자산) 계정으로 회계처리 하였다. 경과 보험료는 월할 계산하기로 한다.

12 제조용 공장 중 일부를 임차하여 사용하고 있는데 2021년 9월 1일에 건물 임차에 대한 6개월분 임차료 1,800,000원(임대기간 : 2021.9.1.~2022.2.28.)을 현금으로 지급하고 전액 제조비용으로 회계처리하였다. 월할계산하여 기말수정분개를 하시오.(단, 임대인은 간이과세자이며, 거래처입력은 생략하고, 회계처리는 음수가 나타나지 않도록 한다)

13 기중 이자수익으로 계상한 금액 중에는 차기에 속하는 금액이 20,000원 포함되어 있다. 단, 회계처리는 음수(-)가 나타나지 않도록 한다.

14 당기말에 운영자금으로 사용된 대출금이 있는데, 이에 대한 대출약정 내용은 다음과 같으며, 내용에 따라 이자 미지급액을 계상하시오. (계정과목은 미지급비용 계정을 사용하며, 월할 계산을 사용함)

- 대출기관 : 국민은행
- 대출금 사용 기간 : 2021년 10월 1일 ~ 2022년 9월 30일
- 대출금액 : 100,000,000원
- 대출이자율 : 연 12%
- 이자지급방식 : 만기에 일시불로 지급함.

15 전기말 선급비용(선급임차료) 24,000,000원은 공장임차료(계약기간 2021.1.1.~2021.12.31.)를 1년치 선납한 부분에 대한 것이다. 당사는 2021년 4월 1일에 공장건물을 신축완공하여 이전하였으며, 이전 후 구 공장건물은 영업관리부 직원들의 휴게시설로 사용하였다.(선급비용에 대하여는 월할계산하기로 하며, 음수(-)로 분개하지 마시오.)

16 중국 니하오사에 대한 원재료 외상매입금 잔액이 미화 $25,000이다. 외상매입금 장부반영 당시 환율은 미화 1$당 1,250원이었으나, 기말결산일 현재 환율은 미화 1$당 1,150원이다.

17 단기차입금으로 계상된 외화차입금 잔액은 미국의 스타트사에서 차입한 금액 $10,000으로 차입일 현재 환율은 1달러당 1,000원이었으나 기말 현재 환율은 1달러당 1,100원이다.

18 외화장기차입금 45,276,000원(차입당시 980원/1$)에 대한 결산일 현재의 환율은 1,150원 /1$이다.

19 기말현재 장부상의 외상매출금 중 14,000,000원은 프랑스의 뉴월드사에 대한 것으로 10,000EUR(유로화)이며, 기말현재 유로화에 대한 기준환율은 1EUR당 1,530원이다.

20 기말(2021년말)의 장기차입금(신한은행) 내역은 다음과 같다.

항 목	금 액(원)	상환예정시기	비 고
장기차입금(합계)	100,000,000		2019년초에 차입
장기차입금A 상환	60,000,000	2022.06.30	전액 상환예정
장기차입금B 상환	40,000,000	2023.06.30	전액 상환예정

21 장기차입금 중 평화은행에 대한 차입금 50,000,000원은 상환기일이 결산일로부터 1년 이내에 도래하여 상환하기로 하였다.

22 당사는 재평가모형에 따라 유형자산을 인식하고 있으며, 2021년 12월 31일자로 보유하고 있던 토지에 대한 감정평가를 시행한 결과 다음과 같이 평가액이 산출되어 유형자산재평가익(손)으로 처리하였다.

- 2021년 토지 취득가액 : 55,000,000원
- 2021년 12월 31일자 토지 감정평가액 : 60,000,000원

23 제품 생산을 위해 1월 10일에 구입한 기계장치(밀링머신)를 기업회계기준에 따라 정액법으로 감가상각비를 계상하였다. (내용연수 5년, 잔존가액 없음) 구입시의 회계처리는 다음과 같으며 하나의 전표로 처리한다.

2021년 1월 10일 (차)	기계장치	10,000,000	(대) 보통예금	10,000,000
	정부보조금 (보통예금 차감)	5,000,000	정부조조금 (기계장치 차감)	5,000,000

24 무형자산으로 계상되어 있는 특허권(장부가액 5,000,000원)은 더 이상 사용을 할 수 없어 사용을 중지하고 처분을 위해 보유하고 있는데 당기말 기업회계기준에 의한 회수가능가액은 3,000,000원이다. 무형자산손상차손 계정으로 회계처리하시오.

25 회사는 기말 현재 결산항목 반영 전에 재무상태표상 개발비 미상각 잔액이 4,800,000원이 있다. 개발비는 전기 초에 설정되어 전기 초부터 사용하였고 모든 무형자산은 사용가능한 시점부터 5년간 상각한다.

26 기말 현재 임직원의 퇴직금추계액이 다음과 같은 경우 당기의 퇴직급여충당부채를 설정하시오. 재무상태표상 퇴직급여충당부채 잔액은 120,000,000원이며, 영업직 50%, 생산직 50%가 설정되어 있다.

> • 영업직사원 : 70,000,000원　　• 생산직사원 : 80,000,000원

27 기말 재고자산의 장부가액은 다음과 같다. 결산자료입력 메뉴에 입력하고, 감모손실에 대해서는 일반전표입력 메뉴에 입력하시오.

> • 원재료 : 2,000,000원　• 재공품 : 1,000,000원　• 제품 : 10,000,000원
>
> • 원재료 중에는 기말 현재 해외로부터 선적지 인도기준으로 매입운송 중인 금액 300,000원이 포함되어 있지 않다.
> • 제품의 실사평가를 한 결과 다음과 같으며, 수량감소는 비정상적으로 발생한 것이다.(기타 다른 사항은 없는 것으로 한다)
>
> • 장부상 수량 : 1,000개　　• 실지재고 수량 : 950개
> • 단위당 취득원가 : 10,000원　　• 단위당 시가(공정가치) : 12,000원

28 당사는 매출채권의 2%를 보충법으로 대손충당금을 설정하기로 한다. 재무상태표상 매출채권 및 대손충당금 내역은 다음과 같다.

> • 외상매출금 잔액 :130,000,000원　　• 외상매출금 대손충당금 잔액 : 700,000원
> • 받을어음 잔액 : 250,000,000원　　• 받을어음 대손충당금 잔액 : 1,200,000원

29 당기 법인세 비용은 25,000,000원이며, 당기 중에 법인세 중간예납한 세액 및 원천징수세액이 선납세금 계정에 13,970,000원이 포함되어 있다.(미지급된 법인세는 미지급세금 계정을 사용할 것)

30 당기의 이익잉여금처분명세는 아래와 같다.

> • 처분확정일(예정일) : 2022년 2월 28일 (전기 2021년 2월 28일)
> • 현 금 배 당 : 20,000,000원
> • 주 식 배 당 : 10,000,000원
> • 이익준비금 : 금전배당액의 10%

정답 및 해설

- 수동결산 [12월 31일 일반전표입력]

01 (차) 단기매매증권 5,000,000 (대) 단기매매증권평가이익 5,000,000

02 (차) 매도가능증권 1,800,000 (대) 매도가능증권평가이익 1,800,000

※ 매도가능증권 기말평가시 매도가능증권처분손실 계정은 영향을 주지 않는다.

03 (차) 단기매매증권평가손실 1,000,000 (대) 단기매매증권 1,000,000
매도가능증권평가손실 500,000 매도가능증권 500,000

※ • 단기매매증권 : 500주 × (12,000원 - 14,000원) = -1,000,000원 (평가손실)
• 매도가능증권 : 500주 × (9,000원 - 10,000원) = -500,000원 (평가손실)

04 (차) 보험료(제) 500,000 (대) 현금과부족 1,000,000
선급비용 500,000

※ 당기분은 비용인 보험료 계정으로 처리하고 차기분은 선급비용 계정으로 처리한다.

05 (차) 잡손실 5,000 (대) 현금과부족 5,000

06 (차) 복리후생비(판) 200,000 (대) 가지급금 565,000
복리후생비(제) 350,000
현금 15,000

07 (차) 소모품 1,000,000 (대) 광고선전비(판) 1,000,000

08 (차) 부가세예수금 36,020,000 (대) 부가세대급금 31,945,000
잡이익 10,000
미지급세금 4,065,000

09 (차) 가수금 3,000,000 (대) 선수금((주)대일) 500,000
외상매출금((주)대일) 2,500,000

10 (차) 선급비용 850,000 (대) 보험료(판) 850,000

※ 1,200,000원 × 17개월 ÷ 24개월 = 850,000원 (선급분)

11 (차) 보험료(제) 1,150,000 (대) 선급비용 1,150,000

※ 1,380,000원 × 10개월 ÷ 12개월 = 1,150,000원 (경과분)

12 (차) 선급비용 600,000 (대) 임차료(제) 600,000

※ 1,800,000원 × 2개월 ÷ 6개월 = 600,000원 (미경과분)

13 (차) 이자수익 20,000 (대) 선수수익 20,000

14 (차) 이자비용 3,000,000 (대) 미지급비용 3,000,000

※ 100,000,000원 × 12% × 3개월 ÷ 12개월 = 3,000,000원 (미지급분)

15 (차) 임차료(제) 6,000,000 (대) 선급비용 24,000,000

임차료(판) 18,000,000

※ • 공장 임차료 : 24,000,000원 × 3개월 ÷ 12개월 = 6,000,000원

• 영업관리부 임차료 : 24,000,000원 × 9개월 ÷ 12개월 = 18,000,000원

16 (차) 외상매입금(니하오사) 2,500,000 (대) 외화환산이익 2,500,000

※ $25,000 × (1,150원 - 1,250원) = -2,500,000원 (환산이익)

17 (차) 외화환산손실 1,000,000 (대) 단기차입금(스타트사) 1,000,000원

※ $10,000 × (1,100원 - 1,000원) = 1,000,000원 (환산손실)

18 (차) 외화환산손실 7,854,000 (대) 외화장기차입금 7,854,000

※ • 45,276,000원 ÷ 980원 = $46,200 (차입한 금액)

• $46,200 × (1,150원 - 980원) = 7,854,000원 (환산손실)

19 (차) 외상매출금(뉴월드사) 1,300,000 (대) 외화환산이익 1,300,000

※ 10,000EUR × (1,530원 - 1,400원) = 1,300,000원 (환산이익)

20 (차) 장기차입금(신한은행) 60,000,000 (대) 유동성장기부채(신한은행) 60,000,000

※ 장기차입금 중 2022년 6월 30일에 상환예정인 경우 유동성부채로 재분류한다.

21 (차) 장기차입금(평화은행) 50,000,000 (대) 유동성장기부채(평화은행) 50,000,000

22 (차) 토지 5,000,000 (대) 재평가차익(기타포괄손익누계액) 5,000,000

23 (차) 감가상각비(제) 1,000,000 (대) 감가상각누계액(기계장치) 2,000,000

정부보조금 1,000,000

※ • 기계장치 감가상각비 10,000,000원 ÷ 5년 = 2,000,000원

• 정부보조금 감가상각비 2,000,000 × 5,000,000원 ÷ 10,000,000원 = 1,000,000원

24 (차) 무형자산손상차손 2,000,000 (대) 특허권 2,000,000

※ • 장부가액 5,000,000원 - 회수가능액 3,000,000원 = 2,000,000원 (손상차손)

• 사용을 중지하고 처분을 위해 보유하는 무형자산은 사용을 중지한 시점의 장부가액으로 유지한다. 이러한 무형자산에 대해서는 매 회계연도말에 회수가능가액을 평가하고 감액손실을 인식한다.

- 자동결산 [결산자료입력] 1월~12월

25 무형고정자산 상각란 1,200,000원을 입력한 후 전표추가한다.

(차) 무형고정자산상각 1,200,000 (대) 개발비 1,200,000

※ 4,800,000원 ÷ 4년 = 1,200,000원 (상각비)

26 (차) 퇴직급여(판) 10,000,000 (대) 퇴직급여충당부채 30,000,000

퇴직급여(제) 20,000,000

※ • 영업직 : 70,000,000원 - (120,000,000원 × 50%) = 10,000,000원

• 생산직 : 80,000,000원 - (120,000,000원 × 50%) = 20,000,000원

27 ① 12월 31일 일반전표입력

(차) 재고자산감모손실 500,000 (대) 제품(적요 8.타계정으로 대체액) 500,000

※ (장부상 1,000개 - 실지재고 950개) × 10,000원 = 500,000원 (감모손실)

② 원재료재고액란 2,300,000원, 재공품재고액란 1,000,000원, 제품란 9,500,000원을 입력한 후 전표추가한다.

28 대손상각 중 외상매출금란 1,900,000원, 받을어음란 3,800,000원을 입력한 후 전표추가한다.

※ • 외상매출금 : 130,000,000원 × 2% - 700,000원 = 1,900,000원

• 받을어음 : 250,000,000원 × 2% - 1,200,000원 = 3,800,000원

29 법인세등의 선납세금란 13,970,000원, 추가계상액란 11,030,000원을 입력한 후 전표추가한다.

※ 25,000,000원 - 13,970,000원 = 11,030,000원 (추가계상액)

30 2021년 귀속 처분내역을 이익잉여금 처분계산서에 입력한 후 전표추가한다.

• 이익준비금 : 2,000,000원 • 현금배당 : 20,000,000원 • 주식배당 : 10,000,000원

NCS 국가직무능력표준 National Competency Standards

제 3 부

부가가치세 신고

[과정/과목명 : 0203020205_17v4/부가가치세 신고]

능력단위 요소명	훈 련 내 용
부가가치세 부속서류 작성하기	2.1 부가가치세법에 따라 수출실적명세서를 작성할 수 있다. 2.2 부가가치세법에 따라 대손세액공제신고서를 작성하여 세액공제를 받을 수 있다. 2.3 부가가치세법에 따라 공제받지 못할 매입세액명세서와 불공제분에 대한 계산근거를 작성할 수 있다. 2.4 부가가치세법에 따라 신용카드매출전표 등 수령명세서를 작성해 매입세액을 공제 받을 수 있다. 2.5 부가가치세법에 따라 부동산임대공급가액명세서를 작성하고 간주임대료를 계산할 수 있다. 2.6 부가가치세법에 따라 건물 등 감가상각자산취득명세서를 작성할 수 있다. 2.7 부가가치세법에 따라 의제매입세액공제신고서를 작성하여 의제매입세액공제를 받을 수 있다.
부가가치세 신고하기	3.1 부가가치세법에 따른 과세기간을 이해하여 예정·확정신고를 할 수 있다. 3.2 부가가치세법에 따라 납세지를 결정하여 상황에 맞는 신고를 할 수 있다. 3.3 부가가치세법에 따른 일반과세자와 간이과세자의 차이를 판단할 수 있다. 3.4 부가가치세법에 따른 재화의 공급과 용역의 공급 범위를 판단할 수 있다. 3.5 부가가치세법에 따른 부가가치세신고서를 작성할 수 있다.

제 1 절

부가가치세 신고하기

데이터 다운로드

1단계 도서출판 아이콕스 (http://icoxpublish.com) 사이트에 접속한다.

2단계 자료실 > 세무회계 > 전산세무 2급 데이터 파일을 클릭하여 바탕화면에 다운로드한 다음 데이터를 더블 클릭한다.

3단계 [전산세무회계 자격시험 교육용 프로그램 KcLep] 로그인 화면에서 [회사등록]을 클릭하여 상단의 F4 회사코드재생성 을 누른 후 [확인]버튼을 클릭한다.

4단계 회사코드가 재생성된 리스트에서 '**2100.(주)우리_부가.원천**'을 선택하여 실무문제를 해결하도록 한다.

01 부가가치세 신고서 작성요령

(1) 부가가치세 신고 구분

■ 부가가치세법 시행규칙 [별지 제21호서식] <개정 2020.03.13.>

일반과세자 부가가치세 [ ]예정 [V]확정 / [ ]기한후과세표준 / [ ]영세율 등 조기환급 신고서

홈택스(www.hometax.go.kr)에서도 신청할 수 있습니다.

※ 뒤쪽의 작성방법을 읽고 작성하시기 바랍니다. (4쪽 중 제1쪽)

관리번호				처리기간	즉시	
신고기간 2021년 제 1기 (4월1일 ~ 6월30일)						
사업자	상 호 (법인명)	(주)우리_부가.원천	성 명 (대표자명) 이순재	사업자등록번호	109-81-73060	
	생년월일	1971-01-15	전화번호	사업장 031-934-1300	주소지 - -	휴대전화 - -
	사업장 주소	경기도 수원시 팔달구 경수대로 424 (인계동)		전자우편 주소		

『일반과세자 부가가치세(예정·확정·기한후과세표준·영세율 등 조기환급)신고서』의 해당란에 'O 또는 √'로 표시한다.

신고유형	신고대상
예정	일반과세사업자 중 법인(개인은 선택이 가능함)
확정	일반과세사업자(법인, 개인)
기한후과세표준	법정신고기한내 무신고 사업자
영세율조기환급	수출, 시설투자 등 조기환급 사유가 발생한 사업자
수정신고시	부가가치세(예정 · 확정 · 기한후과세표준 · 영세율 등 조기환급) **수정** 신고서로 표시

(2) 과세표준 및 매출세액 작성요령

구분				금액	세율	세액
과세표준및매출세액	과세	세금계산서발급분	1		10/100	
		매입자발행세금계산서	2		10/100	
		신용카드 · 현금영수증발행분	3		10/100	
		기타(정규영수증외매출분)	4			
	영세	세금계산서발급분	5		0/100	
		기타	6		0/100	
	예정신고누락분		7			
	대손세액가감		8			
	합계		9		㉮	

항목	기재요령	입력반영자료
1란	신고대상기간에 부가가치세가 과세되는 매출 중 세금계산서 발급분	11.과세
2란	과세되는 매출 중 매입자로부터 발급 받은 매입자발행세금계산서상 금액	
3란	신고대상기간에 부가가치세가 과세되는 매출 중 신용카드매출전표 · 현금영수증 발급분	17.카과, 22.현과
4란	부동산임대사업자의 간주임대료와 세금계산서 및 신용카드 등 이외의 매출분	14.건별
5란	신고대상기간에 영세율이 적용되는 매출 중 세금계산서 발급분	12,영세
6란	신고대상기간에 영세율이 적용되는 매출 중 세금계산서 발급의무가 없는 매출분 (직수출)	16.수출

항목	기재요령	입력반영자료
7란	예정신고시 누락된 분에 대하여 확정신고시 포함하여 신고시 우측 화면 예정누락분에 입력하며, 일정액의 가산세가 부과된다. 7.매출(예정신고누락분) 예정누락분 / 과세 / 세금계산서 / 33 / 10/100 예정누락분 / 과세 / 기타 / 34 / 10/100 예정누락분 / 영세 / 세금계산서 / 35 / 0/100 예정누락분 / 영세 / 기타 / 36 / 0/100 합계 / 37	SF5 예정 누락분 체크
8란	부가가치세가 과세되는 재화 또는 용역의 공급에 대한 외상매출금 등이 대손되어 대손세액을 공제받는 경우 대손세액을 차감표시(-)하여 입력하고, 대손금액의 전부 또는 일부를 회수하여 회수금액에 관련된 대손세액을 납부하는 경우에는 당해 납부하는 세액에 가산(+)하여 입력한다.	대손세액공제 신고서 작성분

(3) 매입세액 작성요령

구분			번호			
매입세액	세금계산서 수취분	일반매입	10			
		수출기업수입분납부유예	10			
		고정자산매입	11			
	예정신고누락분		12			
	매입자발행세금계산서		13			
	그 밖의 공제매입세액		14			
	합계(10)-(10-1)+(11)+(12)+(13)+(14)		15			
	공제받지못할매입세액		16			
	차감계 (15-16)		17		㉯	

항목	기재요령	입력반영자료
10란	신고대상기간에 부가가치세가 과세되는 매입 중 세금계산서 수취분에서 고정자산 매입분을 제외한 일반 매입분	51.과세, 52.영세, 54.불공, 55.수입
11란	세금계산서 수취분 중 고정자산 매입분	

<table>
<tr><th>항목</th><th colspan="2">기재요령</th><th>입력반영자료</th></tr>
<tr><td>12란</td><td colspan="2">예정신고시 누락된 분에 대하여 확정신고시 포함하여 신고시 우측 화면 예정누락분에 입력하여 매입세액을 공제받는다.
<table>
<tr><td colspan="6">12.매입(예정신고누락분)</td></tr>
<tr><td rowspan="12">예정누락분</td><td colspan="2">세금계산서</td><td>38</td><td></td><td></td></tr>
<tr><td colspan="2">그 밖의 공제매입세액</td><td>39</td><td></td><td></td></tr>
<tr><td colspan="2">합계</td><td>40</td><td></td><td></td></tr>
<tr><td rowspan="2">신용카드매출 수령금액합계</td><td>일반매입</td><td></td><td></td><td></td></tr>
<tr><td>고정매입</td><td></td><td></td><td></td></tr>
<tr><td colspan="2">의제매입세액</td><td></td><td></td><td></td></tr>
<tr><td colspan="2">재활용폐자원등매입세액</td><td></td><td></td><td></td></tr>
<tr><td colspan="2">과세사업전환매입세액</td><td></td><td></td><td></td></tr>
<tr><td colspan="2">재고매입세액</td><td></td><td></td><td></td></tr>
<tr><td colspan="2">변제대손세액</td><td></td><td></td><td></td></tr>
<tr><td colspan="2">외국인관광객에대한환급/</td><td></td><td></td><td></td></tr>
<tr><td colspan="2">합계</td><td></td><td></td><td></td></tr>
</table></td><td>SF5 예정 누락분 체크</td></tr>
<tr><td>13란</td><td colspan="2">매입자가 관할세무서장으로부터 거래사실확인통지를 받고 발급한 매입자발행 세금계산서의 금액과 세액을 입력</td><td></td></tr>
<tr><td rowspan="5">14란</td><td colspan="2">발급받은 신용카드매출전표(현금영수증)상의 매입세액, 의제매입세액, 재활용폐자원 등에 대한 매입세액, 재고매입세액 또는 변제대손세액을 공제받는 경우 우측 화면에 입력하면 49.합계란 세액이 자동반영된다.
<table>
<tr><td colspan="6">14.그 밖의 공제매입세액</td></tr>
<tr><td rowspan="2">신용카드매출 수령금액합계표</td><td>일반매입</td><td>41</td><td></td><td></td><td></td></tr>
<tr><td>고정매입</td><td>42</td><td></td><td></td><td></td></tr>
<tr><td colspan="2">의제매입세액</td><td>43</td><td></td><td>뒤쪽</td><td></td></tr>
<tr><td colspan="2">재활용폐자원등매입세액</td><td>44</td><td></td><td>뒤쪽</td><td></td></tr>
<tr><td colspan="2">과세사업전환매입세액</td><td>45</td><td></td><td></td><td></td></tr>
<tr><td colspan="2">재고매입세액</td><td>46</td><td></td><td></td><td></td></tr>
<tr><td colspan="2">변제대손세액</td><td>47</td><td></td><td></td><td></td></tr>
<tr><td colspan="2">외국인관광객에대한환급세액</td><td>48</td><td></td><td></td><td></td></tr>
<tr><td colspan="2">합계</td><td>49</td><td></td><td></td><td></td></tr>
</table></td><td></td></tr>
<tr><td>41, 42란</td><td>일반과세자가 발급한 부가가치세액이 별도로 기재된 신용카드매출전표 등을 발급받은 경우 입력</td><td>57.카과, 61.현과</td></tr>
<tr><td>43란</td><td>면세되는 농·축·수·임산물 등 면세농산물을 매입하고 부가가치세가 과세되는 재화를 제조, 가공하거나 용역을 창출하는 경우 일정금액을 매입세액으로 공제받을 경우 입력</td><td></td></tr>
<tr><td>44란</td><td>재활용폐자원 등에 대한 매입세액을 공제받을 경우 입력하며, 금액란에는 재활용폐자원 등의 취득가액, 세액란에는 재활용폐자원 및 중고품매입세액공제신고서(갑)의 공제할 세액을 입력</td><td></td></tr>
<tr><td>47란</td><td>외상매입금, 기타 매입채무가 대손확정되어 매입세액을 불공제받은 후 대손금액의 전부 또는 일부를 변제한 경우 변제한 대손금액에 관련된 대손세액을 입력</td><td></td></tr>
</table>

항목	기재요령	입력반영자료
16란	세금계산서 수취분 중 공제받지 못하는 매입세액, 과세사업과 면세사업에 공통으로 사용된 공통매입세액 또는 대손처분받은 세액이 있는 경우에 오른쪽란을 입력하면 53.합계란의 세액이 자동 반영된다.	54.불공

구분		금액	세율	세액
16.공제받지못할매입세액				
공제받지못할 매입세액	50			
공통매입세액면세등사업분	51			
대손처분받은세액	52			
합계	53			

(4) 경감·공제세액, 가산세 작성요령

경감공제세액	그 밖의 경감 · 공제세액	18			
	신용카드매출전표등 발행공제등	19			
	합계	20		㉣	
소규모 개인사업자 부가가치세 감면세액		20		㉤	
예정신고미환급세액		21		㉥	
예정고지세액		22		㉦	
사업양수자의 대리납부 기납부세액		23		㉧	
매입자 납부특례 기납부세액		24		㉨	
신용카드업자의 대리납부 기납부세액		25		㉩	
가산세액계		26		㉪	

항목	기재요령	입력반영자료
18란	그 밖의 경감·공제세액란은 전자신고 세액공제, 전자세금계산서발급세액공제, 택시운송사업자경감세액, 대리납부세액공제, 현금영수증사업자 세액공제 등의 금액을 오른쪽 각란에 입력하면, 60.합계란의 세액이 자동 반영된다.	

18.그 밖의 경감·공제세액				
전자신고세액공제	54			
전자세금계산서발급세액공제	55			
택시운송사업자경감세액	56			
대리납부세액공제	57			
현금영수증사업자세액공제	58			
기타	59			
합계	60			

항목	기재요령	입력반영자료
54란	납세의무자가 직접 전자신고할 경우 신고 건당 1만원을 확정신고시 납부세액에서 공제하거나 환급세액에 가산	
55란	전자세금계산서를 발급하고 발급명세를 국세청에 전송한 경우 공제세액(발급건당 200원씩 연간 100만원 한도)를 입력	개인사업자만 해당됨

항목	기재요령	입력반영자료
19란	개인사업자로서 소매업자, 음식점업자, 숙박업자 등 신용카드 및 전자화폐에 의한 매출이 있는 경우 입력하며, 세액란은 그 금액의 1.3%에 해당하는 금액(연간 500만원)이 자동반영됨	
21란	예정신고를 할 때 일반환급세액이 있는 것으로 신고한 경우 그 환급세액을 입력	
22란	해당 과세기간 중에 예정고지(신고)된 세액이 있는 경우 그 예정고지(신고)세액을 입력	
26란	신고한 내용에 가산세가 적용되는 경우 입력하며, 79.합계란 세액이 자동 반영됨	

25.가산세명세					
사업자미등록등		61		1/100	
세금계산서	지연발급 등	62		1/100	
	지연수취	63		5/1,000	
	미발급 등	64		뒤쪽참조	
전자세금발급명세	지연전송	65		3/1,000	
	미전송	66		5/1,000	
세금계산서합계표	제출불성실	67		5/1,000	
	지연제출	68		3/1,000	
신고불성실	무신고(일반)	69		뒤쪽	
	무신고(부당)	70		뒤쪽	
	과소·초과환급(일반)	71		뒤쪽	
	과소·초과환급(부당)	72		뒤쪽	
납부지연		73		뒤쪽	
영세율과세표준신고불성실		74		5/1,000	
현금매출명세서불성실		75		1/100	
부동산임대공급가액명세서		76		1/100	
매입자납부특례	거래계좌 미사용	77		뒤쪽	
	거래계좌 지연입금	78		뒤쪽	
합계		79			

(5) 과세표준명세 작성방법

부가가치세신고서에서 상단의 F4 과표명세 를 클릭하면 과세표준명세를 작성할 수 있는 화면이 나타난다.

과세표준명세

신고구분 : 2 (1.예정 2.확정 3.영세율 조기환급 4.기한후과세표준)

국세환급금계좌신고 | 은행 | 지점

계좌번호 :

폐업일자 : ----------- 폐업사유 :

과세표준명세				
	업태	종목	코드	금액
28	제조 도매업 / 건설업	악기류/ 건축공사	369202	52,900,000
29				
30				
31	수입금액제외			
32	합계			52,900,000

면세사업수입금액				
	업태	종목	코드	금액
80	제조 도매업 / 건설업	악기류/ 건축공사	369202	
81				
82	수입금액제외			
83	합계			
계산서발급 및 수취명세		84.계산서발급금액		
		85.계산서수취금액		

세무대리인정보

성명 | 사업자번호 ---------- | 전화번호

신고년월일 2021-07-26 | 핸드폰

e-Mail

회사정보 불러오기 | 확인[TAB]

❶ 국세환급금계좌신고

국세환급금계좌신고란 환급받을 세액이 발생한 경우 환급받을 계좌를 입력하는 란을 말한다.

❷ 과세표준명세

과세표준 및 매출세액의 합계란의 금액을 업태와 종목별로 기재하되 법인세법상 수입금액으로 보지 않고 고정자산매각, 사업상증여, 개인적공급 등의 금액을 수입금액 제외란에 입력한다. [매입매출전표입력] 메뉴 하단부 분개란에 입력된 금액이 다음과 같이 자동으로 집계된다.

구 분	내 용
상품매출(401)	업태란에 도소매로 표시되어 자동집계 된다.
제품매출(404)	업태란에 제조로 표시되어 자동집계 된다.
기타매출(재고자산외 매출 등)	업태란에 수입금액 제외로 표시되어 자동집계 된다.

③ 면세수입금액

면세품의 매출로 [매입매출전표입력] 메뉴에서 13.면세, 18.카면으로 입력된 금액이 자동으로 반영된다.

④ 계산서발급 및 수취명세

구 분	내 용
계산서발급금액	[매입매출전표입력] 메뉴에서 13.면세로 선택된 금액이 자동반영된다.
계산서수취금액	[매입매출전표입력] 메뉴에서 53.면세로 선택된 금액이 자동반영된다.

02 부가가치세 수정신고

수정신고란 법정 신고기한 내에 부가가치세 신고를 한 사업자가 당초 신고 내용에 누락 또는 오류가 있는 경우 또는 법정신고 기한 내에 신고하지 못한 사업자가 이를 정정하여 자진 신고 납부 또는 환급신청 및 기한후 신고하는 제도이다.

(1) 부가가치세 수정신고에 대한 가산세 요약

항 목		가 산 세
미등록 · 허위등록 가산세		공급가액 × 1%
세금계산서 불성실 가산세	부실기재	부실기재 한 공급가액 × 1%
	지연발급 (과세기간의 확정신고기간내 발급한 경우)	공급가액 × 1%
	전자세금계산서 미전송	공급가액 × 0.5%
	전자세금계산서 지연전송	공급가액 × 0.3%
	세금계산서 미발급, 가공, 위장발급	공급가액 × 2%, 3%
	전자세금계산서 발급대상자가 종이세금계산서 발급시	공급가액 × 1%
매출처별 세금계산서 합계표 불성실 가산세	미제출, 부실기재	공급가액 × 0.5%
	지연제출 (예정신고 분 → 확정신고시 제출)	공급가액 × 0.3%

항 목		가산세
매입처별 세금계산서 합계표 불성실 가산세	지연수취 (공급시기 이후에 발급받은 경우)	공급가액 × 0.5%
	미제출 후 경정시 제출	
	공급가액의 과다기재	
영세율 과세표준 신고불성실 가산세		무신고 또는 미달 신고한 과세표준 × 0.5%
신용카드 매출전표를 미제출 가산세	미제출	공급가액 × 0.5%
신고불성실가산세*	무신고	일반무신고 산출세액 × 20% 부당무신고 산출세액 × 40%
	과소(초과환급)신고	일반과소신고 산출세액 × 10% 부당과소신고 산출세액 × 40%
납부지연가산세		미납세액 × 기간(납부기한의 다음날~납부일) × 0.025%

* 1. 수정신고 감면율

1개월 이내 90%, 3개월 이내 75%, 6개월 이내 50%, 1년 이내 30%. 1년 6개월 이내 20%, 2년 이내 10%

2. 기한후신고 감면율(무신고 가산세만 해당)

1개월 이내 50%, 3개월 이내 30%, 6개월 이내 20%

(2) 예정신고 누락분의 수정신고 프로세스

매입매출전표입력 ➔ 세금계산서발급일로 입력 ➔ 예정신고누락분 표시	➔	세금계산서합계표 적용	➔	부가가치세신고서 ➔ 예정신고누락분 반영 ➔ 가산세적용

실무문제 예정신고 누락분 수정신고

2100.(주)우리_부가.원천 회사로 회사변경하여 실무문제를 해결하시오.

2021년 1기 부가가치세 예정신고시 다음의 매출 내용이 누락되었다. 2021년 1기 예정신고 누락분을 모두 반영하여 부가가치세 확정신고서를 작성하시오.(부당 과소신고에는 해당 안되며, 예정신고누락과 관련된 가산세 계산시 미납일수는 92일로 한다)

구 분	공급가액	부가가치세
신용카드매출전표 발행 매출	10,000,000원	1,000,000원
영세율전자세금계산서 매출(전자세금계산서는 적법하게 발급하였으나 신고기한 내에 미전송하였고 예정신고서에 누락함)	3,000,000원	-
직수출 매출	5,000,000원	-

실무문제 따라하기

1. 부가가치세 신고서 조회(4월~6월)

2. 예정신고 누락분

7.매출(예정신고누락분)						
예정누락분	과세	세금계산서	33		10/100	
		기타	34	10,000,000	10/100	1,000,000
	영세	세금계산서	35	3,000,000	0/100	
		기타	36	5,000,000	0/100	
	합계		37	18,000,000		1,000,000

3. 가산세 명세서

- 세금계산서 지연전송가산세 : 3,000,000원 × 0.3% = 9,000원
- 신고불성실가산세 : 1,000,000원 × 10% × 25% = 25,000원
- 납부지연가산세 : 1,000,000원 × 0.025% × 92일 = 23,000원
- 영세율과세표준신고불성실가산세 : 8,000,000원 × 0.5% × 25% = 10,000원
- 합계 67,000원

25.가산세명세					
사업자미등록등		61		1/100	
세금계산서	지연발급 등	62		1/100	
	지연수취	63		5/1,000	
	미발급 등	64		뒤쪽참조	
전자세금발급명세	지연전송	65	3,000,000	3/1,000	9,000
	미전송	66		5/1,000	
세금계산서합계표	제출불성실	67		5/1,000	
	지연제출	68		3/1,000	
신고불성실	무신고(일반)	69		뒤쪽	
	무신고(부당)	70		뒤쪽	
	과소·초과환급(일반)	71	1,000,000	뒤쪽	25,000
	과소·초과환급(부당)	72		뒤쪽	
납부지연		73	1,000,000	뒤쪽	23,000
영세율과세표준신고불성실		74	8,000,000	5/1,000	10,000
현금매출명세서불성실		75		1/100	
부동산임대공급가액명세서		76		1/100	
매입자납부특례	거래계좌 미사용	77		뒤쪽	
	거래계좌 지연입금	78		뒤쪽	
합계		79			67,000

4. 확정신고 부가가치세 신고서 작성 및 저장

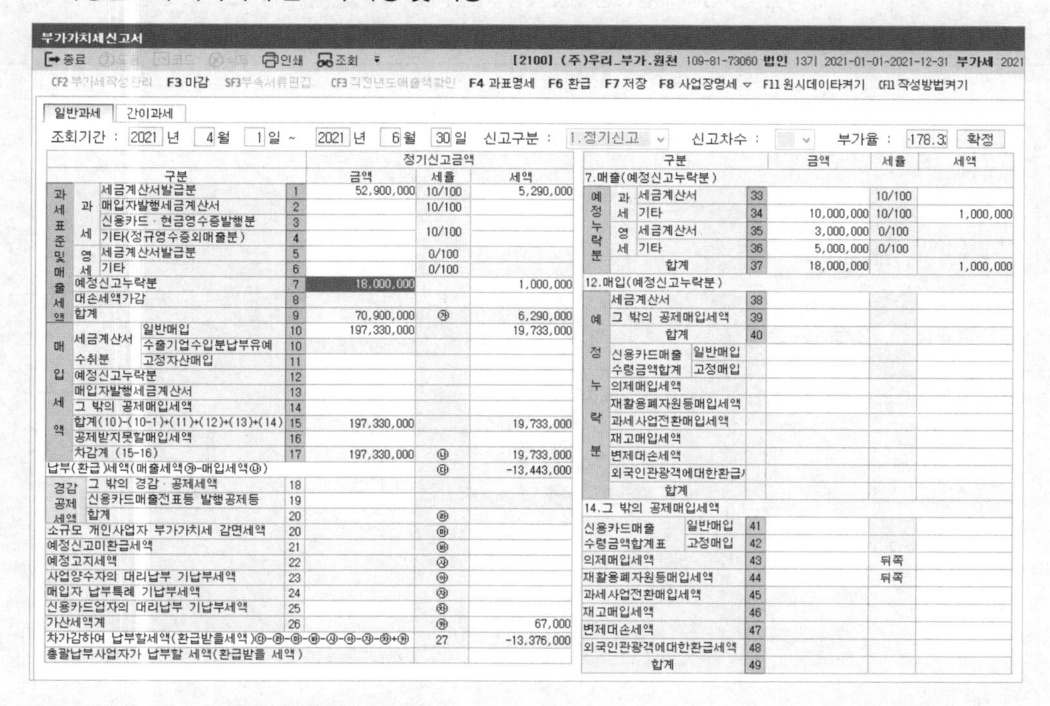
부가가치세신고서

종료 | 인쇄 | 조회 | [2100] (주)우리_부가.원천 109-81-73060 법인 13기 2021-01-01~2021-12-31 부가세 2021

CF2 부가세작성관리 | F3 마감 | SF3부속서류편집 | CF3 직전년도매출액확인 | F4 과표명세 | F6 환급 | F7 저장 | F8 사업장명세 | F11 원시데이타켜기 | CF11 작성방법켜기

일반과세 | 간이과세

조회기간 : 2021 년 4 월 1 일 ~ 2021 년 6 월 30 일 신고구분 : 1.정기신고 신고차수 : 부가율 : 178.3 확정

구분				정기신고금액 금액	세율	세액
과세표준및매출세액	과세	세금계산서발급분	1	52,900,000	10/100	5,290,000
		매입자발행세금계산서	2		10/100	
		신용카드·현금영수증발행분	3		10/100	
		기타(정규영수증외매출분)	4			
	영세	세금계산서발급분	5		0/100	
		기타	6		0/100	
	예정신고누락분		7	18,000,000		1,000,000
	대손세액가감		8			
	합계		9	70,900,000	㉮	6,290,000
매입세액	세금계산서수취분	일반매입	10	197,330,000		19,733,000
		수출기업수입분납부유예	10			
		고정자산매입	11			
	예정신고누락분		12			
	매입자발행세금계산서		13			
	그 밖의 공제매입세액		14			
	합계(10)-(10-1)+(11)+(12)+(13)+(14)		15	197,330,000		19,733,000
	공제받지못할매입세액		16			
	차감계 (15-16)		17	197,330,000	㉯	19,733,000
납부(환급)세액(매출세액㉮-매입세액㉯)					㉰	-13,443,000
경감공제세액	그 밖의 경감·공제세액		18			
	신용카드매출전표등 발행공제등		19			
	합계		20		㉱	
소규모 개인사업자 부가가치세 감면세액			20		㉲	
예정신고미환급세액			21		㉳	
예정고지세액			22		㉴	
사업양수자의 대리납부 기납부세액			23		㉵	
매입자 납부특례 기납부세액			24		㉶	
신용카드업자의 대리납부 기납부세액			25		㉷	
가산세액계			26		㉸	67,000
차가감하여 납부할세액(환급받을세액)㉰-㉱-㉲-㉳-㉴-㉵-㉶-㉷+㉸					27	-13,376,000
총괄납부사업자가 납부할 세액(환급받을 세액)						

구분				금액	세율	세액
7.매출(예정신고누락분)						
예정누락분	과세	세금계산서	33		10/100	
		기타	34	10,000,000	10/100	1,000,000
	영세	세금계산서	35	3,000,000	0/100	
		기타	36	5,000,000	0/100	
	합계		37	18,000,000		1,000,000
12.매입(예정신고누락분)						
예정누락분	세금계산서		38			
	그 밖의 공제매입세액		39			
	합계		40			
	신용카드매출수령금액합계	일반매입				
		고정매입				
	의제매입세액					
	재활용폐자원등매입세액					
	과세사업전환매입세액					
	재고매입세액					
	변제대손세액					
	외국인관광객에대한환급/					
	합계					
14.그 밖의 공제매입세액						
신용카드매출수령금액합계표	일반매입		41			
	고정매입		42			
의제매입세액			43		뒤쪽	
재활용폐자원등매입세액			44		뒤쪽	
과세사업전환매입세액			45			
재고매입세액			46			
변제대손세액			47			
외국인관광객에대한환급세액			48			
합계			49			

※ 상단의 [F7 저장]을 클릭하여 저장한다.

(3) 확정신고 누락분의 수정신고 프로세스

매입매출전표입력 ➔ 세금계산서발급일로 입력	➔	세금계산서합계표 적용 ➔ 새로불러오기 적용	➔	부가가치세신고서 ➔ 새로불러오기 반영 ➔ 가산세적용

실무문제 확정신고 누락분 수정신고

2021년 1기 확정신고(4월~6월)를 7월 25일에 하였는데, 이에 대한 오류내용이 발견되어 처음으로 2021년 10월 26일 수정신고 및 납부를 하였다. 부가가치세 수정신고서(과세표준명세 포함)를 작성하시오. 단, 미납일수는 93일로 하고, 매입매출전표에 입력하지 마시오. 또한, 본 문제에 한하여 예정신고 누락분은 없는 것으로 간주한다.

오류 사항	• 직수출 50,000,000원에 대한 매출누락(부정행위 아님)이 발생하였다. • 비사업자인 최현에게 제품운반용 중고트럭을 22,000,000원(공급대가)에 현금판매한 것을 누락하였다.(세금계산서 미발급분이다) • 당초 부가가치세 신고서에 반영하지 못한 제품 타계정대체액 명세는 다음과 같다. 제품 제조에 사용된 재화는 모두 매입세액공제분이다. - 매출처에 접대목적으로 제공 : 원가 2,000,000원, 시가 2,500,000원 - 불특정다수인에게 홍보용제품 제공 : 원가 1,000,000원, 시가 1,200,000원

실무문제 따라하기

1. 부가가치세 신고서 조회
   - 조회기간 : 4월~6월, 신고구분 : 수정신고, 신고차수 : 1
   - 4번란 과세 기타 : 22,500,000원 / 2,250,000원 입력
     트럭판매 20,000,000원 + 매출처 접대 2,500,000원 = 22,500,000원
   - 6번 영세 기타 : 50,000,000원 입력

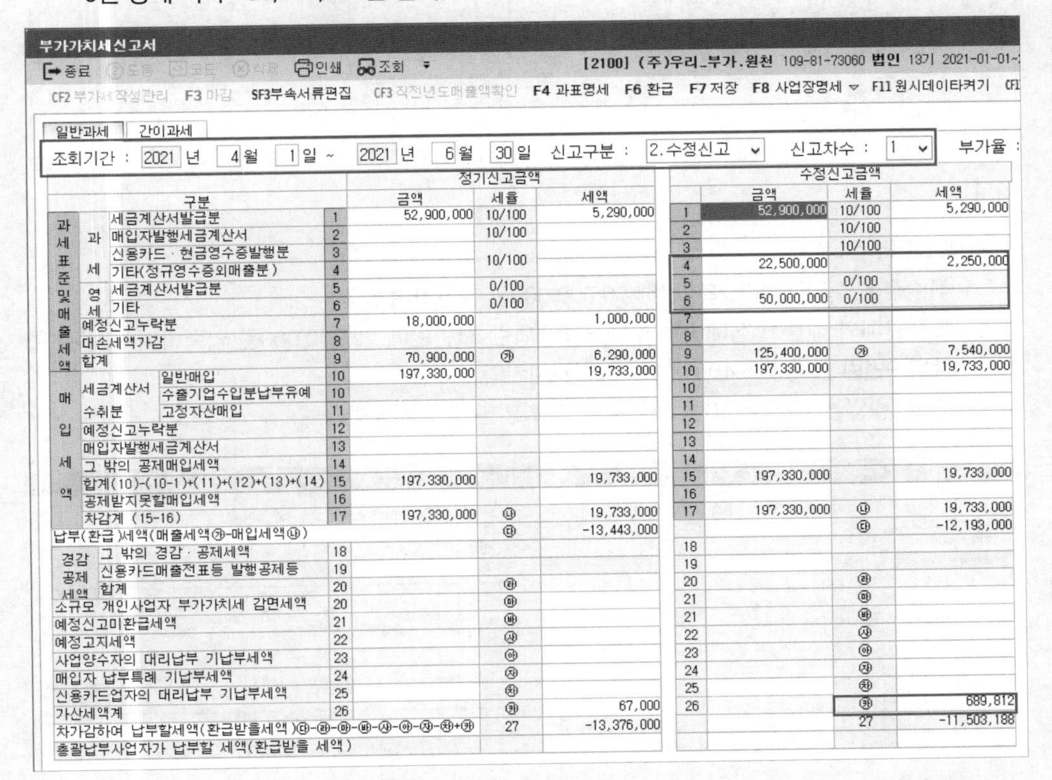

부가가치세신고서

종료 | 도움 | 코드 | 삭제 | 인쇄 | 조회 | [2100] (주)우리_부가.원천 109-81-73060 법인 13기 2021-01-01~

CF2 부가세작성관리 | F3 마감 | SF3부속서류편집 | CF3 직전년도매출액확인 | F4 과표명세 | F6 환급 | F7 저장 | F8 사업장명세 | F11 원시데이타켜기

일반과세 | 간이과세

조회기간 : 2021 년 4 월 1 일 ~ 2021 년 6 월 30 일 신고구분 : 2.수정신고 신고차수 : 1 부가율 :

구분		정기신고금액 금액	세율	세액		수정신고금액 금액	세율	세액
과세표준및매출세액 과세 세금계산서발급분	1	52,900,000	10/100	5,290,000	1	52,900,000	10/100	5,290,000
과세 매입자발행세금계산서	2		10/100		2		10/100	
과세 신용카드·현금영수증발행분	3		10/100		3		10/100	
과세 기타(정규영수증외매출분)	4				4	22,500,000		2,250,000
영세 세금계산서발급분	5		0/100		5		0/100	
영세 기타	6		0/100		6	50,000,000	0/100	
예정신고누락분	7	18,000,000		1,000,000	7			
대손세액가감	8				8			
합계	9	70,900,000	㉮	6,290,000	9	125,400,000	㉮	7,540,000
매입세액 세금계산서수취분 일반매입	10	197,330,000		19,733,000	10	197,330,000		19,733,000
세금계산서수취분 수출기업수입분납부유예	10				10			
세금계산서수취분 고정자산매입	11				11			
예정신고누락분	12				12			
매입자발행세금계산서	13				13			
그 밖의 공제매입세액	14				14			
합계(10)-(10-1)+(11)+(12)+(13)+(14)	15	197,330,000		19,733,000	15	197,330,000		19,733,000
공제받지못할매입세액	16				16			
차감계 (15-16)	17	197,330,000	㉯	19,733,000	17	197,330,000	㉯	19,733,000
납부(환급)세액(매출세액㉮-매입세액㉯)			㉰	-13,443,000			㉰	-12,193,000
경감공제세액 그 밖의 경감·공제세액	18				18			
경감공제세액 신용카드매출전표등 발행공제등	19				19			
경감공제세액 합계	20		㉱		20		㉱	
소규모 개인사업자 부가가치세 감면세액	20		㉲		21		㉲	
예정신고미환급세액	21		㉳		21		㉳	
예정고지세액	22		㉴		22		㉴	
사업양수자의 대리납부 기납부세액	23		㉵		23		㉵	
매입자 납부특례 기납부세액	24		㉶		24		㉶	
신용카드업자의 대리납부 기납부세액	25		㉷		25		㉷	
가산세액계	26		㉸	67,000	26		㉸	689,812
차가감하여 납부할세액(환급받을세액)㉰-㉱-㉲-㉳-㉴-㉵-㉶-㉷+㉸	27			-13,376,000			27	-11,503,188
총괄납부사업자가 납부할 세액(환급받을 세액)								

TIP 불특정다수인에게 제공한 제품은 간주공급에 해당하지 않으므로 신고서에 반영하지 않는다.

2. 가산세 명세서
   - 세금계산서 미발급가산세 : 20,000,000원 × 2% = 400,000원
   - 신고불성실가산세(일반과소) : (2,000,000원 + 250,000원) × 10% × 50% = 112,500원
   - 납부지연가산세 : 2,250,000원 × 0.025% × 93일 = 52,312원
   - 영세율과세표준신고불성실가산세 : 50,000,000원 × 0.5% × 50% = 125,000원
   - 합계 689,812원

부가세신고서 2쪽 수정신고

25.가산세명세					
사업자미등록등		61		1/100	
세금계산서	지연발급 등	62		1/100	
	지연수취	63		5/1,000	
	미발급 등	64		뒤쪽참조	
전자세금발급명세	지연전송	65	3,000,000	5/1,000	9,000
	미전송	66		5/1,000	
세금계산서합계표	제출불성실	67		5/1,000	
	지연제출	68		3/1,000	
신고불성실	무신고(일반)	69		뒤쪽	
	무신고(부당)	70		뒤쪽	
	과소·초과환급(일반)	71	1,000,000	뒤쪽	25,000
	과소·초과환급(부당)	72		뒤쪽	
납부지연		73	1,000,000	뒤쪽	23,000
영세율과세표준신고불성실		74	8,000,000	5/1,000	10,000
현금매출명세서불성실		75		1/100	
부동산임대공급가액명세서		76		1/100	
매입자납부특례	거래계좌 미사용	77		뒤쪽	
	거래계좌 지연입금	78		뒤쪽	
합계		79			67,000

25.가산세명세					
사업자미등록등		61		1/100	
세금계산서	지연발급 등	62		1/100	
	지연수취	63		5/1,000	
	미발급 등	64	20,000,000	뒤쪽참조	400,000
전자세금발급명세	지연전송	65		5/1,000	
	미전송	66		5/1,000	
세금계산서합계표	제출불성실	67		5/1,000	
	지연제출	68		3/1,000	
신고불성실	무신고(일반)	69		뒤쪽	
	무신고(부당)	70		뒤쪽	
	과소·초과환급(일반)	71	2,250,000	뒤쪽	112,500
	과소·초과환급(부당)	72		뒤쪽	
납부지연		73	2,250,000	뒤쪽	52,312
영세율과세표준신고불성실		74	50,000,000	5/1,000	125,000
현금매출명세서불성실		75		1/100	
부동산임대공급가액명세서		76		1/100	
매입자납부특례	거래계좌 미사용	77		뒤쪽	
	거래계좌 지연입금	78		뒤쪽	
합계		79			689,812

3. 과세표준명세

- 직수출은 수입금액란 28번란에 50,000,000원 가산하여 입력
- 트럭판매와 매출처 접대비는 수입금액제외란 31번란에 22,500,000원 입력하여 32번란 합계와 9번란 금액 125,400,000원을 일치시킨다.
- 신고년월일을 2021년 10월 26일로 수정 확인한 다음 저장한다.

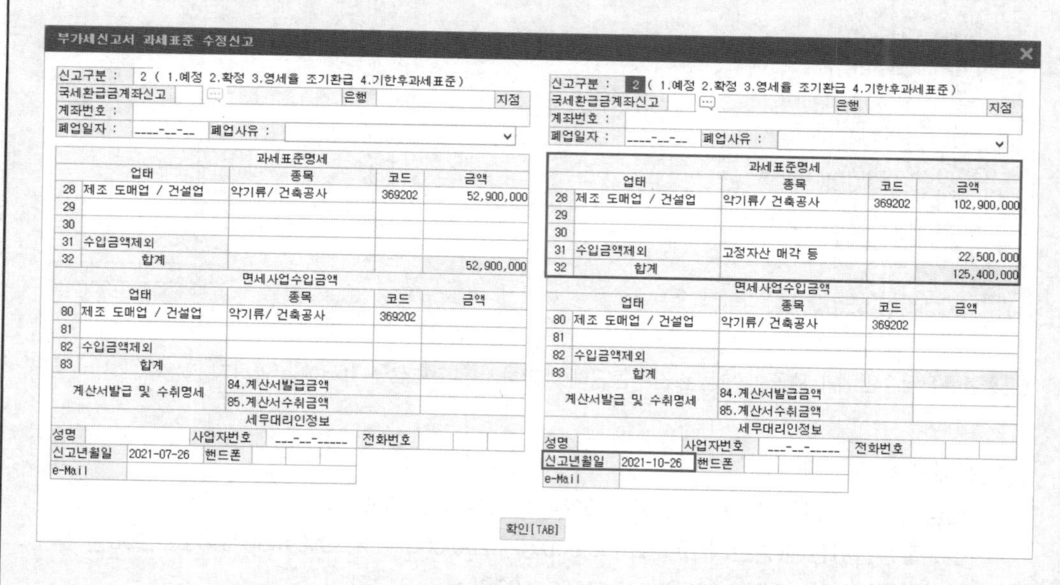
부가세신고서 과세표준 수정신고

신고구분 : 2 (1.예정 2.확정 3.영세율 조기환급 4.기한후과세표준)
국세환급금계좌신고 / 은행 / 지점
계좌번호 :
폐업일자 : ----·--·-- 폐업사유 :

과세표준명세				
	업태	종목	코드	금액
28	제조 도매업 / 건설업	악기류/ 건축공사	369202	52,900,000
29				
30				
31	수입금액제외			
32	합계			52,900,000

면세사업수입금액				
	업태	종목	코드	금액
80	제조 도매업 / 건설업	악기류/ 건축공사	369202	
81				
82	수입금액제외			
83	합계			

계산서발급 및 수취명세: 84.계산서발급금액 / 85.계산서수취금액
세무대리인정보
성명 / 사업자번호 ---·--·----- / 전화번호
신고년월일 2021-07-26 / 핸드폰
e-Mail

신고구분 : 2 (1.예정 2.확정 3.영세율 조기환급 4.기한후과세표준)
국세환급금계좌신고 / 은행 / 지점
계좌번호 :
폐업일자 : ----·--·-- 폐업사유 :

과세표준명세				
	업태	종목	코드	금액
28	제조 도매업 / 건설업	악기류/ 건축공사	369202	102,900,000
29				
30				
31	수입금액제외	고정자산 매각 등		22,500,000
32	합계			125,400,000

면세사업수입금액				
	업태	종목	코드	금액
80	제조 도매업 / 건설업	악기류/ 건축공사	369202	
81				
82	수입금액제외			
83	합계			

계산서발급 및 수취명세: 84.계산서발급금액 / 85.계산서수취금액
세무대리인정보
성명 / 사업자번호 ---·--·----- / 전화번호
신고년월일 2021-10-26 / 핸드폰
e-Mail

확인[TAB]

실전연습문제

(주)팔팔전기(회사코드 : 2110)은 제조, 도매업을 영위하는 중소기업이며, 당기(22기)회계기간은 2021. 1. 1. ~ 2021. 12. 31.이다. 입력된 데이터는 무시하고 문제를 해결하시오.

01 제1기 예정 부가가치세 신고시 누락된 자료이다. 제1기 확정 부가가치세 신고서에 누락분과 가산세를 반영하여 신고하시오. 입력된 자료는 무시하고 전표입력도 생략하며, 신고서에만 반영한다.(예정신고일은 4월 25일이며, 미납부경과일수는 91일이고, 부당한 과소신고는 아닌 것으로 가정한다.)

[예정신고시 누락된 자료]

- 제품을 판매하고 발급·전송한 세금계산서 1매 (공급가액 10,000,000원, 부가가치세 1,000,000원)
- 제품을 직수출하고 받은 외화입금증명서 1매 (공급가액 20,000,000원)
- 제품을 거래처에 선물로 증정 (제품원가 5,000,000원, 제품시가 7,000,000원)
- 원재료를 매입하고 받은 수취한 세금계산서 1매 (공급가액 5,000,000원, 부가가치세 500,000원)

02 2021년 2기 예정 부가가치세 신고시 다음의 거래 내용이 누락되었다. 2021년 2기 부가가치세 확정신고시 예정신고 누락분을 모두 반영하여 신고서를 작성하시오. 입력된 자료는 무시하고 아래의 자료만을 반영하기로 한다.(부당과소신고가 아니며, 예정신고누락과 관련된 가산세 계산시 미납일수는 90일로 가정한다.)

누락내용	금액	비고
현금영수증 발급 매출(현금매출 가산세 대상아님)	3,300,000원	공급대가
간주공급에 해당하는 사업상 증여 금액	1,000,000원	시가
	500,000원	원가
대표이사가 제품을 개인적 용도로 무상 사용한 금액	4,000,000원	시가
	2,500,000원	원가
직수출 매출	5,000,000원	공급가액
영세율 전자세금계산서를 발급받은 운반비 매입	5,000,000원	공급가액
전자세금계산서를 발급 받은 승용차(2,000cc) 구입	10,000,000원	공급가액

03 2021년 1기 부가가치세 예정신고시 다음의 거래 내용이 누락되었다. 입력된 자료는 무시하고 아래의 자료만을 반영하기로 한다. 2021년 1기 예정신고 누락분을 모두 반영하여 부가가치세 확정신고서를 작성하시오.(예정신고누락과 관련된 가산세 계산시 미납일수는 92일로 한다.)

1. 제품을 매출하고 발급·전송한 전자세금계산서 1매(부당한 방법에 의한 누락이 아님)
   (공급가액 : 100,000,000원, 부가가치세 : 10,000,000원)
2. 제품을 매출하고 발급한 영세율전자세금계산서 1매(전자세금계산서는 적법하게 발급하였으나 신고기한 내에 미전송하여 예정신고서에 누락하였으나 5월 25일에 전송함)
   (공급가액 : 50,000,000원, 부가가치세 : 0원)
3. 제품을 접대용으로 매출거래처에 공급하였음
   (제품의 원가 : 10,000,000원, 제품의 시가 : 25,000,000원)
4. 기계장치를 매입하고 받은 신용카드매출전표 1매
   (공급가액 : 10,000,000원, 부가가치세 : 1,000,000원)
5. 영업부에서 접대목적으로 선물세트를 구입하고 받은 전자세금계산서 1매
   (공급가액 : 20,000,000원, 부가가치세 : 2,000,000원)

04 2021년 2기 예정 부가가치세 신고시 다음의 내용이 누락되었다. 입력된 자료는 무시하고 아래의 자료만을 반영하기로 한다. 2021년 2기 부가가치세 확정신고시 예정신고 누락분을 모두 반영하여 신고서를 완성하시오. (단, 미납기간은 90일 이며, 부당하게 누락한 자료가 아님)

[매출누락 내역]

구 분	공급가액	세 액	증빙서류
제품매출	10,000,000원	1,000,000원	전자세금계산서
제품매출	3,000,000원	300,000원	신용카드매출전표
제품매출	2,000,000원	0원	(영세율)전자세금계산서
제품매출	3,000,000원	0원	수출실적명세서

[매입누락 내역]

구 분	공급가액	세 액	증빙서류
원재료매입	2,000,000원	200,000원	전자세금계산서
비품매입	10,000,000원	1,000,000원	신용카드매출전표
원재료운반비	5,000,000원	0원	영세율전자세금계산서

05 2021년 1기 부가가치세 확정신고(4.1.~6.30.)를 하려고 한다. 입력된 자료는 무시하고 부가가치세 신고와 관련된 다음 자료를 토대로 부가가치세 신고서를 작성하시오. 단, 부가가치세신고서 이외에 부속서류의 작성, 전표입력도 생략하며 반드시 저장한다.

> ① 전자세금계산서 매출내역
> - 제품매출 100,000,000원(부가가치세 별도)
> - 고정자산매각대금 20,000,000원(부가가치세 별도)
>
> ② 전자세금계산서 매입내역
> - 집기비품 구입 1,000,000원(부가가치세 별도)
>
> ③ 예정신고시 누락내역은 다음과 같으며, 전자세금계산서의 발급 및 전송은 적법하게 이루어졌다.
> - 전자세금계산서 매출 10,000,000원(부가가치세 별도)
> - 전자세금계산서 매입 5,000,000원(부가가치세 별도)
> - 가산세 계산시 적용할 일수는 90일로 가정한다.
>
> ④ 예정신고시 환급세액이 발생하였으나, 환급되지 않은 금액이 1,500,000원 있다.
>
> ⑤ 전자신고를 함으로써 전자신고세액공제 10,000원을 적용받는다.

06 당사는 2021년 제1기 확정신고(4.1~6.30)를 할 때 아래 거래에 대한 신고를 누락하여 2021년 9월 1일(미납기간 38일)에 수정신고를 하고자 한다. 입력된 자료는 그대로 두고 다음 거래 내용에 대하여 수정신고서(1차)와 가산세명세서를 작성하시오. 전자세금계산서 미발급가산세가 적용되는 부분은 전자세금계산서 미전송가산세는 적용하지 아니하며, 신고불성실가산세는 일반가산세를 적용한다. 단, 부가가치세신고서 이외에 부속서류의 작성은 생략하고, 전표입력도 생략한다.

> - 5월 3일: 제품을 판매하고, 전자세금계산서(공급가액 32,000,000원, 부가가치세 3,200,000원)를 적법하게 발급하고 전송하였다.
> - 5월10일 : 제품을 판매하고, 종이세금계산서(공급가액 20,000,000원, 부가가치세 2,000,000원)를 발급하였다.
> - 6월21일 : 제품을 판매하였으나, 세금계산서(공급가액 17,000,000원, 부가가치세 1,700,000원)를 발급하지 아니하였다.

※ 문제 05번과 연결된 문제이므로 저장된 Data를 이용하여 수정신고서를 작성한다.

정답 및 해설

01 부가가치세신고서 4월~6월

[예정누락분]

7.매출(예정신고누락분)						
예정누락분	과세	세금계산서	33	10,000,000	10/100	1,000,000
		기타	34	7,000,000	10/100	700,000
	영세	세금계산서	35		0/100	
		기타	36	20,000,000	0/100	
	합계		37	37,000,000		1,700,000
12.매입(예정신고누락분)						
예	세금계산서		38	5,000,000		500,000
	그 밖의 공제매입세액		39			
	합계		40	5,000,000		500,000

[가산세명세서]

구분		코드	금액	세율	세액
세금계산서 합계표	제출불성실	67		5/1,000	
	지연제출	68	10,000,000	3/1,000	30,000
신고 불성실	무신고(일반)	69		뒤쪽	
	무신고(부당)	70		뒤쪽	
	과소·초과환급(일반)	71	1,200,000	뒤쪽	30,000
	과소·초과환급(부당)	72		뒤쪽	
납부지연		73	1,200,000	뒤쪽	27,300
영세율과세표준신고불성실		74	20,000,000	5/1,000	25,000
현금매출명세서불성실		75		1/100	
부동산임대공급가액명세서		76		1/100	
매입자 납부특례	거래계좌 미사용	77		뒤쪽	
	거래계좌 지연입금	78		뒤쪽	
합계		79			112,300

※ 가산세 내역

- 세금계산서합계표 지연제출 : 10,000,000원 × 0.3% = 30,000원
- 신고불성실 : (1,000,000원 + 700,000원 - 500,000원) × 10% × 25% = 30,000원
- 납부지연 : (1,000,000원 + 700,000원 - 500,000원) × 91일 × 0.025% = 27,300원
- 영세율과세표준신고불성실 : 20,000,000원 × 0.5% × 25% = 25,000원
- 합계 : 112,300원

02 부가가치세신고서 10월~12월

[예정누락분]

7.매출(예정신고누락분)						
예정누락분	과세	세금계산서	33		10/100	
		기타	34	8,000,000	10/100	800,000
	영세	세금계산서	35		0/100	
		기타	36	5,000,000	0/100	
	합계		37	13,000,000		800,000
12.매입(예정신고누락분)						
예	세금계산서		38	15,000,000		1,000,000
	그 밖의 공제매입세액		39			
	합계		40	15,000,000		1,000,000

[가산세명세서]

구분		코드	금액	세율	세액
신고 불성실	무신고(일반)	69		뒤쪽	
	무신고(부당)	70		뒤쪽	
	과소·초과환급(일반)	71	800,000	뒤쪽	20,000
	과소·초과환급(부당)	72		뒤쪽	
납부지연		73	800,000	뒤쪽	18,000
영세율과세표준신고불성실		74	5,000,000	5/1,000	6,250
현금매출명세서불성실		75		1/100	
부동산임대공급가액명세서		76		1/100	
매입자 납부특례	거래계좌 미사용	77		뒤쪽	
	거래계좌 지연입금	78		뒤쪽	
합계		79			44,250

[공제받지못할매입세액]

16.공제받지못할매입세액				
공제받지못할 매입세액	50	10,000,000		1,000,000
공통매입세액면세등사업분	51			
대손처분받은세액	52			
합계	53	10,000,000		1,000,000

※ 가산세 내역

- 신고불성실 : (300,000원 + 100,000원 + 400,000원) × 10% × 25% = 20,000원
- 납부지연 : (300,000원 + 100,000원 + 400,000원) × 90일 × 0.025% = 18,000원
- 영세율과세표준신고불성실 : 5,000,000원 × 0.5% × 25% = 6,250원
- 합계 : 44,250원

03 부가가치세신고서 4월~6월

[예정누락분]

7.매출(예정신고누락분)						
예정누락분	과세	세금계산서	33	100,000,000	10/100	10,000,000
		기타	34	25,000,000	10/100	2,500,000
	영세	세금계산서	35	50,000,000	0/100	
		기타	36		0/100	
	합계		37	175,000,000		12,500,000
12.매입(예정신고누락분)						
예정누	세금계산서		38	20,000,000		2,000,000
	그 밖의 공제매입세액		39	10,000,000		1,000,000
	합계		40	30,000,000		3,000,000
	신용카드매출 수령금액합계	일반매입				
		고정매입		10,000,000		1,000,000
	의제매입세액					

[가산세명세서]

구분		코드	금액	세율	세액
전자세금 발급명세	지연전송	65	50,000,000	3/1,000	150,000
	미전송	66		5/1,000	
세금계산서 합계표	제출불성실	67		5/1,000	
	지연제출	68	100,000,000	3/1,000	300,000
신고 불성실	무신고(일반)	69		뒤쪽	
	무신고(부당)	70		뒤쪽	
	과소·초과환급(일반)	71	11,500,000	뒤쪽	287,500
	과소·초과환급(부당)	72		뒤쪽	
납부지연		73	11,500,000	뒤쪽	264,500
영세율과세표준신고불성실		74	50,000,000	5/1,000	62,500
현금매출명세서불성실		75		1/100	
부동산임대공급가액명세서		76		1/100	
매입자 납부특례	거래계좌 미사용	77		뒤쪽	
	거래계좌 지연입금	78		뒤쪽	
합계		79			1,064,500

[공제받지못할매입세액]

16.공제받지못할매입세액				
공제받지못할 매입세액	50	20,000,000		2,000,000
공통매입세액면세등사업분	51			
대손처분받은세액	52			
합계	53	20,000,000		2,000,000

※ 가산세 내역

- 전자세금계산서 지연전송 : 50,000,000원 × 0.3% = 150,000원
- 세금계산서합계표 지연제출 : 100,000,000원 × 0.3% = 300,000원
- 신고불성실 : (12,500,000원-1,000,000원) × 10% × 25% = 287,500원
- 납부지연 : (12,500,000원-1,000,000원) × 92일 × 0.025% = 264,500원
- 영세율과세표준신고불성실 : 50,000,000원 × 0.5% × 25% = 62,500원
- 합계 : 1,064,500원

04 부가가치세신고서 10월~12월

[예정누락분]

7.매출(예정신고누락분)						
예정누락분	과세	세금계산서	33	10,000,000	10/100	1,000,000
		기타	34	3,000,000	10/100	300,000
	영세	세금계산서	35	2,000,000	0/100	
		기타	36	3,000,000	0/100	
	합계		37	18,000,000		1,300,000
12.매입(예정신고누락분)						
예정	세금계산서		38	7,000,000		200,000
	그 밖의 공제매입세액		39	10,000,000		1,000,000
	합계		40	17,000,000		1,200,000
	신용카드매출 수령금액합계	일반매입				
		고정매입		10,000,000		1,000,000

[가산세명세서]

구분		코드	금액	세율	세액
세금계산서 합계표	제출불성실	67		5/1,000	
	지연제출	68	12,000,000	3/1,000	36,000
신고 불성실	무신고(일반)	69		뒤쪽	
	무신고(부당)	70		뒤쪽	
	과소·초과환급(일반)	71	100,000	뒤쪽	2,500
	과소·초과환급(부당)	72		뒤쪽	
납부지연		73	100,000	뒤쪽	2,250
영세율과세표준신고불성실		74	5,000,000	5/1,000	6,250
현금매출명세서불성실		75		1/100	
부동산임대공급가액명세서		76		1/100	
매입자 납부특례	거래계좌 미사용	77		뒤쪽	
	거래계좌 지연입금	78		뒤쪽	
합계		79			47,000

※ 가산세 내역

- 세금계산서합계표 지연제출 : 12,000,000원 × 0.3% = 36,000원
- 신고불성실 : (1,300,000원-1,200,000원) × 10% × 25% = 2,500원
- 납부지연 : (1,300,000원-1,200,000원) × 90일 × 0.025% = 2,250원
- 영세율과세표준신고불성실 : 5,000,000원 × 0.5% × 25% = 6,250원
- 합계 : 47,000원

05 부가가치세신고서 4월~6월

구분				정기신고금액		
				금액	세율	세액
과세표준및매출세액	과세	세금계산서발급분	1	120,000,000	10/100	12,000,000
		매입자발행세금계산서	2		10/100	
		신용카드 · 현금영수증발행분	3		10/100	
		기타(정규영수증외매출분)	4			
	영세	세금계산서발급분	5		0/100	
		기타	6		0/100	
	예정신고누락분		7	10,000,000		1,000,000
	대손세액가감		8			
	합계		9	130,000,000	㉮	13,000,000
매입세액	세금계산서수취분	일반매입	10			
		수출기업수입분납부유예	10			
		고정자산매입	11	1,000,000		100,000
	예정신고누락분		12	5,000,000		500,000
	매입자발행세금계산서		13			
	그 밖의 공제매입세액		14			
	합계(10)-(10-1)+(11)+(12)+(13)+(14)		15	6,000,000		600,000
	공제받지못할매입세액		16			
	차감계 (15-16)		17	6,000,000	㉯	600,000
납부(환급)세액(매출세액㉮-매입세액㉯)					㉰	12,400,000
경감공제세액	그 밖의 경감 · 공제세액		18			10,000
	신용카드매출전표등 발행공제등		19			
	합계		20		㉱	10,000
소규모 개인사업자 부가가치세 감면세액			20		㉲	
예정신고미환급세액			21		㉳	1,500,000
예정고지세액			22		㉴	
사업양수자의 대리납부 기납부세액			23		㉵	
매입자 납부특례 기납부세액			24		㉶	
신용카드업자의 대리납부 기납부세액			25		㉷	
가산세액계			26		㉸	53,750
차가감하여 납부할세액(환급받을세액)㉰-㉱-㉲-㉳-㉴-㉵-㉶-㉷+㉸					27	10,943,750
총괄납부사업자가 납부할 세액(환급받을 세액)						

구분				금액	세율	세액
7.매출(예정신고누락분)						
예정누락분	과세	세금계산서	33	10,000,000	10/100	1,000,000
		기타	34		10/100	
	영세	세금계산서	35		0/100	
		기타	36		0/100	
	합계		37	10,000,000		1,000,000
12.매입(예정신고누락분)						
예정누락분	세금계산서		38	5,000,000		500,000
	그 밖의 공제매입세액		39			
	합계		40	5,000,000		500,000
	신용카드매출수령금액합계	일반매입				
		고정매입				
	의제매입세액					
	재활용폐자원등매입세액					
	과세사업전환매입세액					
	재고매입세액					
	변제대손세액					
	외국인관광객에대한환급/					
	합계					
14.그 밖의 공제매입세액						
신용카드매출수령금액합계표		일반매입	41			
		고정매입	42			
의제매입세액			43		뒤쪽	
재활용폐자원등매입세액			44		뒤쪽	
과세사업전환매입세액			45			
재고매입세액			46			
변제대손세액			47			
외국인관광객에대한환급세액			48			
합계			49			

[경감공제세액]

18.그 밖의 경감·공제세액				
전자신고세액공제	54			10,000
전자세금계산서발급세액공제	55			
택시운송사업자경감세액	56			
대리납부세액공제	57			
현금영수증사업자세액공제	58			
기타	59			
합계	60			10,000

[가산세명세서]

구분		번호	금액	세율	세액
세금계산서합계표	제출불성실	67		5/1,000	
	지연제출	68	10,000,000	3/1,000	30,000
신고불성실	무신고(일반)	69		뒤쪽	
	무신고(부당)	70		뒤쪽	
	과소·초과환급(일반)	71	500,000	뒤쪽	12,500
	과소·초과환급(부당)	72		뒤쪽	
납부지연		73	500,000	뒤쪽	11,250
영세율과세표준신고불성실		74		5/1,000	
현금매출명세서불성실		75		1/100	
부동산임대공급가액명세서		76		1/100	
매입자납부특례	거래계좌 미사용	77		뒤쪽	
	거래계좌 지연입금	78		뒤쪽	
합계		79			53,750

※ 가산세 내역

- 세금계산서합계표 지연제출 : 10,000,000원 × 0.3% = 30,000원
- 신고불성실 : (1,000,000원-500,000원) × 10% × 25% = 12,500원
- 납부지연 : (1,000,000원-500,000원) × 90일 × 0.025% = 11,250원
- 합계 : 53,750원

06 부가가치세신고서 (4월~6월, 2.수정신고, 신고차수: 1)

구분			번호	정기신고금액 금액	세율	세액	수정신고금액 번호	금액	세율	세액
과세표준및매출세액	과세	세금계산서발급분	1	120,000,000	10/100	12,000,000	1	172,000,000	10/100	17,200,000
	과세	매입자발행세금계산서	2		10/100		2		10/100	
	과세	신용카드 · 현금영수증발행분	3		10/100		3		10/100	
	과세	기타(정규영수증외매출분)	4				4	17,000,000		1,700,000
	영세	세금계산서발급분	5		0/100		5		0/100	
	영세	기타	6		0/100		6		0/100	
	예정신고누락분		7	10,000,000		1,000,000	7	10,000,000		1,000,000
	대손세액가감		8				8			
	합계		9	130,000,000	㉮	13,000,000	9	199,000,000	㉮	19,900,000
매입세액	세금계산서수취분	일반매입	10				10			
	세금계산서수취분	수출기업수입분납부유예	10				10			
	세금계산서수취분	고정자산매입	11	1,000,000		100,000	11	1,000,000		100,000
	예정신고누락분		12	5,000,000		500,000	12	5,000,000		500,000
	매입자발행세금계산서		13				13			
	그 밖의 공제매입세액		14				14			
	합계(10)-(10-1)+(11)+(12)+(13)+(14)		15	6,000,000		600,000	15	6,000,000		600,000
	공제받지못할매입세액		16				16			
	차감계 (15-16)		17	6,000,000	㉯	600,000	17	6,000,000	㉯	600,000
납부(환급)세액(매출세액㉮-매입세액㉯)					㉰	12,400,000			㉰	19,300,000
경감공제세액	그 밖의 경감 · 공제세액		18			10,000	18			10,000
	신용카드매출전표등 발행공제등		19				19			
	합계		20		㉱	10,000	20		㉱	10,000
소규모 개인사업자 부가가치세 감면세액			20		㉲		21		㉲	
예정신고미환급세액			21		㉳	1,500,000	21		㉳	1,500,000
예정고지세액			22		㉴		22		㉴	
사업양수자의 대리납부 기납부세액			23		㉵		23		㉵	
매입자 납부특례 기납부세액			24		㉶		24		㉶	
신용카드업자의 대리납부 기납부세액			25		㉷		25		㉷	
가산세액계			26		㉸	53,750	26		㉸	831,800
차가감하여 납부할세액(환급받을세액)㉰-㉱-㉲-㉳-㉴-㉵-㉶-㉷+㉸					27	10,943,750			27	18,621,800
총괄납부사업자가 납부할 세액(환급받을 세액)										

[가산세명세서]

부가세신고서 2쪽 수정신고

25.가산세명세					
사업자미등록등		61		1/100	
세금계산서	지연발급 등	62		1/100	
	지연수취	63		5/1,000	
	미발급 등	64		뒤쪽참조	
전자세금발급명세	지연전송	65		5/1,000	
	미전송	66		5/1,000	
세금계산서합계표	제출불성실	67		5/1,000	
	지연제출	68	10,000,000	3/1,000	30,000
신고불성실	무신고(일반)	69		뒤쪽	
	무신고(부당)	70		뒤쪽	
	과소·초과환급(일반)	71	500,000	뒤쪽	12,500
	과소·초과환급(부당)	72		뒤쪽	
납부지연		73	500,000	뒤쪽	11,250
영세율과세표준신고불성실		74		5/1,000	
현금매출명세서불성실		75		1/100	
부동산임대공급가액명세서		76		1/100	
매입자납부특례	거래계좌 미사용	77		뒤쪽	
	거래계좌 지연입금	78		뒤쪽	
합계		79			53,750

25.가산세명세					
사업자미등록등		61		1/100	
세금계산서	지연발급 등	62	20,000,000	1/100	200,000
	지연수취	63		5/1,000	
	미발급 등	64	17,000,000	뒤쪽참조	340,000
전자세금발급명세	지연전송	65		5/1,000	
	미전송	66		5/1,000	
세금계산서합계표	제출불성실	67		5/1,000	
	지연제출	68	10,000,000	3/1,000	30,000
신고불성실	무신고(일반)	69		뒤쪽	
	무신고(부당)	70		뒤쪽	
	과소·초과환급(일반)	71	7,400,000	뒤쪽	185,000
	과소·초과환급(부당)	72		뒤쪽	
납부지연		73	7,400,000	뒤쪽	76,800
영세율과세표준신고불성실		74		5/1,000	
현금매출명세서불성실		75		1/100	
부동산임대공급가액명세서		76		1/100	
매입자납부특례	거래계좌 미사용	77		뒤쪽	
	거래계좌 지연입금	78		뒤쪽	
합계		79			831,800

※ 가산세 내역

- 세금계산서 종이발급 : 20,000,000원 × 1% = 200,000원 (수정신고)
- 세금계산서 미발급 : 17,000,000원 × 2% = 340,000원 (수정신고)
- 세금계산서합계표 지연제출 : 10,000,000원 × 0.3% = 30,000원 (정기신고)
- 신고불성실 : 6,900,000원 × 10% × 25% = 172,500원 (수정신고)
  + 500,000원 × 10% × 25% = 12,500원 (정기신고)
- 납부지연 : 6,900,000원 × 38일 × 0.025% = 65,550원 (수정신고)
  + 500,000원 × 90일 × 0.025% = 11,250원 (정기신고)
- 합계 : 831,800원

부가가치세 부속서류 작성하기

부가가치세 신고와 관련된 매입 · 매출자료를 입력하며, 입력된 자료는 매입매출장과 부가가치세신고서 및 해당부속서류에 자동으로 반영된다.

화면구성은 매입매출 거래내용을 입력하는 상단부와 분개를 입력하는 하단부로 구분되어 있다. 상단부는 부가가치세 관련 각 신고자료로(부가가치세신고서, 세금계산서합계표, 매입매출장 등) 활용되며, 하단부의 분개는 각 재무회계자료(계정별원장, 재무제표 등)에 반영된다.

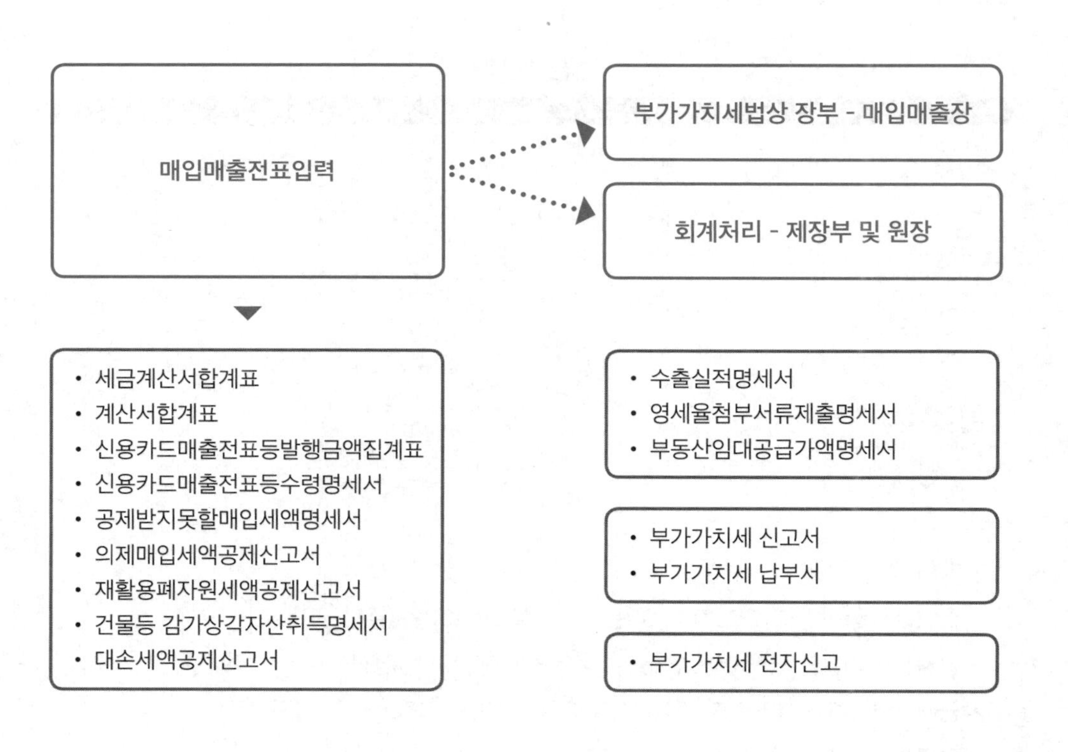

01 세금계산서 거래와 세금계산서합계표

사업자가 세금계산서를 교부하였거나 교부받은 경우에는 매출·매입처별 세금계산서합계표를 예정신고 또는 확정신고시 함께 제출해야 한다. 세금계산서합계표는 발급하거나 교부받은 세금계산서에 대해서 합계를 나타낸 집계표이다. 매입매출전표입력시 전자란에 '여'로 입력된 자료는 [전자세금계산서] 부분으로 집계된다.

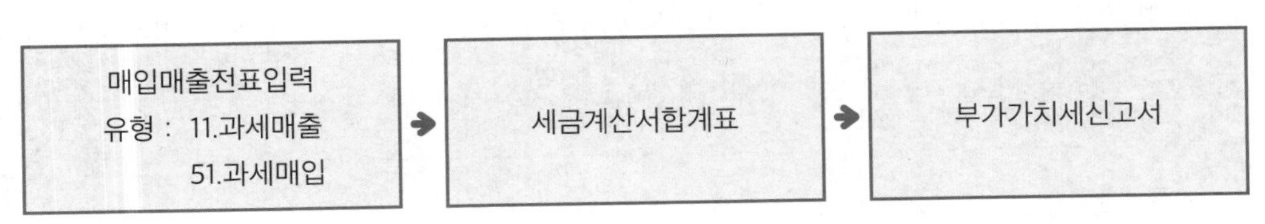

실무문제 세금계산서합계표

(주)우리의 다음 거래 자료를 [매입매출전표입력] 메뉴에 입력하고, [세금계산서합계표] 및 [부가가치세신고서]를 작성하시오.

01 10월 1일 (주)디오에 제품(1,000개, @₩100,000 부가가치세 별도)을 외상으로 판매하고, 전자세금계산서를 발급하였다.

02 10월 2일 수석상사로부터 원재료(4,000개, 단위당 원가 10,000원)를 외상으로 매입하고, 전자세금계산서를 수취하였다.

실무문제 따라하기

[1] 10월 1일 매입매출전표입력

일	번호	유형	품목	수량	단가	공급가액	부가세	코드	공급처명	사업/주민번호	전자	분개
1	50003	과세	제품	1,000	100,000	100,000,000	10,000,000	01002	(주)디오	106-87-08960	여	외상
1												
		유형별-공급처별 [1]건				100,000,000	10,000,000					

신용카드사: 봉사료:

NO : 50003 (대체) 전 표 일 자 : 2021 년 10 월 1 일

구분	계정과목	적요	거래처	차변(출금)	대변(입금)
차변	0108 외상매출금	제품 1000X100000	01002 (주)디오	110,000,000	
대변	0255 부가세예수금	제품 1000X100000	01002 (주)디오		10,000,000
대변	0404 제품매출	제품 1000X100000	01002 (주)디오		100,000,000

(세금)계산서 현재라인인쇄 / 거래명세서 현재라인인쇄

[2] 10월 2일 매입매출전표입력

□	일	번호	유형	품목	수량	단가	공급가액	부가세	코드	공급처명	사업/주민번호	전자	분개
□	2	50003	과세	원재료	4,000	10,000	40,000,000	4,000,000	01018	수석상사	616-18-26270	여	외상
□	2												
□													
				유형별-공급처별 [1]건			40,000,000	4,000,000					

신용카드사: 봉사료:

NO : 50003 (대 체) 전 표 일 자 : 2021 년 10 월 2 일

구분	계정과목	적요	거래처	차변(출금)	대변(입금)
대변	0251 외상매입금	원재료 4000X10000	01018 수석상사		44,000,000
차변	0135 부가세대급금	원재료 4000X10000	01018 수석상사	4,000,000	
차변	0153 원재료	원재료 4000X10000	01018 수석상사	40,000,000	

(세금)계산서 현재라인인쇄

거래명세서 현재라인인쇄

[3] 세금계산서합계표(10월~12월)

① 매출처별 세금계산서합계표

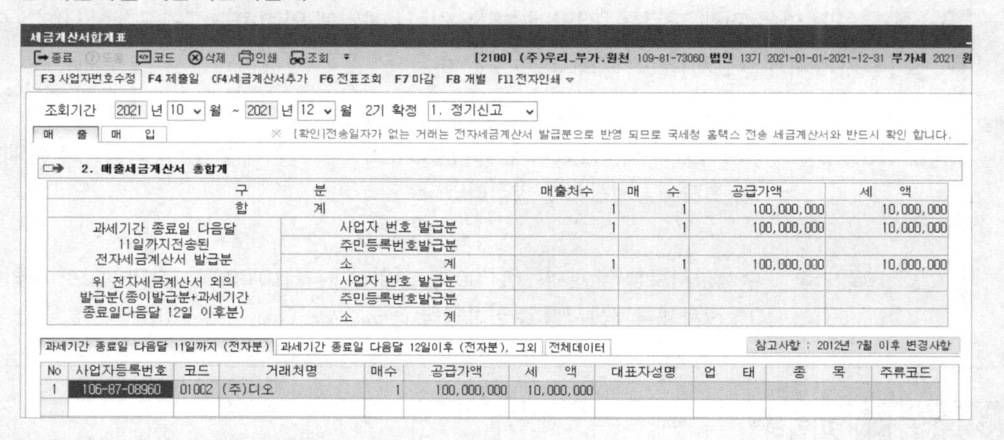
세금계산서합계표

종료 도움 코드 삭제 인쇄 조회 [2100] (주)우리_부가.원천 109-81-73060 법인 13기 2021-01-01~2021-12-31 부가세 2021

F3 사업자번호수정 F4 제출일 CF4 세금계산서추가 F6 전표조회 F7 마감 F8 개별 F11 전자인쇄

조회기간 2021 년 10 월 ~ 2021 년 12 월 2기 확정 1. 정기신고

매 출 | 매 입 ※ [확인]전송일자가 없는 거래는 전자세금계산서 발급분으로 반영 되므로 국세청 홈택스 전송 세금계산서와 반드시 확인 합니다.

2. 매출세금계산서 총합계

구	분	매출처수	매 수	공급가액	세 액
합	계	1	1	100,000,000	10,000,000
과세기간 종료일 다음달 11일까지전송된 전자세금계산서 발급분	사업자 번호 발급분	1	1	100,000,000	10,000,000
	주민등록번호발급분				
	소 계	1	1	100,000,000	10,000,000
위 전자세금계산서 외의 발급분(종이발급분+과세기간 종료일다음달 12일 이후분)	사업자 번호 발급분				
	주민등록번호발급분				
	소 계				

과세기간 종료일 다음달 11일까지 (전자분) | 과세기간 종료일 다음달 12일이후 (전자분), 그외 | 전체데이터 참고사항 : 2012년 7월 이후 변경사항

No	사업자등록번호	코드	거래처명	매수	공급가액	세 액	대표자성명	업 태	종 목	주류코드
1	106-87-08960	01002	(주)디오	1	100,000,000	10,000,000				

② 매입처별 세금계산서합계표

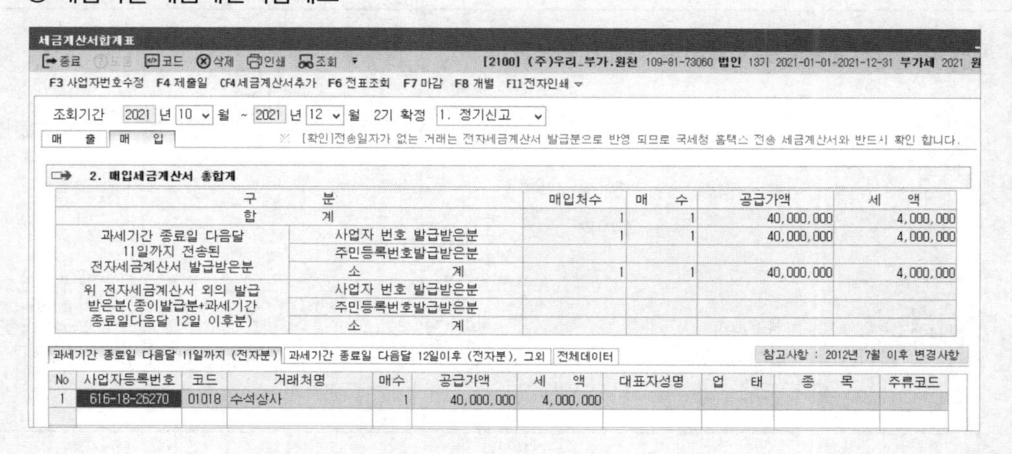
세금계산서합계표

종료 도움 코드 삭제 인쇄 조회 [2100] (주)우리_부가.원천 109-81-73060 법인 13기 2021-01-01~2021-12-31 부가세 2021

F3 사업자번호수정 F4 제출일 CF4 세금계산서추가 F6 전표조회 F7 마감 F8 개별 F11 전자인쇄

조회기간 2021 년 10 월 ~ 2021 년 12 월 2기 확정 1. 정기신고

매 출 | 매 입 ※ [확인]전송일자가 없는 거래는 전자세금계산서 발급분으로 반영 되므로 국세청 홈택스 전송 세금계산서와 반드시 확인 합니다.

2. 매입세금계산서 총합계

구	분	매입처수	매 수	공급가액	세 액
합	계	1	1	40,000,000	4,000,000
과세기간 종료일 다음달 11일까지 전송된 전자세금계산서 발급받은분	사업자 번호 발급받은분	1	1	40,000,000	4,000,000
	주민등록번호발급받은분				
	소 계	1	1	40,000,000	4,000,000
위 전자세금계산서 외의 발급받은분(종이발급분+과세기간 종료일다음달 12일 이후분)	사업자 번호 발급받은분				
	주민등록번호발급받은분				
	소 계				

과세기간 종료일 다음달 11일까지 (전자분) | 과세기간 종료일 다음달 12일이후 (전자분), 그외 | 전체데이터 참고사항 : 2012년 7월 이후 변경사항

No	사업자등록번호	코드	거래처명	매수	공급가액	세 액	대표자성명	업 태	종 목	주류코드
1	616-18-26270	01018	수석상사	1	40,000,000	4,000,000				

[4] 부가가치세신고서(10월~12월)

부가가치 ≫ 부가가치세 ≫ 부가가치세신고서

부가가치세신고서

종료 도움 코드 삭제 인쇄 조회 [2100] (주

CF2 부가세작성관리 F3 마감 SF3부속서류편집 CF3 직전년도매출액확인 F4 과표명세 F6 환급

일반과세 | 간이과세

조회기간 : 2021 년 10 월 1 일 ~ 2021 년 12 월 31 일 신고구분 : 1.

구분				정기신고금액 금액	세율	세액
과세표준및매출세액	과세	세금계산서발급분	1	100,000,000	10/100	10,000,000
		매입자발행세금계산서	2		10/100	
		신용카드 · 현금영수증발행분	3		10/100	
		기타(정규영수증외매출분)	4			
	영세	세금계산서발급분	5		0/100	
		기타	6		0/100	
	예정신고누락분		7			
	대손세액가감		8			
	합계		9	100,000,000	㉮	10,000,000
매입세액	세금계산서 수취분	일반매입	10	40,000,000		4,000,000
		수출기업수입분납부유예	10			
		고정자산매입	11			
	예정신고누락분		12			
	매입자발행세금계산서		13			
	그 밖의 공제매입세액		14			
	합계(10)-(10-1)+(11)+(12)+(13)+(14)		15	40,000,000		4,000,000
	공제받지못할매입세액		16			
	차감계 (15-16)		17	40,000,000	㉯	4,000,000
납부(환급)세액(매출세액㉮-매입세액㉯)					㉰	6,000,000

02 계산서 거래와 계산서합계표

부가가치세를 면제받는 면세제품 관련 사업을 하는 사업자는 계산서를 발급한다. 사업자가 계산서를 교부하였거나 교부받은 경우에는 매출·매입처별계산서합계표를 예정신고 또는 확정신고와 함께 제출해야 한다. 매입매출전표입력시 전자란에 '여'로 입력된 자료는 [전자계산서] 부분으로 집계된다.

매입매출전표입력
유형 : 13.면세매출
53.면세매입
➔ 계산서합계표 ➔ 부가가치세신고서

실무문제 계산서합계표

■ 다음 거래 자료를 [매입매출전표입력] 메뉴에 입력하고, [계산서합계표] 및 [부가가치세신고서]를 작성하시오.

01 10월 3일 영수악기에 면세가 적용되는 제품을 다음과 같이 판매하고 전자계산서를 발급하였다.

품목	수량	단가	공급가액	비고
면세품	100	500,000원	50,000,000원	보통예금 계좌로 송금됨

02 10월 4일 두리유통으로부터 신규매출처에 선물증정을 위하여 사과(100박스, @₩30,000, 공급가액 3,000,000원)를 외상으로 구입하고 전자계산서를 발급받았다.

실무문제 따라하기

[1] 10월 3일 매입매출전표입력

□	일	번호	유형	품목	수량	단가	공급가액	부가세	코드	공급처명	사업/주민번호	전자	분개
□	3	50007	면세	면세품	100	500,000	50,000,000		01014	영수악기	134-28-32100	여	혼합
□	3												
□													
			유형별-공급처별 [1]건				50,000,000						

신용카드사: 봉사료:

NO : 50007 (대 체) 전 표 일 자 : 2021 년 10 월 3 일

구분	계정과목	적요	거래처	차변(출금)	대변(입금)
대변	0404 제품매출	면세품 100X500000	01014 영수악기		50,000,000
차변	0103 보통예금	면세품 100X500000	01014 영수악기	50,000,000	

(세금)계산서 현재라인인쇄 거래명세서

[2] 10월 4일 매입매출전표입력

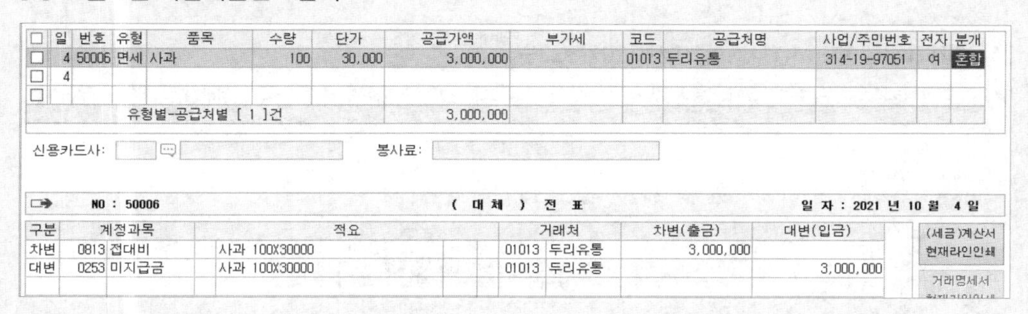

□	일	번호	유형	품목	수량	단가	공급가액	부가세	코드	공급처명	사업/주민번호	전자	분개
□	4	50006	면세	사과	100	30,000	3,000,000		01013	두리유통	314-19-97051	여	혼합
□	4												
□													
			유형별-공급처별 [1]건				3,000,000						

신용카드사: 봉사료:

NO : 50006 (대 체) 전 표 일 자 : 2021 년 10 월 4 일

구분	계정과목	적요	거래처	차변(출금)	대변(입금)
차변	0813 접대비	사과 100X30000	01013 두리유통	3,000,000	
대변	0253 미지급금	사과 100X30000	01013 두리유통		3,000,000

(세금)계산서 현재라인인쇄 거래명세서

TIP 매출처에 선물할 농산물을 구입한 경우 의제매입세액 화면에서 0.해당없음을 선택한다.

[3] 계산서합계표(10월~12월)

① 매출처별 계산서합계표

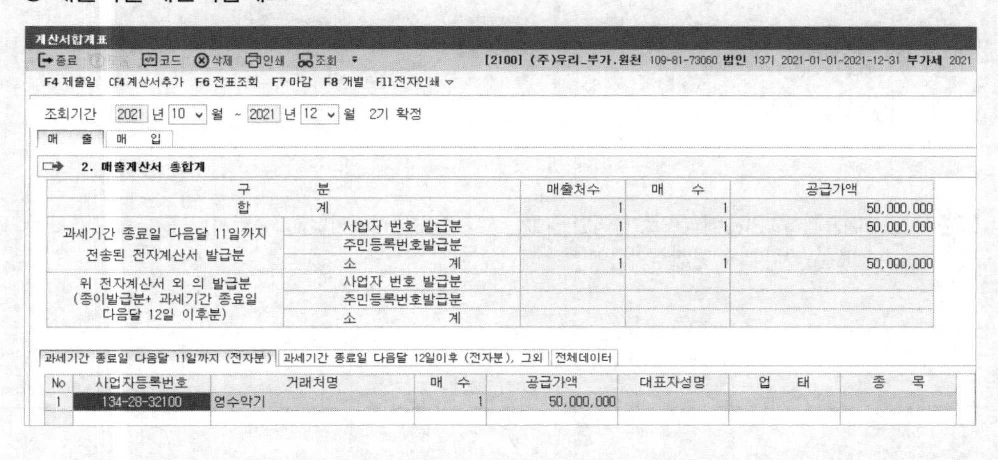

계산서합계표

종료 코드 삭제 인쇄 조회 [2100] (주)우리_부가.원천 109-81-73060 법인 13기 2021-01-01~2021-12-31 부가세 2021

F4 제출일 CF4 계산서추가 F6 전표조회 F7 마감 F8 개별 F11 전자인쇄

조회기간 2021 년 10 월 ~ 2021 년 12 월 2기 확정

매출 | 매입

2. 매출계산서 총합계

구분		매출처수	매수	공급가액
합계		1	1	50,000,000
과세기간 종료일 다음달 11일까지 전송된 전자계산서 발급분	사업자 번호 발급분	1	1	50,000,000
	주민등록번호발급분			
	소계	1	1	50,000,000
위 전자계산서 외 의 발급분 (종이발급분+ 과세기간 종료일 다음달 12일 이후분)	사업자 번호 발급분			
	주민등록번호발급분			
	소계			

과세기간 종료일 다음달 11일까지 (전자분) | 과세기간 종료일 다음달 12일이후 (전자분), 그외 | 전체데이터

No	사업자등록번호	거래처명	매수	공급가액	대표자성명	업태	종목
1	134-28-32100	영수악기	1	50,000,000			

② 매입처별 세금계산서합계표

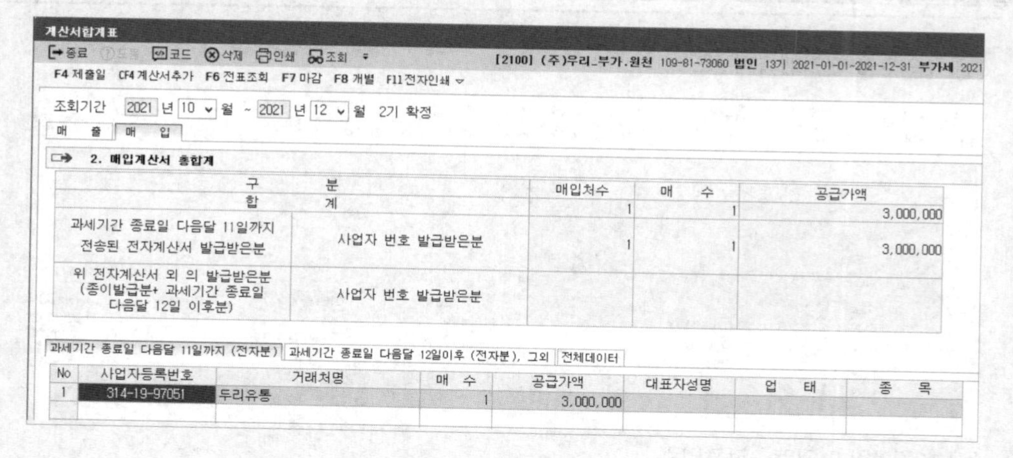

계산서합계표

[2100] (주)우리_부가.원천 109-81-73060 법인 13기 2021-01-01-2021-12-31 부가세 2021

조회기간 2021 년 10 월 ~ 2021 년 12 월 2기 확정

매 출 | 매 입

2. 매입계산서 총합계

구분		매입처수	매수	공급가액
합계		1	1	3,000,000
과세기간 종료일 다음달 11일까지 전송된 전자계산서 발급받은분	사업자 번호 발급받은분	1	1	3,000,000
위 전자계산서 외 의 발급받은분 (종이발급분+ 과세기간 종료일 다음달 12일 이후분)	사업자 번호 발급받은분			

과세기간 종료일 다음달 11일까지 (전자분) | 과세기간 종료일 다음달 12일이후 (전자분), 그외 | 전체데이터

No	사업자등록번호	거래처명	매 수	공급가액	대표자성명	업 태	종 목
1	314-19-97051	두리유통	1	3,000,000			

[4] 부가가치세신고서(과세표준명세)(10월~12월)

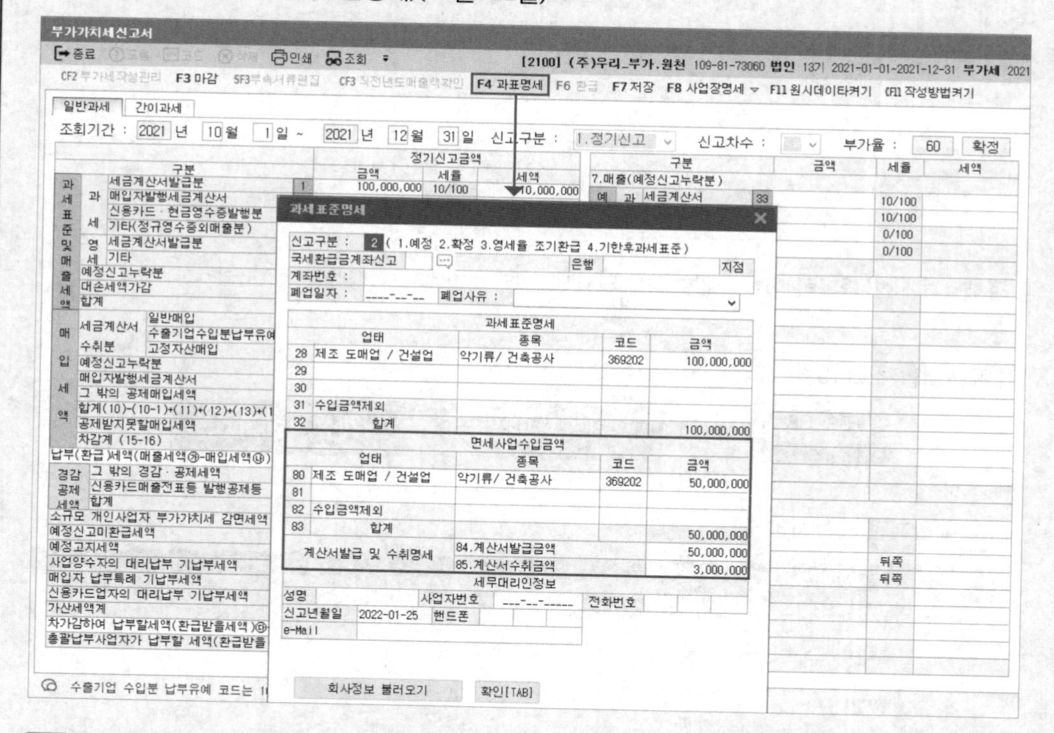

부가가치세신고서

[2100] (주)우리_부가.원천 109-81-73060 법인 13기 2021-01-01-2021-12-31 부가세 2021

F4 과표명세

조회기간 : 2021 년 10 월 1 일 ~ 2021 년 12 월 31 일 신고구분 : 1.정기신고 신고차수 : 부가율 : 60 확정

과세표준명세

신고구분 : 2 (1.예정 2.확정 3.영세율 조기환급 4.기한후과세표준)

국세환급금계좌신고 / 은행 / 지점

계좌번호 :

폐업일자 : / 폐업사유 :

	업태	종목	코드	금액
28	제조 도매업 / 건설업	악기류/ 건축공사	369202	100,000,000
29				
30				
31	수입금액제외			
32	합계			100,000,000

면세사업수입금액

	업태	종목	코드	금액
80	제조 도매업 / 건설업	악기류/ 건축공사	369202	50,000,000
81				
82	수입금액제외			
83	합계			50,000,000
계산서발급 및 수취명세		84.계산서발급금액		50,000,000
		85.계산서수취금액		3,000,000

세무대리인정보

성명 / 사업자번호 / 전화번호

신고년월일 2022-01-25 핸드폰

e-Mail

회사정보 불러오기 확인[TAB]

TIP 13.면세매출과 53.면세매입으로 입력된 자료는 부가가치세신고서의 [과표명세]키를 클릭하면 표시되는 [과세표준명세]에서 '면세수입금액'부분에 조회된다.

03 신용카드매출전표등발행금액집계표 작성

부가가치세가 과세되는 재화 · 용역을 공급하고 이에 따른 영수증 교부의무가 있는 사업자는 세금계산서의 교부시기에 신용카드 매출전표, 직불카드영수증, 현금영수증 등을 발행하거나 전자화폐에 의해 대금을 결제한 경우 발행된 신용카드 매출전표 등은 영수증으로 보아 [신용카드매출전표등발행금액집계표]를 작성하여 예정신고 또는 확정신고시 제출한다.

매입매출전표입력 유형: 17.카과, 18.카면 19.카영, 22.현과 23.현면, 24.현영	➔	신용카드매출전표등 발행금액집계표	➔	부가가치세신고서

실무문제 신용카드매출전표등발행금액집계표

다음 자료를 제2기 확정 부가가치세신고서의 추가 반영하고 [신용카드매출전표등발행금액집계표]를 작성하시오. 신용카드매출전표는 제시된 자료 외에는 없는 것으로 가정하며, 회계처리는 생략한다.

① 10월 5일 제품(공급가액 : 10,000,000원 부가세 : 1,000,000원)을 홍길동에게 제공하고 현금영수증을 발급하였다.

② 10월 6일 제품(공급가액 : 5,000,000원 부가세 : 500,000원)을 (주)금성에 납품하고 전자세금계산서를 발급하였으며 대금은 7월 5일 (주)금성의 법인카드로 결제받았다.

③ 10월 7일 면세제품(공급가액 : 8,000,000원)을 (주)태영에 납품하고 계산서를 발급하였으며 대금 중 3,000,000원은 현금으로 받고 나머지는 (주)태영의 법인카드로 결제받았다.

실무문제 따라하기

[1] 신용카드매출전표등발행금액집계표(10월~12월)

부가가치 ≫ 부가가치세 ≫ 신용카드매출전표등발행금액집계표

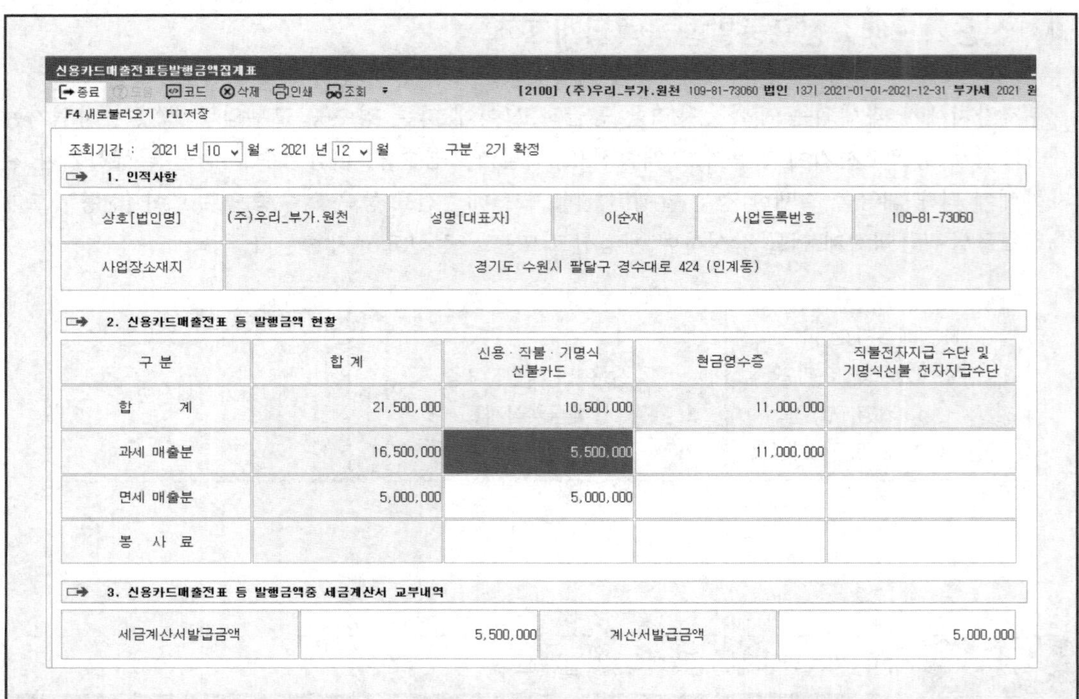

신용카드매출전표등발행금액집계표

[2100] (주)우리_부가.원천 109-81-73060 법인 13기 2021-01-01-2021-12-31 부가세 2021

조회기간 : 2021 년 10 월 ~ 2021 년 12 월 구분 2기 확정

1. 인적사항

상호[법인명]	(주)우리_부가.원천	성명[대표자]	이순재	사업등록번호	109-81-73060
사업장소재지	경기도 수원시 팔달구 경수대로 424 (인계동)				

2. 신용카드매출전표 등 발행금액 현황

구 분	합 계	신용 · 직불 · 기명식 선불카드	현금영수증	직불전자지급 수단 및 기명식선불 전자지급수단
합 계	21,500,000	10,500,000	11,000,000	
과세 매출분	16,500,000	5,500,000	11,000,000	
면세 매출분	5,000,000	5,000,000		
봉 사 료				

3. 신용카드매출전표 등 발행금액중 세금계산서 교부내역

세금계산서발급금액	5,500,000	계산서발급금액	5,000,000

TIP 작성시 공급대가를 입력하며, (세금)계산서와 중복 발급된 경우 3.신용카드매출전표 발행금액 중 세금계산서 교부내역란에 기입한다.

[2] 부가가치세신고서(10월~12월)

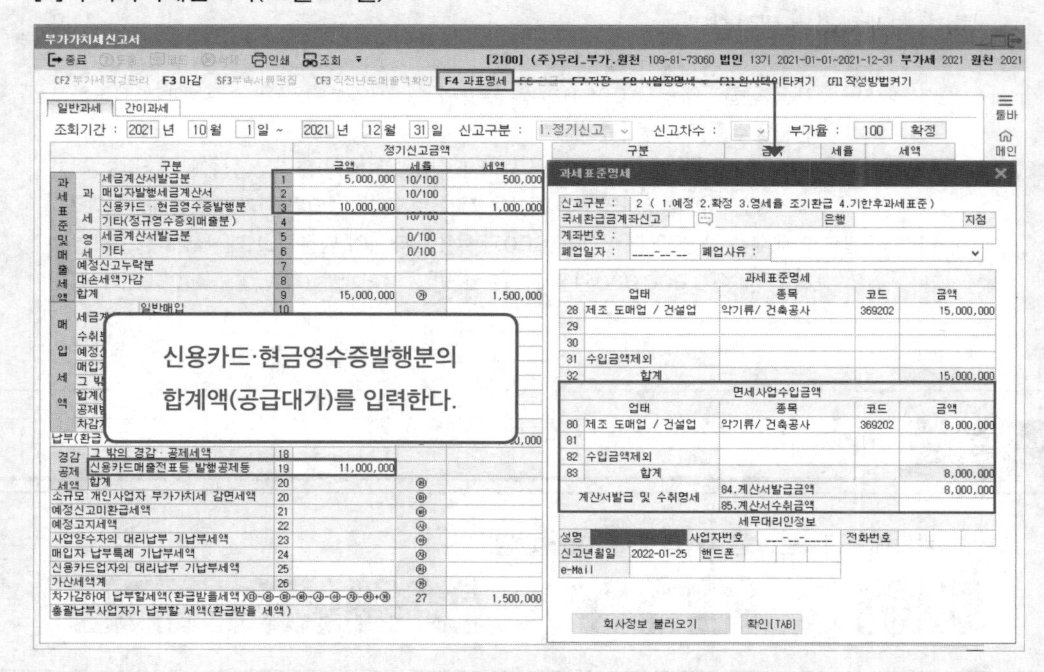

부가가치세신고서

[2100] (주)우리_부가.원천 109-81-73060 법인 13기 2021-01-01-2021-12-31 부가세 2021 원천 2021

CF2 부가세작성관리 F3 마감 SF3부속서류편집 CF3 직전년도매출액확인 F4 과표명세 F6 환급 F7 저장 F8 사업장명세 F11 원시데이타켜기 CF11 작성방법켜기

일반과세 | 간이과세

조회기간 : 2021 년 10 월 1 일 ~ 2021 년 12 월 31 일 신고구분 : 1.정기신고 신고차수 : 부가율 : 100 확정

구분			번호	금액	세율	세액
과세표준 및 매출세액	과세	세금계산서발급분	1	5,000,000	10/100	500,000
	과세	매입자발행세금계산서	2		10/100	
	과세	신용카드 · 현금영수증발행분	3	10,000,000	10/100	1,000,000
	과세	기타(정규영수증외매출분)	4			
	영세	세금계산서발급분	5		0/100	
	영세	기타	6		0/100	
	예정신고누락분		7			
	대손세액가감		8			
	합계		9	15,000,000	㉮	1,500,000
경감공제세액	그 밖의 경감 · 공제세액		18			
	신용카드매출전표등 발행공제등		19	11,000,000		
	합계		20		㉱	
소규모 개인사업자 부가가치세 감면세액			20		㉲	
예정신고미환급세액			21		㉳	
예정고지세액			22		㉴	
사업양수자의 대리납부 기납부세액			23		㉵	
매입자 납부특례 기납부세액			24		㉶	
신용카드업자의 대리납부 기납부세액			25		㉷	
가산세액계			26		㉸	
차가감하여 납부할세액(환급받을세액)㉰-㉱-㉲-㉳-㉴-㉵-㉶-㉷+㉸					27	1,500,000
총괄납부사업자가 납부할 세액(환급받을 세액)						

과세표준명세

신고구분 : 2 (1.예정 2.확정 3.영세율 조기환급 4.기한후과세표준)

국세환급금계좌신고 은행 지점

계좌번호 :

폐업일자 : ----_--_-- 폐업사유 :

	업태	종목	코드	금액
	과세표준명세			
28	제조 도매업 / 건설업	악기류/ 건축공사	369202	15,000,000
29				
30				
31	수입금액제외			
32	합계			15,000,000
	면세사업수입금액			
80	제조 도매업 / 건설업	악기류/ 건축공사	369202	8,000,000
81				
82	수입금액제외			
83	합계			8,000,000
	계산서발급 및 수취명세	84.계산서발급금액		8,000,000
		85.계산서수취금액		

세무대리인정보

성명		사업자번호	---_--_-----	전화번호	
신고년월일	2022-01-25	핸드폰			
e-Mail					

회사정보 불러오기 확인[TAB]

TIP (세금)계산서와 이중발급된 경우 (세금)계산서가 우선임으로 1번란과 과세표준명세의 80번, 84번란에 작성한다.

(주)팔팔전기(회사코드 : 2110)은 제조, 도매업을 영위하는 중소기업이며, 당기(22기)회계기간은 2021. 1. 1. ~ 2021. 12. 31.이다.

01 다음 자료를 바탕으로 2021년 1기 부가가치세 확정신고기간(4.1.~6.30.)의 신용카드매출전표등 발행집계표 및 부가가치세신고서를 작성하시오. 단. 신용카드와 관련된 거래는 본 자료만 있다고 가정한다.

- 4월 10일 제품 3,000,000(부가세 별도)를 매출하고, 전자세금계산서를 발급하였다. 대금은 전액 신한카드로 결제하고 신용카드매출전표를 발급하였다.
- 4월 15일 제품 5,500,000(부가세 포함)을 매출하고, 대금은 전액 국민카드로 결제하고, 신용카드 매출전표를 발급하였다.
- 5월 30일 제품 2,200,000(부가세 포함)을 매출하고, 대금은 전액 현금으로 수령하고, 현금영수증을 발급하였다.

02 다음은 2021년 2기 예정신고기간(2021.7.1 ~ 2021.9.30)의 자료이다. 부가가치세 신고서와 신용카드매출전표등발행금액 집계표를 작성하시오. 단. 신용카드와 관련된 거래는 본 자료만 있다고 가정한다.

[거래내역]

구분	적요	공급가액	비고
매출가액	컴퓨터판매(도매)	150,000,000	전액 전자세금계산서 매출분
	컴퓨터주변기기	10,000,000	내국신용장에 의하여 공급하는 재화분
	전자제품판매	83,000,000	이 금액 중 3백만원은 현금영수증 매출이며 나머지 8천만원은 신용카드 매출분
매입가액	소형승용차매입	3,000,000	비영업용 소형 승용차
	부품매입	82,000,000	컴퓨터판매와 관련된 부품
	임차료	12,000,000	본사 사무실 임차료 신용카드 결제분
	기계수리비	1,200,000	법인 카드 결제금액
	전기요금	900,000	본사사용 전기요금(2기 예정신고누락분)

- 신용카드 발행액, 현금영수증 발행분을 제외하고는 모두 세금계산서 발행분임.
- 전표입력은 생략한다.

정답 및 해설

01 ① 신용카드매출전표등발행집계표 4월~6월

2. 신용카드매출전표 등 발행금액 현황

구 분	합 계	신용 · 직불 · 기명식 선불카드	현금영수증	직불전자지급 수단 및 기명식선불 전자지급수단
합 계	11,000,000	8,800,000	2,200,000	
과세 매출분	11,000,000	8,800,000	2,200,000	
면세 매출분				
봉 사 료				

3. 신용카드매출전표 등 발행금액중 세금계산서 교부내역

세금계산서발급금액	3,300,000	계산서발급금액	

② 부가가치세신고서 4월~6월

구분				금액	세율	세액
과세표준및매출세액	과세	세금계산서발급분	1	3,000,000	10/100	300,000
		매입자발행세금계산서	2		10/100	
		신용카드 · 현금영수증발행분	3	7,000,000	10/100	700,000
		기타(정규영수증외매출분)	4			
	영세	세금계산서발급분	5		0/100	
		기타	6		0/100	
	예정신고누락분		7			
	대손세액가감		8			
	합계		9	10,000,000	㉮	1,000,000

02 신용카드매출전표등발행집계표 7월~9월

2. 신용카드매출전표 등 발행금액 현황

구 분	합 계	신용 · 직불 · 기명식 선불카드	현금영수증	직불전자지급 수단 및 기명식선불 전자지급수단
합 계	91,300,000	88,000,000	3,300,000	
과세 매출분	91,300,000	88,000,000	3,300,000	
면세 매출분				
봉 사 료				

3. 신용카드매출전표 등 발행금액중 세금계산서 교부내역

세금계산서발급금액		계산서발급금액	

04 신용카드매출전표등수령명세서 작성

세금계산서 교부가 불가능한 목욕·이발·미용업, 여객운송업, 입장권사업을 제외한 일반과세자로부터 공급시기에 부가가치세액이 별도 구분기재된 신용카드매출전표 등을 수취한 경우, 사업과 관련이 있으며, 공제불가능분이 아닌 경우 매입세액으로 공제받으며, 이때 [신용카드매출전표등수령명세서]를 작성한다.

매입매출전표입력 유형 : 57.카과매입 유형 : 61.현과매입	➔	신용카드매출전표등 수령명세서	➔	부가가치세신고서

※ 신용카드 매출전표 등 불공제 요건

1. 세금계산서를 수취한 경우, 면세사업자 또는 간이과세자에게 매입한 경우
2. 매입세액 불공제 대상인 경우
   (예: 접대비, 사업과 무관한 지출, 비영업용 소형승용차 구입 등)
3. 세금계산서 발급 불가사업을 영위하는 사업자에게 용역을 공급받은 경우
   (예: 미용, 욕탕 및 유사서비스, 여객운송업(전세버스운송사업자 제외), 입장권을 발행하여 영위하는 사업)

실무문제 신용카드매출전표등수령명세서

■ 다음은 법인카드(국민카드)로 사용한 내역이다. 제2기 확정 부가가치세신고서의 추가 반영하고 [신용카드매출전표등수령명세서]를 작성하시오. 신용카드매출전표는 제시된 자료 외에는 없는 것으로 가정하며, 회계처리는 생략한다.

※ 법인카드(국민카드) 회원번호 : 5654-9856-1235-7456

거래처 (사업자등록번호)	성 명	거래 일자	발행금액 (부가세포함)	내 역	거래내용	비 고
케이마트 (105-05-54107)	김국진	10.04	880,000원	복사용지	영업부서 소모품	일반과세자
박진헤어샵 (214-06-93696)	박 진	10.17	220,000원	미용비	광고모델인 김하나의 미용비	일반과세자
대한의원 (121-96-74516)	최대한	10.2	100,000원	진료비	직원 독감예방주사	면세사업자
해바라기정비소 (105-03-43135)	이래원	11.21	550,000원	수리비	운반용 트럭 수리비	일반과세자
궁중요리 (150-05-91233)	신정원	11.22	660,000원	식사비	직원회식대	일반과세자
북경반점 (105-05-91233)	모택동	12.23	77,000원	식사비	직원야식대	간이과세자

실무문제 따라하기

[1] 신용카드매출전표등등수령명세서(10월~12월)

부가가치 ≫ 부가가치세 ≫ 신용카드매출전표등수령명세서(갑)(을)

신용카드매출전표등수령명세서(갑)(을)

종료 코드 삭제 인쇄 조회 [2100] (주)우리_부가.원천 109-81-73060 법인 13기 2021-01-01-2021-12-31 부가세 2

F3 일괄변경 F4 불러오기 F7 마감 F8 작성일자 F11 저장

조회기간 : 2021 년 10 월 ~ 2021 년 12 월 구분 2기 확정

2. 신용카드 등 매입내역 합계

구분	거래건수	공급가액	세액
합 계	3	1,900,000	190,000
현금영수증			
화물운전자복지카드			
사업용신용카드	3	1,900,000	190,000
그 밖의 신용카드			

3. 거래내역입력

No	□	월/일	구분	공급자	공급자(가맹점) 사업자등록번호	카드회원번호	그 밖의 신용카드 등 거래내역 합계 거래건수	공급가액	세액
1	□	10-04	사업	케이마트	105-05-54107	5654-9856-1235-7456	1	800,000	80,000
2	□	11-21	사업	해바라기정비소	105-03-43135	5654-9856-1235-7456	1	500,000	50,000
3	□	11-22	사업	궁중요리	150-05-91233	5654-9856-1235-7456	1	600,000	60,000
4	□								

TIP 미용업(10.17), 면세사업자(10.20), 간이과세자(12.23)로부터 수취한 신용카드는 매입세액 공제대상이 아니다.

[2] 부가가치세신고서(10월~12월)

일반과세 간이과세

조회기간 : 2021 년 10 월 1 일 ~ 2021 년 12 월 31 일 신고구분 : 1.정기신고 신고차수 : 부가율 : 확정

구분				정기신고금액 금액	세율	세액
과세표준및매출세액	과세	세금계산서발급분	1		10/100	
		매입자발행세금계산서	2		10/100	
		신용카드 · 현금영수증발행분	3		10/100	
		기타(정규영수증외매출분)	4			
	영세	세금계산서발급분	5		0/100	
		기타	6		0/100	
	예정신고누락분		7			
	대손세액가감		8			
	합계		9		㉮	
매입세액	세금계산서 수취분	일반매입	10			
		수출기업수입분납부유예	10			
		고정자산매입	11			
	예정신고누락분		12			
	매입자발행세금계산서		13			
	그 밖의 공제매입세액		14	1,900,000		90,000
	합계(10)-(10-1)+(11)+(12)+(13)+(14)		15	1,900,000		90,000
	공제받지못할매입세액		16			
	차감계 (15-16)		17	1,900,000	㉯	90,000
납부(환급)세액(매출세액㉮-매입세액㉯)					㉰	-90,000
경감공제세액	그 밖의 경감 · 공제세액		18			
	신용카드매출전표등 발행공제등		19			
	합계		20		㉱	
소규모 개인사업자 부가가치세 감면세액			20		㉲	
예정신고미환급세액			21		㉳	
예정고지세액			22		㉴	
사업양수자의 대리납부 기납부세액			23		㉵	
매입자 납부특례 기납부세액			24		㉶	
신용카드업자의 대리납부 기납부세액			25		㉷	
가산세액계			26		㉸	
차가감하여 납부할세액(환급받을세액)㉰-㉱-㉲-㉳-㉴-㉵-㉶-㉷+㉸					27	-90,000
총괄납부사업자가 납부할 세액(환급받을 세액)						

구분				금액	세율	세액
7.매출(예정신고누락분)						
예정누락분	과세	세금계산서	33		10/100	
		기타	34		10/100	
	영세	세금계산서	35		0/100	
		기타	36		0/100	
	합계		37			
12.매입(예정신고누락분)						
예정누락분	세금계산서		38			
	그 밖의 공제매입세액		39			
	합계		40			
	신용카드매출 수령금액합계	일반매입				
		고정매입				
	의제매입세액					
	재활용폐자원등매입세액					
	과세사업전환매입세액					
	재고매입세액					
	변제대손세액					
	외국인관광객에대한환급/					
	합계					
14.그 밖의 공제매입세액						
신용카드매출 수령금액합계표		일반매입	41	1,900,000		90,000
		고정매입	42			
의제매입세액			43		뒤쪽	
재활용폐자원등매입세액			44		뒤쪽	
과세사업전환매입세액			45			
재고매입세액			46			
변제대손세액			47			
외국인관광객에대한환급세액			48			
합계			49	1,900,000		90,000

(주)팔팔전기(회사코드 : 2110)은 제조, 도매업을 영위하는 중소기업이며, 당기(22기)회계기간은 2021. 1. 1. ~ 2021. 12. 31.이다.

01 다음 자료를 바탕으로 2021년 1기 부가가치세 확정신고기간(4.1.~6.30.)의 신용카드매출전표등수령명세서(갑)를 작성하시오. 카드는 현대(법인, 사업용)카드 2222-1234-2222-1234를 사용하였고, 거래처는 모두 일반과세자이다.(매입세액공제 가능한 거래만 반영하고 매입매출전표 입력은 생략하며, 거래는 본 자료만 있다고 가정한다.)

일자	내 역	공급가액	부가가치세	상 호	사업자등록번호	증 빙
4/1	본사 회의시 커피	40,000원	4,000원	비엔나커피	104-04-11258	신용카드
4/4	신입사원 명함제작	20,000원	2,000원	청솔인쇄	114-82-01319	현금영수증
5/10	거래처 직원과의 식사비	250,000원	25,000원	마마식당	303-07-81798	신용카드
5/14	사무실 프린터 토너 교체	75,000원	7,500원	컴천재	606-81-31353	현금영수증
6/19	거래처 방문 택시비	13,000원	1,300원	시흥교통	303-81-35784	신용카드

02 다음은 2021년 10월부터 12월까지의 기간동안 재화나 용역을 공급받고 신용카드매출전표(부가가치세 별도 기입분)를 수취한 내용이다. 제2기 확정신고 부가가치세신고서에 반영하도록 신용카드매출전표등수령명세서(사업용 국민카드 1111-2222-3333-4444로 동일하게 사용함)를 작성하시오. 단, 신용카드와 관련된 거래는 본 자료만 있다고 가정한다.

거래처명 (등록번호)	성명 (대표자)	거래일자	발행금액 (VAT포함)	공급자 업종 (과세유형)	거래내용
김포주유소 (133-26-55668)	김순자	10,11	220,000원	소매업 (일반과세)	대표이사 차량 주유 (3,000cc)
화가식당 (605-21-33882)	이영은	10.20	330,000원	음식점업 (일반과세)	직원회식대 (복리후생)
빛남문구 (119-15-50400)	조인하	11.13	440,000원	소매업 (간이과세)	사무비품 구입
(주)편한호텔 (118-81-12349)	주형진	11.20	550,000원	숙박업 (일반과세)	지방출장 숙박비
일수슈퍼 (220-05-11111)	장일수	12.05	880,000원	도·소매업 (면세사업)	구내식당용 쌀구입
서울탕 (233-12-12345)	박서울	12.20	110,000원	목욕업 (일반과세자)	직원의 야근 목욕비용

정답 및 해설

01 신용카드매출전표등수령명세서 4월~6월

2. 신용카드 등 매입내역 합계

구분	거래건수	공급가액	세액
합 계	3	135,000	13,500
현금영수증	2	95,000	9,500
화물운전자복지카드			
사업용신용카드	1	40,000	4,000
그 밖의 신용카드			

3. 거래내역입력

	□	월/일	구분	공급자	공급자(가맹점) 사업자등록번호	카드회원번호	그 밖의 신용카드 등 거래내역 합계		
							거래건수	공급가액	세액
1	□	04-01	사업	비엔나커피	104-04-11258	2222-1234-2222-1234	1	40,000	4,000
2	□	04-04	현금	청솔인쇄	114-82-01319		1	20,000	2,000
3	□	05-14	현금	컴천재	606-81-31353		1	75,000	7,500

※ 접대비 목적과 여객운송업은 매입세액 공제불가

02 신용카드매출전표등수령명세서 10월~12월

2. 신용카드 등 매입내역 합계

구분	거래건수	공급가액	세액
합 계	2	800,000	80,000
현금영수증	1	500,000	50,000
화물운전자복지카드			
사업용신용카드	1	300,000	30,000
그 밖의 신용카드			

3. 거래내역입력

	□	월/일	구분	공급자	공급자(가맹점) 사업자등록번호	카드회원번호	그 밖의 신용카드 등 거래내역 합계		
							거래건수	공급가액	세액
1	□	10-20	사업	화가식당	605-21-33882	1111-2222-3333-4444	1	300,000	30,000
2	□	11-20	현금	(주)편한호텔	118-81-12349	1111-2222-3333-4444	1	500,000	50,000

※ 대표이사 차량, 간이과세자, 면세사업자, 목욕업은 매입세액 공제불가

05 공제받지못할매입세액명세서 작성

세금계산서를 수취하였으나 자기의 사업과 관련이 없거나 정당한 세금계산서가 아닌 경우, 면세사업관련 등의 매입세액은 매출세액에서 공제할 수 없으며 이에 해당하는 사유별로 구분하여 예정신고 또는 확정신고시 제출한다.

매입매출전표입력 유형:54.불공매입	➔	세금계산서합계표 공제받지못할매입세액명세서	➔	부가가치세신고서

(1) 공제받지못할매입세액명세서

구 분		내 용
공제받지못할 매입세액 내역 [불공제사유]	필요한 기재사항 누락	매입세금계산서를 수취하였으나 필요적 기재사항(공급자의 사업자등록번호 · 성명 · 상호, 공급받는자의 등록번호, 공급가액과 세액, 작성연월일)이 누락된 매입세금계산서
	사업과 직접 관련이 없는 지출	업무와 관련 없는 자산을 취득, 관리함으로 발생되는 유지, 수선비 등의 매입세금계산서 ※ 골프·콘도회원권, 비업무용 부동산 및 서화, 골동품 취득과 관련된 매입세액
	비영업용 소형승용차 구입 및 유지	개별소비세가 과세되는 승용차(영업용 제외)구입과 유지 및 임차비용에 대한 매입세금계산서 ※ 경차(1,000cc이하), 9인승 이상의 대형차, 승합차, 화물차 등은 공제가능
	접대비 관련 매입세액	접대비와 관련된 매입세금계산서
	면세사업과 관련된 분	면세사업에 사용되는 재화, 용역을 공급 받은 경우, 토지취득과 관련된 매입세금계산서
	토지의 자본적 지출관련	토지 취득에 해당되는 자본적 지출비용 매입세금계산서
	등록 전 매입세액	사업자등록 전 수취한 매입세금계산서 ※ 단, 공급시기가 속하는 과세기간이 끝난후 20일 이내에 등록신청한 경우는 매입세액 공제가능
	금거래계좌 미사용 매입세액	금거래계좌를 사용하지 않은 매입세금계산서

실무문제 공제받지못할매입세액명세서서

다음은 과세사업과 면세사업을 겸영하는 (주)우리의 제2기 예정신고기간의 거래 자료이다. 제2기 예정 부가가치세신고서의 추가 반영하고 [공제받지못할매입세액명세서]를 작성하시오. 제시된 자료 외에는 없는 것으로 가정하며, 회계처리는 생략한다.

< 거래내역>

- 모든 거래는 전자세금계산서를 수취하였으며, 부가가치세 별도의 거래이다

(1) 한성전자에 휴대폰을 10대(단가: 400,000원) 구입하여 전량 거래처에 무상으로 제공하였다.

(2) 대표이사의 업무용승용차(3,000cc)의 고장으로 인해 이의 수리비 100,000원을 오토자동차에 지출하였다.

(3) 면세사업에만 사용할 목적으로 난방기를 온방산업에서 250,000원에 구입하고 당기 소모품비로 처리하였다.

(4) 기린상사로부터의 상품매입액 2,000,000원 매입처별 세금계산서합계표상의 공급받는자의 등록번호가 착오로 일부 오류기재되었다. (전자세금계산서는 정확히 기재됨)

실무문제 따라하기

[1] 공제받지못할매입세액명세서 → 공제받지못할매입세액내역 (7월~9월)

부가가치 ≫ 부속명세서 I ≫ 공제받지못할매입세액명세서

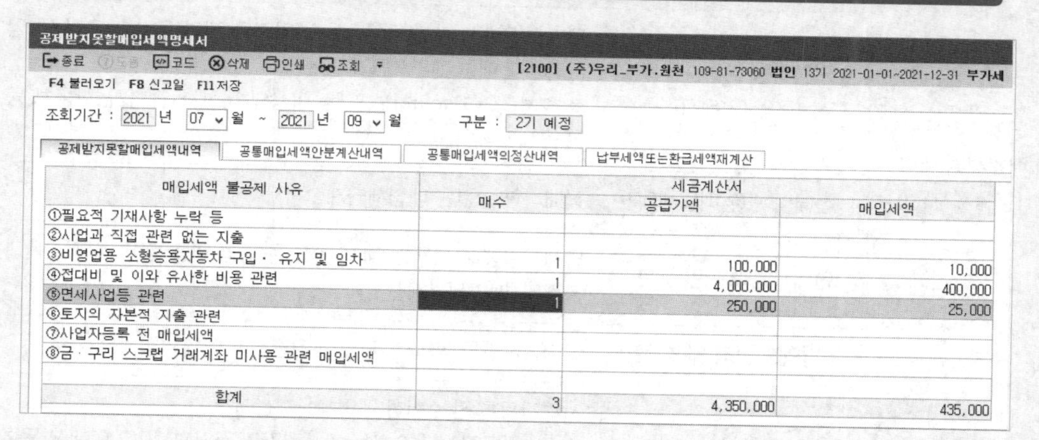

공제받지못할매입세액명세서

종료 코드 삭제 인쇄 조회 [2100] (주)우리_부가.원천 109-81-73060 법인 13기 2021-01-01~2021-12-31 부가세

F4 불러오기 F8 신고일 F11저장

조회기간 : 2021 년 07 월 ~ 2021 년 09 월 구분 : 2기 예정

공제받지못할매입세액내역 | 공통매입세액안분계산내역 | 공통매입세액의정산내역 | 납부세액또는환급세액재계산

매입세액 불공제 사유	세금계산서		
	매수	공급가액	매입세액
①필요적 기재사항 누락 등			
②사업과 직접 관련 없는 지출			
③비영업용 소형승용자동차 구입· 유지 및 임차	1	100,000	10,000
④접대비 및 이와 유사한 비용 관련	1	4,000,000	400,000
⑤면세사업등 관련	1	250,000	25,000
⑥토지의 자본적 지출 관련			
⑦사업자등록 전 매입세액			
⑧금 · 구리 스크랩 거래계좌 미사용 관련 매입세액			
합계	3	4,350,000	435,000

TIP 전자세금계산서는 정확히 기재되고 [매입처별 세금계산서합계표] 작성시 착오기재인 경우에는 매입세액불공제 대상이 아니다.

[2] 부가가치세신고서(7월~9월)

일반과세 | 간이과세

조회기간 : 2021 년 7 월 1 일 ~ 2021 년 9 월 30 일 신고구분 : 1.정기신고 신고차수 : 부가율 : 예정

구분				정기신고금액 금액	세율	세액
과세표준및매출세액	과세	세금계산서발급분	1		10/100	
		매입자발행세금계산서	2		10/100	
		신용카드 · 현금영수증발행분	3		10/100	
		기타(정규영수증외매출분)	4			
	영세	세금계산서발급분	5		0/100	
		기타	6		0/100	
	예정신고누락분		7			
	대손세액가감		8			
	합계		9		㉮	
매입세액	세금계산서수취분	일반매입	10	6,350,000		6,350,000
		수출기업수입분납부유예	10			
		고정자산매입	11			
	예정신고누락분		12			
	매입자발행세금계산서		13			
	그 밖의 공제매입세액		14			
	합계(10)-(10-1)+(11)+(12)+(13)+(14)		15	6,350,000		6,350,000
	공제받지못할매입세액		16	4,350,000		435,000
	차감계 (15-16)		17	2,000,000	㉯	5,915,000

구분		금액	세율	세액
16.공제받지못할매입세액				
공제받지못할 매입세액	50	4,350,000		435,000
공통매입세액면세등사업분	51			
대손처분받은세액	52			
합계	53	4,350,000		435,000
18.그 밖의 경감·공제세액				
전자신고세액공제	54			
전자세금계산서발급세액공제	55			
택시운송사업자경감세액	56			
대리납부세액공제	57			
현금영수증사업자세액공제	58			
기타	59			
합계	60			

TIP 전자세금계산서를 수취하였으나 상품매입액을 제외하고 모두 매입세액 불공제임으로 10번란과 16번란 중 50번란에 입력한다.

(2) 공통매입세액 안분계산 및 정산내역

구 분	내 용
공통매입세액 안분계산	① 사업자가 과세사업과 면세사업을 겸업하는 경우에는 과세사업에 관련된 매입세액은 공제하게 되지만 공통으로 관련된 매입세액이거나 과세사업인지 면세사업 관련 매입세액인지를 명확하게 구분할 수 없는 경우에는 안분계산하여야 한다. ② [계산식]을 선택하고, [과세·면세사업 공통매입세액]과 [면세공급가액], [총공급가액] 항목을 입력하면, 불공제 매입세액이 자동계산된다.
공통매입세액 안분정산	① 예정신고 시 안분계산을 한 경우 확정신고 시 예정신고분과 확정신고분을 합친 금액으로 공통매입세액의 정산을 하여야 한다. 예정신고 시에는 공통매입세액이 있었으나 확정신고 시 공통매입세액이 없는 경우라도 확정신고 시에는 예정신고 시 적용한 공통매입세액에 대한 정산을 하여야 한다. ② [계산식]을 선택하고, [총공통매입세액]을 직접 입력 후 [면세공급가액], [총공급가액]을 입력하면 면세비율과 불공제매입세액이 계산되며, [기불공제매입세액]을 입력하면, 가산 또는 공제되는 매입세액이 자동계산된다.

실무문제 공통매입세액 안분계산 및 정산

[1] 다음은 당사(과세 및 면세 겸영사업자)의 매출과 매입에 관한 거래 자료로 전자세금계산서·전자계산서를 적정하게 수수하였으며, 과세분 매출과 면세분 매출은 공통매입분과 관련된 것이다. 제2기 예정 부가가치세신고서에 추가 반영하고 [공제받지못할매입세액명세서]를 작성하시오. 제시된 자료 외에는 없는 것으로 가정하며, 회계처리는 생략한다.

구 분		공급가액(원)	세액(원)	합계액(원)	매수
매출내역	과세분	40,000,000	4,000,000	44,000,000	7
	면세분	60,000,000	-	60,000,000	3
	합계	100,000,000	4,000,000	104,000,000	10
매입내역	과세분	30,000,000	3,000,000	33,000,000	6
	공통분	50,000,000	5,000,000	55,000,000	3
	합계	80,000,000	8,000,000	88,000,000	9

[2] 다음은 제1기 부가가치세 확정신고 자료 중 과세재화와 면세재화에 공통으로 사용되는 원재료 매입액에 관한 공통매입세액 정산내역이다. 아래 자료를 이용하여 공제받지못할매입세액명세서를 작성하시오. 본 문제에 한하여, 전산데이터와 상관없이 아래의 자료를 적용하기로 한다.

(1) 과세기간의 매출(공급가액)내역

구분	과세·면세	금액(원)
1.1.~3.31.	과세매출	40,000,000
	면세매출	60,000,000
4.1.~6.30.	과세매출	30,000,000
	면세매출	70,000,000

(2) 예정신고시 공통매입세액불공제내역

① 공통매입세액 300,000원 ② 기 불공제매입세액 180,000원

(3) 과세기간 최종 3개월(4.1.~6.30.)의 내역

① 공통매입세액 500,000원

실무문제 따라하기

[1]

① 공제받지못할매입세액명세서 → 공통매입세액안분계산내역 (7월~9월)

공제받지못할매입세액명세서

조회기간 : 2021 년 07 월 ~ 2021 년 09 월　구분 : 2기 예정

공제받지못할매입세액내역 | 공통매입세액안분계산내역 | 공통매입세액의정산내역 | 납부세액또는환급세액재계산

산식	구분	과세·면세사업 공통매입 ⑩공급가액	⑪세액	⑫총공급가액등	⑬면세공급가액등	면세비율 (⑬÷⑫)	⑭불공제매입세액 [⑪*(⑬÷⑫)]
1.당해과세기간의 공급가액기준		50,000,000	5,000,000	100,000,000.00	60,000,000.00	60.000000	3,000,000
합계		50,000,000	5,000,000	100,000,000	60,000,000		3,000,000

불공제매입세액 (3,000,000) = 세액(5,000,000) * 면세공급가액 (60,000,000) / 총공급가액 (100,000,000)

② 부가가치세신고서(7월~9월)

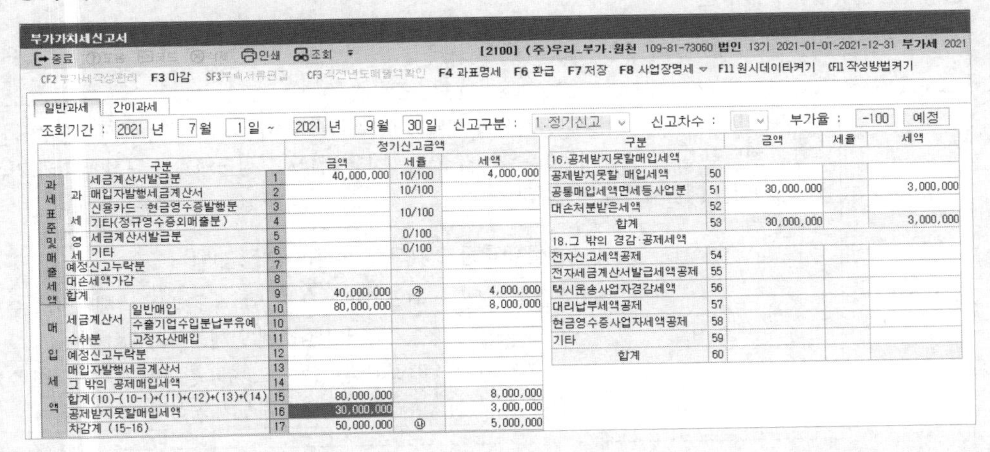

부가가치세신고서

[2100] (주)우리_부가.원천 109-81-73060 법인 13기 2021-01-01-2021-12-31 부가세 2021

일반과세 | 간이과세

조회기간 : 2021 년 7 월 1 일 ~ 2021 년 9 월 30 일　신고구분 : 1.정기신고　신고차수 :　부가율 : -100　예정

구분			번호	정기신고금액 금액	세율	세액
과세표준및매출세액	과세	세금계산서발급분	1	40,000,000	10/100	4,000,000
	과세	매입자발행세금계산서	2		10/100	
	과세	신용카드·현금영수증발행분	3		10/100	
	과세	기타(정규영수증외매출분)	4			
	영세	세금계산서발급분	5		0/100	
	영세	기타	6		0/100	
	예정신고누락분		7			
	대손세액가감		8			
	합계		9	40,000,000	㉮	4,000,000
매입세액	세금계산서수취분	일반매입	10	80,000,000		8,000,000
	세금계산서수취분	수출기업수입분납부유예	10			
	세금계산서수취분	고정자산매입	11			
	예정신고누락분		12			
	매입자발행세금계산서		13			
	그 밖의 공제매입세액		14			
	합계(10)-(10-1)+(11)+(12)+(13)+(14)		15	80,000,000		8,000,000
	공제받지못할매입세액		16	30,000,000		3,000,000
	차감계 (15-16)		17	50,000,000	㉯	5,000,000

구분	번호	금액	세율	세액
16.공제받지못할매입세액				
공제받지못할 매입세액	50			
공통매입세액면세등사업분	51	30,000,000		3,000,000
대손처분받은세액	52			
합계	53	30,000,000		3,000,000
18.그 밖의 경감·공제세액				
전자신고세액공제	54			
전자세금계산서발급세액공제	55			
택시운송사업자경감세액	56			
대리납부세액공제	57			
현금영수증사업자세액공제	58			
기타	59			
합계	60			

[2]

① 공제받지못할매입세액명세서 → 공통매입세액정산계산내역 (4월~6월)

공제받지못할매입세액명세서

조회기간 : 2021 년 04 월 ~ 2021 년 06 월　구분 : 1기 확정

공제받지못할매입세액내역 | 공통매입세액안분계산내역 | 공통매입세액의정산내역 | 납부세액또는환급세액재계산

산식	구분	(15)총공통매입세액	(16)면세 사업확정 비율 총공급가액	면세공급가액	면세비율	(17)불공제매입세액총액 ((15)*(16))	(18)기불공제매입세액	(19)가산또는공제되는매입세액((17)-(18))
1.당해과세기간의 공급가액기준		800,000	200,000,000.00	130,000,000.00	65.000000	520,000	180,000	340,000
합계		800,000	200,000,000	130,000,000		520,000	180,000	340,000

가산또는공제되는매입세액 (340,000) = 총공통매입세액(800,000) * 면세비율(%)(65.000000) - 기불공제매입세액(180,000)

② 부가가치세신고서(4월~6월)

일반과세 | 간이과세

조회기간 : 2021 년 4 월 1 일 ~ 2021 년 6 월 30 일 신고구분 : 1.정기신고 신고차수 : 부가율 : 83.33 확정

구분			번호	정기신고금액 금액	세율	세액
과세표준및매출세액	과세	세금계산서발급분	1	30,000,000	10/100	3,000,000
		매입자발행세금계산서	2		10/100	
		신용카드 · 현금영수증발행분	3		10/100	
		기타(정규영수증외매출분)	4			
	영세	세금계산서발급분	5		0/100	
		기타	6		0/100	
	예정신고누락분		7			
	대손세액가감		8			
	합계		9	30,000,000	㉮	3,000,000
매입세액	세금계산서수취분	일반매입	10	5,000,000		500,000
		수출기업수입분납부유예	10			
		고정자산매입	11			
	예정신고누락분		12			
	매입자발행세금계산서		13			
	그 밖의 공제매입세액		14			
	합계(10)-(10-1)+(11)+(12)+(13)+(14)		15	5,000,000		500,000
	공제받지못할매입세액		16	3,400,000		340,000
	차감계 (15-16)		17	1,600,000	㉯	160,000
납부(환급)세액(매출세액㉮-매입세액㉯)					㉰	2,840,000

구분	번호	금액	세율	세액
16.공제받지못할매입세액				
공제받지못할 매입세액	50			
공통매입세액면세등사업분	51	3,400,000		340,000
대손처분받은세액	52			
합계	53	3,400,000		340,000
18.그 밖의 경감·공제세액				
전자신고세액공제	54			
전자세금계산서발급세액공제	55			
택시운송사업자경감세액	56			
대리납부세액공제	57			
현금영수증사업자세액공제	58			
기타	59			
합계	60			

(3) 납부(환급)세액 재계산

<table>
<tr><th colspan="2">구 분</th><th>내 용</th></tr>
<tr><td rowspan="8">납부(환급)
세액 재계산</td><td colspan="2">공통매입세액에 해당되는 고정자산의 취득에 따른 안분계산은 여러 과세 기간에 걸쳐 사용되므로 취득일 이후 면세비율이 증가, 감소되는 경우 납부세액환급액계산 규정에 따라 가산 또는 공제되는 매입세액을 계산한다.</td></tr>
<tr><td>계산식</td><td>1.건물.구축물, 2.기타감가상각자산 중 선택
건물 또는 구축물: 매입세액 × (1 - 5% × 경과된 과세기간의 수) × 증가되거나 감소된 면세공급가액의 비율
기타의 감가상각자산: 매입세액 × (1 - 25% × 경과된 과세기간의 수) × 증가되거나 감소된 면세공급가액의 비율</td></tr>
<tr><td>해당재화의 매입세액</td><td>재계산대상이 되는 감가상각자산의 매입세액을 입력</td></tr>
<tr><td>체감율</td><td>재계산되는 자산이 건물 및 구축물인 경우에는 5%, 기타의 감가상각자산 25%를 선택</td></tr>
<tr><td>경과된 과세기간 수</td><td>경과된 과세기간 수를 입력</td></tr>
<tr><td>경감률(%)</td><td>(1 - 경감률 × 과세기간 수)에 따라 자동표시</td></tr>
<tr><td>증가 또는 감소된
면세공급가액비율(%)</td><td>당해 과세기간의 총공급가액에 대한 면세공급가액의 비율(면세공급가액/총공급가액)과 취득일이 속하는 과세기간에 적용했던 면세공급가액의 비율(면세공급가액/총공급가액)간의 차이를 입력
※ 단, 차이가 5% 미만인 경우에는 재계산대상이 아님</td></tr>
<tr><td>가산 또는 공제되는
매입세액</td><td>산식에 따라 자동 표시</td></tr>
</table>

실무문제 납부세액재계산

■ 다음 거래자료를 확인하고 2021년 2기 확정 부가가치세신고시 납부세액재계산을 하여 2기 확정 부가가치세신고서에 추가 반영하고 [공제받지못할매입세액명세서]를 작성하시오. 제시된 자료 외에는 없는 것으로 가정하며, 회계처리는 생략한다.

(1) 2021년 과세사업과 면세사업에 공통으로 사용되는 자산의 구입내역

계정과목	취득일자	공급가액	부가가치세
건물	2019. 5. 20.	300,000,000원	30,000,000원
기계장치	2020. 7. 10.	40,000,000원	4,000,000원
원재료	2021. 11. 10.	5,000,000원	500,000원

(2) 2021년 1기 확정신고시 공통매입세액에 대한 안분계산 및 정산은 정확히 신고서에 반영하였다.

(3) 2021년 공급가액 내역

구 분	2021년 제1기	2021년 제2기
과세사업	150,000,000원	120,000,000원
면세사업	150,000,000원	80,000,000원

실무문제 따라하기

[1] 공제받지못할매입세액명세서 → 납부세액또는환급세액재계산 (10월~12월)

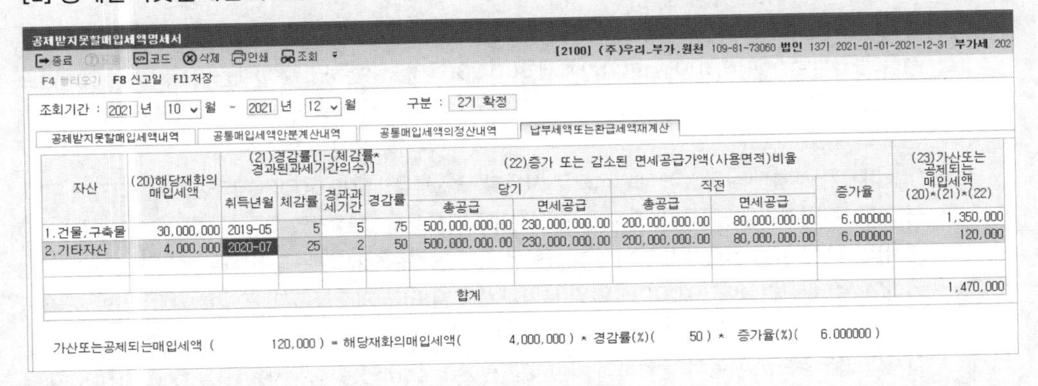

공제받지못할매입세액명세서

[2100] (주)우리_부가.원천 109-81-73060 법인 13기 2021-01-01~2021-12-31 부가세 202

종료 코드 삭제 인쇄 조회

F4 불러오기 F8 신고일 F11 저장

조회기간 : 2021 년 10 월 ~ 2021 년 12 월 구분 : 2기 확정

공제받지못할매입세액내역 | 공통매입세액안분계산내역 | 공통매입세액의정산내역 | 납부세액또는환급세액재계산

자산	(20)해당재화의 매입세액	(21)경감률[1-(체감률*경과된과세기간의수)]				(22)증가 또는 감소된 면세공급가액(사용면적)비율					(23)가산또는 공제되는 매입세액 (20)*(21)*(22)
						당기		직전		증가율	
		취득년월	체감률	경과과세기간	경감률	총공급	면세공급	총공급	면세공급		
1.건물,구축물	30,000,000	2019-05	5	5	75	500,000,000.00	230,000,000.00	200,000,000.00	80,000,000.00	6.000000	1,350,000
2.기타자산	4,000,000	2020-07	25	2	50	500,000,000.00	230,000,000.00	200,000,000.00	80,000,000.00	6.000000	120,000
합계											1,470,000

가산또는공제되는매입세액 (120,000) = 해당재화의매입세액(4,000,000) * 경감률(%)(50) * 증가율(%)(6.000000)

TIP 원재료 공통매입세액은 납부세액재계산 자산에 해당되지 않는다.

[2] 부가가치세신고서(10월~12월)

일반과세 | 간이과세

조회기간 : 2021 년 10 월 1 일 ~ 2021 년 12 월 31 일 신고구분 : 1.정기신고 신고차수 : 부가율 : 확정

구분				금액	세율	세액
				정기신고금액		
과세표준및매출세액	과세	세금계산서발급분	1		10/100	
		매입자발행세금계산서	2		10/100	
		신용카드 · 현금영수증발행분	3		10/100	
		기타(정규영수증외매출분)	4			
	영세	세금계산서발급분	5		0/100	
		기타	6		0/100	
	예정신고누락분		7			
	대손세액가감		8			
	합계		9		㉮	
매입세액	세금계산서수취분	일반매입	10			
		수출기업수입분납부유예	10			
		고정자산매입	11			
	예정신고누락분		12			
	매입자발행세금계산서		13			
	그 밖의 공제매입세액		14			
	합계(10)-(10-1)+(11)+(12)+(13)+(14)		15			
	공제받지못할매입세액		16	14,700,000		1,470,000
	차감계 (15-16)		17	-14,700,000	㉯	-1,470,000
납부(환급)세액(매출세액㉮-매입세액㉯)					㉰	1,470,000

구분		금액	세율	세액
16.공제받지못할매입세액				
공제받지못할 매입세액	50			
공통매입세액면세등사업분	51	14,700,000		1,470,000
대손처분받은세액	52			
합계	53	14,700,000		1,470,000
18.그 밖의 경감·공제세액				
전자신고세액공제	54			
전자세금계산서발급세액공제	55			
택시운송사업자경감세액	56			
대리납부세액공제	57			
현금영수증사업자세액공제	58			
기타	59			
합계	60			

TIP 제시된 자료에는 2기 예정과 확정신고에 대한 매입자료가 분리되지 않아 재계산분에 대해서만 입력하였다.

실전연습문제

(주)팔팔전기(회사코드 : 2110)은 제조, 도매업을 영위하는 중소기업이며, 당기(22기)회계기간은 2021. 1. 1. ~ 2021. 12. 31.이다.

01 2021년 1기 부가가치세 예정신고기간(1.1.~3.31.)에 발생한 매입자료이다. 다음의 자료를 토대로 부가가치세신고서의 부속서류인 공제받지못할매입세액명세서를 작성하시오. 단, 관련된 거래는 본 자료만 있다고 가정한다.

- 제품(공급가액 5,000,000원, 부가가치세 500,000원)을 구입하고 종이세금계산서를 수취하였으나, 세금계산서에 공급받는자의 상호 및 공급받는자의 대표자 성명이 누락되고 공급자의 성명에 날인도 되지 않은 오류가 있었다.
- 대표이사가 사업과 상관없이 개인적으로 사용할 노트북을 1,000,000원(부가가치세 별도)에 구입하고 (주)팔팔전기를 공급받는자로 하여 전자세금계산서를 교부 받았다.
- 회사의 공장건물을 신축하기 위하여 회사보유 토지를 평탄하게 하는 공사(자본적 지출임)를 하기 위하여 (주)일성건설에 10,000,000원(부가가치세 별도)에 외주를 주어 공사를 완료하고 전자세금계산서를 교부받았다.(동 공사는 건물의 자본적 지출이 아님)
- 회사의 업무용으로 사용하기 위하여 차량(배기량 800cc, 4인용, 승용자동차)을 12,000,000원(부가가치세 별도)에 구입하고 전자세금계산서를 발급받았다.
- 거래처에 선물용으로 공급하기 위해서 볼펜(단가 1,000원, 500개, 부가가치세 별도)을 구입하고 전자세금계산서를 교부받았다.

02 2021년 1기 부가가치세 확정신고기간(4.1.~6.30.)에 발생한 매입자료이다. 다음의 자료를 토대로 부가가치세신고서의 부속서류인 공제받지못할매입세액명세서를 작성하시오. 단, 관련된 거래는 본 자료만 있다고 가정한다.

- 거래처 방문용 소형승용차(2,000cc)을 구입하고 발급받은 세금계산서 : 33,000,000원(공급대가)
- 공장부지의 조성과 관련된 세금계산서 : 10,000,000원(공급가액)
- 당해 과세기간에 매입하였으나 과세기간 말 현재 사용하지 않은 원재료 매입의 세금계산서 : 8,000,000원(공급가액)
- 거래처 체육대회의 경품으로 보낼 자전거를 구입하고 발급받은 전자세금계산서 : 1,000,000원(공급가액)
- 영업상무가 개인적으로 사용하고 발급받은 신용카드매출전표 : 1,100,000원(공급대가)
- 면세사업에 사용할 목적으로 구입한 부재료의 세금계산서 : 5,500,000원(공급대가)

03 다음의 자료는 공통매입분과 제2기 부가가치세 예정과 확정 신고기간의 매출내역이다. 기존 입력된 공급가액은 무시하고 제시된 자료에 의하여 2021년 제2기 부가가치세 확정신고시 공제받지못할매입세액명세서(정산내역)를 작성하시오.

① 예정신고시 공통매입세액 내역

일자	거래처	공급가액	공급세액	거래내역
2021.8.10.	(주)다빈기계	100,000,000원	10,000,000원	과세사업과 면세사업에 공통으로 사용되는 기계를 외상으로 구입하고 전자세금계산서를 수령하였다.

② 과세기간의 매출(공급가액) 내역

구 분	2기 예정 (7.1.~9.30.)	2기 확정 (10.1.~12.31.)	합계 (7.1.~12.31.)
과세분(전자세금계산서)	250,000,000원	300,000,000원	550,000,000원
면세분(계산서)	150,000,000원	300,000,000원	450,000,000원
합 계	400,000,000원	600,000,000원	1,000,000,000원

③ 예정신고시 안분계산에 대한 기불공제 매입세액 : 3,750,000원

04 당사는 과세사업과 면세사업을 겸영하는 사업자이다. 기장된 자료는 무시하고 다음 자료에 의하여 2021년 제1기 확정 신고기간에 대한 ① 공제받지못할매입세액내역 ② 공통매입세액의정산내역을 작성하시오. (단, 매입매출전표입력은 생략한다.)

1. 2021년 제1기 확정(4월 1일 ~ 6월 30일) 매입 자료에는 다음의 자료가 포함되어 있다.(모든 금액은 공급가액이다.)
   ① 토지 자본적 지출 관련 매입세금계산서 : 2,000,000원(1매)
   ② 접대비 및 이와 유사한 비용 관련 매입세금계산서 : 600,000원(1매)

2. 공급가액 내역은 다음과 같다.

구분	2020년 2기	2021년 제1기 예정신고기간	2021년 제1기 확정신고기간
면세사업	360,000,000원	100,000,000원	200,000,000원
과세사업	540,000,000원	400,000,000원	300,000,000원

   ① 2021년 제1기 과세사업과 면세사업 공통 매입세금계산서 : 50,000,000원(공급가액)
   ② 예정신고기간(1월 1일 ~ 3월 31일)의 공통매입세액에 대한 불공제매입세액은 1,000,000원으로 가정한다.

05 회사는 과세사업과 면세사업을 영위하는 겸업사업자이다. 다음 자료를 보고 2021년 1기 확정 부가가치세 신고기간에 대한 공제받지못할매입세액명세서 중 납부세액 또는 환급세액 재계산 탭을 작성하시오.(단, 제시된 자료 이외에 공통으로 사용되는 자산은 없고, 각 과세기간마다 명세서를 적절히 작성했다고 가정하며, 기장된 자료는 무시하고 자료를 새로 입력할 것)

< 2021년 과세사업과 면세사업에 공통으로 사용되는 자산의 내역 >

자산내역	취득일자	공급가액	세액
건물	2020.02.08.	200,000,000원	20,000,000원
원재료	2020.05.24.	30,000,000원	3,000,000원

< 공급가액 내역 >

구분	2020년 1기 확정	2020년 2기 확정	2021년 1기 확정
과세사업	300,000,000원	300,000,000원	600,000,000원
면세사업	200,000,000원	300,000,000원	200,000,000원
합계액	500,000,000원	600,000,000원	800,000,000원

정답 및 해설

01 공제받지못할매입세액명세서 1월~3월 → 매입세액내역

공제받지못할매입세액내역 | 공통매입세액안분계산내역 | 공통매입세액의정산내역 | 납부세액또는환급세액재계산

매입세액 불공제 사유	세금계산서		
	매수	공급가액	매입세액
①필요적 기재사항 누락 등			
②사업과 직접 관련 없는 지출	1	1,000,000	100,000
③비영업용 소형승용자동차 구입 · 유지 및 임차			
④접대비 및 이와 유사한 비용 관련	1	500,000	50,000
⑤면세사업등 관련			
⑥토지의 자본적 지출 관련	1	10,000,000	1,000,000
⑦사업자등록 전 매입세액			
⑧금 · 구리 스크랩 거래계좌 미사용 관련 매입세액			
합계	3	11,500,000	1,150,000

※ • 공급받는자의 상호 및 성명, 공급자의 날인은 필요적 기재사항이 아니므로 매입세액공제가 가능하다.
• 경차는 매입세액공제 대상이다.

02 공제받지못할매입세액명세서 4월~6월 → 매입세액내역

공제받지못할매입세액내역 | 공통매입세액안분계산내역 | 공통매입세액의정산내역 | 납부세액또는환급세액재계산

매입세액 불공제 사유	세금계산서		
	매수	공급가액	매입세액
①필요적 기재사항 누락 등			
②사업과 직접 관련 없는 지출			
③비영업용 소형승용자동차 구입 · 유지 및 임차	1	30,000,000	3,000,000
④접대비 및 이와 유사한 비용 관련	1	1,000,000	100,000
⑤면세사업등 관련	1	5,000,000	500,000
⑥토지의 자본적 지출 관련	1	10,000,000	1,000,000
⑦사업자등록 전 매입세액			
⑧금 · 구리 스크랩 거래계좌 미사용 관련 매입세액			
합계	4	46,000,000	4,600,000

03 공제받지못할매입세액명세서 10월~12월 → 정산내역

공제받지못할매입세액내역 | 공통매입세액안분계산내역 | 공통매입세액의정산내역 | 납부세액또는환급세액재계산

산식	구분	(15)총공통매입세액	(16)면세 사업확정 비율			(17)불공제매입세액총액((15)*(16))	(18)기불공제매입세액	(19)가산또는공제되는매입세액((17)-(18))
			총공급가액	면세공급가액	면세비율			
1.당해과세기간의 공급가액기준		10,000,000	1,000,000,000.00	450,000,000.00	45.000000	4,500,000	3,750,000	750,000
합계		10,000,000	1,000,000,000	450,000,000		4,500,000	3,750,000	750,000

가산또는공제되는매입세액 (750,000) = 총공통매입세액(10,000,000) * 면세비율(%)(45.000000) - 기불공제매입세액(3,750,000)

04 공제받지못할매입세액명세서 4월~6월

① 매입세액내역

공제받지못할매입세액내역 | 공통매입세액안분계산내역 | 공통매입세액의정산내역 | 납부세액또는환급세액재계산

매입세액 불공제 사유	세금계산서		
	매수	공급가액	매입세액
①필요적 기재사항 누락 등			
②사업과 직접 관련 없는 지출			
③비영업용 소형승용자동차 구입 · 유지 및 임차			
④접대비 및 이와 유사한 비용 관련	1	600,000	60,000
⑤면세사업등 관련			
⑥토지의 자본적 지출 관련	1	2,000,000	200,000
⑦사업자등록 전 매입세액			
⑧금 · 구리 스크랩 거래계좌 미사용 관련 매입세액			

② 정산내역

공제받지못할매입세액내역 | 공통매입세액안분계산내역 | 공통매입세액의정산내역 | 납부세액또는환급세액재계산

산식	구분	(15)총공통매입세액	(16)면세 사업확정 비율			(17)불공제매입세액총액((15)*(16))	(18)기불공제매입세액	(19)가산또는공제되는매입세액((17)-(18))
			총공급가액	면세공급가액	면세비율			
1.당해과세기간의 공급가액기준		5,000,000	1,000,000,000.00	300,000,000.00	30.000000	1,500,000	1,000,000	500,000
합계		5,000,000	1,000,000,000	300,000,000		1,500,000	1,000,000	500,000

가산또는공제되는매입세액 (500,000) = 총공통매입세액(5,000,000) * 면세비율(%)(30.000000) - 기불공제매입세액(1,000,000)

05 공제받지못할매입세액명세서 4월~6월 → 납부세액재계산

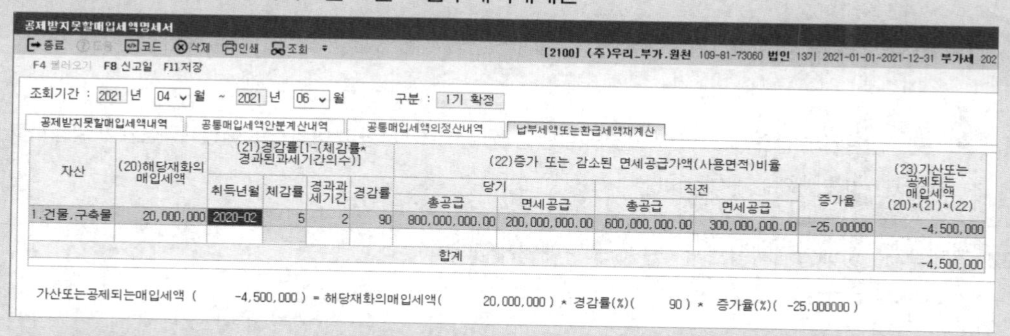

공제받지못할매입세액명세서

종료 코드 삭제 인쇄 조회 [2100] (주)우리_부가.원천 109-81-73060 법인 13기 2021-01-01-2021-12-31 부가세 202

F4 불러오기 F8 신고일 F11저장

조회기간 : 2021 년 04 월 ~ 2021 년 06 월 구분 : 1기 확정

공제받지못할매입세액내역 | 공통매입세액안분계산내역 | 공통매입세액의정산내역 | 납부세액또는환급세액재계산

자산	(20)해당재화의매입세액	(21)경감률[1-(체감률*경과된과세기간의수)]				(22)증가 또는 감소된 면세공급가액(사용면적)비율					(23)가산또는공제되는매입세액(20)*(21)*(22)
		취득년월	체감률	경과과세기간	경감률	당기 총공급	당기 면세공급	직전 총공급	직전 면세공급	증가율	
1.건물,구축물	20,000,000	2020-02	5	2	90	800,000,000.00	200,000,000.00	600,000,000.00	300,000,000.00	-25.000000	-4,500,000
합계											-4,500,000

가산또는공제되는매입세액 (-4,500,000) = 해당재화의매입세액(20,000,000) * 경감률(%)(90) * 증가율(%)(-25.000000)

※ 원재료는 감가상각자산이 아니므로 재계산하지 않는다.

06 대손세액공제신고서 작성

대손세액이란 재화 또는 용역을 공급한 후 거래상대방의 부도·파산 및 소멸시효 완성등의 사유로 외상매출금, 받을어음 등 매출채권 및 그와 관련된 부가가치세의 전부 또는 일부를 회수할 수 없는 경우의 부가가치세액을 말한다. 사업자는 과세기간 중에 발생된 공급에 대하여 대금회수 여부와 관계 없이 무조건 부가가치세 신고를 하여야 하므로 일단 부가가치세를 납부하여야 하고 공급시기 이후 발생한 대손금에 대하여 매출세액에서 차감하도록 하고 있다. 공급자는 공급시기 이후에 발생한 대손금에 대하여, 공급받는자는 공급시기 이후에 변제(상환)한 대손세액에 대하여 [대손세액공제신고서]를 작성하여 제출하여야 한다. 대손세액공제를 받고자 하는 사업자는 부가가치세확정신고서에 대손세액공제(변제)신고서와 대손사실 또는 변제사실을 증명하는 서류를 첨부하여 제출하여야 한다.

[매출채권에 대한 대손의 처리]

대손사유	대손확정일	공제요건
채무자 회생 및 파산에 관한 법률에 의한 파산	채권배분계산서의 통지를 받은 날	채권배분계산서
강제집행	채권배분계산서의 통지를 받은 날	채권배분계산서
사망 · 실종선고	사망일, 실종선고일	가정법원판결문사본, 채권배분계산서
회생계획인가 또는 면책결정으로 회수불능확정채권	법원의 회사정리인가 결정일	법원이 인가한 회사정리인가안
상(민)법상의 소멸시효완성	소멸시효 만료일	
부도발생일로부터 6개월 이상 경과한 수표 또는 어음	부도발생일부터 6개월이 경과되는 때	부도어음 · 수표 사본 매출세금계산서 또는 매출장 사본
회수기일이 6개월 이상 경과한 소액채권(30만원이하)	회수기일이 6개월 이상 경과한 때	
국세결손처분채권		

TIP

신고기한 : 당초 공급일로부터 10년이 경과된 날이 속하는 과세기간의 확정신고기한까지

대손세액공제신고서 → 대손공제(변제)에 대한 회계처리 → 부가가치세신고서

실무문제 대손세액공제신고서

■ 다음 거래자료를 확인하고 2021년 1기 확정신고기간(2021. 4. 1 ~ 2021. 6. 30.)의 대손세액공제신고서를 작성하시오. 제시된 자료 외에는 없는 것으로 가정하며, 회계처리는 생략한다.

< 자료>

1. 2019년 10월 10일 한국상사(대표성명 : 김한국, 사업자등록번호 : 123-12-45676)에 제품 10,000,000원(부가가치세 별도)을 외상매출하고 동사발행 어음을 수령하였다. 동 어음이 2021년 1월 30일 부도발생하였다.
2. 2019년 6월 10일 경일상사(대표성명 : 이경일, 사업자번호 : 123-12-12345)에 공장에서 사용하던 기계장치를 5,000,000원(부가가치세 별도)에 외상으로 매각하였다. 경일상사는 2021년 3월 20일 현재 대표자가 실종되어 기계장치 판매대금을 회수할 수 없음이 객관적으로 입증되었다. 기계장치에는 저당권 등이 설정되어 있지 아니하다.
3. 2017년 2월 10일 용인상사(대표성명 : 김동일, 사업자등록번호 : 121-13-15168)에 제품 1,000,000원(부가가치세 별도)을 외상으로 판매하였다. 외상매출금의 소멸시효는 2021년 2월 10일 완성되었다.

실무문제 따라하기

[1] 대손세액공제신고서(4월~6월)

부가가치 ≫ 부속명세서 I ≫ 대손세액공제신고서

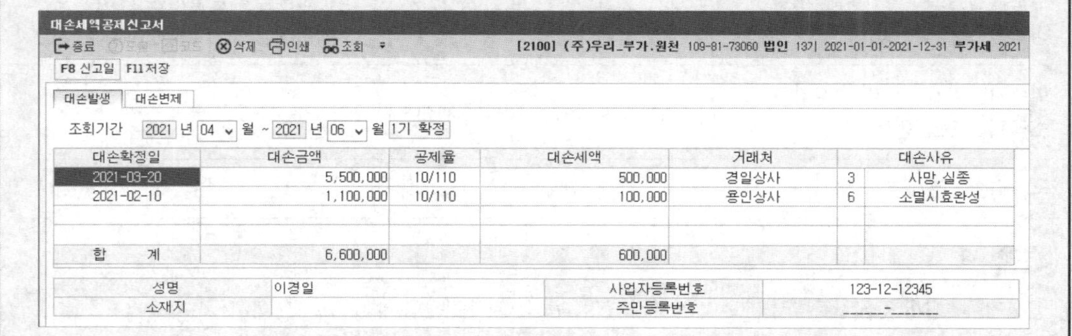

대손확정일	대손금액	공제율	대손세액	거래처		대손사유
2021-03-20	5,500,000	10/110	500,000	경일상사	3	사망,실종
2021-02-10	1,100,000	10/110	100,000	용인상사	6	소멸시효완성
합 계	6,600,000		600,000			

성명	이경일	사업자등록번호	123-12-12345
소재지		주민등록번호	______-_______

TIP 1월 30일 부도처리된 어음은 기간미경과(6개월 미만)로 대손세액공제가 불가능하다.

[2] 부가가치세신고서(4월~6월)

일반과세 | 간이과세

조회기간 : 2021 년 4 월 1 일 ~ 2021 년 6 월 30 일 신고구분 : 1.

구분				정기신고금액		
				금액	세율	세액
과세표준및매출세액	과세	세금계산서발급분	1		10/100	
		매입자발행세금계산서	2		10/100	
		신용카드 · 현금영수증발행분	3		10/100	
		기타(정규영수증외매출분)	4			
	영세	세금계산서발급분	5		0/100	
		기타	6		0/100	
	예정신고누락분		7			
	대손세액가감		8			-600,000
	합계		9		㉮	-600,000

TIP 대손사유로 인하여 대손세액공제신청서를 작성한 경우 8번란 -로 입력한다.

실전연습문제

(주)팔팔전기(회사코드 : 2110)은 제조, 도매업을 영위하는 중소기업이며, 당기(22기)회계기간은 2021. 1. 1. ~ 2021. 12. 31.이다.

01 다음 자료를 이용하여 2021년 제1기 부가가치세 확정신고기간(2021. 4. 1. ~ 2021. 6. 30.)의 대손세액공제신고서를 작성하시오. 단, 기장된 자료는 무시하고 자료를 새로 입력한다.

- 2018년 8월 1일 물물상사에 제품을 매출하고, 대금 11,000,000원(VAT 포함)은 ㈜미리내에서 발행한 약속어음으로 수령하였다. 동 어음은 2021년 2월 1일에 주거래은행으로부터 부도확인을 받았다.
- 전년도 외상매출금 잔액 중 22,000,000원(VAT 포함)은 코리아상사에 대한 것이다. 당사는 외상매출금 회수를 위하여 최선을 다하였으나, 결국 이 외상매출금을 회수하지 못하여 2021년 4월 19일에 상법상 소멸시효가 완성되었다.
- 2010년 1월 3일자로 유진설비에 재화를 공급하면서 발생한 외상매출금 2,200,000원(VAT 포함)을 회수하지 못하고 있다가, 결국 2021년 3월 17일에 법원의 유진설비에 대한 회생계획인가 결정에 따라 회수할 수 없게 되었다.

02 다음은 제2기 부가가치세 확정신고기간(2021.10.1.~2021.12.31.)에 반영을 고려 중인 내용이다. 다음의 자료를 토대로 대손세액공제신고서를 작성하시오. 단, 기장된 자료는 무시하고 자료를 새로 입력한다.

날짜	검토자료	공급받는자	사업자 등록번호	대표자	대손금액 (부가세포함)
2021. 8.10.	파산법에 의한 파산으로 매출채권배분계산서의 통지를 받음	재윤통신	190-36-00016	윤재윤	12,100,000원
2021. 2.28.	전년도 매출에 대한 어음이 당일 부도 발생함	유일상사	120-81-30675	왕하나	16,500,000원
2021. 10.20.	대표자의 사망으로 매출채권을 회수할 수 없음이 입증됨	로스산업	313-85-02309	임대화	22,000,000원
2021. 11.28.	전기 확정신고시 대손세액공제를 받았던 외상매출금 회수됨	(주)용화	305-81-70701	정용화	3,300,000원
2021. 12.16.	전기에 이월된 매출채권이 서울중앙지방법원에 의하여 민사소송법에 따른 화해권고결정이 확정됨(대손사유는 '재판상 화해'로 입력할 것)	일신상사	878-18-00198	김호영	11,000,000원
2021. 10.02.	대표자의 장기실종으로 인하여 단기대여금을 회수할 수 없음이 입증됨	(주)연희상사	305-86-30984	허중재	5,000,000원

03 다음 자료를 이용하여 2021년 제2기 확정분 대손세액공제(변제)신고서를 작성하시오. 단, 기장된 자료는 무시하고 자료를 새로 입력한다.

(1) 2020년 8월 1일 충성물산(대표자 : 윤충성, 132-84-56586)에 제품을 매출하고, 대금 11,000,000원(VAT 포함)은 미진상회에서 발행한 약속어음으로 수령하였다. 동 어음은 거래일로부터 6개월이 지난 2021년 5월 5일에 주거래은행으로부터 부도확인을 받았다. 당사는 충성물산 소유의 건물에 대하여 저당권을 설정하고 있다.

(2) 외상매출금 중 33,000,000원(VAT 포함)은 2016년 10월 21일 영광상회(대표자 : 최영광, 132-81-21354)에 대한 것이다. 당사는 외상매출금 회수를 위하여 최선을 다하였으나, 결국 이 외상매출금을 회수하지 못하여 2021년 10월 21일에 소멸시효가 완성되었다.

(3) 2007년 1월 3일자로 ㈜상신건업(대표자 : 김수경, 129-81-66753)에 재화를 공급하면서 발생한 외상매출금 2,200,000원(VAT 포함)을 회수하지 못하고 있다가, 결국 2021년 8월 27일에 법원의 ㈜상신건업에 대한 회생계획인가 결정에 따라 회수할 수 없게 되었다.

04 다음 주어진 자료를 보고 2021년도 제1기 확정신고시 대손세액공제신고서를 작성하시오. 단, 기장된 자료는 무시하고 자료를 새로 입력한다.

1. 매출채권의 대손 발생 내역

공급일	상호 및 사업자등록번호	계정과목	대손금액	비고
2017.11.1.	(주)오로라 (616-81-08975)	외상매출금	2,200,000원	2021.6.15. (소멸시효 완성)
2020.10.2.	디아이티 (222-01-64561)	받을어음	3,300,000원	2020.11.6. (부도발생일)
2020.11.7.	(주)이랑전기 (608-85-21198)	외상매출금	5,500,000원	2021.1.20. (부도발생일)
2020.12.20.	(주)미스터 (306-81-32428)	외상매출금	6,600,000원	2021. 4. 3. (채무자의 행방불명으로 회수 불가능함)

2. 대손된 매출채권 회수 내역

- 2021. 5. 13. 전기에 대손처리 되었던 소공전자에 대한 매출채권(1,100,000원)을 회수하였다.

정답 및 해설

01 대손세액공제신고서 4월~6월

대손발생 | 대손변제

조회기간 2021 년 04 월 ~ 2021 년 06 월 1기 확정

대손확정일	대손금액	공제율	대손세액	거래처	대손사유	
2021-04-19	22,000,000	10/110	2,000,000	코리아상사	6	소멸시효완성
2021-03-17	2,200,000	10/110	200,000	유진설비	4	정리계획

※ 부도발생일로부터 6개월 미경과로 대손세액공제 불가

02 대손세액공제신고서 10월~12월

대손발생 | 대손변제

조회기간 2021 년 10 월 ~ 2021 년 12 월 2기 확정

대손확정일	대손금액	공제율	대손세액	거래처	대손사유	
2021-08-10	12,100,000	10/110	1,100,000	재윤통신	1	파산
2021-08-29	16,500,000	10/110	1,500,000	유일상사	5	부도(6개월경과)
2021-10-20	22,000,000	10/110	2,000,000	로스산업	3	사망,실종
2021-11-28	-3,300,000	10/110	-300,000	(주)용화	7	대손채권 회수
2021-12-16	11,000,000	10/110	1,000,000	일산상사	7	재판상 화해

※ 부도발생일로부터 6개월이 경과하여 대손세액공제 가능, 단기대여금은 대손세액공제 채권이 아님

03 대손세액공제신고서 10월~12월

대손발생 | 대손변제

조회기간 2021 년 10 월 ~ 2021 년 12 월 2기 확정

대손확정일	대손금액	공제율	대손세액	거래처	대손사유	
2021-10-21	33,000,000	10/110	3,000,000	영광상회	6	소멸시효완성

※ 저당권이 설정된 경우와 공급일로부터 10년이 되는 날이 속하는 과세기간의 확정신고기한 이후에 대손이 확정된 경우 대손세액공제 불가

04 대손세액공제신고서 4월~6월

대손발생 | 대손변제

조회기간 2021 년 04 월 ~ 2021 년 06 월 1기 확정

대손확정일	대손금액	공제율	대손세액	거래처	대손사유	
2021-06-15	2,200,000	10/110	200,000	(주)오로라	6	소멸시효완성
2021-05-07	3,300,000	10/110	300,000	디아이티	5	부도(6개월경과)
2021-04-03	6,600,000	10/110	600,000	(주)미스터	3	사망,실종
2021-05-13	-1,100,000	10/110	-100,000	소공전자	7	대손채권 회수

※ (주)이랑전기는 부도발생일로부터 6개월 미경과로 대손세액공제 불가

07 부동산임대사업자와 부동산임대공급가액명세서

사업자가 부동산임대용역을 공급하고 받는 전세금 또는 임대보증금은 금전 이외의 대가를 받은 것으로 보아 보증금에 대한 간주임대료를 계산하여 과세표준으로 하여 부가가치세를 징수한다. 간주임대료계산의 적정여부와 부가가치세 성실신고여부 등을 판단하는 자료로서 [부동산임대공급가액명세서]를 부가가치세 신고시 작성하여 제출한다.

과세표준(간주임대료) 계산방법

부동산 임대용역을 공급하고 전세금 또는 임대보증금을 받은 경우에는 금전 이외의 대가를 받은 것으로 보아, 다음 산식에 의해 계산한 금액을 부가가치세 과세표준으로 하며, 이를 통상 간주임대료라 칭한다.

$$\text{간주임대료} = \text{임대보증금(전세금)} \times \frac{\text{대상기간의 일수}}{\text{365(윤년의 경우 366)}} \times \left\{ \begin{array}{c} \text{과세기간 종료일 현재 계약기간} \\ \text{1년 만기 정기예금 이자율} \end{array} \right\}$$

※ 정기예금이자율이란 계약기간 1년 만기 정기예금 이자율로 서울시내에 본점을 둔 시중은행의 이자율을 감안하여 국세청장이 정한 율(수시로 변동될 수 있음)을 말한다.

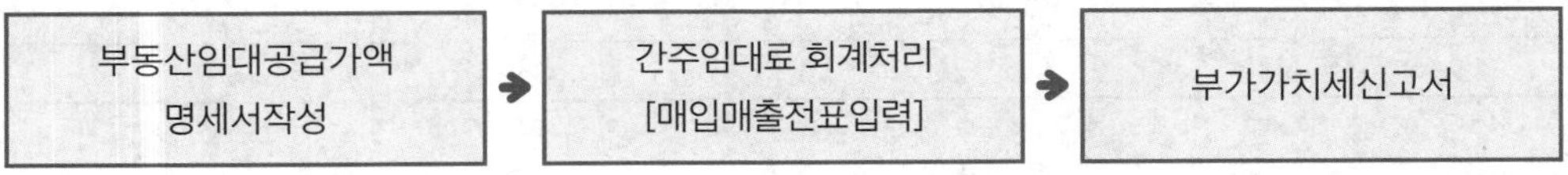

부동산임대공급가액 명세서작성 → 간주임대료 회계처리 [매입매출전표입력] → 부가가치세신고서

실무문제 부동산임대공급가액명세서

2021년 제2기 예정신고기간(7/1~9/30) 동안의 부동산임대현황이 아래와 같을 때, 부동산임대공급가액명세서(간주임대료 정기예금이자율 : 연 1.8%로 한다)를 작성하시오. 단, 임대료에 대한 세금계산서는 매월 말일자로 정상교부되었으며, 제시된 자료외에는 없는 것으로 가정하고, 보증금이자 계산시 원단위 이하는 절사한다.

층별	호수	상호 (사업자등록번호)	면적(㎡)	용도	임대기간	보증금	월세 (공급가액)
지상1층	101호	(주)대성일렉컴 (129-81-66753)	70	점포	2021.06.01~ 2023.05.31	30,000,000원	1,500,000원
지상1층	102호	목화슈퍼 (214-06-93696)	50	점포	2020.08.01~ 2022.07.31	-	1,500,000원
지상1층	103호	동일편의점 (107-10-33679)	50	점포	2021.08.01~ 2023.07.31	-	1,800,000원
지상2층	201호	(주)세일중기 (120-85-73293)	45	사무실	2020.11.01~ 2022.10.31	70,000,000원	2,000,000원

실무문제 따라하기

[1] 부동산임대공급가액명세서(7월~9월)

부가가치 ≫ 부속명세서 I ≫ 부동산임대공급가액명세서

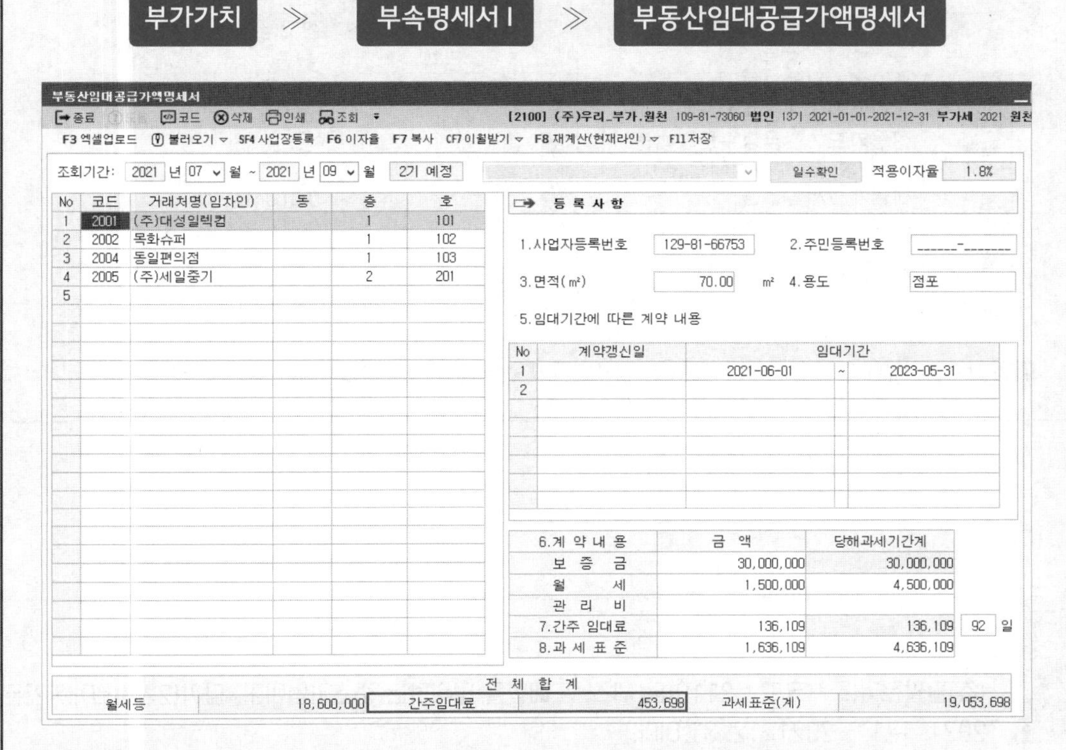

TIP
- 목화슈퍼와 동일편의점은 월세란에만 입력하고 보증금이 없으므로 간주임대료도 없다.
- (주)세일중기는 보증금과 월세를 입력하면 92일, 317,589원이 계산된다.
- 하단의 간주임대료에 대하여 부가가치세를 계산한다.

[2] 9월 30일 매입매출전표입력

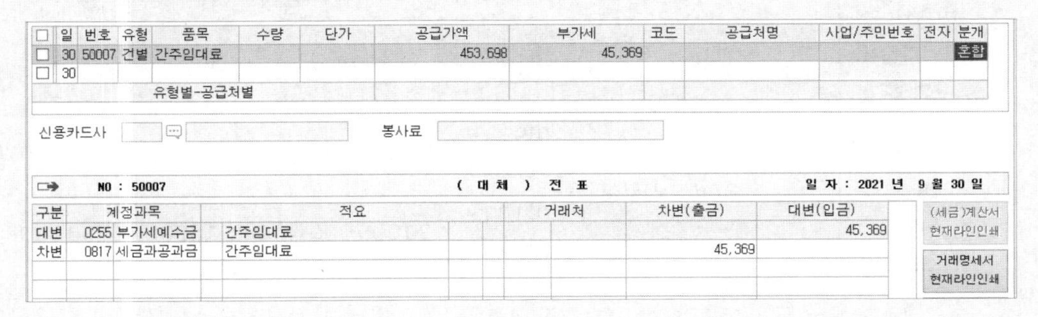

TIP 간주임대료에 대한 부가가치세는 과세기간말일로 전표처리하며, [일반전표입력] 메뉴에서도 입력이 가능하다.

[3] 부가가치세신고서(7월~9월)

일반과세 | 간이과세

조회기간 : 2021 년 7월 1일 ~ 2021 년 9월 30일 신고구분 : 1.

구분				정기신고금액 금액	세율	세액
과세표준및매출세액	과세	세금계산서발급분	1		10/100	
		매입자발행세금계산서	2		10/100	
		신용카드 · 현금영수증발행분	3		10/100	
		기타(정규영수증외매출분)	4	453,698		45,369
	영세	세금계산서발급분	5		0/100	
		기타	6		0/100	
	예정신고누락분		7			
	대손세액가감		8			
	합계		9	453,698	㉮	45,369

TIP 간주임대료에 대한 부가가치세신고는 전표입력 또는 직접 작성이 가능하다.

실전연습문제

(주)팔팔전기(회사코드 : 2110)은 제조, 도매업을 영위하는 중소기업이며, 당기(22기)회계기간은 2021. 1. 1. ~ 2021. 12. 31.이다.

01 다음 자료는 2021년 1기 예정 부가가치세 신고기간(1월~3월)의 부동산 임대내역이다. 부동산임대공급가액명세서를 작성하시오. 간주임대료율은 1.8%이며, 계약갱신일 2021.3.1.이다. 단, 기장된 자료는 무시하고 자료를 새로 입력한다.

거래처명/사업자등록번호	층/호수	면적	용도	임대기간	보증금	월세	관리비
(주)대한무역 129-81-57351	5층 501호	87㎡	사무실	2019.2.1.~2021.2.28.	10,000,000원	1,500,000원	200,000원
				2021.3.1.~2022.2.28.	20,000,000원	1,800,000원	200,000원

02 다음 자료를 이용하여 2021년 제2기 예정신고기간의 부동산임대공급가액명세서를 작성하고 당사 부담의 간주임대료를 전표에 입력하고 부가가치세신고서에 반영하시오.(월세와 관리비는 부가가치세 별도 금액이며, 적법하게 세금계산서를 교부하였다. 이자율은 1.8%, 기존 자료는 삭제하고, 새로 작성하기로 한다.)

- 거래처명 : 나이스상사(거래처코드 1501)
- 사업자등록번호 : 312-85-60155
- 용도 : 점포(면적 155m2)
- 동, 층, 호수 : 1동, 1층, 101호
- 임대기간별 임대료 및 관리비

임대기간	보증금(원)	월세(원)	월 관리비(원)
2020.08.01. ~ 2021.07.31.	100,000,000	5,000,000	500,000
2021.08.01. ~ 2022.07.31.	100,000,000	5,500,000	550,000

정답 및 해설

01 ① 부동산임대공급가액명세서 1월~3월

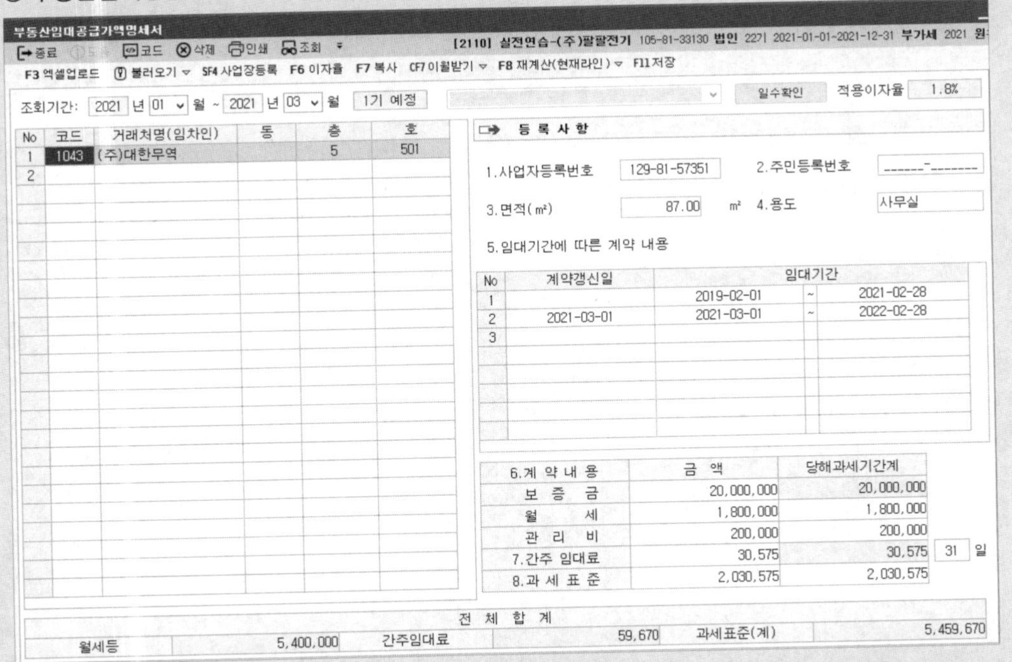
부동산임대공급가액명세서

조회기간: 2021 년 01 월 ~ 2021 년 03 월 1기 예정 적용이자율 1.8%

No	코드	거래처명(임차인)	동	층	호
1	1043	(주)대한무역		5	501
2					

등 록 사 항

1.사업자등록번호 129-81-57351 2.주민등록번호

3.면적(㎡) 87.00 ㎡ 4.용도 사무실

5.임대기간에 따른 계약 내용

No	계약갱신일	임대기간		
1		2019-02-01	~	2021-02-28
2	2021-03-01	2021-03-01	~	2022-02-28
3				

6.계 약 내 용	금 액	당해과세기간계
보 증 금	20,000,000	20,000,000
월 세	1,800,000	1,800,000
관 리 비	200,000	200,000
7.간주 임대료	30,575	30,575 (31 일)
8.과 세 표 준	2,030,575	2,030,575

전 체 합 계

월세등	5,400,000	간주임대료	59,670	과세표준(계)	5,459,670

② 부가가치세신고서 1월~3월

신용카드 · 현금영수증발행분	3		10/100	
기타(정규영수증외매출분)	4	59,670		5,967

02 ① 부동산임대공급가액명세서 7월~9월

부동산임대공급가액명세서

[2110] 실전연습-(주)팔팔전기 105-81-33130 법인 22기 2021-01-01~2021-12-31 부가세 2021

조회기간: 2021 년 07 월 ~ 2021 년 09 월 2기 예정 | 적용이자율 1.8%

No	코드	거래처명(임차인)	동	층	호
1	1501	나이스상사	1	1	101
2					

등록사항

1.사업자등록번호 312-85-60155 2.주민등록번호 ______-_______

3.면적(㎡) 155.00 ㎡ 4.용도 점포

5.임대기간에 따른 계약 내용

No	계약갱신일	임대기간		
1		2020-08-01	~	2021-07-31
2	2021-08-01	2021-08-01	~	2022-07-31
3				

6.계약내용	금액	당해과세기간계
보증금	100,000,000	100,000,000
월세	5,000,000	5,000,000
관리비		
7.간주 임대료	152,876	152,876 (31 일)
8.과세표준	5,152,876	5,152,876

전체합계					
월세등	17,100,000	간주임대료	453,697	과세표준(계)	17,553,697

② 매입매출전표입력 9월 30일

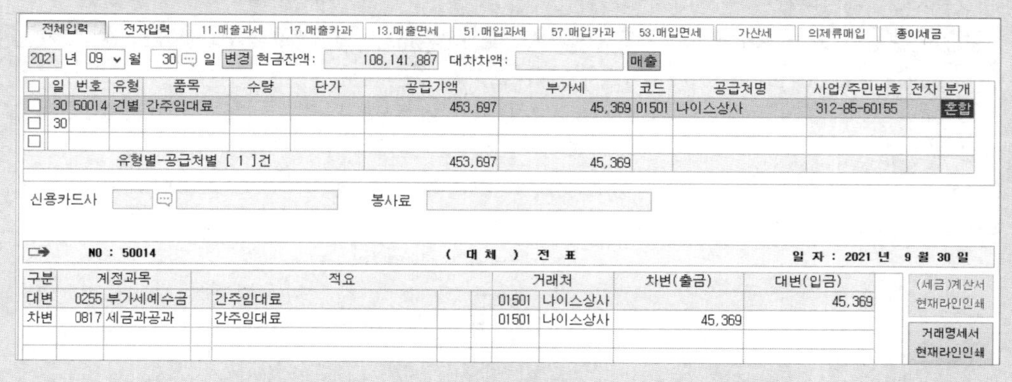

2021 년 09 월 30 일 변경 현금잔액: 108,141,887 대차차액: 매출

일	번호	유형	품목	수량	단가	공급가액	부가세	코드	공급처명	사업/주민번호	전자	분개
30	50014	건별	간주임대료			453,697	45,369	01501	나이스상사	312-85-60155		혼합
30												
			유형별-공급처별 [1]건			453,697	45,369					

NO : 50014 (대체) 전표 일 자 : 2021 년 9 월 30 일

구분	계정과목	적요	거래처	차변(출금)	대변(입금)
대변	0255 부가세예수금	간주임대료	01501 나이스상사		45,369
차변	0817 세금과공과	간주임대료	01501 나이스상사	45,369	

③ 부가가치세신고서 7월~9월

신용카드 · 현금영수증발행분	3		10/100	
기타(정규영수증외매출분)	4	453,697		45,369
세금계산서발급분	5		0/100	

08 영세율적용거래와 영세율첨부서류제출명세서

사업자는 영세율이 적용되는 경우 수출실적명세서 또는 내국신용장이나 구매확인서사본, 외화입금증명서 등을 첨부하여 [영세율첨부서류목록]을 제출하며, 개별소비세 수출면세의 적용을 받기 위하여 수출신고필증, 우체국장이 발행한 소포수령증(우편수출의 경우에 한함)등을 개별소비세 과세표준신고서와 함께 이미 제출한 사업자가 부가가치세신고서에 당해 서류를 별도로 제출하지 아니하고자 하는 경우 [영세율첨부서류제출명세서]를 작성하여 제출하여야 한다.

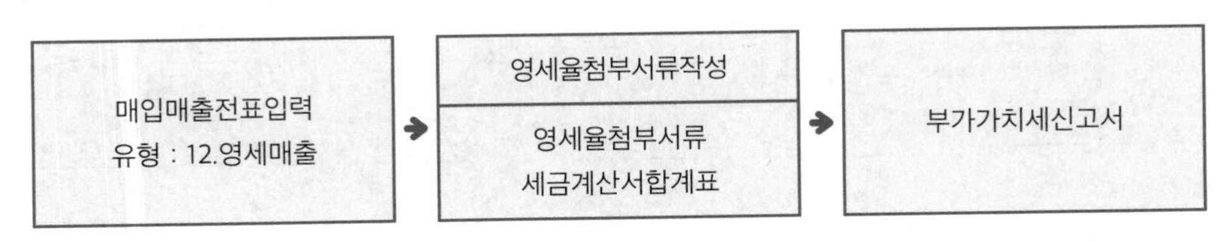

※ Local L/C(내국신용장), 구매확인서에 의한 영세율세금계산서 발급거래는 12.영세매출로 입력한다.

실무문제 영세율첨부서류제출명세서

■ 다음 자료를 제2기 확정 부가가치세신고서의 추가 반영하고 [영세율첨부서류제출명세서]를 작성하시오. 영세율 관련서류는 농협은행에서 발급받았으며, 선적일에 수출신고를 하였다. 제시된 자료 외에는 없는 것으로 가정하며, 회계처리는 생략한다.

영세율 관련서류	선적 일자	발급 (입금) 일자	통화	수출금액		환율	과세유형
				외화	원화		
내국신용장 (L2020-10A-123456X)	10.12	10.21	USD	$20,000	24,000,000	1,200원	12.영세
외화입금증명원 (WB456-789)	10.13	10.25	USD	$10,000	11,000,000	1,100원	16.수출

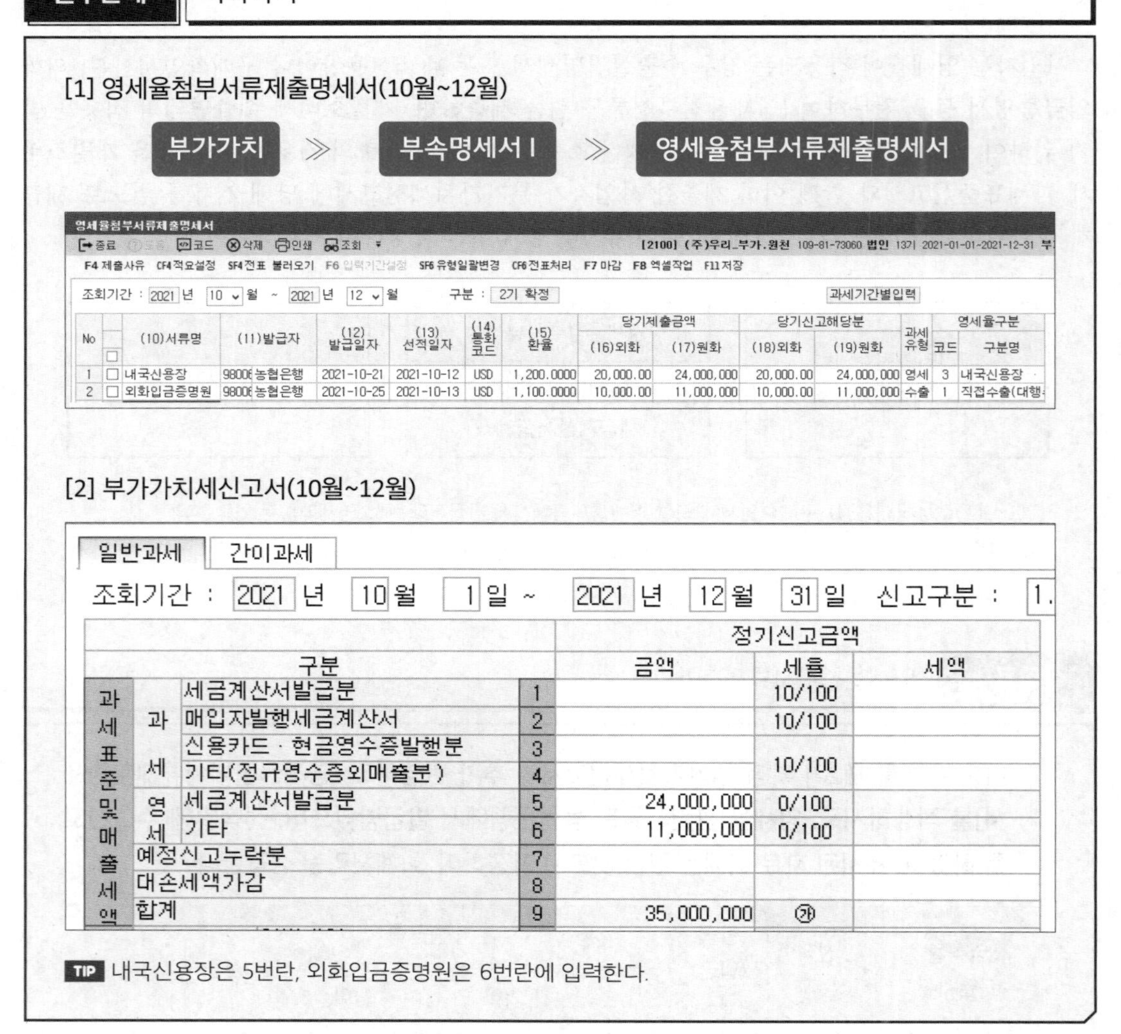

실무문제 따라하기

[1] 영세율첨부서류제출명세서(10월~12월)

부가가치 ≫ 부속명세서 I ≫ 영세율첨부서류제출명세서

영세율첨부서류제출명세서

종료 코드 삭제 인쇄 조회 [2100] (주)우리_부가.원천 109-81-73060 법인 13기 2021-01-01~2021-12-31

F4 제출사유 CF4 적요설정 SF4 전표 불러오기 F6 입력기간설정 SF6 유형일괄변경 CF6 전표처리 F7 마감 F8 엑셀작업 F11 저장

조회기간 : 2021 년 10 월 ~ 2021 년 12 월 구분 : 2기 확정 과세기간별입력

No		(10)서류명	(11)발급자		(12)발급일자	(13)선적일자	(14)통화코드	(15)환율	당기제출금액 (16)외화	당기제출금액 (17)원화	당기신고해당분 (18)외화	당기신고해당분 (19)원화	과세유형	영세율구분 코드	영세율구분 구분명
1	□	내국신용장	98006	농협은행	2021-10-21	2021-10-12	USD	1,200.0000	20,000.00	24,000,000	20,000.00	24,000,000	영세	3	내국신용장
2	□	외화입금증명원	98006	농협은행	2021-10-25	2021-10-13	USD	1,100.0000	10,000.00	11,000,000	10,000.00	11,000,000	수출	1	직접수출(대행

[2] 부가가치세신고서(10월~12월)

일반과세 | 간이과세

조회기간 : 2021 년 10 월 1 일 ~ 2021 년 12 월 31 일 신고구분 : 1.

구분				정기신고금액 금액	세율	세액
과세표준및매출세액	과세	세금계산서발급분	1		10/100	
		매입자발행세금계산서	2		10/100	
		신용카드 · 현금영수증발행분	3		10/100	
		기타(정규영수증외매출분)	4			
	영세	세금계산서발급분	5	24,000,000	0/100	
		기타	6	11,000,000	0/100	
	예정신고누락분		7			
	대손세액가감		8			
	합계		9	35,000,000	㉮	

TIP 내국신용장은 5번란, 외화입금증명원은 6번란에 입력한다.

09 직수출거래와 수출실적명세서

영세율 조기환급 신청시 관세청에 수출신고를 한 후 재화를 외국으로 직접 반출(수출)하는 사업자인 경우에 기존에 제출하던 각종 첨부서류 대신 [수출실적명세서]를 예정신고 또는 확정신고시 작성하여 제출한다. 세금계산서발급의무가 없는 직수출거래는 16.수출매출로 입력한다.

매입매출전표입력 유형 : 16.수출매출	➔	영세율첨부서류작성 영세율첨부서류 수출실적명세서	➔	부가가치세신고서

※ 대가를 외국통화, 기타 외국환으로 받은 경우 과세표준

구 분		과 세 표 준
공급시기 도래 전에 외화를 수령한 경우	환가	그 환가한 금액
	미환가	공급시기(선적일)의 외국환거래법에 의한 기준환율 또는 재정환율에 의하여 계산한 금액
공급시기 이후에 외국통화로 지급받은 경우		

* 기준환율 : 외국환은행이 고객과 원화, 미달러화를 매매할 때 기준이 되는 환율로 시장평균환율이라고도 함
* 재정환율 : 기준환율을 이용하여 제3국의 환율을 간접적으로 계산한 환율을 말함

실무문제 수출실적명세서

다음 자료를 제2기 확정 부가가치세신고서의 추가 반영하고 [수출실적명세서]를 작성하시오. 선적일에 수출신고를 하였으며, 영세율적용 대상거래(세금계산서 교부대상이 아님)는 제시된 자료외에는 없는 것으로 가정하며, 회계처리는 생략한다.

상대국	수출신고번호	선적일 (공급시기)	환전일	수출액	적용환율	
					선적(공급)시 기준환율	환전시 적용환율
미국 (ABC.co)	021-11-23-0897775-7	10. 7.	10. 1.	$10,000	1,130원/$	1,160원/$
일본 (KoKo.Ltd.co)	020-06-41-1257663-7	10. 10.	10.13.	¥500,000	1,000원/100¥	950원/100¥
독일 (HK.KING)	-	10. 22.	11. 22.	$1,000	1,250원/$	1,240원/$
미국 (Post.com)	023-05-12-0321273-1	11. 3.	11. 26.	$2,000	1,330원/$	1,380원/$

- '수출신고번호'가 없는 거래는 국외제공용역 등의 거래에 해당한다.
- '환전일'은 수출대금을 원화로 환전한 날을 말한다.

실무문제 따라하기

[1] 수출실적명세서(10월~12월)

부가가치 ≫ 부속명세서 I ≫ 수출실적명세서

수출실적명세서

종료 도움 코드 삭제 인쇄 조회 [2100] (주)우리_부가.원천 109-81-73060 법인 13기 2021-01-01~2021-12-31 부가세 2021

F3 입력기간설정 CF4 적요설정 F4 전표처리 SF4 전표불러오기 F6 엑셀작업 F7 마감 F8 신고일 F11 저장

조회기간 : 2021 년 10 월 ~ 2021 년 12 월 구분 : 2기 확정 과세기간별입력

구분	건수	외화금액	원화금액	비고
⑨합계	4	513,000.00	20,510,000	
⑩수출재화[=⑫합계]	3	512,000.00	19,260,000	
⑪기타영세율적용	1	1,000.00	1,250,000	

No	(13)수출신고번호	(14)선(기)적일자	(15)통화코드	(16)환율	금액 (17)외화	금액 (18)원화	전표정보 거래처코드	전표정보 거래처명
1	021-11-23-0897775-7	2021-10-07	USD	1,160.0000	10,000.00	11,600,000	01059	ABC.co
2	020-06-41-1257663-7	2021-10-10	JPY	10.0000	500,000.00	5,000,000	01065	KoKo.Ltd.co
3	023-05-12-0321273-1	2021-11-03	USD	1,330.0000	2,000.00	2,660,000	01066	Post.com.

TIP
- 공급시기 전에 환가한 경우 그 환가한 금액이 과세표준이 된다.
- 수출신고번호 없는 거래는 ⑪기타영세율적용란에 $1,000 × 1,250원/$ = 1,250,000원을 직접 입력한다.

[2] 부가가치세신고서(10월~12월)

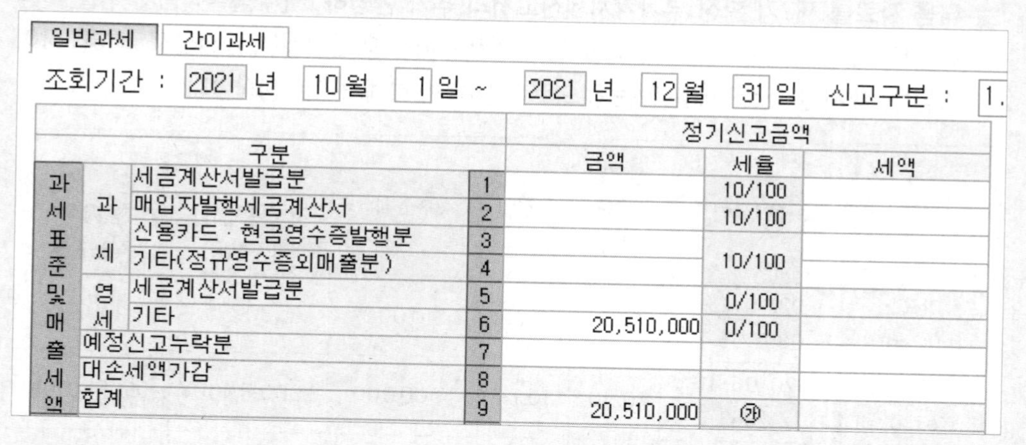

일반과세 간이과세

조회기간 : 2021 년 10 월 1 일 ~ 2021 년 12 월 31 일 신고구분 : 1.

구분				정기신고금액 금액	세율	세액
과세표준및매출세액	과세	세금계산서발급분	1		10/100	
		매입자발행세금계산서	2		10/100	
		신용카드 · 현금영수증발행분	3			
		기타(정규영수증외매출분)	4		10/100	
	영세	세금계산서발급분	5		0/100	
		기타	6	20,510,000	0/100	
	예정신고누락분		7			
	대손세액가감		8			
	합계		9	20,510,000	㉮	

TIP 수출신고서에 의해 수출실적명세서를 작성하는 경우 영세-기타 6번란에 입력한다.

(주)팔팔전기(회사코드 : 2110)은 제조, 도매업을 영위하는 중소기업이며, 당기(22기)회계기간은 2021. 1. 1. ~ 2021. 12. 31.이다.

01 다음 자료를 보고 2021년 1기 부가가치세 예정신고(1.1.~3.31.)시 수출실적명세서를 작성하라. 단, 수출대금은 모두 해당국가의 통화로 직접 받았다.

상대국	수출신고번호	선적일	환전일	수출액	적용환율	
					선적시 기준환율	환전시 적용환율
미국	020-10-07-0138548-5	2021.01.20	20.01.13	$30,000	1,100/$	1,000/$
일본	020-30-11-0127565-7	2021.03.01	20.03.10	¥1,000,000	950/100¥	1,000/100¥
미국	020-05-13-0586667-9	2021.03.20	-	$15,000	1,300/$	-

※ 수출신고필증상의 수출액과 실지수출액은 일치하며,'환전일'은 당해 수출액을 원화로 실제 환전한 날을 말하며,'환전시 적용환율'은 실제 원화 환전시 적용된 환율을 의미한다.

02 다음의 자료를 토대로 2021년 1기 확정신고시 수출실적명세서를 작성하시오.

(1) 수출신고필증

제출번호 99999-99-9999999	⑤신고번호	⑥신고일자	⑦신고구분	⑧C/S구분
①신 고 자 강남 관세사	020-15-06-0138408-6	2021/04/20	H	

②수 출 자 (주)팔팔전기 부호 99999999	⑨거래구분 11	⑩종류 A	⑪결제방법 TT
수출자구분 (B)			
위 탁 자	⑫목적국 JP JAPAN	⑬적재항 ICN 인천공항	
(주소)			
(대표자)	⑭운송형태 40 ETC	⑮검사방법선택 A 검사희망일 2021/04/21	
(통관고유부호) (주)팔팔전기 1-97-1-01-9	⑯물품소재지		
(사업자등록번호) 105-81-33130			

㉖모델 · 규격		㉗성분	㉘수량	㉙단가(USD)	㉚금액(USD)
			1(EA)	10,000	10,000
㉛세번부호	9999.99-9999	㉜순중량	㉝수량	㉞신고가격(FOB)	$ 10,000 ₩10,000,000
㉟송품장부호		㊱수입신고번호	㊲원산지	㊳포장갯수(종류)	

㊴총중량		㊵총포장갯수		㊶총신고가격(FOB)	$ 10,000 ₩10,000,000
㊷운임(₩)		㊸보험료(₩)		㊹결제금액	FOB - $ 10,000
㊺수입화물 관리번호				㊻컨테이너번호	
㊼수출요건확인 (발급서류명)					
※신고인기재란		㊽세관기재란			
㊾운송(신고)인		㊿신고수리일자	2021/04/20	(52)적재의무기한	2021/05/20
(50)기간 YYYY/MM/DD 부터 YYYY/MM/DD 까지					

(2) 추가자료

① B/L(선하증권) 상의 선적일자는 2021년 4월 25일이다.

② (주)팔팔전기는 수출대금으로 미화(통화코드 USD) $10,000를 결제받기로 계약하였다.

③ 4월 25일의 기준환율은 $1 당 1,200원 이다.

03 다음 자료를 보고 2021년 2기 예정신고기간의 수출실적명세서를 작성하시오.

거래처	수출신고 번호	선적일	환가일	통화	수출액	기준환율	
						선적일	환가일
교토상사	016-10-09-0115714-2	2021. 8. 20	2021. 8. 15	USD	$200,000	₩950/$	₩900/$
스타트사	010-15-15-0466141-3	2021. 8. 22	2021. 8. 25	USD	$100,000	₩1,050/$	₩1,060/$
뉴월드사	010-15-15-0613515-0	2021. 9. 17	-	USD	$200,000	₩1,100/$	-
COBA사		2021. 9. 25	2021. 9. 05	USD	$100,000	₩1,100/$	₩1,000/$

정답 및 해설

01 수출실적명세서 1월~3월

구분	건수	외화금액	원화금액	비고
⑨합계	3	1,045,000.00	59,000,000	
⑩수출재화[=⑫합계]	3	1,045,000.00	59,000,000	
⑪기타영세율적용				

	□	(13)수출신고번호	(14)선(기)적일자	(15)통화코드	(16)환율	금액		전표정보	
						(17)외화	(18)원화	거래처코드	거래처명
1	□	020-10-07-0138548-5	2021-01-20	USD	1,000.0000	30,000.00	30,000,000		
2	□	020-30-11-0127565-7	2021-03-01	JPY	9.5000	1,000,000.00	9,500,000		
3	□	020-05-13-0586667-9	2021-03-20	USD	1,300.0000	15,000.00	19,500,000		

02 수출실적명세서 4월~6월

구분	건수	외화금액	원화금액	비고
⑨합계	1	10,000.00	10,000,000	
⑩수출재화[=⑫합계]	1	10,000.00	10,000,000	
⑪기타영세율적용				

	□	(13)수출신고번호	(14)선(기)적일자	(15)통화코드	(16)환율	금액		전표정보	
						(17)외화	(18)원화	거래처코드	거래처명
1	□	020-15-06-0138408-6	2021-04-25	USD	1,000.0000	10,000.00	10,000,000		

03 수출실적명세서 7월~9월

구분	건수	외화금액	원화금액	비고
⑨합계	4	600,000.00	605,000,000	
⑩수출재화[=⑫합계]	3	500,000.00	505,000,000	
⑪기타영세율적용	1	100,000.00	100,000,000	

	□	(13)수출신고번호	(14)선(기)적일자	(15)통화코드	(16)환율	금액		전표정보	
						(17)외화	(18)원화	거래처코드	거래처명
1	□	016-10-09-0115714-2	2021-08-20	USD	900.0000	200,000.00	180,000,000	00619	교토상사
2	□	010-15-15-0466141-3	2021-08-22	USD	1,050.0000	100,000.00	105,000,000	00617	스타트사
3	□	010-15-15-0613515-0	2021-09-17	USD	1,100.0000	200,000.00	220,000,000	00623	뉴월드사

10 의제매입세액공제거래의 세액공제신고서

공제가능한 매입세액은 세금계산서 수취가 원칙이나 부가가치세가 면제되는 농·축·수·임산물을 원재료로 하여 제조·가공한 재화 또는 창출한 용역의 공급이 과세되는 경우 세금계산서의 수취가 없어도 원재료 구입액의 일정액을 매입세액으로 공제하여 주는데 이를 의제매입세액이라 한다. 매입세액으로 공제받기 위하여는 부가가치세신고시 [의제매입세액공제신고서]를 [매입처별계산서합계표] 또는 [신용카드매출전표등수령명세서]와 함께 제출하여야 한다.

[일반전표입력], [매입매출전표입력] 메뉴에서 해당 계정의 적요번호 '6.의제매입세액공제신고서 자동반영분'으로 입력된 자료가 반영되어 자동 작성되며, 수정 또는 추가입력이 가능하다.

* 의제매입세액공제 자동반영 해당 계정코드 : 146.상품, 153.원재료, 162.부재료 등

의제매입세액 = 면세로 공급받은 원재료인 농산물등의 매입가액 × 2/102

- 제조업 중 중소기업 및 개인사업자 : 4/104, 간이과세자 6/106
- 음식점업 : 법인 6/106, 개인(과세표준 2억원 초과) 8/108, 개인(과세표준 2억원 이하) 9/109
- 과세유흥장소 및 기타 업종 : 2/102

구분	공제한도			
개인사업자	2억원 이하	과세표준의 55%	음식점업	과세표준의 65%
	2~4억원			60%
	4억원 초과	45%		50%
법인사업자	해당 과세기간의 과세표준 × 40%			
간이과세자	한도 없음			

실무가이드

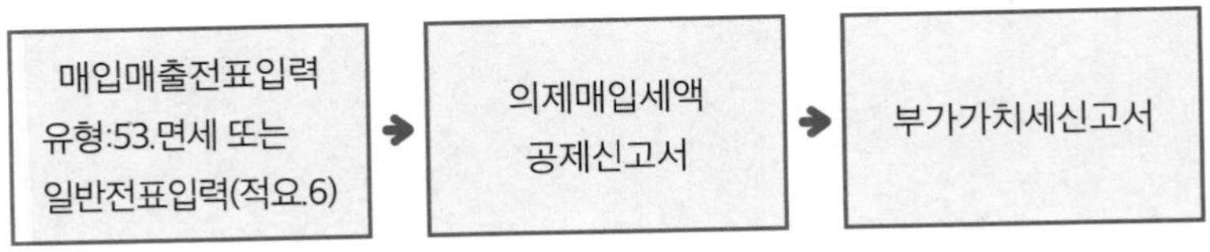

매입매출전표입력 유형:53.면세 또는 일반전표입력(적요.6) → 의제매입세액 공제신고서 → 부가가치세신고서

※ 전표입력시 거래처코드를 반드시 입력하여야 한다.

실무문제 의제매입세액공제신고서

■ 다음은 식료품가공업(중소기업)을 영위하는 당사의 의제매입세액공제 대상이 되는 원재료의 매입자료 내역이다. 다음의 자료에 의하여 거래내용을 [매입매출전표입력] 메뉴에 입력을 하여 2021년 제2기 예정분 의제매입세액공제신고서를 작성하시오. (의제매입세액공제 대상이 되는 거래는 다음 거래뿐이라고 가정하고, 카드사용분은 외상매입금 계정과목을 사용할 것)

☆ 두리유통 대한민국1등할인점
최저가격 할인점

두리유통 수원점 314-19-97051 대표 : 한두리
수원시 권선구 경수대로 227 (031)2024-1234

영수증을 지참하시면
교환/환불시 더욱 편리합니다.

[등록] 2021-08-05 14:03 POS 번호 : 1025

상품코드	단 가	수 량	금 액
001 양배추 8809093190580	60,000	100kg	6,000,000
002 토마토 8888021200126	22,500	200kg	4,500,000

부가세 과세 물품가액 0원
상품가격에 이미 포함된 부가세 0원
합 계 10,500,000원

상품코드 앞 * 표시가 되어 있는 품목은 부가세 과세 품목입니다.

0010 국 민 ××××/××
회 원 번 호 : ****26817413****
카 드 매 출 : 10,500,000원
승 인 번 호 : KIS 30021238
C/D일련번호 : 0392

002개 거래NO:5589 캐셔:014318 위원영

실무문제 따라하기

[1] 8월 5일 매입매출전표입력

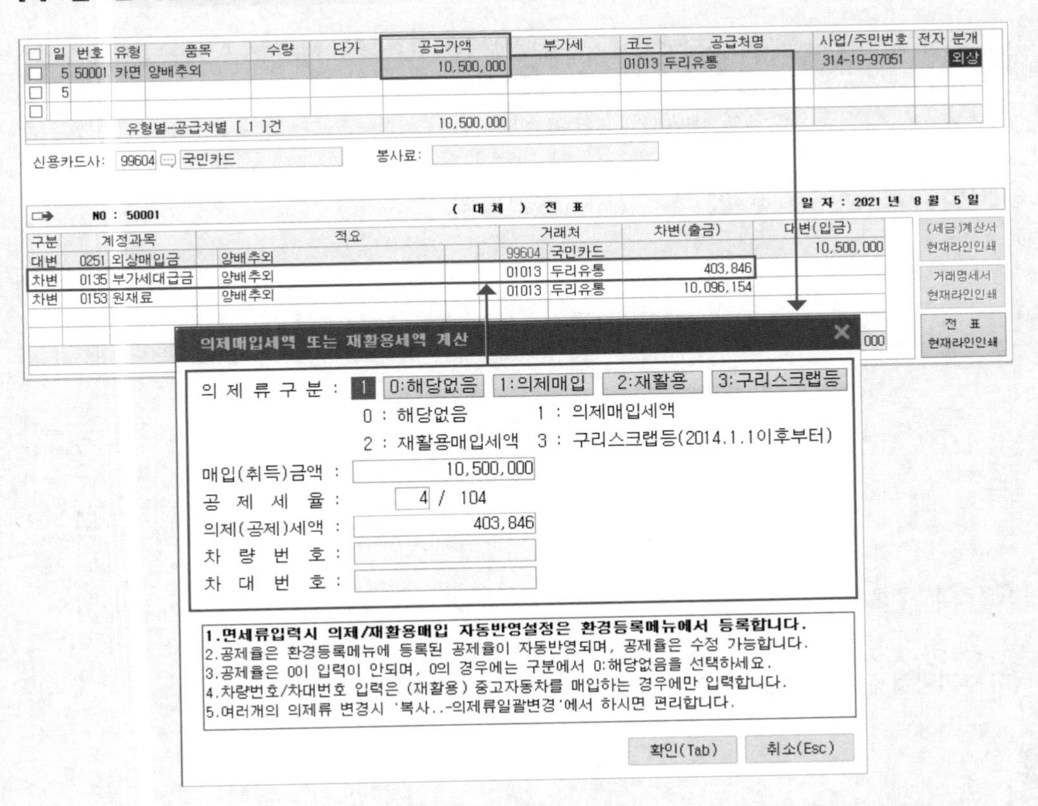

TIP 1. [일반전표입력] 메뉴를 통하여 입력하는 경우

① 8/5 (차) 원재료 10,500,000 (대) 외상매입금(국민카드) 10,500,000

적요 6.의제매입세액공제신고서 자동반영분

② 의제매입세액공제신고서 작성 및 의제매입세액 계산

③ 9/30 (차) 부가세대급금 403,846 (대) 원재료 403,846

적요 8.타계정으로 대체액 원가명세서 반영분

2. [매입매출전표입력] 메뉴를 통하여 입력하는 경우

① 유형 : 58.카면, 공급가액* : 10,500,000, 부가세 : 0, 거래처 : 두리유통, 전자 : 부, 분개 : 외상

(차) 부가세대급금 403,846 (대) 외상매입금(국민카드) 10,500,000

원재료 10,096,154

* 의제매입세액 계산화면을 통하여 직접 계산된 의제매입세액을 부가세대급금 계정으로 분개하므로 별도의 전표를 입력하지 않아도 된다.

[2] 의제매입세액공제신고서(7월~9월)

부가가치 ≫ 부속명세서 I ≫ 의제매입세액공제신고서

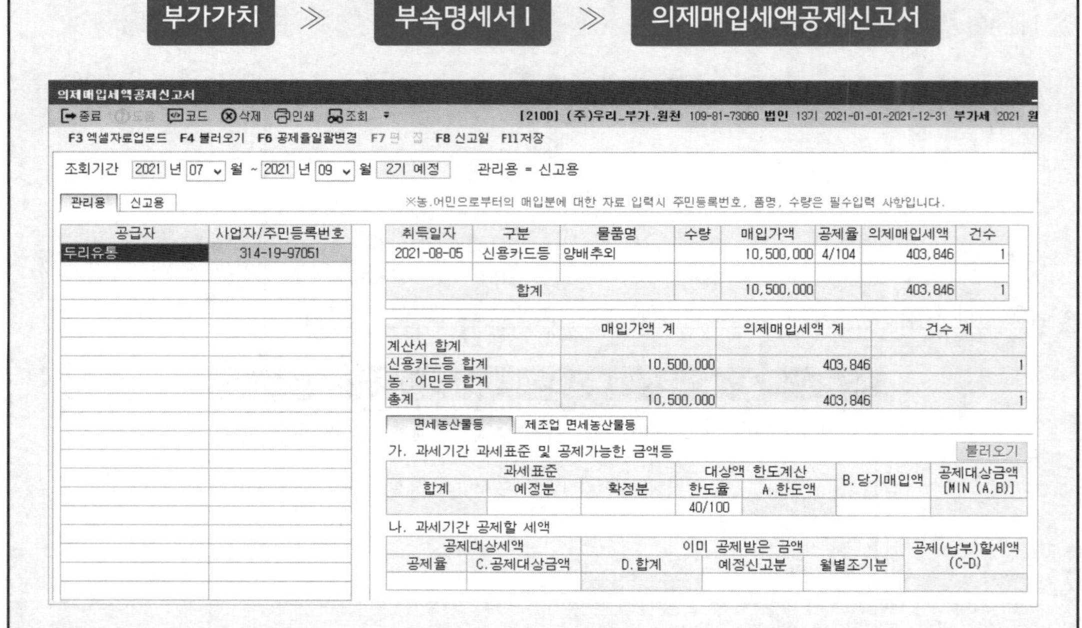

의제매입세액공제신고서

종료 | 도움 | 코드 | 삭제 | 인쇄 | 조회 | [2100] (주)우리_부가.원천 109-81-73060 법인 13기 2021-01-01~2021-12-31 부가세 2021

F3 엑셀자료업로드 | F4 불러오기 | F6 공제율일괄변경 | F7 | F8 신고일 | F11저장

조회기간 2021 년 07 월 ~ 2021 년 09 월 2기 예정 관리용 = 신고용

관리용 | 신고용 ※농.어민으로부터의 매입분에 대한 자료 입력시 주민등록번호, 품명, 수량은 필수입력 사항입니다.

공급자	사업자/주민등록번호
두리유통	314-19-97051

취득일자	구분	물품명	수량	매입가액	공제율	의제매입세액	건수
2021-08-05	신용카드등	양배추외		10,500,000	4/104	403,846	1
	합계			10,500,000		403,846	1

	매입가액 계	의제매입세액 계	건수 계
계산서 합계			
신용카드등 합계	10,500,000	403,846	1
농·어민등 합계			
총계	10,500,000	403,846	1

면세농산물등 | 제조업 면세농산물등

가. 과세기간 과세표준 및 공제가능한 금액등 (불러오기)

과세표준			대상액 한도계산		B.당기매입액	공제대상금액 [MIN (A,B)]
합계	예정분	확정분	한도율	A.한도액		
			40/100			

나. 과세기간 공제할 세액

공제대상세액		이미 공제받은 금액			공제(납부)할세액 (C-D)
공제율	C.공제대상금액	D.합계	예정신고분	월별조기분	

TIP 전표입력을 통하여 작성 시 상단의 [F4불러오기] 키를 클릭하여 자동 작성한다.

[3] 부가가치세신고서(7월~9월)

일반과세 | 간이과세

조회기간 : 2021 년 7 월 1 일 ~ 2021 년 9 월 30 일 신고구분 : 1.정기신고 신고차수 : 부가율 : 예정

구분			번호	금액	세율	세액
과세표준및매출세액	과세	세금계산서발급분	1		10/100	
	과세	매입자발행세금계산서	2		10/100	
	과세	신용카드·현금영수증발행분	3		10/100	
	과세	기타(정규영수증외매출분)	4			
	영세	세금계산서발급분	5		0/100	
	영세	기타	6		0/100	
	예정신고누락분		7			
	대손세액가감		8			
	합계		9		㉮	
매입세액	세금계산서 수취분	일반매입	10			
		수출기업수입분납부유예	10			
		고정자산매입	11			
	예정신고누락분		12			
	매입자발행세금계산서		13			
	그 밖의 공제매입세액		14	10,500,000		403,846
	합계(10)-(10-1)+(11)+(12)+(13)+(14)		15	10,500,000		403,846
	공제받지못할매입세액		16			
	차감계 (15-16)		17	10,500,000	㉯	403,846
납부(환급)세액(매출세액㉮-매입세액㉯)					㉰	-403,846
경감공제세액	그 밖의 경감·공제세액		18			
	신용카드매출전표등 발행공제등		19			
	합계		20		㉱	
소규모 개인사업자 부가가치세 감면세액			20		㉱	
예정신고미환급세액			21		㉲	
예정고지세액			22		㉳	
사업양수자의 대리납부 기납부세액			23		㉴	
매입자 납부특례 기납부세액			24		㉵	
신용카드업자의 대리납부 기납부세액			25		㉶	
가산세액계			26		㉷	
차가감하여 납부할세액(환급받을세액)㉰-㉱-㉲-㉳-㉴-㉵-㉶+㉷					27	-403,846
총괄납부사업자가 납부할 세액(환급받을 세액)						

구분			번호	금액	세율	세액
7.매출(예정신고누락분)						
예정누락분	과세	세금계산서	33		10/100	
	과세	기타	34		10/100	
	영세	세금계산서	35		0/100	
	영세	기타	36		0/100	
	합계		37			
12.매입(예정신고누락분)						
예정누락분	세금계산서		38			
	그 밖의 공제매입세액		39			
	합계		40			
	신용카드매출 수령금액합계	일반매입				
		고정매입				
	의제매입세액					
	재활용폐자원등매입세액					
	과세사업전환매입세액					
	재고매입세액					
	변제대손세액					
	외국인관광객에대한환급/					
	합계					
14.그 밖의 공제매입세액						
신용카드매출 수령금액합계표		일반매입	41			
		고정매입	42			
의제매입세액			43	10,500,000	뒤쪽	403,846
재활용폐자원등매입세액			44		뒤쪽	
과세사업전환매입세액			45			
재고매입세액			46			
변제대손세액			47			
외국인관광객에대한환급세액			48			
합계			49	10,500,000		403,846

(주)팔팔전기(회사코드 : 2110)은 제조, 도매업을 영위하는 중소기업이며, 당기(22기)회계기간은 2021. 1. 1. ~ 2021. 12. 31.이다.

01 당사는 제조업을 영위하는 법인 중소기업이다. 다음의 자료를 이용하여 2021년 2기 확정(10월 1일~12월 31일) 의제매입세액공제신고서를 작성하시오.(단, 의제매입세액공제대상이 되는 거래는 다음 거래뿐이며 불러오는 자료는 무시하고 직접 입력한다.)

(1) 매입자료

공급자	사업자번호 (또는 주민번호)	매입 일자	물품명	수량 (kg)	매입가격 (원)	증빙	건수
최일축산	302-83-03380	2021. 10.09	축산물	100	20,000,000	계산서	1
알렉스	820405-6835110	2021. 11.12	야채	50	8,000,000	현금 (농민으로 부터 직접 매입함)	1
(주)혜진무역	317-85-13851	2021. 12.03	농산물	50	10,000,000	신용카드	1

(2) 추가자료

- 2기 예정 과세표준은 140,000,000원이며, 2기 확정 과세표준은 180,000,000원이다.
- 2기 예정신고(7월 1일 ~ 9월 30일)까지는 면세품목에 대한 매입이 없어 의제매입세액공제를 받지 않았다.

02 본 문제에 한하여 복숭아 통조림을 제조하는 일반법인으로 본다. 다음은 2021년 제1기 확정신고기간(2021.4.1 ~ 2021.6.30) 동안 매입한 면세자료이다. [매입매출전표입력] 메뉴에 입력하여 의제매입세액공제신고서를 작성하시오.

(1) 매입자료

구분	일자	상호 (성명)	사업자번호 (주민번호)	수량	매입가격	품명
계산서 매입분 (현금거래)	4월 6일	(주)빠른물류	314-85-18615	100	3,060,000원	복숭아
	6월 4일	(주)서울	129-81-66753	1	204,000원	수도요금
신용카드 매입분 (현대카드)	5월 2일	(주)대방역	204-81-37258	1	816,000원	방역비
	6월 3일	일수슈퍼	220-05-11111	50	1,428,000원	복숭아
현금영수증 매입분	4월28일	일수슈퍼	220-05-11111	10	15,000원	종량제봉투
농어민 매입분 (현금거래)	4월 1일	김수희	701201-2213216	130	3,978,000원	복숭아

(2) 추가자료

- 1기 예정 과세표준은 200,000,000원이며, 1기 확정 과세표준은 300,000,000원이다.
- 1기 예정신고(1월 1일 ~ 3월 31일)까지는 면세품목에 대한 매입이 없어 의제매입세액공제를 받지 않았다.

정답 및 해설

01 의제매입세액공제신고서 10월~12월

관리용 | 신고용

※농.어민으로부터의 매입분에 대한 자료 입력시 주민등록번호, 품명, 수량은 필수입력 사항입니다.

공급자	사업자/주민등록번호
최일축산	302-83-03380
알렉스	820405-6835110
(주)혜진무역	317-85-13851

취득일자	구분	물품명	수량	매입가액	공제율	의제매입세액	건수
2021-10-09	계산서	축산물	100	20,000,000	4/104	769,230	1
	합계		100	20,000,000		769,230	1

	매입가액 계	의제매입세액 계	건수 계
계산서 합계	20,000,000	769,230	1
신용카드등 합계	10,000,000	384,615	1
농·어민등 합계	8,000,000	307,692	1
총계	38,000,000	1,461,537	3

면세농산물등 | 제조업 면세농산물등

가. 과세기간 과세표준 및 공제가능한 금액등

불러오기

과세표준			대상액 한도계산		B.당기매입액	공제대상금액 [MIN (A,B)]
합계	예정분	확정분	한도율	A.한도액		
320,000,000	140,000,000	180,000,000	40/100	128,000,000	38,000,000	38,000,000

나. 과세기간 공제할 세액

공제대상세액		이미 공제받은 금액			공제(납부)할세액 (C-D)
공제율	C.공제대상금액	D.합계	예정신고분	월별조기분	
4/104	1,461,538				1,461,538

02

① 매입매출전표입력

- 4월 6일

유형 : 53.면세, 공급가액 : 3,060,000, 부가세 : 0, 거래처 : (주)빠른물류, 전자 : 부, 분개 : 현금, 의제류구분 : 1, 2/102(일반제조업)

(차) 원재료	3,000,000	(대) 현금	3,060,000
부가세대급금	60,000		

- 6월 3일

유형 : 58.카면, 공급가액 : 1,428,000, 부가세 : 0, 거래처 : 일수슈퍼, 전자 : 부, 분개 : 카드, 의제류구분 : 1, 2/102(일반제조업)

(차) 원재료	1,400,000	(대) 외상매입금(현대카드)	1,428,000
부가세대급금	28,000		

- 4월 1일

유형 : 60.면건, 공급가액 : 3,978,000, 부가세 : 0, 거래처 : 김수희, 전자 : 부, 분개 : 현금, 의제류구분 : 1, 2/102(일반제조업)

(차) 원재료	3,900,000	(대)현금	3,978,000
부가세대급금	78,000		

※ 수도요금, 방역비, 종량제봉투는 의제매입세액공제 불가

② 의제매입세액공제신고서 4~6월

관리용 | 신고용

※농.어민으로부터의 매입분에 대한 자료 입력시 주민등록번호, 품명, 수량은 필수입력 사항입니다.

공급자	사업자/주민등록번호
(주)빠른물류	314-85-18615
일수슈퍼	220-05-11111
김수희	701201-2213216

취득일자	구분	물품명	수량	매입가액	공제율	의제매입세액	건수
2021-04-01	농어민매입	복숭아	130	3,978,000	2/102	78,000	1
합계			130	3,978,000		78,000	1

	매입가액 계	의제매입세액 계	건수 계
계산서 합계	3,060,000	60,000	1
신용카드등 합계	1,428,000	28,000	1
농·어민등 합계	3,978,000	78,000	1
총계	8,466,000	166,000	3

면세농산물등 | 제조업 면세농산물등

가. 과세기간 과세표준 및 공제가능한 금액등 (불러오기)

과세표준			대상액 한도계산		B.당기매입액	공제대상금액 [MIN (A,B)]
합계	예정분	확정분	한도율	A.한도액		
500,000,000	200,000,000	300,000,000	40/100	200,000,000	8,466,000	8,466,000

나. 과세기간 공제할 세액

공제대상세액		이미 공제받은 금액			공제(납부)할세액 (C-D)
공제율	C.공제대상금액	D.합계	예정신고분	월별조기분	
2/102	166,000				166,000

11 재활용폐자원 및 중고품매입세액공제거래의 세액공제신고서

재활용폐자원 및 중고품을 수집하는 사업자가 국가·지방자치단체 및 부가가치세 과세사업을 영위하지 아니하는 비사업자인 개인 또는 면세사업자나 면세·과세사업겸업자와 간이과세자*로부터 재활용폐자원 및 중고품을 취득하여 제조 또는 가공하거나 이를 공급하는 경우에는 일정액을 계산하여 매입세액으로 공제할 수 있으며, 이에 대하여 부가가치세신고시 [재활용폐자원세액공제신고서]를 작성하여 제출한다.

* 영수증을 발급하여야 하는 간이 과세자(공급받는 자의 요구에 따라 세금계산서를 발급하여야 하는 사업자는 제외) <2021.7.1. 이후 구입하는 분부터 적용>

[일반전표입력] 또는 [매입매출전표입력] 메뉴에서 해당 계정의 적요번호 '7.재활용폐자원매입세액'으로 입력된 자료가 반영된다.

재활용폐자원 등에 대한 매입세액공제액

재활용폐자원 공제대상금액* × 3/103 (중고품(중고자동차) : 10/110)

* 공제대상금액 = MIN[①, ②]
  ① 재활용폐자원 취득가액
  ② 재활용폐자원 공급가액×80%-세금계산서수령 재활용폐자원 매입가액

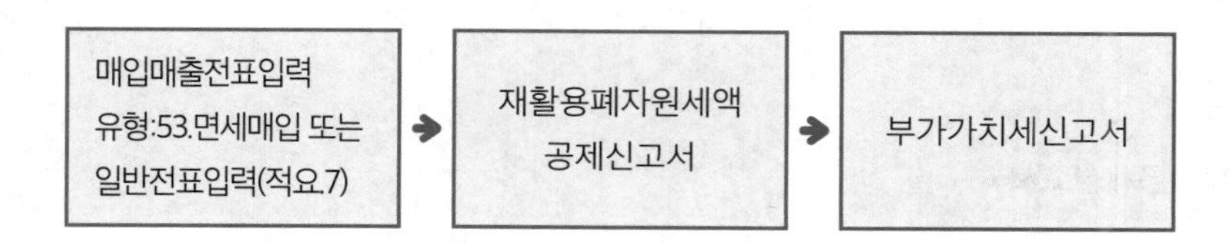

※ 전표입력시 거래처코드를 반드시 입력하여야 한다.

실무문제 재활용폐자원세액공제신고서

■ 다음은 재활용폐자원에 대한 매입자료 내역이다. 자료를 토대로 거래내용을 [매입매출전표입력] 메뉴에 입력을 하여 2021년 제2기 예정분 [재활용폐자원세액공제신고서]를 작성하시오. (이외의 거래사항은 없는 것으로 가정하고, 모두 현금거래이며, 계정과목은 원재료를 사용한다.)

매입처	매입일자	품명	수량	단가	매입가액	거래증빙	비고
청산리카센타	7. 13.	고철	100kg	15,000원	1,500,000원	계산서	
백광기업	7. 13.	폐품	200kg	14,000원	2,800,000원	계산서	
최진혁	7. 13.	고철	50kg	10,000원	500,000원	영수증	

실무문제 따라하기

[1] 7월 13일 매입매출전표입력

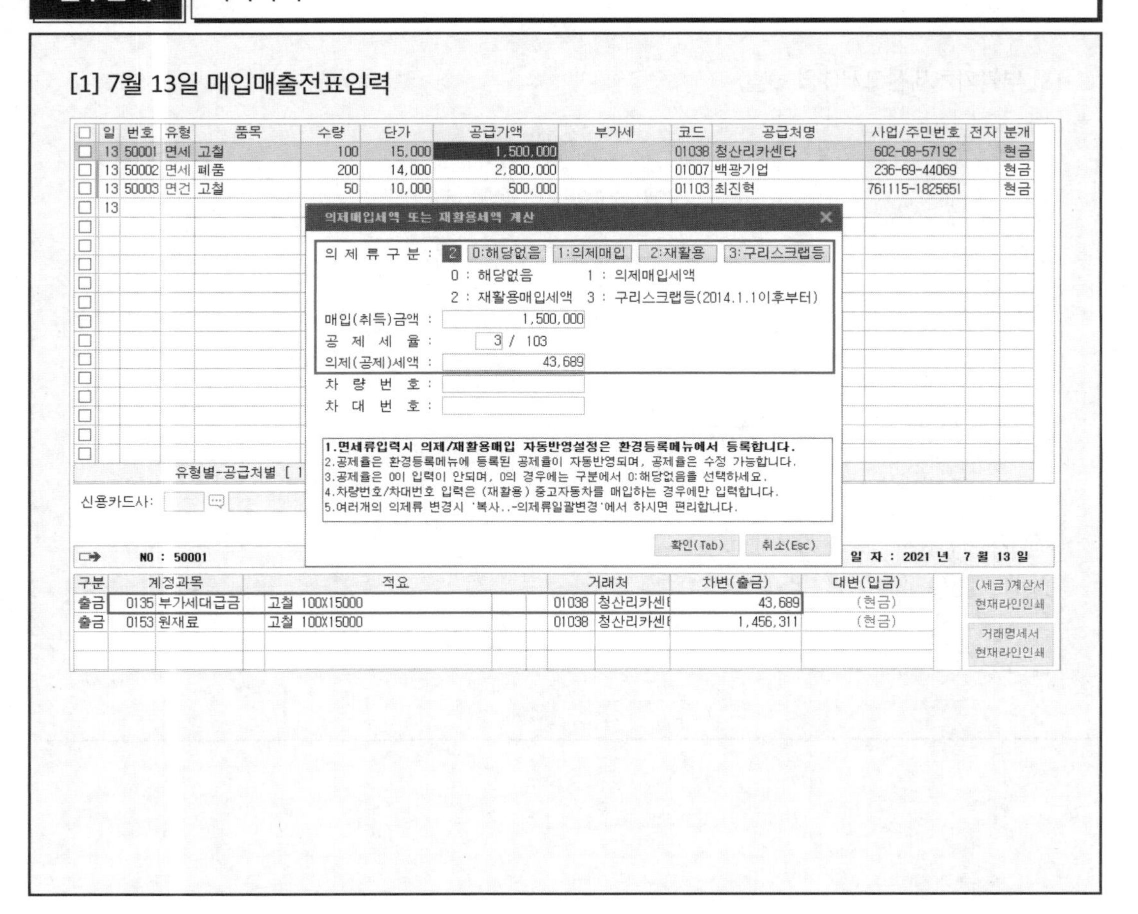

[2] 재활용폐자원세액공제신고서(7월~9월)

부가가치 ≫ 부속명세서 I  재활용폐자원세액공제신고서

재활용폐자원세액공제신고서

종료 코드 삭제 인쇄 조회 [2100] (주)우리_부가.원천 109-81-73060 법인 13기 2021-01-01~2021-12-31 부가세 2021

F3 일괄변경 F4 매출액 F6 불러오기 CF6 전표처리 F7 엑셀작업 F8 신고일자 F11 저장 CF12 신고내역

조회기간 : 2021 년 10 월 ~ 2021 년 12 월 구분 : 2기 확정 공제(납부)세액 : 139,805 원 ※중요

관리용 신고용 ※ 중고자동차 업종은 501103, 501202, 519111 만 허용됩니다.(홈택스검증사항)

No	(24)공급자 성명 또는 거래처 상호(기관명)	(24)공급자 주민등록번호또는 사업자등록번호	거래구분	(25)구분코드	(26)건수	(27)품명	(28)수량	(29)차량번호	(30)차대번호	(31)취득금액	(32)공제율	(33)공제액((31)*(32))	취득일자
1	청산리카센타	602-08-57192	2.계산서	2.기타재활용폐자원	1	고철	100			1,500,000	3/103	43,689	2021-07-13
2	백광기업	236-69-44069	2.계산서	2.기타재활용폐자원	1	폐품	200			2,800,000	3/103	81,553	2021-07-13
3	최진혁	761115-1825651	1.영수증	2.기타재활용폐자원	1	고철	50			500,000	3/103	14,563	2021-07-13
4													
	영수증수취분		1		1					500,000		14,563	
	계산서수취분		2		2					4,300,000		125,242	
	합계		3		3					4,800,000		139,805	

재활용폐자원 매입세액공제 관련 신고내용(이 란은 확정신고시 작성하며, 중고자동차(10/110)의 경우에는 작성하지 않습니다.) 불러오기

매출액 (8)합계	매출액 (9)예정분	매출액 (10)확정분	대상액한도계산 (11)한도율	대상액한도계산 (12)한도액	당기매입액 (13)합계	당기매입액 (14)세금계산서	당기매입액 (15)영수증 등	(16)공제가능한 금액(=(12)-(14))
			80%					

(17)공제대상금액(=(15)과 (16)의 금액중 적은 금액)	공제대상세액 (18)공제율	공제대상세액 (19)공제대상세액	이미 공제받은 세액 (20)합계	이미 공제받은 세액 (21)예정신고분	이미 공제받은 세액 (22)월별조기분	(23)공제(납부)할세액 (=(19)-(20))	{참고}10/110 공제액합계
	3/103						

[3] 부가가치세신고서(7월~9월)

일반과세 간이과세

조회기간 : 2021 년 7 월 1 일 ~ 2021 년 9 월 30 일 신고구분 : 1.정기신고 신고차수 : 부가율 : 예정

구분			번호	정기신고금액 금액	세율	세액
과세표준및매출세액	과세	세금계산서발급분	1		10/100	
		매입자발행세금계산서	2		10/100	
		신용카드 · 현금영수증발행분	3		10/100	
		기타(정규영수증외매출분)	4			
	영세	세금계산서발급분	5		0/100	
		기타	6		0/100	
	예정신고누락분		7			
	대손세액가감		8			
	합계		9		㉮	
매입세액	세금계산서 수취분	일반매입	10			
		수출기업수입분납부유예	10			
		고정자산매입	11			
	예정신고누락분		12			
	매입자발행세금계산서		13			
	그 밖의 공제매입세액		14	4,800,000		139,805
	합계(10)-(10-1)+(11)+(12)+(13)+(14)		15	4,800,000		139,805
	공제받지못할매입세액		16			
	차감계 (15-16)		17	4,800,000	㉯	139,805
납부(환급)세액(매출세액㉮-매입세액㉯)					㉰	-139,805
경감공제세액	그 밖의 경감 · 공제세액		18			
	신용카드매출전표등 발행공제등		19			
	합계		20		㉱	
소규모 개인사업자 부가가치세 감면세액			20		㉲	
예정신고미환급세액			21		㉳	
예정고지세액			22		㉴	
사업양수자의 대리납부 기납부세액			23		㉵	
매입자 납부특례 기납부세액			24		㉶	
신용카드업자의 대리납부 기납부세액			25		㉷	
가산세액계			26		㉸	
차가감하여 납부할세액(환급받을세액)㉰-㉱-㉲-㉳-㉴-㉵-㉶-㉷+㉸					27	-139,805
총괄납부사업자가 납부할 세액(환급받을 세액)						

구분			번호	금액	세율	세액
7.매출(예정신고누락분)						
예정누락분	과세	세금계산서	33		10/100	
		기타	34		10/100	
	영세	세금계산서	35		0/100	
		기타	36		0/100	
	합계		37			
12.매입(예정신고누락분)						
예정누락분	세금계산서		38			
	그 밖의 공제매입세액		39			
	합계		40			
	신용카드매출 수령금액합계	일반매입				
		고정매입				
	의제매입세액					
	재활용폐자원등매입세액					
	과세사업전환매입세액					
	재고매입세액					
	변제대손세액					
	외국인관광객에대한환급/					
	합계					
14.그 밖의 공제매입세액						
신용카드매출 수령금액합계표		일반매입	41			
		고정매입	42			
의제매입세액			43		뒤쪽	
재활용폐자원등매입세액			44	4,800,000	뒤쪽	139,805
과세사업전환매입세액			45			
재고매입세액			46			
변제대손세액			47			
외국인관광객에대한환급세액			48			
합계			49	4,800,000		139,805

실전연습문제

(주)팔팔전기(회사코드 : 2110)은 제조, 도매업을 영위하는 중소기업이며, 당기(22기)회계기간은 2021. 1. 1. ~ 2021. 12. 31.이다.

01 당사는 재활용폐자원을 수집하는 사업자이다. 다음 자료에 의하여 2021년 1기 확정신고기간의 재활용폐자원세액공제 신고서를 작성하시오. 단, 공제(납부)할 세액까지 정확한 금액을 입력하시오.

거래자료

공급자	사업자번호	거래일자	품명	수량(KG)	취득금액	증빙	건수
(주)제일건설(일반과세자)	101-02-21108	2021.4.20.	폐기품	200	5,000,000원	계산서	1
대일재활용(간이과세자)	230-36-11112	2021.5.10.	파지	300	3,000,000원	영수증	1
하나택배(일반과세자)	201-66-32116	2021.6.11.	중고기계	1	4,000,000원	영수증	1

추가자료

- 매입매출전표입력은 생략하며, 예정신고기간 중의 재활용폐자원 신고내역은 없다.
- 1기 과세기간 중 재활용관련 매출액과 세금계산서 매입액은 다음과 같다.

구분	매출액	매입공급가액(세금계산서)
예정분	58,000,000원	43,000,000원
확정분	63,000,000원	52,000,000원

02 당사는 재활용폐자원을 수집하는 사업자이다. 다음 자료에 의하여 2021년 2기 확정신고기간의 재활용폐자원세액공제 신고서를 작성하시오. 단, 공제(납부)할 세액까지 정확한 금액을 입력하시오.

거래자료

공급자	사업자번호	거래일자	품명	수량(KG)	취득금액	증빙	건수
장안폐차장 (일반과세자)	101-02- 21108	2021.10. 6.	고철	200	4,650,000원	계산서	1
강한중고 (일반과세자)	602-08- 57192	2021.11. 3.	고철	500	15,000,000원	영수증	1
이찬원 (비사업자)	631201- 1512151	2021.12.12	파지	200	2,800,000원	영수증	1
대일재활용 (간이과세자)	230-36- 11112	2021.12.23.	고철	500	16,500,000원	영수증	1

추가자료

- 매입매출전표입력은 생략하며, 예정신고기간 중의 재활용폐자원 신고내역은 없다.
- 2기 과세기간 중 재활용관련 매출액과 세금계산서 매입액은 다음과 같다.

구분	매출액	매입공급가액(세금계산서)
예정분	40,000,000원	23,000,000원
확정분	60,000,000원	32,000,000원

정답 및 해설

01 재활용폐자원세액공제신고서 4월~6월

관리용 | 신고용

※ 중고자동차 업종은 501103, 501202, 519111 만 허용됩니다.(홈택스검증사항)

No	(24)공급자 성명 또는 거래처 상호(기관명)	(24)공급자 주민등록번호또는 사업자등록번호	거래구분	(25)구분코드	(26)건수	(27)품명	(28)수량	(29)차량번호	(30)차대번호	(31)취득금액	(32)공제율	(33)공제액((31)*(32))	취득일자
1	(주)제일건설	301-82-09706	2.계산서	2.기타재활용폐자원	1	폐기물	200			5,000,000	3/103	145,631	2021-04-20
2	대일재활용	230-36-11112	1.영수증	2.기타재활용폐자원	1	파지	300			3,000,000	3/103	87,378	2021-05-10
3													
	영수증수취분		1		1					3,000,000		87,378	
	계산서수취분		1		1					5,000,000		145,631	
	합계		2		2					8,000,000		233,009	

재활용폐자원 매입세액공제 관련 신고내용(이 란은 확정신고시 작성하며, 중고자동차(10/110)의 경우에는 작성하지 않습니다.) 불러오기

매출액			대상액한도계산		당기매입액			(16)공제가능한 금액(=(12)-(14))
(8)합계	(9)예정분	(10)확정분	(11)한도율	(12)한도액	(13)합계	(14)세금계산서	(15)영수증 등	
121,000,000	58,000,000	63,000,000	80%	96,800,000	103,000,000	95,000,000	8,000,000	1,800,000

(17)공제대상금액(=(15)과 (16)의 금액중 적은 금액)	공제대상세액		이미 공제받은 세액			(23)공제(납부)할세액(=(19)-(20))	{참고}10/110 공제액합계
	(18)공제율	(19)공제대상세액	(20)합계	(21)예정신고분	(22)월별조기분		
1,800,000	3/103	52,427				52,427	

※ 일반과세자로부터 영수증을 수취한 경우에는 세액공제 불가하나 계산서를 수취한 경우와 간이과세자로부터 영수증을 수취한 경우에는 공제가 가능하다.

02 재활용폐자원세액공제신고서 10월~12월

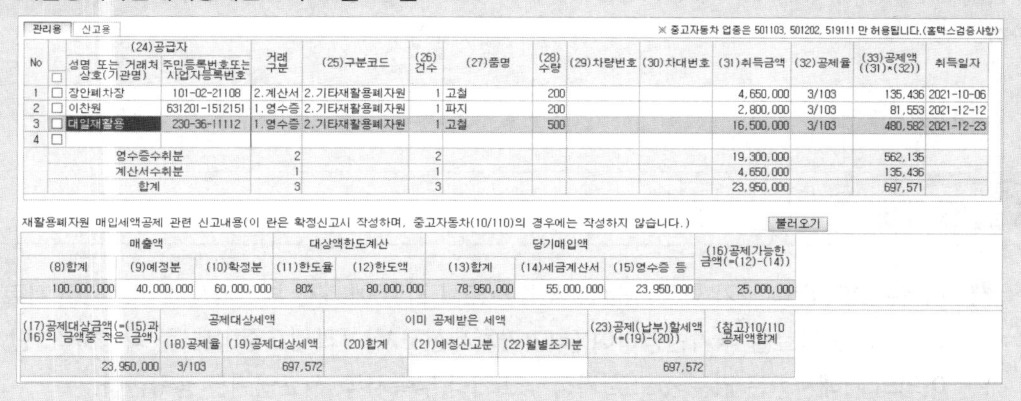

관리용 | 신고용

※ 중고자동차 업종은 501103, 501202, 519111 만 허용됩니다.(홈택스검증사항)

No	(24)공급자 성명 또는 거래처 상호(기관명)	(24)공급자 주민등록번호또는 사업자등록번호	거래구분	(25)구분코드	(26)건수	(27)품명	(28)수량	(29)차량번호	(30)차대번호	(31)취득금액	(32)공제율	(33)공제액((31)*(32))	취득일자
1	장안폐차장	101-02-21108	2.계산서	2.기타재활용폐자원	1	고철	200			4,650,000	3/103	135,436	2021-10-06
2	이찬원	631201-1512151	1.영수증	2.기타재활용폐자원	1	파지	200			2,800,000	3/103	81,553	2021-12-12
3	대일재활용	230-36-11112	1.영수증	2.기타재활용폐자원	1	고철	500			16,500,000	3/103	480,582	2021-12-23
4													
	영수증수취분		2		2					19,300,000		562,135	
	계산서수취분		1		1					4,650,000		135,436	
	합계		3		3					23,950,000		697,571	

재활용폐자원 매입세액공제 관련 신고내용(이 란은 확정신고시 작성하며, 중고자동차(10/110)의 경우에는 작성하지 않습니다.) 불러오기

매출액			대상액한도계산		당기매입액			(16)공제가능한 금액(=(12)-(14))
(8)합계	(9)예정분	(10)확정분	(11)한도율	(12)한도액	(13)합계	(14)세금계산서	(15)영수증 등	
100,000,000	40,000,000	60,000,000	80%	80,000,000	78,950,000	55,000,000	23,950,000	25,000,000

(17)공제대상금액(=(15)과 (16)의 금액중 적은 금액)	공제대상세액		이미 공제받은 세액			(23)공제(납부)할세액(=(19)-(20))	{참고}10/110 공제액합계
	(18)공제율	(19)공제대상세액	(20)합계	(21)예정신고분	(22)월별조기분		
23,950,000	3/103	697,572				697,572	

부가가치세 신고서 작성 및 신고하기

01 부가가치세 정기신고서 작성

부가가치세신고서는 각 신고기간에 대한 부가가치세 과세표준과 납부세액 또는 환급세액 등을 기재하여 관할세무서에 신고하는 서류로 부가가치세법에 규정된 서식이다.

부가가치세신고는 예정신고, 확정신고, 영세율등조기환급신고, 수정신고가 있으며, 신고시 부가가치세신고서의 상단에 해당신고를 표시하고 신고내용을 증명하는 부속서류를 같이 제출해야 한다.

실무문제 부가가치세신고서

■ 다음은 2021년 제2기 확정기간(10월 1일~12월 31일)에 대한 부가가치세 신고관련 자료이다. 아래 자료를 추가반영하여 [부가가치세신고서], [과세표준명세]를 작성하라. 단, 이외의 거래사항은 없는 것으로 가정하고 기타 부속서류, 전표입력은 생략한다.

1. 매출관련 자료

구 분	과세표준	부가가치세
신용카드 과세 매출액	10,000,000원	1,000,000원
세금계산서 발급 매출액	50,000,000원	5,000,000원
직수출 과세 매출액	20,000,000원	-
예정신고 세금계산서 매출 누락 및 미발급분	10,000,000원	1,000,000원

① 대손이 확정된 외상매출금 1,100,000원에 대해 대손세액공제 적용한다.
② 간주임대료(전세보증금 : 100,000,000원, 이자율 1.8%, 대상기간일수 : 91일, 당해연도 총일수 : 365일)를 반영한다. 단, 간주임대료 계산시 소숫점 이하는 절사한다.
③ 전자세금계산서는 적법하게 발급과 전송되었다.
④ 예정신고누락과 관련된 가산세 계산시 미납일수는 92일로 한다.

2. 매입관련 자료

구 분	과세표준	부가가치세
세금계산서 수령한 원재료 구입액	10,000,000원	1,000,000원
영세율 세금계산서 수령한 원재료 구입액	10,000,000원	
세금계산서 수령한 사무실 비품 구입액	3,000,000원	300,000원
세금계산서 수령한 접대물품 구입액	2,000,000원	200,000원
세금계산서 수령한 비영업용소형승용차 구입액	20,000,000원	2,000,000원
신용카드로 구입한 원재료 구입액	4,000,000원	400,000원

3. 기타자료 : 전자신고세액공제 10,000원

실무문제	따라하기

1. 부가가치세 신고서 조회(10월~12월)
   - 대손세액 가감 : 1,100,000 × 10 ÷ 110 = 100,000원 - 8번란에 -100,000원 입력
   - 간주임대료 : 100,000,000원 × 1.8% × 91일 ÷ 365일 = 448,767원
     - 4번란 448,767원 / 44,876원 입력
   - 접대물품과 비영업용소형승용차 구입액은 16번(50번란) 22,000,000원 / 2,200,000원 입력하면 16번란에 자동반영
   - 전자신고세액공제는 18번(54번란) 10,000원 입력

구분		금액	세율	세액
16.공제받지못할매입세액				
공제받지못할 매입세액	50	22,000,000		2,200,000
공통매입세액면세등사업분	51			
대손처분받은세액	52			
합계	53	22,000,000		2,200,000
18.그 밖의 경감·공제세액				
전자신고세액공제	54			10,000
전자세금계산서발급세액공제	55			
택시운송사업자경감세액	56			
대리납부세액공제	57			
현금영수증사업자세액공제	58			
기타	59			
합계	60			10,000

부가가치세신고서

종료 | 인쇄 | 조회 | [2100] (주)우리_부가.원천 109-81-73060 법인 13기 2021-01-01~2021-12-31 부가세 2021

CF2 부가세작성관리 | F3 마감 | SF3부속서류편집 | CF3 직전년도매출액확인 | F4 과표명세 | F6 환급 | F7 저장 | F8 사업장명세 | F11 원시데이타켜기 | CF11 작성방법켜기

일반과세 | 간이과세

조회기간 : 2021 년 10 월 1 일 ~ 2021 년 12 월 31 일 신고구분 : 1.정기신고 신고차수 : 부가율 : 71.25 확정

구분			정기신고금액		
			금액	세율	세액
과세표준및매출세액	과세	세금계산서발급분 1	50,000,000	10/100	5,000,000
	과세	매입자발행세금계산서 2		10/100	
	과세	신용카드·현금영수증발행분 3	10,000,000	10/100	1,000,000
	과세	기타(정규영수증외매출분) 4	448,767		44,876
	영세	세금계산서발급분 5		0/100	
	영세	기타 6	20,000,000	0/100	
	예정신고누락분	7	10,000,000		1,000,000
	대손세액가감	8			-100,000
	합계	9	90,448,767	㉮	6,944,876
매입세액	세금계산서수취분	일반매입 10	22,000,000		1,200,000
	세금계산서수취분	수출기업수입분납부유예 10			
	세금계산서수취분	고정자산매입 11	23,000,000		2,300,000
	예정신고누락분	12			
	매입자발행세금계산서	13			
	그 밖의 공제매입세액	14	4,000,000		400,000
	합계(10)-(10-1)+(11)+(12)+(13)+(14)	15	49,000,000		3,900,000
	공제받지못할매입세액	16	22,000,000		2,200,000
	차감계 (15-16)	17	27,000,000	㉯	1,700,000
납부(환급)세액(매출세액㉮-매입세액㉯)				㉰	5,244,876
경감공제세액	그 밖의 경감·공제세액	18			10,000
	신용카드매출전표등 발행공제등	19	11,000,000		
	합계	20		㉱	10,000
소규모 개인사업자 부가가치세 감면세액		20		㉲	
예정신고미환급세액		21		㉳	
예정고지세액		22		㉴	
사업양수자의 대리납부 기납부세액		23		㉵	
매입자 납부특례 기납부세액		24		㉶	
신용카드업자의 대리납부 기납부세액		25		㉷	
가산세액계		26		㉸	248,000
차가감하여 납부할세액(환급받을세액)㉰-㉱-㉲-㉳-㉴-㉵-㉶-㉷+㉸				27	5,482,876
총괄납부사업자가 납부할 세액(환급받을 세액)					

구분		금액	세율	세액
7.매출(예정신고누락분)				
예정누락분 과세 세금계산서	33	10,000,000	10/100	1,000,000
예정누락분 과세 기타	34		10/100	
예정누락분 영세 세금계산서	35		0/100	
예정누락분 영세 기타	36		0/100	
합계	37	10,000,000		1,000,000
12.매입(예정신고누락분)				
예정누락분 세금계산서	38			
예정누락분 그 밖의 공제매입세액	39			
합계	40			
신용카드매출 수령금액합계 일반매입				
신용카드매출 수령금액합계 고정매입				
의제매입세액				
재활용폐자원등매입세액				
과세사업전환매입세액				
재고매입세액				
변제대손세액				
외국인관광객에대한환급/				
합계				
14.그 밖의 공제매입세액				
신용카드매출 수령금액합계표 일반매입	41	4,000,000		400,000
신용카드매출 수령금액합계표 고정매입	42			
의제매입세액	43		뒤쪽	
재활용폐자원등매입세액	44		뒤쪽	
과세사업전환매입세액	45			
재고매입세액	46			
변제대손세액	47			
외국인관광객에대한환급세액	48			
합계	49	4,000,000		400,000

2. 가산세 명세서

- 세금계산서 미발급가산세 : 10,000,000원 × 2% = 200,000원
- 신고불성실가산세(일반과소) : 1,000,000원 × 10% × 25% = 25,000원
- 납부지연가산세 : 1,000,000원 × 0.025% × 92일 = 23,000원
- 합계 248,000원

25.가산세명세					
사업자미등록등		61		1/100	
세 금 계산서	지연발급 등	62		1/100	
	지연수취	63		5/1,000	
	미발급 등	64	10,000,000	뒤쪽참조	200,000
전자세금 발급명세	지연전송	65		3/1,000	
	미전송	66		5/1,000	
세금계산서 합계표	제출불성실	67		5/1,000	
	지연제출	68		3/1,000	
신고 불성실	무신고(일반)	69		뒤쪽	
	무신고(부당)	70		뒤쪽	
	과소·초과환급(일반)	71	1,000,000	뒤쪽	25,000
	과소·초과환급(부당)	72		뒤쪽	
납부불성실		73	1,000,000	뒤쪽	23,000
영세율과세표준신고불성실		74		5/1,000	
현금매출명세서불성실		75		1/100	
부동산임대공급가액명세서		76		1/100	
매입자 납부특례	거래계좌 미사용	77		뒤쪽	
	거래계좌 지연입금	78		뒤쪽	
합계		79			248,000

3. 과세표준명세

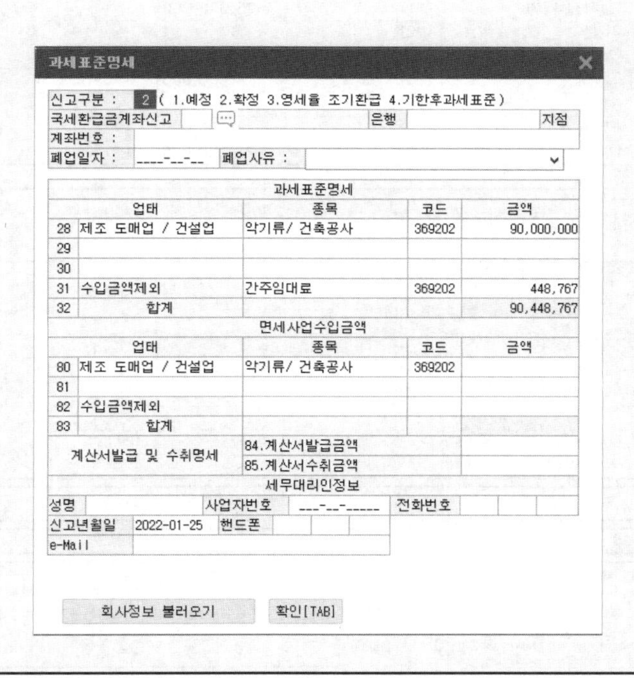

과세표준명세

신고구분 : 2 (1.예정 2.확정 3.영세율 조기환급 4.기한후과세표준)

국세환급금계좌신고 | 은행 | 지점

계좌번호 :

폐업일자 : ____-__-__ 폐업사유 :

과세표준명세				
	업태	종목	코드	금액
28	제조 도매업 / 건설업	악기류/ 건축공사	369202	90,000,000
29				
30				
31	수입금액제외	간주임대료	369202	448,767
32	합계			90,448,767

면세사업수입금액				
	업태	종목	코드	금액
80	제조 도매업 / 건설업	악기류/ 건축공사	369202	
81				
82	수입금액제외			
83	합계			

계산서발급 및 수취명세	84.계산서발급금액	
	85.계산서수취금액	

세무대리인정보

성명		사업자번호	___-__-_____	전화번호	
신고년월일	2022-01-25	핸드폰			
e-Mail					

회사정보 불러오기 확인[TAB]

■ 부가가치세법 시행규칙 [별지 제21호서식] <개정 2020.03.13.>

일반과세자 부가가치세 [ ]예정 [v]확정 / [ ]기한후과세표준 / [ ]영세율 등 조기환급 신고서

홈택스(www.hometax.go.kr)에서도 신청할 수 있습니다.

※ 뒤쪽의 작성방법을 읽고 작성하시기 바랍니다. (4쪽 중 제1쪽)

관리번호		처리기간	즉시

신고기간 2021년 제 2기 (10월1일 ~ 12월31일)

사업자							
사업자	상호(법인명)	(주)우리_부가.원천	성명(대표자명)	이순재	사업자등록번호	109-81-73060	
	생년월일	1971-01-15	전화번호		사업장 031-934-1300	주소지 - -	휴대전화 - -
	사업장 주소	경기도 수원시 팔달구 경수대로 424 (인계동)			전자우편 주소		

❶ 신 고 내 용

구분				금액	세율	세액
과세표준 및 매출세액	과세	세금계산서 발급분	(1)	50,000,000	10/100	5,000,000
		매입자발행 세금계산서	(2)		10/100	
		신용카드·현금영수증 발행분	(3)	10,000,000	10/100	1,000,000
		기타(정규영수증 외 매출분)	(4)	448,767		44,876
	영세율	세금계산서 발급분	(5)		0/100	
		기타	(6)	20,000,000	0/100	
	예정신고누락분		(7)	10,000,000		1,000,000
	대손세액가감		(8)			-100,000
	합계		(9)	90,448,767	㉮	6,944,876
매입세액	세금계산서 수취분	일반매입	(10)	22,000,000		1,200,000
		수출기업 수입분 납부유예	(10-1)			
		고정자산 매입	(11)	23,000,000		2,300,000
	예정신고누락분		(12)			
	매입자발행 세금계산서		(13)			
	그 밖의 공제매입세액		(14)	4,000,000		400,000
	합계(10)-(10-1)+(11)+(12)+(13)+(14)		(15)	49,000,000		3,900,000
	공제받지 못할 매입세액		(16)	22,000,000		2,200,000
	차감계 (15)-(16)		(17)	27,000,000	㉯	1,700,000
납부(환급)세액 (매출세액㉮-매입세액㉯)					㉰	5,244,876
경감·공제세액	그 밖의 경감·공제세액		(18)			10,000
	신용카드매출전표등 발행공제 등		(19)	11,000,000		
	합계		(20)		㉱	10,000
소규모 개인사업자 부가가치세 감면세액			(20-1)		㉲	
예정신고미환급세액			(21)		㉳	
예정고지세액			(22)		㉴	
사업양수자의 대리납부 기납부세액			(23)		㉵	
매입자 납부특례 기납부세액			(24)		㉶	
신용카드업자의 대리납부 기납부세액			(25)		㉷	
가산세액계			(26)		㉸	248,000
차감·가감하여 납부할 세액(환급받을 세액)(㉰-㉱-㉲-㉳-㉴-㉵-㉶-㉷+㉸)					(27)	5,482,876
총괄 납부 사업자가 납부할 세액(환급받을 세액)						

❷ 국세환급금 계좌신고 (환급세액이 2천만원 미만인 경우)	거래은행	은행	지점	계좌번호	

❸ 폐업신고	폐업일		폐업사유	

❹ 과세표준명세

	업태	종목	생산요소	업종 코드	금액
(28)	제조도매업/건설업	악기류/건축공사		369202	90,000,000
(29)					
(30)					
(31)	수입금액 제외	간주임대료		369202	448,767
(32)	합계				90,448,767

「부가가치세법」 제48조·제49조 또는 제59조와 「국세기본법」 제45조의3에 따라 위의 내용을 신고하며, 위 내용을 충분히 검토하였고 신고인이 알고 있는 사실 그대로를 정확하게 적었음을 확인합니다.

2022 년 01 월 25 일

신고인 (주)우리_부가.원천 (서명 또는 인)

세무대리인은 조세전문자격자로서 위 신고서를 성실하고 공정하게 작성하였음을 확인합니다.

세무대리인 (서명 또는 인)

수원 세무서장 귀하

첨부서류	뒤쪽 참조

세무대리인	성명		사업자등록번호		전화번호	- -

210㎜×297㎜[백상지 80g/㎡(재활용품)]

(4쪽 중 제3쪽)

※ 이 쪽은 해당 사항이 있는 사업자만 사용합니다.

사업자등록번호 | 1 | 0 | 9 | - | 8 | 1 | - | 7 | 3 | 0 | 6 | 0 | ※사업자등록번호는 반드시 적으시기 바랍니다.

예정신고 누락분 명세	구분				금액	세율	세액
	(7)매출	과세	세금계산서	(33)	10,000,000	10/100	1,000,000
			기타	(34)		10/100	
		영세율	세금계산서	(35)		0/100	
			기타	(36)		0/100	
		합계		(37)	10,000,000		1,000,000
	(12)매입	세금계산서		(38)			
		그 밖의 공제매입세액		(39)			
		합계		(40)			

(14) 그 밖의 공제 매입세액 명세	구분			금액	세율	세액
	신용카드매출전표등 수령명세서 제출분	일반매입	(41)	4,000,000		400,000
		고정자산매입	(42)			
	의제매입세액		(43)		뒤쪽 참조	
	재활용폐자원등 매입세액		(44)		뒤쪽 참조	
	과세사업전환 매입세액		(45)			
	재고매입세액		(46)			
	변제대손세액		(47)			
	외국인 관광객에 대한 환급세액		(48)			
	합계		(49)	4,000,000		400,000

(16) 공제받지 못할 매입세액 명세	구분		금액	세율	세액
	공제받지 못할 매입세액	(50)	22,000,000		2,200,000
	공통매입세액 면세사업등분	(51)			
	대손처분받은 세액	(52)			
	합계	(53)	22,000,000		2,200,000

(18) 그 밖의 경감·공제 세액 명세	구분		금액	세율	세액
	전자신고 세액공제	(54)			10,000
	전자세금계산서 발급세액 공제	(55)			
	택시운송사업자 경감세액	(56)			
	대리납부세액공제	(57)			
	현금영수증사업자 세액공제	(58)			
	기타	(59)			
	합계	(60)			10,000

(25) 가산세 명세	구분			금액	세율	세액
	사업자미등록 등		(61)		1/100	
	세금계산서	지연발급 등	(62)		1/100	
		지연수취	(63)		5/1,000	
		미발급 등	(64)	10,000,000	뒤쪽참조	200,000
	전자세금계산서 발급명세 전송	지연전송	(65)		3/1,000	
		미전송	(66)		5/1,000	
	세금계산서 합계표	제출 불성실	(67)		5/1,000	
		지연제출	(68)		3/1,000	
	신고 불성실	무신고(일반)	(69)		뒤쪽참조	
		무신고(부당)	(70)		뒤쪽참조	
		과소·초과환급신고(일반)	(71)	1,000,000	뒤쪽참조	25,000
		과소·초과환급신고(부당)	(72)		뒤쪽참조	
	납부지연		(73)	1,000,000	뒤쪽참조	23,000
	영세율 과세표준신고 불성실		(74)		5/1,000	
	현금매출명세서 불성실		(75)		1/100	
	부동산임대공급가액명세서 불성실		(76)		1/100	
	매입자 납부특례	거래계좌 미사용	(77)		뒤쪽참조	
		거래계좌 지연입금	(78)		뒤쪽참조	
	합계		(79)			248,000

면세사업 수입금액	업태	종목	코드번호	금액
	(80) 제조 도매업 / 건설업	전기류/ 건축공사	3 6 9 2 0 2	
	(81)			
	(82) 수입금액 제외			
			(83)합계	

계산서 발급 및 수취 명세		
	(84) 계산서 발급금액	
	(85) 계산서 수취금액	

02 부가가치세 납부서

부가가치세 자진납부서를 작성하는 메뉴로 과세기간과 대상 회사코드를 입력하면 조회가능하며 화면 상단의 [인쇄]키를 클릭하여 인쇄할 수 있다.

부가가치 ≫ 부속명세서 I I ≫ 납부서

■ 국세징수법 시행규칙[별지 제9호서식] <개정 2019. 3. 20.> (앞쪽)

영수증서(납세자용)

납부번호					수입징수관서		
분류기호	납부연월	납부구분	세목	발행번호	세무서명	서코드	계좌번호
0126	2201	1	41		수원	124	130352
성명(상호)	(주)우리_부가.원천		주민등록번호(사업자등록번호)		109-81-73060	회계연도	2022
주소(사업장)	경기도 수원시 팔달구 경수대로 424 (인계동)				일반회계	기획재정부소관	조세

연도/기분	2021 년 2기 확정분												
세목명	납 부 금 액												
	조	천	백	십	억	천	백	십	만	천	백	십	일
부가가치세							5	4	8	2	8	7	0
농어촌특별세													
계							5	4	8	2	8	7	0

왼쪽의 금액을 한국은행 국고(수납)대리점인 은행 또는 우체국 등에 납부합니다.
(인터넷 등에 의한 전자납부 가능)

납부기한 2022 년 01 월 25 일

년 월 일

은 행
우체국 등 지점

납부서(수납기관용)

납부번호					수입징수관서		
분류기호	납부연월	납부구분	세목	발행번호	세무서명	서코드	계좌번호
0126	2201	1	41		수원	124	130352
성명(상호)	(주)우리_부가.원천		주민등록번호(사업자등록번호)		109-81-73060	회계연도	2022
주소(사업장)	경기도 수원시 팔달구 경수대로 424 (인계동)				일반회계	기획재정부소관	조세

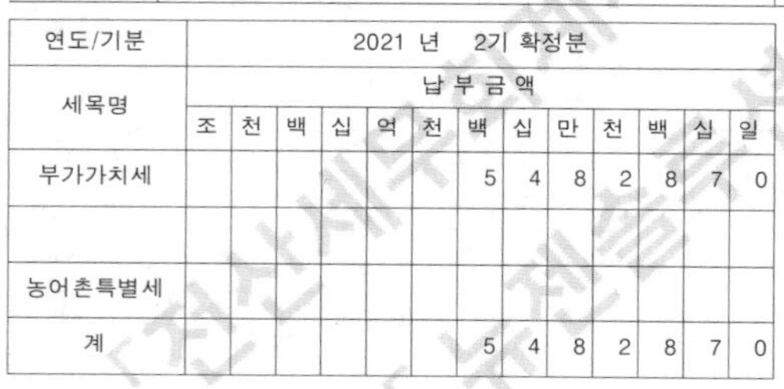

연도/기분	2021 년 2기 확정분												
세목명	납 부 금 액												
	조	천	백	십	억	천	백	십	만	천	백	십	일
부가가치세							5	4	8	2	8	7	0
농어촌특별세													
계							5	4	8	2	8	7	0

왼쪽의 금액을 한국은행 국고(수납)대리점인 은행 또는 우체국 등에 납부합니다.
(인터넷 등에 의한 전자납부 가능)

납부기한 2022 년 01 월 25 일

년 월 일

은 행
우체국 등 지점

◆ 납부 방법 안내

- ⊙ 인터넷뱅킹: [금융기관 홈페이지]접속 ⇒ [인터넷뱅킹, 온라인서비스, 국세납부 등] 선택 (납부 가능 시간은 각 금융기관 홈페이지 참조)
- ⊙ ARS 납부: [거래은행의 ARS전화] 접속 ⇒ [국세납부 등] 선택 ⇒ 안내에 따라 납부
- ⊙ ATM 납부: [거래은행의 ATM기] 이용 ⇒ [국세납부 등] 선택 ⇒ [납부번호입력] ⇒ [납부]
- ⊙ 홈택스(www.hometax.go.kr)나 인터넷지로(www.giro.or.kr)를 이용하면 365일 연중무휴 국세납부 가능(납부가능시간 ⇒ 07:00 ~ 23:30)

※ 신용카드 납부는 홈택스, 카드로택스(www.cardrotax.or.kr), 은행CD/ATM기, 세무서에서 납부 가능하며, 납부 후 승인 취소나 할부 개월 수 변경은 불가능합니다. 수수료(신용카드 0.8%, 체크카드 0.5%)는 납세자 부담입니다.
※ 국고금 취급절차에 따라 납부 후에는 수납을 취소할 수 없으며, 초과납부한 국세는 환급금 취급 절차에 따라 환급됩니다.

210㎜×297㎜ (전산용지(특급) 90g/㎡)

NCS 국가직무능력표준 National Competency Standards

제 4 부

원천징수

[과정/과목명 : 0203020204_17v4/원천징수]

능력단위 요소명	훈 련 내 용
근로소득 원천징수하기	3.1 소득세법에 따라 세무정보시스템 또는 급여대장을 통해 임직원의 인적공제사항을 작성·관리할 수 있다. 3.2 회사의 급여규정에 따라 임직원 및 일용근로자의 기본급, 수당, 상여금 등의 급여금액을 정확하게 계산할 수 있다. 3.3 세법에 의한 임직원 및 일용근로자의 급여액에 대한 근로소득금액을 과세 근로소득과 비과세 근로소득으로 구분하여 계산할 수 있다. 3.4 간이세액표에 따라 급여액에 대한 산출된 세액을 공제 후 지급할 수 있다. 3.5 중도퇴사자에 대한 근로소득 정산에 의한 세액을 환급 또는 추징할 수 있다. 3.6 근로소득에 대한 원천징수 결과에 따라 원천징수이행상황신고서를 작성하고 신고 후 세액을 납부할 수 있다. 3.7 환급받을 원천징수세액 이 있는 경우 납부세액과 상계 및 환급 신청할 수 있다. 3.8 기 신고한 원천징수 수정 또는 경정요건이 발생할 경우 수정신고 및 경정청구할 수 있다.
근로소득 연말정산하기	6.1 연말정산대상소득과 연말정산시기에 대해서 파악할 수 있다. 6.2 근로자의 근로소득원천징수부를 확인하여 총 급여 및 원천징수세액을 파악할 수 있다. 6.3 세법에 따라 연말정산대상자의 소득공제신고서와 소득공제증명자료를 처리할 수 있다. 6.4 연말정산결과에 따라 근로소득원천징수영수증을 소득자에게 발급할 수 있다. 6.5 연말정산결과에 따라 근로소득지급명세서를 전자제출 할 수 있다. 6.6 연말정산결과에 따라 원천징수이행상황신고서 전자신고 할 수 있다.

제 1 절

근로소득 원천징수하기

데이터 다운로드

1단계 도서출판 아이콕스 (http://icoxpublish.com) 사이트에 접속한다.

2단계 자료실 > 세무회계 > 전산세무 2급 데이터 파일을 클릭하여 바탕화면에 다운로드한 다음 데이터를 더블클릭한다.

3단계 [전산세무회계 자격시험 교육용 프로그램 KcLep] 로그인 화면에서 [회사등록]을 클릭하여 상단의 F4 회사코드재생성 을 누른 후 [확인] 버튼을 클릭한다.

4단계 회사코드가 재생성된 리스트에서 '**2100.(주)우리_부가.원천**'을 선택하여 실무문제를 해결하도록 한다.

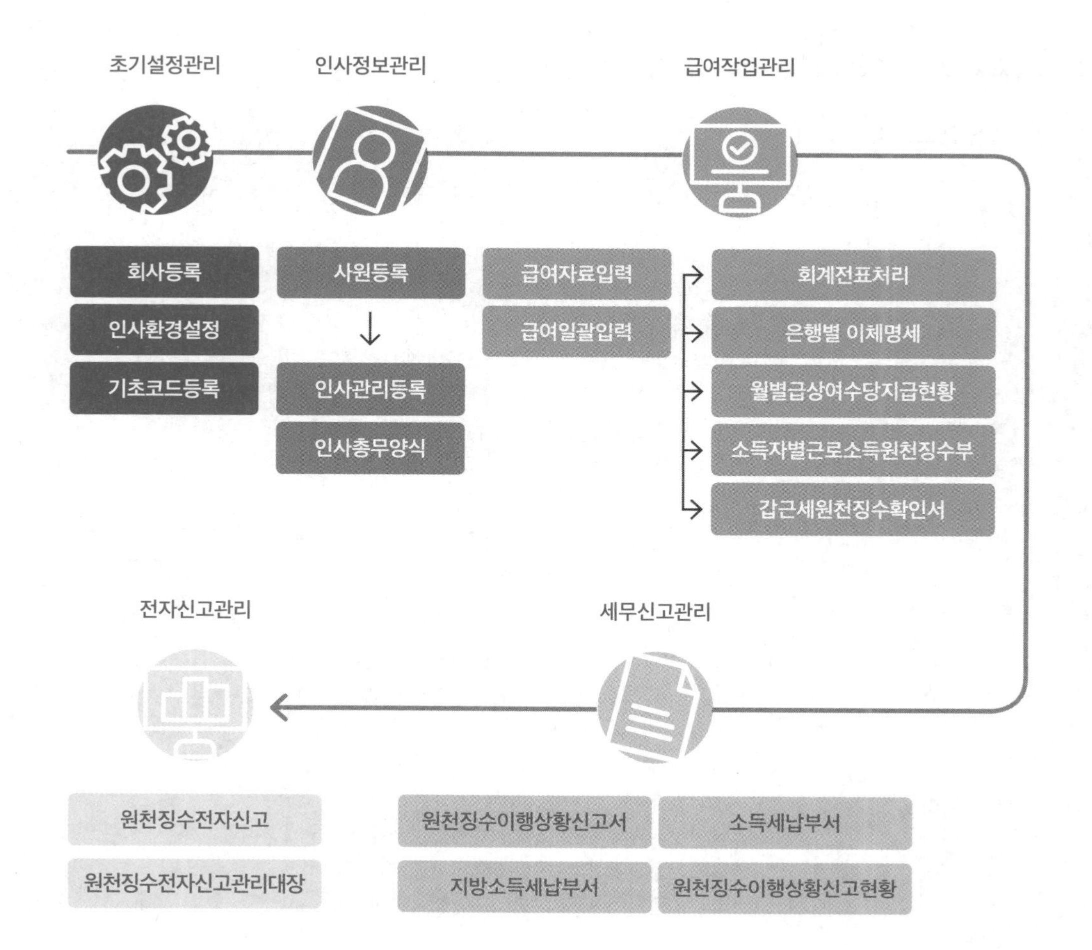

01 사원등록

원천징수 프로그램의 가장 기초가 되는 사원에 대한 정보를 입력하므로 급여계산, 사원정보관리, 연말정산, 퇴직소득 등 상용직사원에 대한 원천징수와 관련된 제반정보를 제공한다.

(1) 기본사항

(2) 부양가족명세

연말관계	성명	내/외국인		주민(외국인)번호	나이	기본공제	부녀자	한부모	경로우대	장애인	자녀	출산입양	위탁관계
0	정인구	내	1	661201-1124580	55	본인							
1	정수한	내	1	400516-1051326	81	부							
1	강희영	내	1	460819-2016623	75	60세이상			○				
3	김영희	내	1	730111-2101011	48	배우자							
4	정종식	내	1	011120-3051313	20	20세이하					○		
4	정종희	내	1	020801-4105121	19	20세이하					○		
6	정인숙	내	1	770808-2153201	44	부							

[주요항목별 입력방법]

<table>
<tr><th>항 목</th><th colspan="2">설 명</th></tr>
<tr><td>사번</td><td colspan="2">숫자 또는 문자를 이용하여 10자 이내로 입력한다.</td></tr>
<tr><td>성명</td><td colspan="2">사원명을 20자 이내로 입력한다.</td></tr>
<tr><td>주민(외국인)번호</td><td colspan="2">내국인일 경우 1.주민등록번호, 외국인일 경우 2.외국인등록번호 또는 3.여권번호를 입력한다.</td></tr>
<tr><td>입사년월일</td><td colspan="2">사원관리의 기준이 되는 중요한 입력항목이므로 반드시 정확하게 입력한다.</td></tr>
<tr><td>거주구분</td><td colspan="2">거주자인 경우 '1', 비거주자인 경우 '2'로 입력한다.</td></tr>
<tr><td>국외근로제공</td><td colspan="2">외국에 파견 근무하는 경우 비과세여부를 확인하여 입력한다.</td></tr>
<tr><td>단일세율적용</td><td colspan="2">외국인근로자의 경우 단일세율적용(0.부, 1.여)를 선택히여 세액을 계산한다.</td></tr>
<tr><td>생산직등여부
연장근로비과세</td><td colspan="2">연장근로수당이 비과세되는 생산직사원의 경우 '1', 생산직이외의 사원은 '0'을 입력하고, 전년도 총급여액이 3,000만원 이하인 생산직근로자인 경우 '1.여'를 입력한다.</td></tr>
<tr><td>국민연금보수월액
건강보험보수월액
고용보험보수월액</td><td colspan="2">보수월액을 입력하면 기초관리코드등록에 등록된 요율에 따라 자동으로 계산하여 보여준다.</td></tr>
<tr><td>퇴사년월일/이월여부</td><td colspan="2">퇴사일자를 입력하며 퇴사일 입력시 이월여부는 자동으로 1.부로 변경된다.</td></tr>
<tr><td rowspan="9">부양가족명세</td><td colspan="2">소득자 본인을 포함한 부양가족에 대한 내역을 입력하며 입력된 사항을 바탕으로 급여자료입력, 연말정산추가자료입력의 인적공제 내역에 반영된다.</td></tr>
<tr><td>기본공제</td><td>0.소득자 본인 1.소득자의 직계존속 2.배우자의 직계존속 3.배우자 4.직계비속(자녀+입양자) 5.직계비속(4제외) 6.형제자매 7.수급자(1-6제외) 8.위탁아동(만 18세미만) 중 선택</td></tr>
<tr><td>부녀자</td><td>본인이 부녀자인 경우 선택</td></tr>
<tr><td>한부모</td><td>배우자가 없는자로서 기본공제대상자인 부양자녀(20세이하)가 있는 경우 선택</td></tr>
<tr><td>경로우대</td><td>기본공제대상자가 만70세이상인 경우 선택</td></tr>
<tr><td>장애인</td><td>1.장애인복지법에 의한 장애인, 2.국가유공자등 근로능력 없는 자, 3.항시 치료를 요하는 증증환자 중 선택</td></tr>
<tr><td>자녀</td><td>기본공제대상자 중 7세이상 20세이하의 자녀인 경우 선택</td></tr>
<tr><td>출산입양</td><td>당해연도에 출생, 입양한 자녀인 경우 선택</td></tr>
<tr><td colspan="2"></td></tr>
<tr><td>사원의 삭제</td><td colspan="2">[급여자료입력]과 [연말정산추가자료입력] 등의 메뉴에 삭제할 사원의 데이터가 있는 경우 먼저 데이터를 삭제하고 [사원등록]에서 해당사원을 삭제한다.</td></tr>
</table>

TIP

인적공제

기본공제 : 1인당 150만원

근로소득이 있는 거주자에 대하여는 다음에 해당하는 가족수에 1인당 150만원을 근로소득금액에서 공제한다.

구 분		공제요건		비 고
		나이요건	소득요건 (100만원 이하)	
본인공제		×	×	
부양가족	배우자	×	○	• 연간 소득금액의 합계액 100만원 이하 단, 근로소득만 있는 경우 총급여액 500만원 이하
	직계존속	60세 이상	○	
	직계비속, 입양자(의붓자녀 포함)	20세 이하	○	
	장애인 (직계비속의 장애인 배우자 포함)	×	○	
	형제자매	60세 이상 20세 이하	○	
	국민기초생활보장법에 따른 수급자	×	○	
	위탁아동*	18세 미만	○	

* 보호기간이 연장된 위탁아동 포함(20세 이하인 경우)

기본공제대상자(연간소득금액 100만원 이하) 해당여부 판정시 참고사항

연간소득금액이란 종합(이자 · 배당 · 사업 · 근로 · 연금 · 기타소득금액), 퇴직, 양도소득금액의 연간합계액으로 총수입금액이 아니라 필요경비를 공제한 후의 금액을 말한다. 이때 총수입금액에서 비과세소득 및 분리과세 대상소득금액은 제외한다.

종류	소득금액계산	분리과세여부
근로소득	총급여액(비과세차감) - 근로소득공제	일용근로소득(분리과세)
사업소득 (부동산임대포함)	총수입금액 - 필요경비	
연금소득	총연금액 - 연금소득공제	사적연금 : 총연금액 연 1,200만원 이하 분리과세 선택가능
기타소득	총수입금액 - 필요경비	기타소득금액이 300만원 이하 분리과세 선택가능
이자 · 배당소득	필요경비 인정 안됨	금융소득합계액이 2,000만원 이하 분리과세 선택가능
퇴직소득	비과세를 제외한 퇴직금 전액	
양도소득	양도가액 - 취득가액 - 기타필요경비 - 장기보유특별공제	

추가공제

기본공제대상자가 다음 중 어느 하나에 해당하는 경우 기본공제 외에 아래의 구분별로 정해진 금액을 추가로 공제한다.

구 분		공제요건	추가공제금액
추가공제	장애인	기본공제대상자 중 장애인(연간소득금액 100만원 이하)	1인당 연 200만원
	경로우대	기본공제대상자 중 70세 이상인 자	1인당 연 100만원
	부녀자	근로소득금액이 3천만원 이하인 근로자가 다음 하나에 해당하는 경우 • 배우자가 있는 경우 • 배우자가 없는 여성으로서 기본공제대상 부양가족이 있는 세대주	연 50만원
	한부모	배우자가 없는 자로서 부양자녀(20세 이하)가 있는 자	연 100만원

• 부녀자 공제와 한부모 공제가 중복시 중복적용이 배제되므로 한부모 공제를 적용한다.

실무문제 사원등록

다음 자료에 의하여 사원등록을 하시오. 단, 제시된 자료이외의 소득은 없고, 생계를 같이하는 부양가족이며, 주민등록번호는 모두 정확한 것으로 가정한다.

[1] 1001.정인구의 인적사항 및 가족사항

입사년월일	내/외국인	거주지국	거주구분	생산직여부	사회보험 보수월액
2016.10.1.	내국인	KR	거주자	부	월급 4,000,000원

가족사항	이름	주민등록번호	비고
본인	정인구	661201-1124580	근로소득금액 5,000만원
처	김영희	730111-2101011	양도소득금액 50만원
자	정종식	011120-3051313	일용근로소득 480만원
자	정종희	020801-4105121	소득없음
부	정수한	400516-1051326	청각장애인, 사업소득금액 500만원
모	강희영	460819-2016623	소득없음
형제	정인숙	770808-2153201	소득없음

[2] 2001.사마천의 인적사항 및 가족사항

입사년월일	내/외국인	거주지국	거주구분	생산직여부	사회보험 보수월액
2019.3.2.	내국인	KR	거주자	부	5,000,000원

가족사항	이름	주민등록번호	비고
본인	사마천	630905-1023127	당사 중국지사 관리부 근무
배우자	백장미	791101-2334431	근로소득 500만원
장 남	사계절	980302-1234567	시각장애인, 기타소득금액(강연료) 400만원
장 녀	사진주	180213-4254524	소득없음
부 친	사천왕	390315-1245785	장애인(중증환자이며 장애인 요건을 충족), 소득없음
모 친	흑장미	490607-2214562	소득없음
위탁아동	김장철	160920-3254523	2020. 12. 20.부터 양육한 아동복지법에 따른 가정위탁임

[3] 3001.정석정의 인적사항 및 가족사항

입사년월일	내/외국인	거주지국	거주구분	생산직여부	사회보험 보수월액
2021.4.5.	내국인	KR	거주자	여(비과세)	2,000,000원

가족사항	이름	주민등록번호	비고
본인	정석정	760311-2222220	전년도 급여총액 2,500만원
배우자	송정수	721128-1111111	세대주, 로또당첨소득 500만원
아들	송문기	050712-3333333	소득없음
시아버지	송경철	391009-1111111	장애인 5급(2021년 1월 3일 사망), 소득없음
동생	정민기	821203-1111111	일용근로소득 500만원

실무문제 따라하기

[1] 1001. 정인구 등록사항

사원등록
종료 코드 삭제 인쇄 조회 [2100] (주)우리_부가.원천 109-81-73060 법인 13기 2021-01-01~2021-12-31 부가세 2021 원
F3 조건검색 F6 기초등록 F7 추가공제 F8 부양가족불러오기 SF10 일괄변경 CF10 소득세적용률 CF11 엑셀간편저장 CF12 엑셀데이터불러오기

사번	성명		주민(외국인)번호
1001	정인구	1	661201-1124580
2001	사마천	1	630905-1023127
3001	정석정	1	760311-2222220

기본사항 | 부양가족명세 | 추가사항

1. 입사년월일 2016 년 10 월 1 일
2. 내/외국인 1 내국인
3. 외국인국적 KR 대한민국 체류자격
4. 주민구분 1 주민등록번호 주민등록번호 661201-1124580
5. 거주구분 1 거주자 6. 거주지국코드 KR 대한민국
7. 국외근로제공 0 부 8. 단일세율적용 0 부 9. 외국법인 파견근로자 0 부
10. 생산직등여부 0 부 연장근로비과세 0 부 전년도총급여
11. 주소
12. 국민연금보수월액 4,000,000 국민연금납부액 180,000
13. 건강보험보수월액 4,000,000 건강보험료경감 0 부 건강보험납부액 137,200
장기요양보험적용 1 여 장기요양보험납부액 15,800
14. 고용보험적용 1 여 (대표자 여부 0 부)
고용보험보수월액 4,000,000 고용보험납부액 32,000
15. 산재보험적용 1 여 16. 퇴사년월일 년 월 일 (이월 여부 0 부)

- 김영희(배우자) : 양도소득금액 100만원 이하이므로 기본공제 가능
- 정종식(자녀) : 일용근로소득은 분리과세임으로 20세이하 기본공제, 자녀세액공제 가능
- 정종희(자녀) : 20세이하 기본공제, 자녀세액공제 가능
- 정수한(부) : 사업소득금액이 100만원 이상이므로 기본공제 불가
- 강희영(모) : 60세이상 기본공제, 경로우대공제 가능
- 정인숙(동생) : 나이제한으로 공제불가

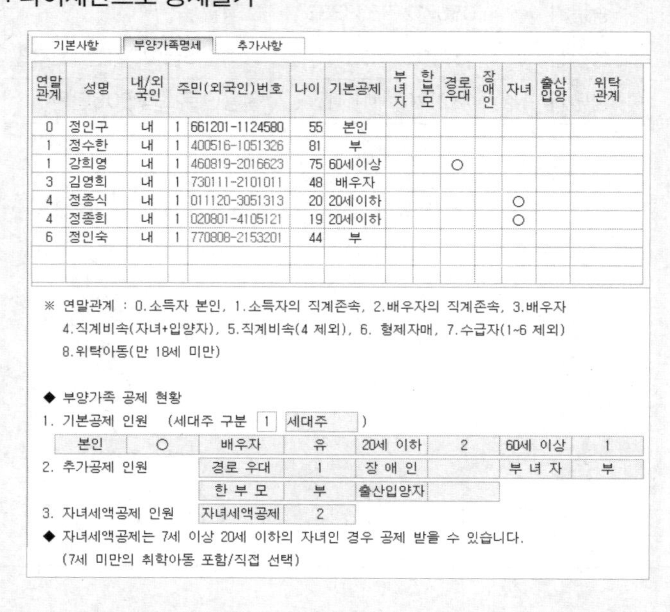

기본사항 | 부양가족명세 | 추가사항

연말관계	성명	내/외국인		주민(외국인)번호	나이	기본공제	부녀자	한부모	경로우대	장애인	자녀	출산입양	위탁관계
0	정인구	내	1	661201-1124580	55	본인							
1	정수한	내	1	400516-1051326	81	부							
1	강희영	내	1	460819-2016623	75	60세이상			○				
3	김영희	내	1	730111-2101011	48	배우자							
4	정종식	내	1	011120-3051313	20	20세이하					○		
4	정종희	내	1	020801-4105121	19	20세이하					○		
6	정인숙	내	1	770808-2153201	44	부							

※ 연말관계 : 0.소득자 본인, 1.소득자의 직계존속, 2.배우자의 직계존속, 3.배우자
4.직계비속(자녀+입양자), 5.직계비속(4 제외), 6. 형제자매, 7.수급자(1~6 제외)
8.위탁아동(만 18세 미만)

◆ 부양가족 공제 현황

1. 기본공제 인원 (세대주 구분 1 세대주)

본인	○	배우자	유	20세 이하	2	60세 이상	1

2. 추가공제 인원

경로 우대	1	장 애 인		부 녀 자	부
한 부 모	부	출산입양자			

3. 자녀세액공제 인원 자녀세액공제 2

◆ 자녀세액공제는 7세 이상 20세 이하의 자녀인 경우 공제 받을 수 있습니다.
(7세 미만의 취학아동 포함/직접 선택)

[2] 2001. 사마천 등록사항

□	사번	성명	주민(외국인)번호
□	1001	정인구	1 661201-1124580
□	2001	사마천	1 630905-1023127
□	3001	정석정	1 760311-2222220

기본사항 | 부양가족명세 | 추가사항

1.입사년월일 2019 년 3 월 2 일
2.내/외국인 1 내국인
3.외국인국적 KR 대한민국 체류자격
4.주민구분 1 주민등록번호 주민등록번호 630905-1023127
5.거주구분 1 거주자 6.거주지국코드 KR 대한민국
7.국외근로제공 1 월 100만원 8.단일세율적용 0 부 9.외국법인 파견근로자 0 부
10.생산직등여부 0 부 연장근로비과세 0 부 전년도총급여
11.주소
12.국민연금보수월액 5,000,000 국민연금납부액 225,000
13.건강보험보수월액 5,000,000 건강보험료경감 0 부 건강보험납부액 171,500
장기요양보험적용 1 여 장기요양보험납부액 19,750
14.고용보험적용 1 여 (대표자 여부 0 부)
고용보험보수월액 5,000,000 고용보험납부액 40,000
15.산재보험적용 1 여 16.퇴사년월일 년 월 일 (이월 여부 0 부)

- 백장미(배우자) : 근로소득만 500만원인 경우 기본공제 가능
- 사계절(자녀) : 기타소득금액 100만원 초과로 기본공제 불가
- 사진주(자녀) : 기본공제 가능
- 사천왕(부) : 60세이상 기본공제, 경로우대, 장애인(3)공제 가능
- 흑장미(모) : 60세이상 기본공제, 경로우대공제 가능
- 김장철(위탁아동) : 6개월이상 위탁아동으로 기본공제 가능

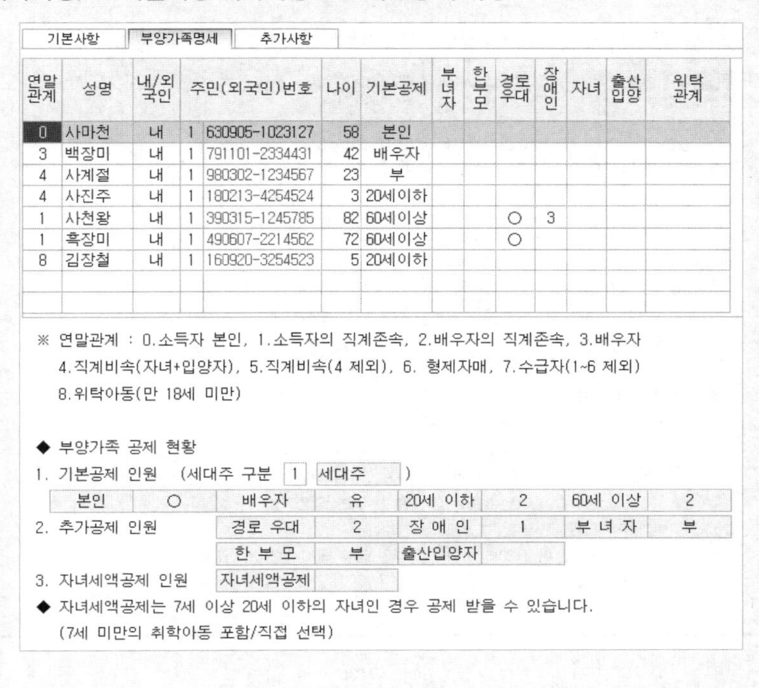

기본사항 | 부양가족명세 | 추가사항

연말관계	성명	내/외국인	주민(외국인)번호	나이	기본공제	부녀자	한부모	경로우대	장애인	자녀	출산입양	위탁관계
0	사마천	내	1 630905-1023127	58	본인							
3	백장미	내	1 791101-2334431	42	배우자							
4	사계절	내	1 980302-1234567	23	부							
4	사진주	내	1 180213-4254524	3	20세이하							
1	사천왕	내	1 390315-1245785	82	60세이상			○	3			
1	흑장미	내	1 490607-2214562	72	60세이상			○				
8	김장철	내	1 160920-3254523	5	20세이하							

※ 연말관계 : 0.소득자 본인, 1.소득자의 직계존속, 2.배우자의 직계존속, 3.배우자
4.직계비속(자녀+입양자), 5.직계비속(4 제외), 6. 형제자매, 7.수급자(1~6 제외)
8.위탁아동(만 18세 미만)

◆ 부양가족 공제 현황

1. 기본공제 인원 (세대주 구분 1 세대주)

본인	○	배우자	유	20세 이하	2	60세 이상	2

2. 추가공제 인원

경로 우대	2	장 애 인	1	부 녀 자	부
한 부 모	부	출산입양자			

3. 자녀세액공제 인원 자녀세액공제

◆ 자녀세액공제는 7세 이상 20세 이하의 자녀인 경우 공제 받을 수 있습니다.
(7세 미만의 취학아동 포함/직접 선택)

[3] 3001. 정석정 등록사항

□	사번	성명	주민(외국인)번호
□	1001	정인구	1 661201-1124580
□	2001	사마천	1 630905-1023127
□	3001	정석정	1 760311-2222220

기본사항 | 부양가족명세 | 추가사항

1.입사년월일 2021 년 4 월 5 일
2.내/외국인 1 내국인
3.외국인국적 KR 대한민국 체류자격
4.주민구분 1 주민등록번호 주민등록번호 760311-2222220
5.거주구분 1 거주자 6.거주지국코드 KR 대한민국
7.국외근로제공 0 부 8.단일세율적용 0 부 9.외국법인 파견근로자 0 부
10.생산직등여부 1 여 연장근로비과세 1 여 전년도총급여 25,000,000
11.주소
12.국민연금보수월액 2,000,000 국민연금납부액 90,000
13.건강보험보수월액 2,000,000 건강보험료경감 0 부 건강보험납부액 68,600
장기요양보험적용 1 여 장기요양보험납부액 7,900
14.고용보험적용 1 여 (대표자 여부 0 부)
고용보험보수월액 2,000,000 고용보험납부액 16,000
15.산재보험적용 1 여 16.퇴사년월일 년 월 일 (이월 여부 0 부)

- 정석정(본인) : 부녀자공제 가능, 세대주가 아니므로 2.세대원으로 수정
- 송정수(배우자) : 로또당첨소득은 분리과세임으로 기본공제 가능
- 송문기(자녀) : 20세이하 기본공제, 자녀세액공제 가능
- 송경철(시부) : 2021년 사망으로 인해 올해까지만 60세이상, 경로우대, 장애인(1)공제 가능
- 정민기(형제) : 20세이상 기본공제 불가

기본사항 | 부양가족명세 | 추가사항

연말관계	성명	내/외국인	주민(외국인)번호	나이	기본공제	부녀자	한부모	경로우대	장애인	자녀	출산입양	위탁관계
0	정석정	내	1 760311-2222220	45	본인	○						
3	송정수	내	1 721128-1111111	49	배우자							
4	송문기	내	1 050712-3333333	16	20세이하					○		
2	송경철	내	1 391009-1111111	82	60세이상			○	1			
6	정민기	내	1 821203-1111111	39	부							

※ 연말관계 : 0.소득자 본인, 1.소득자의 직계존속, 2.배우자의 직계존속, 3.배우자
4.직계비속(자녀+입양자), 5.직계비속(4 제외), 6. 형제자매, 7.수급자(1~6 제외)
8.위탁아동(만 18세 미만)

◆ 부양가족 공제 현황

1. 기본공제 인원 (세대주 구분 2 세대원)

본인	○	배우자	유	20세 이하	1	60세 이상	1

2. 추가공제 인원

경로 우대	1	장 애 인	1	부 녀 자	여
한 부 모	부	출산입양자			

3. 자녀세액공제 인원 자녀세액공제 1

◆ 자녀세액공제는 7세 이상 20세 이하의 자녀인 경우 공제 받을 수 있습니다.
(7세 미만의 취학아동 포함/직접 선택)

(주)팔팔전기(회사코드 : 2110)은 제조, 도매업을 영위하는 중소기업이며, 당기(22기)회계기간은 2021. 1. 1. ~ 2021. 12. 31.이다.

01 다음은 사무직 김세준(사번 : 110, 입사일 : 2019년 4월 1일)과 생계를 같이하는 가족의 내역이다. 다음의 주민등록번호는 모두 올바른 것으로 가정하며, 김세준의 사원등록을 하시오.

성 명	관 계	주민등록번호	비 고
김세준	본인	760825-1111114	급여외 다른 소득 없음
이양숙	처	781111-2222220	10월에 입사하여 10월부터 매월 150만원(전액 과세)급여 받음.
김인수	아들	071001-4023453	중학생
김인희	딸	150606-4111112	미취학아동
김현수	부친	440402-2022349	학교신문기고료(기타소득)로 400만원이 발생하여 원천세액을 제외한 금액을 수취함. 이외의 소득은 없으며 가능한 한 분리과세를 선택하려함.
김세호	동생	861111-1111111	시각장애인 3급이며, 소득은 없음
김세희	동생	881121-1111111	사업소득금액 3,200만원 있음

02 다음은 김예림(사번 : 120, 입사일 : 2019년 8월 15일, 세대주)의 부양가족 내역이다. 사원등록 메뉴에서 연말정산시 세부담최소화를 할 수 있도록 부양가족명세를 입력하시오. 본인 포함 부양가족 전원을 반영하되, 기본공제 대상자가 아닌 경우에는 기본공제 항목에 '부'로 입력한다.

성 명	관 계	주민등록번호	내/외국인	동거여부	비 고
김예림	본인	830530-2134564	내국인	-	연간 총급여액 3,000만원
최 영	배우자	780420-1234567	내국인	근무형편상 별거	연간 총급여액 350만원
김진훈	부	400330-1345678	내국인	주거형편상 별거	복권당첨소득 500만원
유지유	모	390730-2345678	내국인	주거형편상 별거	소득 없음
최유선	딸	100805-4123456	내국인	취학상 별거	언어장애인 5급, 소득 없음
최상욱	아들	110505-3123456	내국인	동거	소득 없음

※ 본인 및 부양가족의 소득은 위의 소득이 전부이며, 위의 주민등록번호는 정확한 것으로 가정한다.

03 다음 자료에 의하여 박신우(사번 : 130, 입사일 : 2020년 3월 5일, 세대주)씨의 사원등록 메뉴 중 '부양가족명세'를 입력하시오. 다음의 주민등록번호는 모두 올바른 것으로 가정하며, 기본공제대상자가 아닌 경우에도 부양가족명세에 입력하고 '기본공제'에서 '부'로 표시한다.

가족관계증명서

등록기준지	경기도 고양시 덕양구 세솔로 9길

구분	성 명	출생연월일	주민등록번호	성별
본인	박신우	1975년 2월 01일	750201-1124584	남

가족사항

구분	성 명	출생연월일	주민등록번호	성별
부	박광순	1942년 7월 6일	420706-1051326	남
모	조순이	1945년 8월 1일	450801-2015623	여
배우자	서진이	1980년 03월 1일	800301-2103011	여
자녀	박장우	2005년 1월 22일	050122-3051312	남
자녀	박은우	2015년 8월 1일	150801-4105121	여

① 본인은 생산직 사원으로 전년도 총급여는 2,800만원이다.

② 배우자는 전업주부이지만 양도소득 금액이 10,000,000원 있다.

③ 부친과 모친 및 자녀 모두 소득이 없다.

④ 부친은 현재 암치료중이다.

⑤ 가족관계증명서 외에 박신우씨의 장모인 김양자(570808-2153201, 소득없음)도 생계를 같이 하고 있다.

04 다음은 사무직직원 장인호(사번 : 140, 입사일 : 2021년 5월 1일, 세대주)씨 부양가족내용이다. 사원등록을 추가 입력 하시오.

가족	이름	주민등록번호	소득현황	비고
본인	장인호	830301-1023410		
배우자	박다미	850905-2012316	기타소득 원고료 3,000,000원	
부친	장진욱	551109-1023272	소득없음	2021년 1월 10일에 사망
모친	이은자	570805-2123784	부동산임대소득금액 6,000,000원	
딸	장새롬	050128-4012675		장애인복지법 장애인
아들	장하다	210707-3010231		2021년 7월 출생

정답 및 해설

01 110. 김세준(사무직. 입사일 : 2019. 4. 1.)

연말관계	성명	나이	기본공제	세대주구분	부녀자	한부모	경로우대	장애인	자녀	출산입양
0	김세준	45	본인	○						
3	이양숙	43	배우자							
4	김인수	14	20세이하						○	
4	김인희	6	20세이하							
1	김현수	77	60세이상				○			
6	김세호	35	장애인					1		
6	김세희	33	부							

- 배우자(이양숙)은 근로소득 500만원미만(1,500,000원 × 3개월 = 4,500,000원)이므로 기본공제 가능
- 자녀(김인수)는 20세이하로 기본공제, 자녀세액공제 가능
- 자녀(김인희)는 20세이하로 기본공제, 7세미만으로 자녀세액공제 불가
- 부친(김현수)는 기타소득금액 300만원 분리과세 선택으로 기본공제, 경로우대공제 가능
  4,000,000원 × (1 - 60%(필요경비)) = 1,600,000원 (분리과세)
- 동생(김세호)는 장애인이므로 기본공제, 장애인공제(1) 가능
- 동생(김세희)는 나이제한 및 소득금액 초과로 기본공제불가

02 120. 김예림(사무직. 입사일 : 2019. 8. 15.)

연말관계	성명	나이	기본공제	세대주구분	부녀자	한부모	경로우대	장애인	자녀	출산입양
0	김예림	38	본인	○	○					
3	최 영	43	배우자							
1	김진훈	81	60세이상				○			
1	유지유	82	60세이상				○			
4	최유선	11	20세이하					1	○	
4	최상욱	10	20세이하						○	

- 본인(김예림)은 세대주이며, 연간급여 3,000만원미만이며 20세이하 기본공제대상자가 있으므로 부녀자 공제 가능
- 배우자(최영)은 근로소득만 500만원미만으로 기본공제 가능
- 부친(김진훈)은 복권당첨소득은 분리과세임으로 기본공제, 경로우대공제 가능
- 모친(유지유)는 기본공제, 경로우대공제 가능
- 자녀(최유선)은 20세이하로 기본공제, 장애인공제(1), 자녀세액공제 가능
- 자녀(최상욱)은 20세이하로 기본공제, 자녀세액공제 가능

03 130. 박신우(생산직, 입사일 : 2020. 3. 5., 10.생산직등여부 '1.여', 연장근로비과세 '1.여', 전년도총급여 28,000,000원 입력)

연말관계	성명	나이	기본공제	세대주구분	부녀자	한부모	경로우대	장애인	자녀	출산입양
0	박신우	46	본인	○						
1	박광순	79	60세이상				○	3		
1	조순이	76	60세이상				○			
3	서진이	41	부							
4	박장우	16	20세이하						○	
4	박은우	6	20세이하							
2	김양자	64	60세이상							

- 배우자(서진이)는 양도소득금액 100만원초과로 기본공제 불가
- 부친(박광순)은 기본공제, 경로우대, 장애인공제(3) 가능
- 모친(조순이)는 기본공제, 경로우대공제 가능
- 자녀(박장우)은 20세이하로 기본공제, 자녀세액공제 가능
- 자녀(박은우)은 20세이하로 기본공제, 7세이하로 자녀세액공제 불가
- 장모(김양자)는 소득이 없고 생계를 같이함으로 기본공제 가능

04 140. 장인호(사무직, 입사일 : 2021. 5. 1.)

연말관계	성명	나이	기본공제	세대주구분	부녀자	한부모	경로우대	장애인	자녀	출산입양
0	장인호	38	본인	○						
3	박다미	36	배우자							
1	장진욱	66	60세이상							
1	이은자	64	부							
4	장새롬	16	20세이하					1	○	
4	장하다	0	20세이하							둘째

- 배우자(박다미)는 기타소득금액(300만원 한도)은 분리과세를 선택하여 기본공제 가능
  3,000,000원 × (1 - 60%) = 1,200,000원 (분리과세)
- 부친(장진욱)은 당해년도 사망으로 올해까지만 공제가능하여 기본공제 가능
- 모친(이은자)는 부동산임대소득금액 100만원초과로 기본공제 불가
- 자녀(장새롬)은 20세이하로 기본공제, 장애인공제(1), 자녀세액공제 가능
- 자녀(장하다)는 2021년 출생으로 기본공제, 출산입양(둘째)공제 가능

02 급여자료입력

[급여자료입력] 메뉴는 상용직 근로자의 각 월별 급여 및 상여금 등의 자료를 입력하는 곳으로 입력된 급여자료는 [급여대장], [원천징수이행상황신고서], [연말정산추가자료입력] 메뉴에 반영된다.

[주요항목별 입력방법]

항 목	설 명
지급일자	귀속월별 지급내역을 확인 할 수 있으며, 정기적으로 발생하는 급여나 상여금이 동일할 때 복사를 이용하여 손쉽게 작업할 수 있다. 또한 입력실수 등으로 지급일자, 지급구분 등을 변경하고자 할 때 [지급일자]키를 이용하여 해당내역을 삭제 후 다시 설정하여 등록할 수 있다. ※ 귀속월별로 지급된 내역 확인, 정기적으로 발생하는 급여나 상여금이 동일한 경우 복사, 이동, 삭제, 지급일자 수정을 할 수 있다.
중도 퇴사자정산	중도퇴사시 사원등록에서 퇴사일을 입력한 다음 해당 퇴사월의 급여자료입력시 [중도퇴사자정산]키를 클릭하여 자료 입력 후 [확인]을 클릭하면 중도퇴사자의 연말정산이 완료된다.
마 감	당월 지급분에 대한 급여자료입력을 완료했다는 의미이며, 마감시 수정, 재계산, 삭제 등의 작업을 할 수 없다. 마감 후 다시 [마감]키를 클릭하면 마감이 취소된다.
재 계 산	과세, 비과세 금액이 변경되거나 사원의 부양가족이 변경되는 등 변경입력된 정보의 내용을 반영하고자 하는 경우 사용한다.

항 목	설 명
수당공제 등록	(아래 참조)

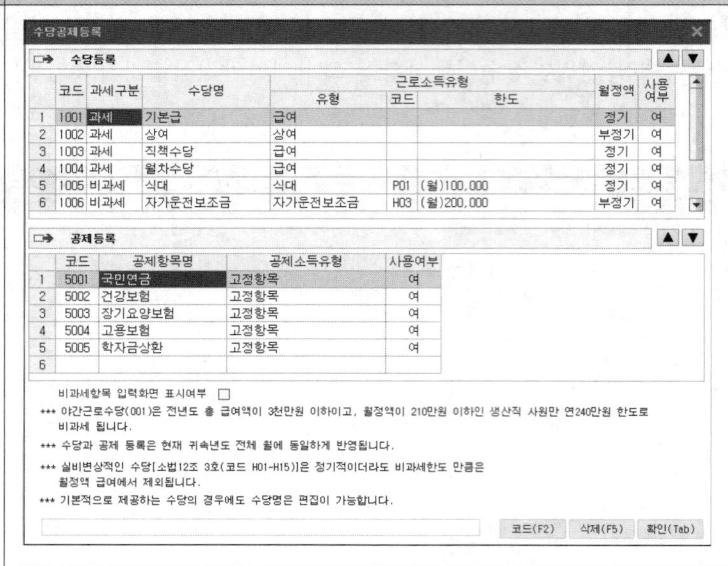

수당공제등록

수당등록

	코드	과세구분	수당명	근로소득유형 유형	근로소득유형 코드	근로소득유형 한도	월정액	사용여부
1	1001	과세	기본급	급여			정기	여
2	1002	과세	상여	상여			부정기	여
3	1003	과세	직책수당	급여			정기	여
4	1004	과세	월차수당	급여			정기	여
5	1005	비과세	식대	식대	P01	(월)100,000	정기	여
6	1006	비과세	자가운전보조금	자가운전보조금	H03	(월)200,000	부정기	여

공제등록

	코드	공제항목명	공제소득유형	사용여부
1	5001	국민연금	고정항목	여
2	5002	건강보험	고정항목	여
3	5003	장기요양보험	고정항목	여
4	5004	고용보험	고정항목	여
5	5005	학자금상환	고정항목	여
6				

비과세항목 입력화면 표시여부 ☐

*** 야간근로수당(001)은 전년도 총 급여액이 3천만원 이하이고, 월정액이 210만원 이하인 생산직 사원만 연240만원 한도로 비과세 됩니다.

*** 수당과 공제 등록은 현재 귀속년도 전체 월에 동일하게 반영됩니다.

*** 실비변상적인 수당[소법12조 3호(코드 H01~H15)]은 정기적이더라도 비과세한도 만큼은 월정액 급여에서 제외됩니다.

*** 기본적으로 제공하는 수당의 경우에도 수당명은 편집이 가능합니다.

코드(F2) 삭제(F5) 확인(Tab)

구분	유형	내용	비고
수당등록	과세구분	과세수당이면 과세, 비과세수당이면, 비과세를 선택한다.	
	근로소득유형	과세구분을 [비과세]로 선택할 경우 비과세 유형을 입력한다.	비과세유형에 의하여 각 비과세 항목별 한도액이 자동계산 된다.
	월정액 (정기, 비정기)	과세구분이 비과세인 경우 월정액 계산시 포함되는 항목은 '정기'를 선택한다. 비과세되는 수당 중 실비변상이 아닌 수당은 월정액에 포함되어야 한다. (ex : 식대)	연장근로수당의 월정액급여 210만원이하 판단시 반영이 된다.
	사용여부	해당 수당이 급여, 상여 지급시 지급되는 수당 항목이면 '여'를 선택한다.	
공제등록	공제소득유형	매월 공제되는 항목인 경우 '고정항목'을 선택한다.	기부금 및 사회보험정산자료 집계에 자동반영된다.
	사용여부	해당 항목이 급여, 상여 지급시 공제되는 항목이면 '여'를 선택한다.	

실무문제 급여자료입력

다음 자료에 의하여 1월부터 10월 급여를 입력하시오.

2021년 1~10월 급여대장(급여지급일 : 매월 25일)]

구 분		정인구	사마천	정석정(4월 입사)
수당	기본급	4,000,000	5,000,000	2,000,000
	직책수당	300,000	200,000	
	식대	100,000	100,000	100,000
	자가운전보조금	500,000	200,000	200,000
	야간근로수당			200,000
	육아수당		200,000	
	국외근로수당		1,000,000	
급 여 계		4,900,000	3,600,000	2,500,000
공제	국민연금	180,000	225,000	90,000
	건강보험	137,200	171,500	68,600
	장기요양보험	15,800	19,750	7,900
	고용보험	36,800	42,400	16,000
공 제 계		369,800	458,650	182,500

① 급여내역 중 비과세적용을 받을 수 있는 모든 급여는 세법상의 비과세요건을 충족한 것으로 가정한다. 필요시 수당 등을 등록하고, 과세여부를 판단하여 적용한다.
② 국민연금, 건강보험, 고용보험 등은 실제적용요율을 무시하고 위 자료를 적용한다.

실무문제	따라하기

[1] 수당공제등록

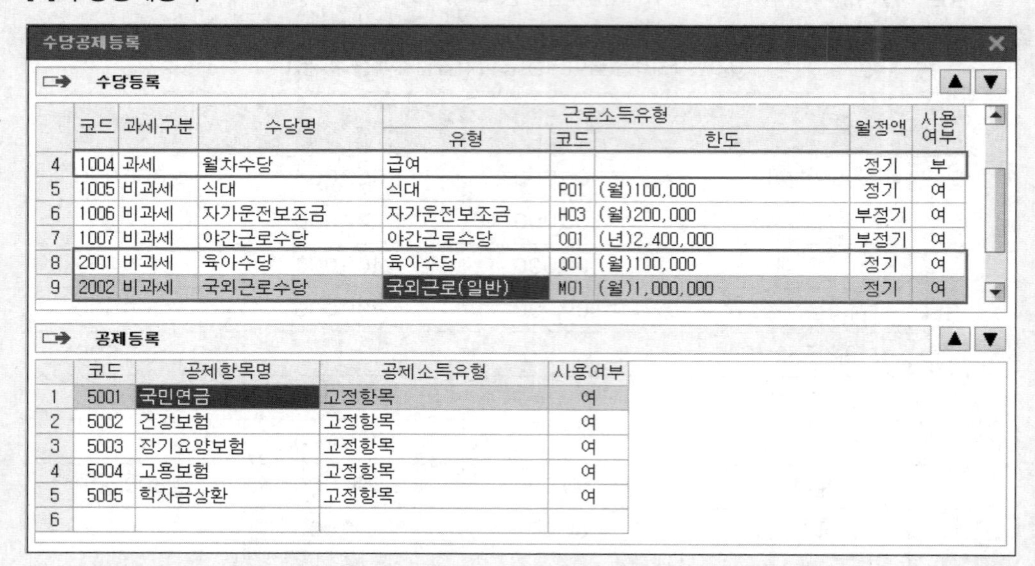

수당공제등록

수당등록

	코드	과세구분	수당명	근로소득유형 유형	코드	한도	월정액	사용여부
4	1004	과세	월차수당	급여			정기	부
5	1005	비과세	식대	식대	P01	(월)100,000	정기	여
6	1006	비과세	자가운전보조금	자가운전보조금	H03	(월)200,000	부정기	여
7	1007	비과세	야간근로수당	야간근로수당	001	(년)2,400,000	부정기	여
8	2001	비과세	육아수당	육아수당	Q01	(월)100,000	정기	여
9	2002	비과세	국외근로수당	국외근로(일반)	M01	(월)1,000,000	정기	여

공제등록

	코드	공제항목명	공제소득유형	사용여부
1	5001	국민연금	고정항목	여
2	5002	건강보험	고정항목	여
3	5003	장기요양보험	고정항목	여
4	5004	고용보험	고정항목	여
5	5005	학자금상환	고정항목	여
6				

TIP 상여와 월차수당은 사용하지 않으므로 '부', 국외근로수당, 육아수당은 신규로 등록하고 비과세코드를 입력한다.

[2] 1월의 급여자료입력

① 정인구의 급여자료입력

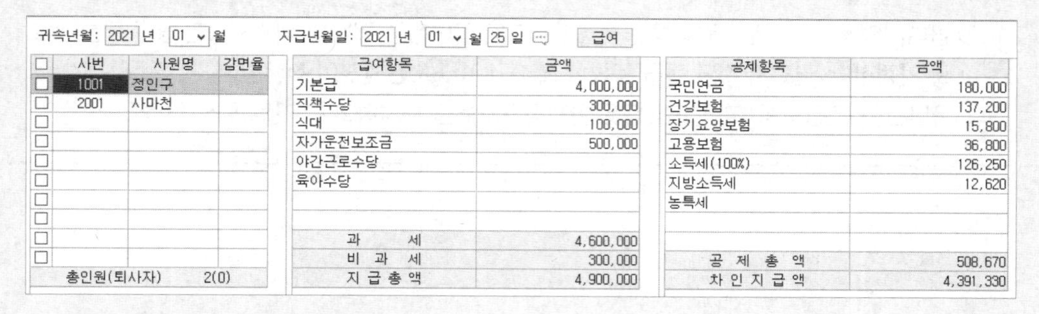

귀속년월: 2021 년 01 월 지급년월일: 2021 년 01 월 25 일 급여

사번	사원명	감면율
1001	정인구	
2001	사마천	
총인원(퇴사자)	2(0)	

급여항목	금액
기본급	4,000,000
직책수당	300,000
식대	100,000
자가운전보조금	500,000
야간근로수당	
육아수당	
과세	4,600,000
비과세	300,000
지급총액	4,900,000

공제항목	금액
국민연금	180,000
건강보험	137,200
장기요양보험	15,800
고용보험	36,800
소득세(100%)	126,250
지방소득세	12,620
농특세	
공제총액	508,670
차인지급액	4,391,330

② 사마천의 급여자료입력

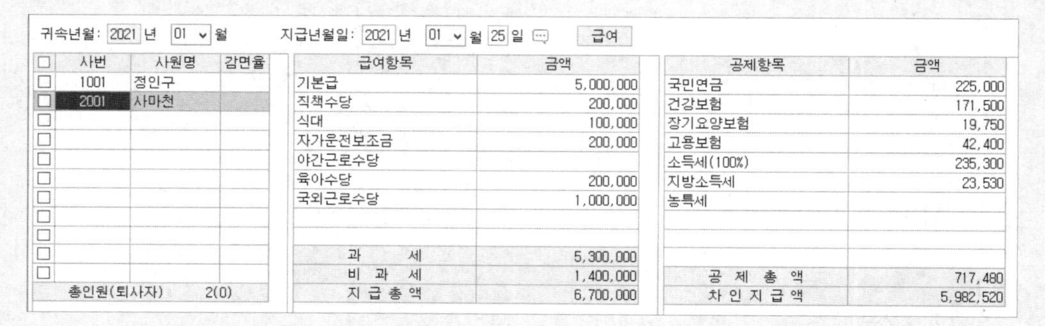

귀속년월: 2021 년 01 월 지급년월일: 2021 년 01 월 25 일 급여

사번	사원명	감면율
1001	정인구	
2001	사마천	
총인원(퇴사자)	2(0)	

급여항목	금액
기본급	5,000,000
직책수당	200,000
식대	100,000
자가운전보조금	200,000
야간근로수당	
육아수당	200,000
국외근로수당	1,000,000
과세	5,300,000
비과세	1,400,000
지급총액	6,700,000

공제항목	금액
국민연금	225,000
건강보험	171,500
장기요양보험	19,750
고용보험	42,400
소득세(100%)	235,300
지방소득세	23,530
농특세	
공제총액	717,480
차인지급액	5,982,520

[3] 2월~4월의 급여자료입력

귀속년월과 구분을 입력하면 조회된 전월 급여대장 복사 메시지에서 [예(Y)]를 선택하여 복사하여 입력한다.

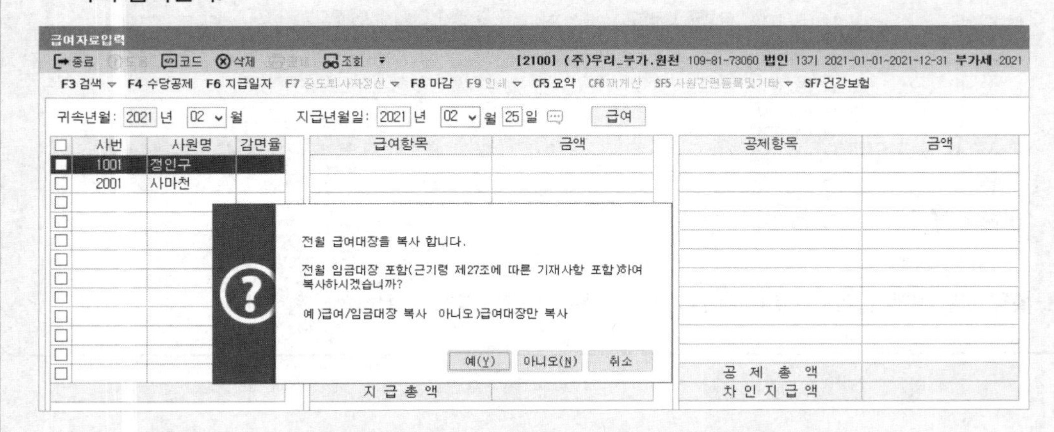

또는 상단의 [지급일자] 키를 이용하여 복사하는 방법으로 입력할 수 있다.

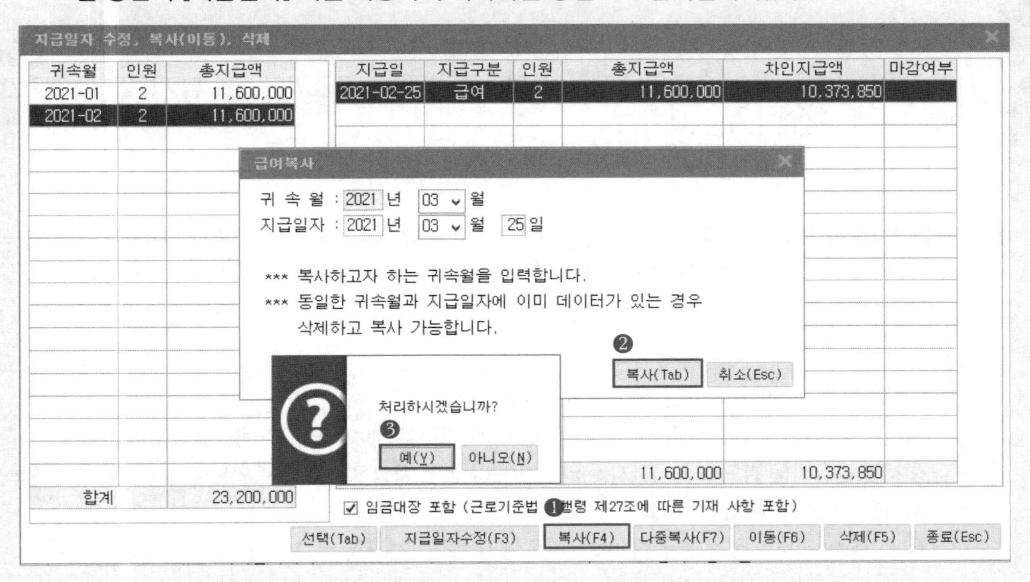

[4] 정석정 4월 급여자료입력

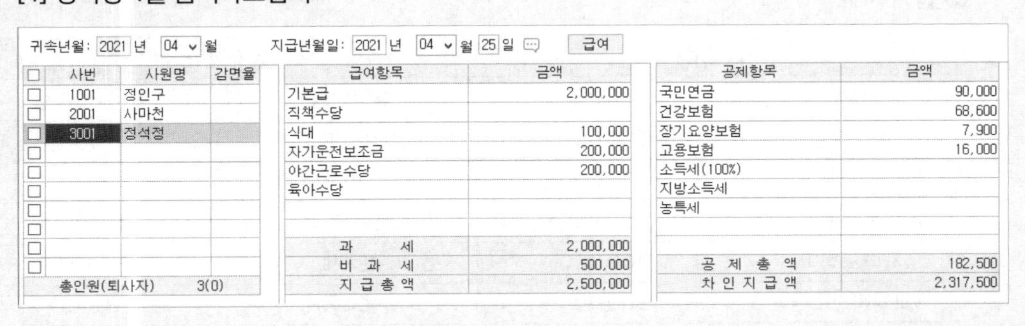

[5] 5월~10월 급여자료 입력화면

지급일자 수정, 복사(이동), 삭제

귀속월	인원	총지급액
2021-01	2	11,600,000
2021-02	2	11,600,000
2021-03	2	11,600,000
2021-04	3	14,100,000
2021-05	3	14,100,000
2021-06	3	14,100,000
2021-07	3	14,100,000
2021-08	3	14,100,000
2021-09	3	14,100,000
2021-10	3	14,100,000

지급일	지급구분	인원	총지급액	차인지급액	마감여부
2021-10-25	급여	3	14,100,000	12,691,350	

TIP 5월~10월 급여자료를 [전월 급여대장] 또는 [지급일자]키를 이용하여 입력한다.

실전연습문제

(주)팔팔전기(회사코드 : 2110)은 제조, 도매업을 영위하는 중소기업이며, 당기(22기)회계기간은 2021. 1. 1. ~ 2021. 12. 31.이다.

01 다음은 사무직 사원 김세준(코드 110)의 4월분 급여자료(4월 25일 지급)이다. 급여자료입력 메뉴에서 수당등록과 공제등록을 한 후 급여자료를 입력하시오. 공제항목은 주어진 자료에 의한다.

① 수당등록 자료

- 직책수당은 직책에 따라 개별적으로 지급하고 있다.
- 회사는 매월 10만원씩 식대을 지급하고 있으나, 야간근무 시에는 별도로 음식물을 제공받는다.
- 회사는 출장비를 별도로 지급하지는 않고 있으나 본인 차량을 소유한 종업원에게는 매월 20만원씩 자가운전보조금을 지급하고 있다.
- 6세 이하의 자녀가 있는 경우 자녀보육비로 매월 10만원씩 지급하고 있다.
- 초·중·고등학생의 자녀가 있는 경우 교육비 보조금으로 매월 30만원씩 지급하고 있다.

② 급여 자료

지급항목		공제항목	
기본급	3,500,000원	국민연금	180,000원
직책수당	500,000원	건강보험료	133,400원
식대	100,000원	장기요양보험료	13,670원
자가운전보조금	200,000원	고용보험료	34,400원
자녀보육비	100,000원	소득세	88,470원
교육비보조금	300,000원	지방소득세	8,840원

02 다음은 5월분의 급상여자료이다. 당사의 급여지급일은 5월 25일이며, 문제에 제시되는 내용에 따른 수당등록사항을 기 입력된 내용에 추가하여 급여자료를 입력하시오.

① 5월에 추가되는 수당 및 공제내역

- 5월에는 급여와 상여를 동시에 지급하고 있다.
- 연장근무에 대한 연장근무수당을 추가로 지급하고 있다.
- 자격증에 대하여 자격수당을 추가로 지급하고 있다.
- 전직원에 대하여 상조회비를 추가로 공제하고 있다.
- 제시된 자료 중 공제내역은 관련 규정에 적법한 공제금액이라 가정한다.

② 사원명 : 130. 박신우

지급항목		공제항목	
기본급	1,500,000원	국민연금	90,000원
상여금	2,000,000원	건강보험료	66,700원
직책수당		장기요양보험료	6,830원
식대	100,000원	고용보험료	30,800원
자가운전보조금	200,000원	상조회비	10,000원
야간근로수당	300,000원	소득세	
자녀보육비	100,000원	지방소득세	
교육비보조금	300,000원		
자격수당	50,000원		

③ 사원명 : 140. 장인호

지급항목		공제항목	
기본급	3,000,000원	국민연금	135,000원
상여금		건강보험료	100,050원
직책수당		장기요양보험료	10,250원
식대	100,000원	고용보험료	28,800원
자가운전보조금	200,000원	상조회비	10,000원
야간근로수당	300,000원	소득세	41,410원
자녀보육비	100,000원	지방소득세	4,140원
교육비보조금	300,000원		
자격수당			

정답 및 해설

01 ① 수당등록

수당공제등록

수당등록

	코드	과세구분	수당명	근로소득유형			월정액	사용여부
				유형	코드	한도		
1	1001	과세	기본급	급여			정기	여
2	1002	과세	상여	상여			부정기	부
3	1003	과세	직책수당	급여			정기	여
4	1004	과세	월차수당	급여			정기	부
5	1005	비과세	식대	식대	P01	(월)100,000	정기	여
6	1006	비과세	자가운전보조금	자가운전보조금	H03	(월)200,000	부정기	여
7	1007	비과세	야간근로수당	야간근로수당	001	(년)2,400,000	부정기	부
8	2001	비과세	자녀보육비	육아수당	Q01	(월)100,000	정기	여
9	2002	과세	교육비보조금	급여			정기	여

※ • 과세 : 기본급, 직책수당, 교육비보조금

• 비과세 : 식대, 자가운전보조금, 자녀보육비(비과세코드는 육아수당을 선택하여 입력)

• 사용하지 않는 수당은 '부'로 입력하면 급여대장에 나타나지 않는다.

② 급여자료입력 : 귀속년월 2021년 4월, 지급년월일 2021년 4월 25일

급여항목	금액
기본급	3,500,000
직책수당	500,000
식대	100,000
자가운전보조금	200,000
자녀보육비	100,000
교육비보조금	300,000
과세	4,300,000
비과세	400,000
지급총액	4,700,000

공제항목	금액
국민연금	180,000
건강보험	133,400
장기요양보험	13,670
고용보험	34,400
소득세(100%)	88,470
지방소득세	8,840
농특세	
공제총액	458,780
차인지급액	4,241,220

02 ① 수당 및 공제등록

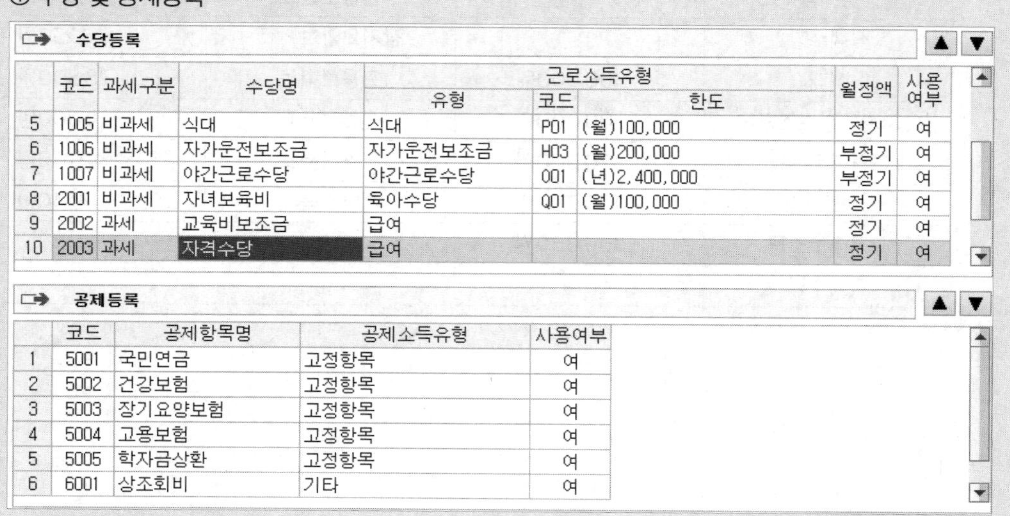

수당등록

	코드	과세구분	수당명	근로소득유형			월정액	사용여부
				유형	코드	한도		
5	1005	비과세	식대	식대	P01	(월)100,000	정기	여
6	1006	비과세	자가운전보조금	자가운전보조금	H03	(월)200,000	부정기	여
7	1007	비과세	야간근로수당	야간근로수당	001	(년)2,400,000	부정기	여
8	2001	비과세	자녀보육비	육아수당	Q01	(월)100,000	정기	여
9	2002	과세	교육비보조금	급여			정기	여
10	2003	과세	자격수당	급여			정기	여

공제등록

	코드	공제항목명	공제소득유형	사용여부
1	5001	국민연금	고정항목	여
2	5002	건강보험	고정항목	여
3	5003	장기요양보험	고정항목	여
4	5004	고용보험	고정항목	여
5	5005	학자금상환	고정항목	여
6	6001	상조회비	기타	여

※ • 상여금, 야간근로수당을 '여'로 수정, 자격수당(과세) 추가입력
• 공제등록에 상조회비를 '기타'로 입력

② 급여자료입력 : 귀속년월 2021년 5월, 지급년월일 2021년 5월 25일

[박신우]

급여항목	금액	공제항목	금액
기본급	1,500,000	국민연금	90,000
상여	2,000,000	건강보험	66,700
직책수당		장기요양보험	6,830
식대	100,000	고용보험	30,800
자가운전보조금	200,000	상조회비	10,000
야간근로수당	300,000	소득세(100%)	
자녀보육비	100,000	지방소득세	
교육비보조금	300,000	농특세	
자격수당	50,000		
과 세	3,850,000		
비 과 세	700,000	공 제 총 액	204,330
지 급 총 액	4,550,000	차 인 지 급 액	4,345,670

[장인호]

급여항목	금액	공제항목	금액
기본급	3,000,000	국민연금	135,000
상여		건강보험	100,050
직책수당		장기요양보험	10,250
식대	100,000	고용보험	28,800
자가운전보조금	200,000	상조회비	10,000
야간근로수당	300,000	소득세(100%)	41,410
자녀보육비	100,000	지방소득세	4,140
교육비보조금	300,000	농특세	
자격수당			
과 세	3,600,000		
비 과 세	400,000	공 제 총 액	329,650
지 급 총 액	4,000,000	차 인 지 급 액	3,670,350

03 중도퇴사자 급여정산

과세기간 중에 퇴직하는 경우 먼저 [사원등록] 메뉴에서 '퇴사일자'를 입력한 다음 [급여자료입력] 메뉴에서 중도퇴사자에 대한 세액정산을 수행한다. [연말정산추가자료입력] 메뉴에서 [중도]로 조회하여 중도퇴사자에 대한 연말정산을 완료한다.

실무문제 중도퇴사자 급여정산

- 관리부 직원 사마천의 퇴사로 인하여 11월 25일 퇴사처리하였다. 중도퇴사자에 대한 급여와 세액을 중도정산하여 급여자료입력에 반영하시오. 단, 연말정산자료는 없는 것으로 간주한다.

실무문제 따라하기

[1] 사원등록

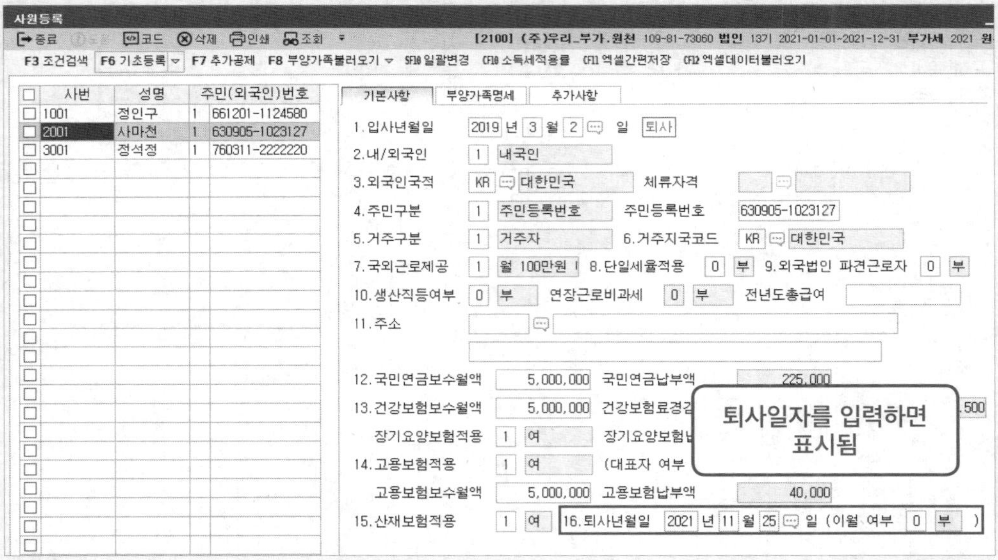

사원등록

[2100] (주)우리_부가.원천 109-81-73060 법인 13기 2021-01-01~2021-12-31 부가세 2021

F3 조건검색 F6 기초등록 F7 추가공제 F8 부양가족불러오기 SF10 일괄변경 CF10 소득세적용률 CF11 엑셀간편저장 CF12 엑셀데이터불러오기

사번	성명	주민(외국인)번호
1001	정인구	1 661201-1124580
2001	사마천	1 630905-1023127
3001	정석정	1 760311-2222220

기본사항 / 부양가족명세 / 추가사항

1.입사년월일 2019 년 3 월 2 일 퇴사
2.내/외국인 1 내국인
3.외국인국적 KR 대한민국 체류자격
4.주민구분 1 주민등록번호 주민등록번호 630905-1023127
5.거주구분 1 거주자 6.거주지국코드 KR 대한민국
7.국외근로제공 1 월 100만원 8.단일세율적용 0 부 9.외국법인 파견근로자 0 부
10.생산직등여부 0 부 연장근로비과세 0 부 전년도총급여
11.주소
12.국민연금보수월액 5,000,000 국민연금납부액 225,000
13.건강보험보수월액 5,000,000 건강보험료경감 ... 500
장기요양보험적용 1 여 장기요양보험납...
14.고용보험적용 1 여 (대표자 여부 ...
고용보험보수월액 5,000,000 고용보험납부액 40,000
15.산재보험적용 1 여 16.퇴사년월일 2021 년 11 월 25 일 (이월 여부 0 부)

퇴사일자를 입력하면 표시됨

[2] 급여자료입력

상단의 [중도퇴사자정산]키를 이용하여 연말정산자료가 있는 경우 입력하고, [퇴사월소득세반영] → [급여반영(Tab)]키를 클릭하여 세액에 대한 정산을 한다.

TIP [전월 급여 대장] 복사를 이용하여 전 사원에 대한 급여를 복사한다.

[3] 연말정산추가자료입력

상단의 [작업완료]키를 클릭하여 중도퇴사자에 대한 정산 후 [사원등록] 메뉴 등이 수정되지 않도록 한다.

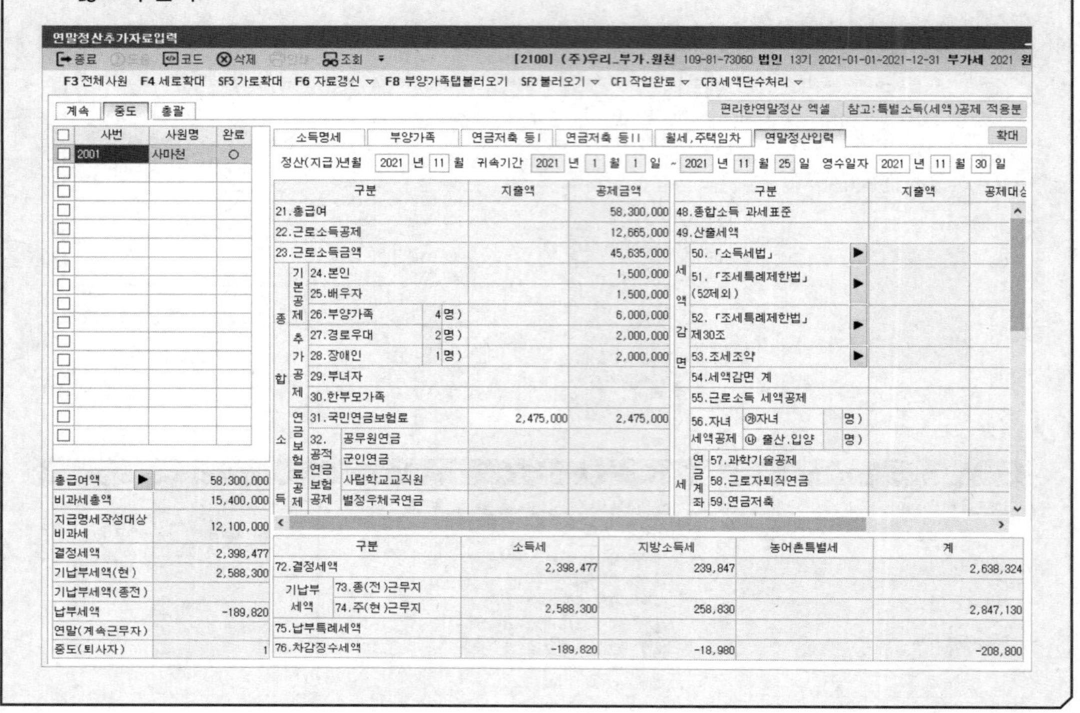

연말정산추가자료입력

종료 | 코드 | 삭제 | 조회 — [2100] (주)우리_부가.원천 109-81-73060 법인 13기 2021-01-01~2021-12-31 부가세 2021

F3 전체사원 F4 세로확대 SF5 가로확대 F6 자료갱신 F8 부양가족탭불러오기 SF2 불러오기 CF1 작업완료 CF3 세액단수처리

계속 | 중도 | 총괄 — 편리한연말정산 엑셀 | 참고:특별소득(세액)공제 적용분

사번	사원명	완료
2001	사마천	○

소득명세 | 부양가족 | 연금저축 등Ⅰ | 연금저축 등Ⅱ | 월세,주택임차 | 연말정산입력 | 확대

정산(지급)년월 2021 년 11 월 귀속기간 2021 년 1 월 1 일 ~ 2021 년 11 월 25 일 영수일자 2021 년 11 월 30 일

구분	지출액	공제금액
21.총급여		58,300,000
22.근로소득공제		12,665,000
23.근로소득금액		45,635,000
기본공제 24.본인		1,500,000
25.배우자		1,500,000
26.부양가족 4명		6,000,000
추가공제 27.경로우대 2명		2,000,000
28.장애인 1명		2,000,000
29.부녀자		
30.한부모가족		
연금보험료공제 31.국민연금보험료	2,475,000	2,475,000
32.공적연금보험공제 공무원연금		
군인연금		
사립학교교직원		
별정우체국연금		

구분	지출액	공제대상
48.종합소득 과세표준		
49.산출세액		
세액감면 50.「소득세법」		
51.「조세특례제한법」(52제외)		
52.「조세특례제한법」제30조		
53.조세조약		
54.세액감면 계		
55.근로소득 세액공제		
56.자녀세액공제 ㉮자녀 명)		
㉯ 출산.입양 명)		
연금계좌 57.과학기술공제		
58.근로자퇴직연금		
59.연금저축		

총급여액	58,300,000
비과세총액	15,400,000
지급명세작성대상 비과세	12,100,000
결정세액	2,398,477
기납부세액(현)	2,588,300
기납부세액(종전)	
납부세액	-189,820
연말(계속근무자)	
중도(퇴사자)	1

구분	소득세	지방소득세	농어촌특별세	계
72.결정세액	2,398,477	239,847		2,638,324
기납부세액 73.종(전)근무지				
기납부세액 74.주(현)근무지	2,588,300	258,830		2,847,130
75.납부특례세액				
76.차감징수세액	-189,820	-18,980		-208,800

04 원천징수이행상황신고서 보고

원천징수이행상황신고서는 원천징수의무자가 근로소득을 지급하면서 근로소득세를 원천징수한 날의 다음달 10일까지 관할세무서에 제출하여야 한다. 비과세 조정환급 또는 소액부징수 등으로 인하여 납부할 세액이 없는 때에도 신고서를 제출하여야 한다.

실무문제 원천징수이행상황신고서

■ 관리부 직원 사마천의 퇴사에 따른 11월분 원천징수이행상황신고서를 작성하시오. 단, 전월미환급세액은 100,000원이 있다고 가정한다.

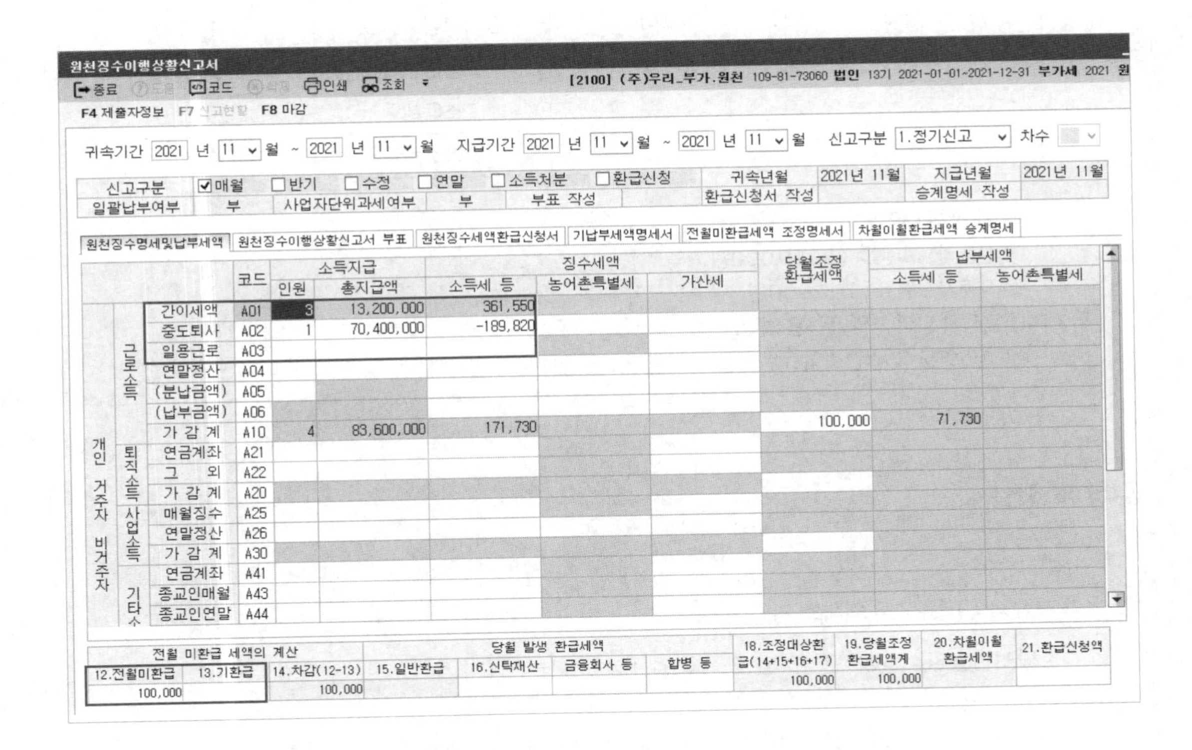

TIP

- 원천징수한 세액이 자동반영되어 작성되며, 환급세액인 경우 -로 표시된다.
- 전월 미환급세액 또는 기환급세액이 있는 경우 하단란에 입력하여 당월에 반영한다.

실전연습문제

(주)팔팔전기(회사코드 : 2110)은 제조, 도매업을 영위하는 중소기업이며, 당기(22기)회계기간은 2021. 1. 1. ~ 2021. 12. 31.이다.

■ 사원 이덕만씨(남)는 2021년 10월 25일 퇴사하고 퇴사일에 10월분 급여를 받았다. 이덕만씨의 10월분 급여지급내역 및 퇴사하기 전까지 소득공제와 관련된 내역은 다음과 같다. 다음 자료를 토대로 2021년 10월 지급분으로 11월에 신고해야 될 원천징수이행상황신고서를 작성하시오. 단, 이덕만씨에 대한 신고만 한다고 가정하고, 회사는 매월급여신고 대상이다.

< 급여내역 >

지급내역	금액(원)	공제내역	금액(원)
기본급	4,000,000	국민연금	180,000
직책수당	300,000	건강보험료	133,400
식대	100,000	장기요양보험료	13,670
		고용보험료	34,400
		소득세	251,010
		지방소득세	25100

<소득공제 내역>

① 신용카드사용액 : 5,280,000원
② 자동차보험료 : 700,000원
③ 이덕만씨의 부양가족은 없다.
④ 국민연금 및 건강보험료는 자동으로 불러오는 금액을 반영한다.

정답 및 해설

01

① 사원등록 메뉴에서 퇴사일 입력

16.퇴사년월일 2021 년 10 월 25 일 (이월 여부 0 부)

② [급여자료입력] 메뉴에서 급여입력(귀속년월 2021년 10월, 지급년월일 2021년 10월 25일)

급여항목	금액	공제항목	금액
기본급	4,000,000	국민연금	180,000
상여		건강보험	133,400
직책수당	300,000	장기요양보험	13,670
월차수당		고용보험	34,400
식대	100,000	소득세(100%)	251,010
자가운전보조금		지방소득세	25,100
야간근로수당		농특세	

③ 이덕만을 체크한 후 상단의 [F7 중도퇴사자정산]을 클릭, 하단의 [퇴사월소득세반영]을 클릭하여 소득공제 내역을 입력

- 42.신용카드등사용액

신용카드 등 공제대상금액

▶ 신용카드 등 사용금액 공제액 산출 과정

구분		대상금액	
전통시장/대중교통 제외	㉮신용카드	5,280,000	15%
	㉯직불/선불카드		30%
	㉰현금영수증		
㉱도서공연 등 사용분			
㉲전통시장사용분			40%
㉳대중교통이용분			
신용카드 등 사용액 합계(㉮~㉳)		5,280,000	

- 60.보장성보험(일반)

60.보장성보험	일반		700,000	700,000	84,000
	장애인				

④ 하단의 [급여반영(Tab)]을 클릭하여 급여자료에 반영

귀속년월: 2021 년 10 월　　지급년월일: 2021 년 10 월 25 일　　급여　　중도정산적용함

□	사번	사원명	감면율
☑	101	이덕만(퇴사자	
□	102	이영남	
□	110	김세준	
□	120	김예림	
□	130	박신우	
□	140	장인호	

급여항목	금액
기본급	4,000,000
상여	
직책수당	300,000
월차수당	
식대	100,000
자가운전보조금	
야간근로수당	

공제항목	금액
국민연금	180,000
건강보험	133,400
장기요양보험	13,670
고용보험	34,400
소득세(100%)	251,010
지방소득세	25,100
농특세	
중도정산소득세	-428,740
중도정산지방소득세	-42,850

⑤ 원천징수이행상황신고서

- 귀속기간 2021년 10월~10월, 지급기간 2021년 10월~10월로 조회

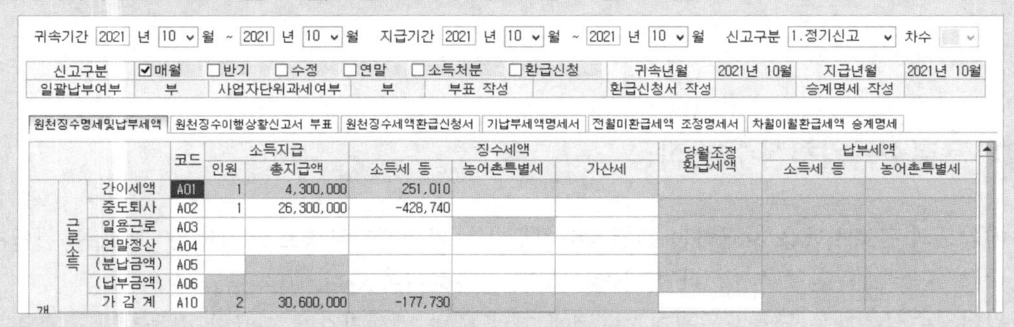

귀속기간 2021 년 10 월 ~ 2021 년 10 월　지급기간 2021 년 10 월 ~ 2021 년 10 월　신고구분 1.정기신고　차수

신고구분	☑매월	□반기	□수정	□연말	□소득처분	□환급신청	귀속년월	2021년 10월	지급년월	2021년 10월
일괄납부여부	부	사업자단위과세여부	부	부표 작성			환급신청서 작성		승계명세 작성	

원천징수명세및납부세액 | 원천징수이행상황신고서 부표 | 원천징수세액환급신청서 | 기납부세액명세서 | 전월미환급세액 조정명세서 | 차월이월환급세액 승계명세

		코드	소득지급 인원	소득지급 총지급액	징수세액 소득세 등	징수세액 농어촌특별세	징수세액 가산세	당월조정 환급세액	납부세액 소득세 등	납부세액 농어촌특별세
근로소득	간이세액	A01	1	4,300,000	251,010					
	중도퇴사	A02	1	26,300,000	-428,740					
	일용근로	A03								
	연말정산	A04								
	(분납금액)	A05								
	(납부금액)	A06								
	가 감 계	A10	2	30,600,000	-177,730					

근로소득 연말정산하기

[연말정산자료의 입력순서]

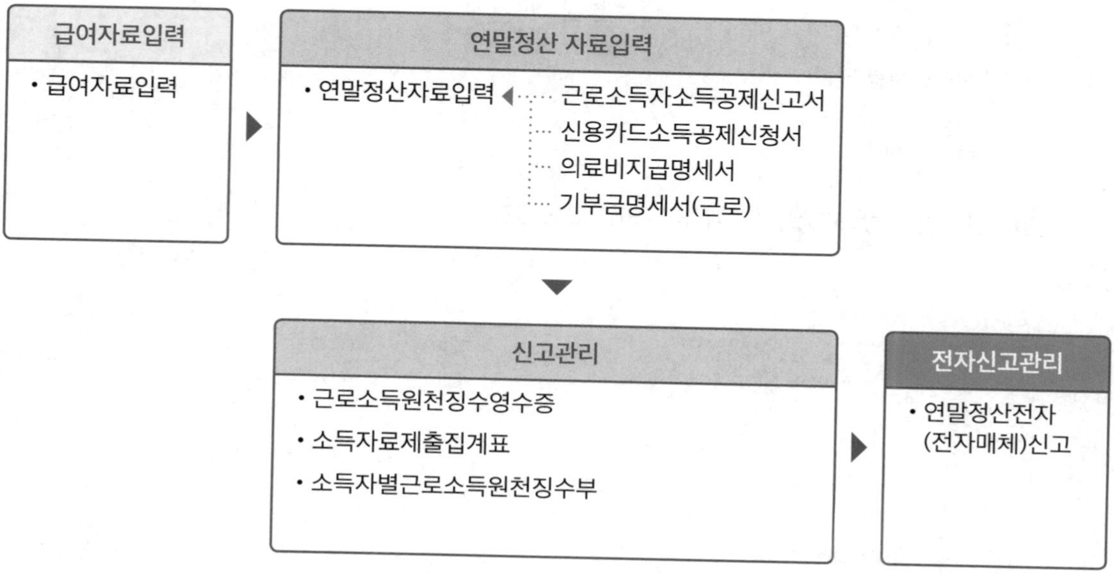

급여자료입력
- 급여자료입력

▶

연말정산 자료입력
- 연말정산자료입력 ◀ 근로소득자소득공제신고서 / 신용카드소득공제신청서 / 의료비지급명세서 / 기부금명세서(근로)

▼

신고관리
- 근로소득원천징수영수증
- 소득자료제출집계표
- 소득자별근로소득원천징수부

▶

전자신고관리
- 연말정산전자(전자매체)신고

01 근로소득원천징수부 작성

매월분의 근로소득을 지급하는 원천징수의무자는 기획재정부령으로 정하는 근로소득원천징수부(이하 '근로소득원천징수부'라 한다)를 비치 · 기록하여야 한다.

원천징수의무자는 근로소득원천징수부에 따라 해당 과세기간에 지급한 소득자별 근로소득의 합계액에서 법 및 「조세특례제한법」에 따른 소득공제를 한 금액을 과세표준으로 하여 기본세율을 적용하여 종합소득 산출세액을 계산한다.

■ 소득세법 시행규칙 [별지 제25호서식(1)] <개정 2014.3.14> (1쪽)

①귀속연도	2021

소득자별 근로소득 원천징수부

구분	항목	내용	항목	내용	항목	내용
징수의무자	② 법 인 명(상호)	(주)우리_부가.원천				
	③ 사업자등록번호	109-81-73060				
④ 근무처	경기도 수원시 팔달구 경수대로 424 (인계동)					
소 득 자	⑤ 성 명	정인구	⑥ 주민등록번호	661201-1124580	⑦ 입사일	2016/10/01
					퇴사일	
	⑧ 내외국인 구분	내국인	⑨ 국 적	한국 (국적코드 : KR)		
	⑩ 공제대상가족의 수(본인·배우자를 각각 1명으로 봄)	5 명				
	⑪ 20세 이하 자녀의 수	2 명				
	⑫ 감면 적용 여부	부	⑬ 감면규정		⑭ 감면기간	

Ⅰ. 근 로 소 득 지 급 명 세

월별	⑮지급연월	1.총 급 여: ⑯급여	⑰상여	⑱인정상여	⑲주식매수선택권행사이익	⑳우리사주조합인출금	㉑임원퇴직소득금액한도초과액	㉒~㉙	㉚계	2. 징수세액: 간이세액표 적용 대상 ㉛급여구간	㉜소득세	그 외 ㉝소득세	㉞소득세계(㉜+㉝)	㉟지방소득세
1	2021/01	4,600,000							4,600,000	4,600,000 이상 4,620,000 미만	126,250		126,250	12,620
2	2021/02	4,600,000							4,600,000	4,600,000 이상 4,620,000 미만	126,250		126,250	12,620
3	2021/03	4,600,000							4,600,000	4,600,000 이상 4,620,000 미만	126,250		126,250	12,620
4	2021/04	4,600,000							4,600,000	4,600,000 이상 4,620,000 미만	126,250		126,250	12,620
5	2021/05	4,600,000							4,600,000	4,600,000 이상 4,620,000 미만	126,250		126,250	12,620
6	2021/06	4,600,000							4,600,000	4,600,000 이상 4,620,000 미만	126,250		126,250	12,620
7	2021/07	4,600,000							4,600,000	4,600,000 이상 4,620,000 미만	126,250		126,250	12,620
8	2021/08	4,600,000							4,600,000	4,600,000 이상 4,620,000 미만	126,250		126,250	12,620
9	2021/09	4,600,000							4,600,000	4,600,000 이상 4,620,000 미만	126,250		126,250	12,620
10	2021/10	4,600,000							4,600,000	4,600,000 이상 4,620,000 미만	126,250		126,250	12,620
11	2021/11	4,600,000							4,600,000	4,600,000 이상 4,620,000 미만	126,250		126,250	12,620
12														
연말														
계		50,600,000							50,600,000		1,388,750		1,388,750	138,820

02 근로소득 · 세액공제신고서

근로소득 · 세액공제에 대하여 직접 입력하거나 공제신고서 PDF 불러오기, 엑셀 업로드를 통하여 작성할 수 있으며, 입력된 데이터는 [연말정산추가자료입력] 메뉴로 반영된다.

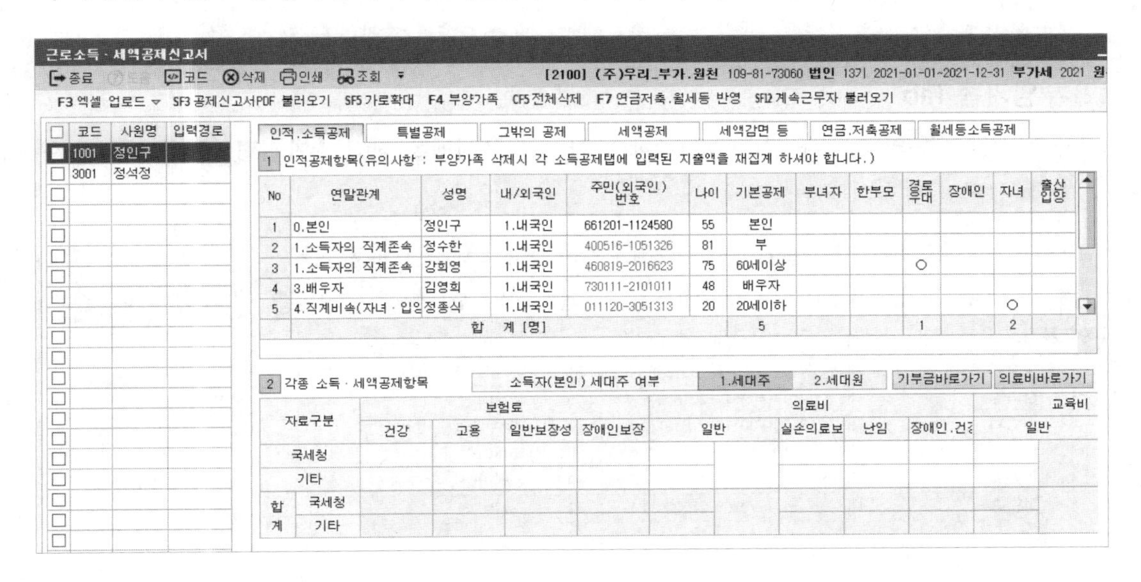

03 연말정산추가자료입력

근로소득자로부터 제출받은 [근로소득공제신고서]에 의해 연말정산에 필요한 추가자료를 입력하는 메뉴이다. 계속근무자의 연말정산일 경우 [계속], 중도퇴사자의 연말정산은 [중도], 전체사원의 연말정산내역을 조회할 때 [총괄]탭으로 조회된다.

[주요항목별 입력내용]

항 목	설 명
정산년월	연말정산을 하는 연월을 입력한다. ※ 계속근무자의 연말정산의 경우는 2022년 2월로 관리된다.
전체사원	연말정산에 해당하는 전체 사원을 불러온다.
자료갱신	[자료갱신]을 이용하여 해당 사원에 대한 정보와 소득명세를 다시 불러와 [재정산]을 통하여 계산한다.
불러오기	근로소득공제신고서와 부속명세에 작성된 사원과 내용을 불러오면 [연말정산입력]에 재반영되며, 기존 입력된 데이터는 삭제된다.
작업완료/해제	[연말정산추가자료입력]을 완료했다는 의미로 완료된 사원에 대해 재계산, 금액변경, 삭제 등을 할 수 없으며, 해제를 해야 수정이 가능하다.

(1) 소득명세 Tab

정산기간동안의 소득에 대한 명세를 보여주는 메뉴로 종전근무지의 근로소득내역 및 인정상여, 과세대상 추가금액 등을 입력한다.

※ 과세대상 추가금액(급여대가성으로 [급여자료입력]에 포함하여 지급이 안된 경우)은 [소득명세]Tab 연말란에 직접 입력한다. (제외할 금액은 음수로 입력한다.)

(2) 부양가족 Tab

[사원등록] 메뉴의 거주자 및 부양가족에 대한 소득공제액을 직접 추가입력, 수정, 삭제를 할 수 있다.

소득명세 | 부양가족 | 연금저축 등I | 연금저축 등II | 월세,주택임차 | 연말정산입력 | 확

연말관계	성명	내/외국인	주민(외국인)번호		나이	기본공제	세대주구분	부녀자	한부모	경로우대	장애인	자녀	출산입양
0	정인구	내	1	661201-1124580	55	본인	세대주						
1	정수한	내	1	400516-1051326	81	부							
1	강희영	내	1	460819-2016623	75	60세이상				○			
3	김영희	내	1	730111-2101011	48	배우자							
4	정종식	내	1	011120-3051313	20	20세이하						○	
4	정종희	내	1	020801-4105121	19	20세이하						○	
6	정인숙	내	1	770808-2153201	44	부							

(3) 연금저축 등 I, II Tab

구 분	내 용
과학기술인공제	과학기술인공제회법에 따른 퇴직연금 불입액을 입력한다.
근로자퇴직연금	퇴직연금을 지급받기 위하여 설정한 퇴직연금계좌 불입액을 입력한다.

1 연금계좌 세액공제 - 퇴직연금계좌(연말정산입력 탭의 57.과학기술인공제, 58.근로자퇴직연금) 크게보기

퇴직연금 구분	코드	금융회사 등	계좌번호(증권번호)	납입금액	공제대상금액	세액공제금액
	1.퇴직연금 2.과학기술인공제회					
퇴직연금						
과학기술인공제회						

구 분	내 용
개인연금저축소득공제	2000. 12. 31. 이전에 가입하여 당해연도 불입한 개인연금 저축액을 입력하면 저축불입액의 40%가 72만원 한도로 자동 계산되어 반영된다.
연금저축소득공제	• 2001. 1. 1. 이후에 가입한 연금저축불입액을 입력 • 연 연금저축 300만원(퇴직연금 포함 700만원)×12% • 총급여 5,500만원이하 근로자 15%

2 연금계좌 세액공제 - 연금저축계좌(연말정산입력 탭의 38.개인연금저축, 59.연금저축) 크게보기

연금저축구분	코드	금융회사 등	계좌번호(증권번호)	납입금액	공제대상금액	소득/세액공제액
	1.개인연금저축 2.연금저축					
개인연금저축						
연금저축						

구 분	내 용
주택마련저축공제	• 연간 총불입액을 입력(불입액 40% 공제) • 1.청약저축, 2.주택청약종합저축, 3.근로자주택마련저축 중 구분입력 • 무주택세대주로 총급여액 7천만원 이하인 경우 공제가능

3 주택마련저축 공제(연말정산탭의 40.주택마련저축소득공제) 크게보기

저축구분	코드	금융회사 등	계좌번호(증권번호)	납입금액	소득공제금액
	1.청약저축 2.주택청약종합저축(2014년 이전가입분) 3.주택청약종합저축(2015년 이후가입분) 4.근로자주택마련저축				
청약저축					
주택청약종합저축					
근로자주택마련저축					

구 분	내 용
공제여부 판단 시 참고사항	본인 명의의 불입액만 공제 가능

(4) 월세, 주택임차 Tab

구 분		내 용
월세액	공제대상	• 총급여 7천만원 이하 근로자(무주택 세대주, 단독 세대주) • 국민주택과 기준시가 3억원 이하 주택(오피스텔, 다중생활시설 포함)
	공제금액	Min[월세액, 750만원] × 10% (총급여 5,500만원 또는 종합소득 4,000만원 이하 12% 공제)

1 월세액 세액공제 명세

크게보기

임대인명 (상호)	주민등록번호 (사업자번호)	유형	계약 면적(㎡)	임대차계약서 상 주소지	계약서상 임대차 계약기간			연간 월세액	공제대상금액	세액공제금액
					개시일	~	종료일			

(5) 연말정산입력 Tab

❶ 특별소득공제

구 분		내 용
보험료 공제	건강보험료	[급여자료입력] 메뉴에서 입력된 매월 · 건강 · 요양보험료 · 공제액이 자동 반영되며 한도 없이 전액 소득공제
	고용보험료	[급여자료입력] 메뉴에서 입력된 매월 고용보험료 공제액이 자동 반영되며 한도 없이 전액 소득공제
주택자금 공제	주택차입 원리금	주택임차 차입금에 대한 원금과 이자의 년간 상환액 합계를 입력하며 대출기관의 차입금과 거주자로부터 차입한 차입금은 구분하여 입력
	장기주택 이자상환액	장기주택저당차입금의 이자상환액을 2011년이전 차입분(15년미만, 15~29년, 30년이상)과 2012년이후 차입분(고정금리비거치상환, 기타대출)으로 구분하여 입력
	공제여부 판단 시 참고사항	1. 주택차입 원리금 : 무주택 세대주*로서 총급여 5천만원 이하인 근로소득자가 국민주택규모주택(주거용 오피스텔 포함)을 임차하기 위해 차입한 원리금 2. 장기주택 이자상환액 : 무주택 또는 1주택 보유 세대주*가 취득당시 기준시가 5억원 이하 주택 저당시 이자 상환액
	입력시 유의사항	1. 주택임차 차입금 원리금 상환액 공제의 대출기관(은행등), 거주자(개인)는 차입대상자를 의미한다. 2. 장기주택저당차입금은 이자만 입력하여야 한다. 3. 주택차입금이자세액공제 대상은 세액공제란에 입력하여야 한다.

*세대주가 주택관련 공제를 받지 않은 경우 세대원도 가능

❷ 그 밖의 소득공제

<table>
<tr><th colspan="2">구 분</th><th>내 용</th></tr>
<tr><td rowspan="2">신용카드 등
소득공제</td><td colspan="2">근로소득자가 신용카드 등을 사용액이 총급여액의 25%를 초과하는 경우 공제
• 신용카드등(15%) = 신용카드 사용금액
• 직불카드(30%) = 직불 · 선불카드 + 현금영수증, 제로페이 등 사용금액
• 도서·공연 사용액(30%) = 도서·공연 사용금액
• 전통시장 사용액(40%) = 전통시장 + 제로페이 사용금액
• 대중교통이용액(40%) = 대중교통 이용금액
• 300만원(총급여 7천만원~1.2억원 250만원, 1.2억원 초과 200만원)과 총급여 20% 중 적은 금액이 한도
다만, 전통시장, 대중교통, 도서 • 공연 사용액은 각각 100만원 추가 공제(최대 600만원)</td></tr>
<tr><td>공제여부
판단 시
참고사항</td><td>• 부양가족의 소득금액 제한은 있으나 나이제한이 없음
• 형제자매의 신용카드 사용액은 공제 불가능
• 무기명 선불카드의 사용액은 공제 불가능
• 위장가맹점과 거래분은 공제 불가능
• 부양가족 중 기본공제는 다른 사람이 받고 신용카드사용액만 본인이 받을 수 없음
• 사업관련 경비로 처리된 종업원 명의의 신용카드사용액은 공제 불가능</td></tr>
<tr><td colspan="2">소기업 등 공제부금 소득공제</td><td>소기업·소상공인에 해당하는 대표자(총급여액 7천만원 이하)의 노란우산공제 불입액 공제</td></tr>
<tr><td colspan="2">장기집합투자증권저축</td><td>요건을 갖춘 장기집합투자증권저축 불입액을 입력한다.</td></tr>
</table>

❸ 세액공제

<table>
<tr><th colspan="3">구 분</th><th>내 용</th></tr>
<tr><td rowspan="3">보장성보험</td><td colspan="2">보장성보험</td><td>건강보험료와 고용보험료를 제외한 보장성 보험료를 입력한다.</td></tr>
<tr><td colspan="2">장애인전용
보장성보험료</td><td>장애인전용보장성보험 전액을 입력한다.</td></tr>
<tr><td colspan="2">공제여부
판단 시
참고사항</td><td>• 기본공제대상자(소득금액 및 나이 제한)의 보험료만 공제 가능
• 저축성보험료는 공제대상 아님
• 태아보험료는 공제대상 아님(출생전이므로 기본공제대상자가 아님)</td></tr>
<tr><td rowspan="3">의료비</td><td rowspan="3">전액 의료비</td><td>본인, 65세 이상자, 건강보험 산정특례자 의료비 및 난임시술비</td><td>기본공제대상자 중 본인, 경로우대자의 의료비, 진찰, 진료, 질병예방치료 및 요양을 위한 의료비용과 의약품 구입총액을 입력</td></tr>
<tr><td>장애인
의료비</td><td>기본공제대상자 장애인의 의료비 및 장애인 보장구, 의료용구 구입총액을 입력</td></tr>
<tr><td colspan="2">공제대상의료비 = 의료비 지출액 전액
(총급여액 × 3%)에 미달하는 경우 그 미달하는 금액을 차감</td></tr>
</table>

구 분		내 용
의료비	그 밖의 공제 대상자의료비	기본공제대상자(연령 및 소득금액의 제한을 받지 아니함)를 위하여 당해 근로자가 직접 부담한 의료비 중 본인, 장애인, 경로우대자를 제외한 기본공제대상자의 의료비
		공제대상의료비 = 의료비지출액 - 총급여액×3% 공제한도액 : 연 700만원
	공제여부 판단 시 참고사항	• 부양가족의 소득금액 및 나이제한 없음 • 국외 의료기관의 의료비는 공제 불가능 • 미용 · 성형수술을 위한 비용은 공제 불가능 • 간병인에게 지급된 비용은 공제 불가능 • 의약품이 아닌 건강기능식품구입비용은 공제 불가능 • 의료기관이 아닌 특수교육원의 언어치료비 · 심리치료비 등은 공제 불가능 • 상해보험 등 보험회사로부터 수령한 보험금으로 지급한 의료비는 공제 불가능
	입력시 유의사항	1. 항목별 한도액이 다르므로 반드시 구분하여 입력 2. 안경, 콘텍트렌즈구입비는 1인당 50만원 한도 3. 산후조리원 비용(출산 1회당 200만원 한도, 총급여 7천만원 이하자)
교육비	소득자 본인	본인의 교육비 지급액을 입력
	배우자 교육비	배우자의 교육비로 지출한 금액을 입력하며 반드시 한도내 금액으로 입력
	자녀등 교육비	(취학전 아동, 초 · 중 · 고등학교, 대학생(대학원불포함)) 직계비속이나 형제자매를 위하여 지출한 교육비를 한도내 금액으로 입력
	장애인 특수 교육비	기본공제 대상자인 장애인 (소득금액 제한 없으며, 직계존속도 공제 가능) 재활을 위하여 사회복지시설 및 비영리법인 등에 지급하는 특수 교육비를 전액 공제
	공제여부 판단 시 참고사항	• 영 · 유치원, 초중고생 : 1인당 300만원 한도 • 대학생 : 900만원 한도 • 부양가족의 소득금액 제한은 있으나 나이제한 없음 • 직계존속의 교육비는 공제 불가능 • 대학원교육비는 본인만 공제 가능 • 취학전 아동의 학원비는 공제 가능하나 초 · 중 · 고등학생의 학원비는 불가능 • 초 · 중 · 고, 어린이집, 유치원, 학원, 체육시설 급식비, 방과후수업료, 특별활동비(교재비 포함), 중 · 고등 교복구입비, 교과서구입비 공제 가능 • 학교버스이용료, 교육자재비, 기숙사비는 공제 불가능 • 외국대학부설 어학연수과정의 수업료는 공제 불가능
	입력시 유의사항	1. 배우자 및 부양가족의 교육비는 한도내 금액으로 입력 2. 교복구입비는 1인당 50만원, 현장체험비는 30만원 한도 입력

<table>
<tr><th colspan="3">구 분</th><th>내 용</th></tr>
<tr><td rowspan="7">기부금</td><td colspan="2">정치자금
(10만원이하)</td><td>정치자금 중 10만원까지 100/110 세액공제</td></tr>
<tr><td rowspan="2">전액
공제
기부
금</td><td>법정
기부금</td><td>국가 또는 지방자치단체에 기부한 금품, 국방헌금과 위문금품, 천재 · 지변으로 인한 이재민구호금품, 특별재난지역의 복구를 위하여 자원 봉사한 경우 그 용역의 가액을 입력</td></tr>
<tr><td>정치자금
(10만원초과)</td><td>정치자금에 관한 법률에 의하여 정당(동법에 의한 후원회 및 선거관리위원회 포함)에 기부한 정치자금 중 10만원을 초과하는 금액을 입력</td></tr>
<tr><td colspan="2">지정기부금(종교단체기부금)</td><td>종교단체기부금을 입력</td></tr>
<tr><td colspan="2">지정기부금
(종교단체외기부금)</td><td>사회복지, 문화, 예술, 교육, 자선등 공익성 기부금을 입력</td></tr>
<tr><td colspan="2">공제여부 판단 시 참고사항</td><td>• 기본공제대상자(소득금액 제한)의 기부금만 공제 가능
• 정치자금은 본인 지출분만 공제 가능
• 한도초과시 이월공제가 가능(법정10년, 지정10년).</td></tr>
</table>

[부양가족의 소득공제 여부 판단시 참고사항]

구 분	소득금액 제한	나이 제한	비 고
보험료	○	○	
의료비	×	×	
교육비	○	×	직계존속의 교육비는 공제불가능
기부금	○	×	정치자금은 본인지출분만 공제가능
주택자금	-	-	본인명의 지출분만 공제가능
연금저축	-	-	본인명의 지출분만 공제가능
신용카드	○	×	형제자매 사용분은 공제불가능

[신용카드 등 사용금액 소득공제와 특별세액공제 중복 적용 여부]

구 분		세액공제항목	신용카드소득공제
신용카드로 결제한 의료비		의료비 세액공제 가능	공제 가능
신용카드로 결제한 보장성보험료		보험료 세액공제 가능	공제 불가
신용카드로 결제한 학원비	취학전 아동	교육비 세액공제 가능	공제 가능
	그 외	교육비 세액공제 불가	
신용카드로 결제한 교복 구입비		교육비 세액공제 가능	공제 가능
신용카드로 결제한 장애인 특수 교육비		교육비 세액공제 가능	공제 가능
신용카드로 결제한 기부금		기부금 세액공제 가능	공제 불가

실무문제 연말정산추가자료입력

■ **다음 자료는 사원들과 생계를 같이하고 있는 가족에 대한 연말정산자료이다. 주어진 자료를 [연말정산추가자료입력] 메뉴에 입력하여 연말정산을 완료하시오. 단, 세부담 최소화를 위해 당사 근무하는 직원이 모두 공제받기로 한다.**

[1] 1001.정인구 연말정산자료

성명	기본공제여부	지출내역
정인구	본인	자동차보험료 600,000원, 의료비 4,250,000원(안경구입비 600,000원 포함), 대학원 교육비 10,000,000원, 신용카드 사용액 20,200,000원, 현금영수증 사용액 7,800,000원, 전통시장 사용액 1,250,000원
김영희	배우자	생명보험료(보장성보험) 800,000원
정종식	20세이하	의료비, 1,400,000원, 대학교 교육비 10,000,000원
정종희	20세이하	의료비 480,000원, 재수학원 교육비 800,000원
정수한	부	청각장애인, 치료목적의 성형의료비 800,000원
강희영	60세이상	경로우대공제, 노인대학교 교육비 500,000원
정인숙	부	본인 신용카드 사용액 1,200,000원

[2] 3001. 정석정 연말정산자료

2021년 귀속 소득공제증명서류 : 기본(지출처별)내역
[보장성 보험, 장애인전용보장성보험]

■ 계약자 인적사항

성명	정석정	주민등록번호	760311-2222220

■ 보장성보험(장애인전용보장성보험)납입내역 (단위:원)

종류	상호 / 사업자번호 / 종피보험자1	보험종류 / 증권번호 / 종피보험자2	주피보험자 / 종피보험자3		납입금액 계
보장성	형대해상				500,000
	102-81-45476		760311-2222220	정석정	
보장성	삼송생명				300,000
	104-01-25467		721128-1111111	송정수	
인별합계금액					800,000

2021년 귀속 소득공제증명서류 : 기본(지출처별)내역 [의료비]

■ 환자 인적사항

성명	송정수	주민등록번호	721128-1111111

■ 의료비 지출내역 (단위:원)

사업자번호	상호	종류	납입금액 계
4-10-42*	강****	일반	3,000,000
4-96-05*	이****	일반	2,000,000
9-07-35*	나****	일반	500,000
의료비 인별합계금액			5,500,000
안경구입비 인별합계금액			
인별합계금액			5,500,000

2021년 귀속 소득공제증명서류 : 기본(지출처별)내역 [의료비]

■ 환자 인적사항

성명	송경철	주민등록번호	391009-1111111

■ 의료비 지출내역 (단위:원)

사업자번호	상호	종류	납입금액 계
4-10-42*	최****	일반	500,000
4-96-05*	로****	일반	350,000
9-07-35*	미****	일반	50,000
의료비 인별합계금액			900,000
안경구입비 인별합계금액			
인별합계금액			900,000

2021년 귀속 소득공제증명서류 : 기본(지출처별)내역 [의료비]

■ 환자 인적사항

성명	정민기	주민등록번호	821203-1111111

■ 의료비 지출내역 (단위:원)

사업자번호	상호	종류	납입금액 계
4-10-42*	제****	일반	100,000
4-96-05*	이****	일반	200,000
9-07-35*	하****	일반	135,000
의료비 인별합계금액			435,000
안경구입비 인별합계금액			
인별합계금액			435,000

2021년 귀속 소득공제증명서류 : 기본(지출처별)내역 [교육비]

■ 인적사항

성명	송문기	주민등록번호	050712-3333333

■ 교육비 지출내역 (단위:원)

교육비 종류	학교명	사업자번호	납입금액 계
중학교	한남중학교	**5-82-*****	1,200,000
인별합계금액			1,200,000

2021년 귀속 소득공제증명서류 : 기본(사용처별)내역 [신용카드]

■ 사용자 인적사항

성명	정석정	주민등록번호	760311-2222220

■ 신용카드 사용내역 (단위:원)

사업자번호	상호	종류	납입금액 계
120-81-*****	높데카드(주)	일반	2,535,000
202-81-*****	(주)KED한아은행	전통시장	1,325,000
202-14-*****	심한카드(주)	일반	535,000
214-81-*****	혐대카드(주)	전통시장	22,000
213-86-*****	빗이카드(주)	일반	333,000
일반 인별합계금액			3,403,000
전통시장 인별합계금액			1,347,000
인별합계금액			4,750,000

2021년 귀속 소득공제증명서류 : 기본(지출처별)내역[기부금]

■ 기부자 인적사항

성명	정석정	주민등록번호	760311-2222220

■ 기부금 지출내역 (단위:원)

사업자번호	단체명	기부유형	기부금액 계
120-81-*****	***선교회	종교단체기부금	800,000
인별합계금액			800,000

2021년 귀속 소득공제증명서류 : 기본(지출처별)내역[연금저축]

■ 기부자 인적사항

성명	정석정	주민등록번호	760311-2222220

■ 기부금 지출내역 (단위:원)

취급기관	사업자번호	계좌/증권번호	계약시작일	계약종료일	납입금액 계
동부화재 해상보험	***-81-*****	2531242855	2011.10.10	2031.10.10.	6,000,000
합계					6,000,000

실무문제 따라하기

[1] 1001. 정인구 연말정산입력

1. [부양가족] Tab

소득명세	부양가족	연금저축 등I	연금저축 등II	월세,주택임차	연말정산입력	확

연말관계	성명	내/외국인		주민(외국인)번호	나이	기본공제	세대주구분	부녀자	한부모	경로우대	장애인	자녀	출산입양
0	정인구	내	1	661201-1124580	55	본인	세대주						
1	정수한	내	1	400516-1051326	81	부							
1	강희영	내	1	460819-2016623	75	60세이상				○			
3	김영희	내	1	730111-2101011	48	배우자							
4	정종식	내	1	011120-3051313	20	20세이하						○	
4	정종희	내	1	020801-4105121	19	20세이하						○	
6	정인숙	내	1	770808-2153201	44	부							
합 계 [명]						5				1		2	

TIP 또는 사원등록 메뉴에서 부양가족명세의 기본공제 대상자를 확인한다.

2. [연말정산입력] Tab

① 보험료 : 본인 600,000원 + 배우자 800,000원 = 1,400,000원

60.보장성보험	일반		1,400,000	1,000,000	120,000
	장애인				

TIP 보험료 한도 100만원은 자동 계산되므로 모두 입력한다.

② 의료비 : • 본인란 4,150,000원, 65세,장애인.건강보험산정특례자란 부 800,000원
• 그 밖의 공제대상자란 자녀1 1,400,000원 + 자녀2 480,000원 = 1,880,000원

의료비

구분	지출액	실손의료비	공제대상금액	공제금액
난임시술비				
본인	4,150,000		4,150,000	622,500
65세,장애인.건강보험산정특례자	800,000		800,000	120,000
그 밖의 공제대상자	1,880,000		362,000	54,300

TIP 본인의 의료비에서 안경구입비 50만원이 한도이므로 100,000원을 차감하며, 기본공제대상이 아닌 부는 부양가족임으로 의료비 공제는 가능하다.

③ 교육비 : 본인 10,000,000원 + 자녀1 대학생 9,000,000원 = 1,900,000원

교육비

구분	지출액	공제대상금액	공제금액
취학전아동(1인당 300만원)			
초중고(1인당 300만원)			
대학생(1인당 900만원)	9,000,000	19,000,000	906,030
본인(전액)	10,000,000		
장애인 특수교육비			

TIP 본인 교육비는 전액 공제가능하나 대학교는 900만원이 한도이며, 재수학원의 교육비와 직계존속의 노인대학 교육비는 공제불가이다.

④ 신용카드 등 : 신용카드 20,200,000원, 현금영수증 7,800,000원, 전통시장 1,250,000원

신용카드 등 공제대상금액

▶ 신용카드 등 사용금액 공제액 산출 과정

총급여	50,600,000	최저사용액(총급여 25%)	12,650,000

구분		대상금액	공제율	공제율금액	공제제외금액	공제가능금액	공제한도	일반공제금액	추가공제금액	최종공제금액
전통시장/대중교통 제외	㉮신용카드	20,200,000	15%	3,030,000	1,897,500	3,972,500	3,000,000	3,000,000	500,000	3,500,000
	㉯직불/선불카드		30%							
	㉰현금영수증	7,800,000		2,340,000						
㉱도서공연 등 사용분										
㉲전통시장사용분		1,250,000	40%	500,000						
㉳대중교통이용분										
신용카드 등 사용액 합계(㉮~㉳)		29,250,000		5,870,000	아래참조*1	공제율금액-공제제외금액	아래참조*2	MIN[공제가능금액,공제한도]	아래참조*3	일반공제금액+추가공제금액

TIP • 동생 본인의 신용카드 사용액은 공제불가이다.
• 공제금액은 순서대로 적용하여 계산된다.

⑤ [연말정산추가자료입력] 화면

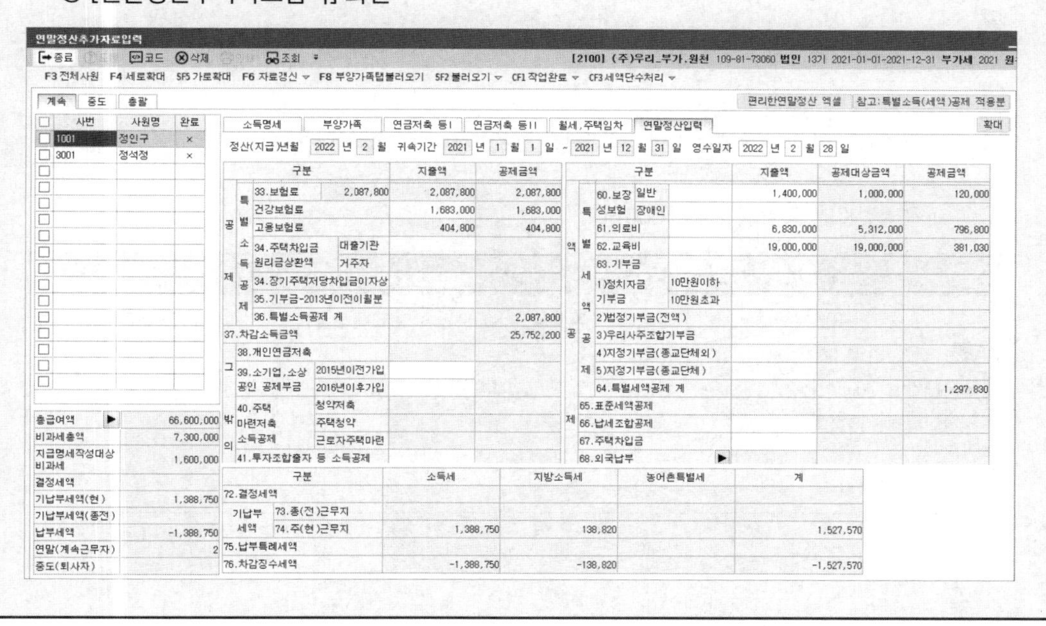

연말정산추가자료입력

종료 코드 삭제 조회 [2100] (주)우리_부가.원천 109-81-73060 법인 13기 2021-01-01~2021-12-31 부가세 2021

F3 전체사원 F4 세로확대 SF5 가로확대 F6 자료갱신 F8 부양가족탭불러오기 SF2 불러오기 CF1 작업완료 CF3 세액단수처리

계속 중도 총괄 편리한연말정산 엑셀 참고:특별소득(세액)공제 적용분

사번	사원명	완료
1001	정인구	×
3001	정석정	×

총급여액	66,600,000
비과세총액	7,300,000
지급명세작성대상 비과세	1,600,000
결정세액	
기납부세액(현)	1,388,750
기납부세액(종전)	
납부세액	-1,388,750
연말(계속근무자)	2
중도(퇴사자)	

소득명세 | 부양가족 | 연금저축 등I | 연금저축 등II | 월세,주택임차 | 연말정산입력 | 확대

정산(지급)년월 2022 년 2 월 귀속기간 2021 년 1 월 1 일 ~ 2021 년 12 월 31 일 영수일자 2022 년 2 월 28 일

구분		지출액	공제금액
33.보험료	2,087,800	2,087,800	2,087,800
건강보험료		1,683,000	1,683,000
고용보험료		404,800	404,800
34.주택차입금 원리금상환액	대출기관		
	거주자		
34.장기주택저당차입금이자상			
35.기부금-2013년이전이월분			
36.특별소득공제 계			2,087,800
37.차감소득금액			25,752,200
38.개인연금저축			
39.소기업,소상공인 공제부금	2015년이전가입		
	2016년이후가입		
40.주택마련저축 소득공제	청약저축		
	주택청약		
	근로자주택마련		
41.투자조합출자 등 소득공제			

구분		지출액	공제대상금액	공제금액
60.보장성보험	일반	1,400,000	1,000,000	120,000
	장애인			
61.의료비		6,830,000	5,312,000	796,800
62.교육비		19,000,000	19,000,000	381,030
63.기부금				
1)정치자금 기부금	10만원이하			
	10만원초과			
2)법정기부금(전액)				
3)우리사주조합기부금				
4)지정기부금(종교단체외)				
5)지정기부금(종교단체)				
64.특별세액공제 계				1,297,830
65.표준세액공제				
66.납세조합공제				
67.주택차입금				
68.외국납부				

구분		소득세	지방소득세	농어촌특별세	계
72.결정세액					
기납부세액	73.종(전)근무지				
	74.주(현)근무지	1,388,750	138,820		1,527,570
75.납부특례세액					
76.차감징수세액		-1,388,750	-138,820		-1,527,570

[2] 3001. 정석정 연말정산입력

1. [사원등록의 부양가족명세]

소득명세	부양가족	연금저축 등I	연금저축 등II	월세,주택임차	연말정산입력

연말관계	성명	내/외국인		주민(외국인)번호	나이	기본공제	세대주구분	부녀자	한부모	경로우대	장애인	자녀	출산입양
0	정석정	내	1	760311-2222220	45	본인	세대원	○					
2	송경철	내	1	391009-1111111	82	60세이상				○	1		
3	송정수	내	1	721128-1111111	49	배우자							
4	송문기	내	1	050712-3333333	16	20세이하						○	
6	정민기	내	1	821203-1111111	39	부							
	합 계 [명]					4		1		1	1	1	

TIP 사원등록 메뉴에서 부양가족명세의 기본공제 대상자를 확인한다.

2. [연말정산추가자료입력]

① 보험료 : 본인 500,000원 + 배우자 300,000원 = 800,000원

60.보장성보험	일반		800,000	800,000	
	장애인				

② 의료비 : ① 65세, 장애인.건강보험산정특례자란 시부 900,000원

② 그 밖의 공제대상자란 배우자 5,500,000원 + 동생 435,000원 = 5,935,000원

의료비

구분	지출액	실손의료비	공제대상금액	공제금액
난임시술비				
본인				
65세,장애인.건강보험산정특례자	900,000		900,000	
그 밖의 공제대상자	5,935,000		5,455,000	

TIP 기본공제대상이 아닌 동생은 부양가족이므로 의료비 공제는 가능하다.

③ 교육비 : 자녀 중학생 1,200,000원

교육비

구분	지출액	공제대상금액	공제금액
취학전아동(1인당 300만원)		1,200,000	
초중고(1인당 300만원)	1,200,000		
대학생(1인당 900만원)			
본인(전액)			
장애인 특수교육비			

④ 신용카드 등 : 신용카드 3,403,000원, 전통시장 1,347,000원

신용카드 등 공제대상금액

▶ 신용카드 등 사용금액 공제액 산출 과정 | 총급여 16,000,000 | 최저사용액(총급여 25%) 4,000,000

구분		대상금액	공제율금액		공제제외금액	공제가능금액	공제한도	일반공제금액	추가공제금액	최종공제금액
전통시장/대중교통 제외	㉮신용카드	3,403,000	15%	510,450	749,250	300,000	3,000,000	300,000		
	㉯직불/선불카드		30%							
	㉰현금영수증									
㉱도서공연 등 사용분										
㉲전통시장사용분		1,347,000	40%	538,800						
㉳대중교통이용분										
신용카드 등 사용액 합계(㉮~㉳)		4,750,000		1,049,250	아래참조*1	공제율금액-공제제외금액	아래참조*2	MIN[공제가능금액,공제한도]	아래참조*3	일반공제금액+추가공제금액

⑤ 기부금 : 종교단체기부금 800,000원

4)지정기부금(종교단체외)			
5)지정기부금(종교단체)	800,000		

⑥ 연금저축 : [연금저축 등I]Tab 2.연금저축 6,000,000원

2 연금계좌 세액공제 - 연금저축계좌(연말정산입력 탭의 38.개인연금저축, 59.연금저축) 크게보기

연금저축구분	코드	금융회사 등	계좌번호(증권번호)	납입금액	공제대상금액	소득/세액공제액
2.연금저축	427	DB손해보험(주)(구. 동부	2531242855	6,000,000		
개인연금저축						
연금저축				6,000,000		

⑦ [연말정산추가자료입력] 화면

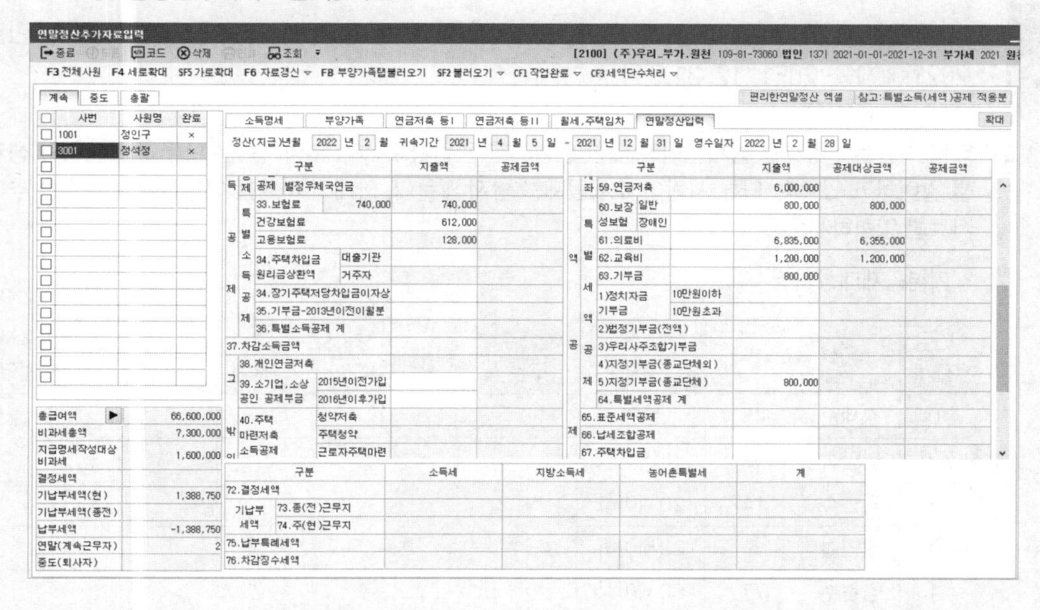
연말정산추가자료입력

[2100] (주)우리_부가.원천 109-81-73060 법인 13기 2021-01-01~2021-12-31 부가세 2021

F3 전체사원 F4 세로확대 SF5 가로확대 F6 자료갱신 F8 부양가족탭불러오기 SF2 불러오기 CF1 작업완료 CF3 세액단수처리

계속 | 중도 | 총괄

사번	사원명	완료
1001	정인구	×
3001	정석정	×

총급여액	66,600,000
비과세총액	7,300,000
지급명세작성대상 비과세	1,600,000
결정세액	
기납부세액(현)	1,388,750
기납부세액(종전)	
납부세액	-1,388,750
연말(계속근무자)	2
중도(퇴사자)	

소득명세 | 부양가족 | 연금저축 등I | 연금저축 등II | 월세,주택임차 | 연말정산입력

정산(지급)년월 2022 년 2 월 귀속기간 2021 년 4 월 5 일 ~ 2021 년 12 월 31 일 영수일자 2022 년 2 월 28 일

구분		지출액	공제금액
공제 별정우체국연금			
33.보험료	740,000	740,000	
건강보험료		612,000	
고용보험료		128,000	
34.주택차입금 원리금상환액	대출기관		
	거주자		
34.장기주택저당차입금이자상			
35.기부금-2013년이전이월분			
36.특별소득공제 계			
37.차감소득금액			
38.개인연금저축			
39.소기업,소상공인 공제부금	2015년이전가입		
	2016년이후가입		
40.주택마련저축 소득공제	청약저축		
	주택청약		
	근로자주택마련		

구분		지출액	공제대상금액	공제금액
59.연금저축		6,000,000		
60.보장성보험	일반	800,000	800,000	
	장애인			
61.의료비		6,835,000	6,355,000	
62.교육비		1,200,000	1,200,000	
63.기부금		800,000		
1)정치자금 기부금	10만원이하			
	10만원초과			
2)법정기부금(전액)				
3)우리사주조합기부금				
4)지정기부금(종교단체외)				
5)지정기부금(종교단체)		800,000		
64.특별세액공제 계				
65.표준세액공제				
66.납세조합공제				
67.주택차입금				

구분		소득세	지방소득세	농어촌특별세	계
72.결정세액					
기납부세액	73.종(전)근무지				
	74.주(현)근무지				
75.납부특례세액					
76.차감징수세액					

[3] 원천징수이행상황신고서

원천징수이행상황신고서

종료 | 코드 | 인쇄 | 조회 | [2100] (주)우리_부가.원천 109-81-73060 법인 13기 2021-01-01~2021-12-31 부가세 2021 원

F4 제출자정보 F7 신고현황 F8 마감

귀속기간 2022 년 02 월 ~ 2022 년 02 월 지급기간 2022 년 02 월 ~ 2022 년 02 월 신고구분 1.정기신고 차수

신고구분	☑매월	☐반기	☐수정	☑연말	☐소득처분	☐환급신청	귀속년월	2022년 2월	지급년월	2022년 2월
일괄납부여부	부	사업자단위과세여부		부	부표 작성		환급신청서 작성		승계명세 작성	

원천징수명세및납부세액 | 원천징수이행상황신고서 부표 | 원천징수세액환급신청서 | 기납부세액명세서 | 전월미환급세액 조정명세서 | 차월이월환급세액 승계명세

			코드	소득지급		징수세액			당월조정 환급세액	납부세액	
				인원	총지급액	소득세 등	농어촌특별세	가산세		소득세 등	농어촌특별세
개인 거주자 비거주자	근로소득	간이세액	A01								
		중도퇴사	A02								
		일용근로	A03								
		연말정산	A04	2	68,200,000	-1,388,750					
		(분납금액)	A05								
		(납부금액)	A06			-1,388,750					
		가 감 계	A10	2	68,200,000	-1,388,750					
	퇴직소득	연금계좌	A21								
		그 외	A22								
		가 감 계	A20								
	사업소득	매월징수	A25								
		연말정산	A26								
		가 감 계	A30								
	기타소	연금계좌	A41								
		종교인매월	A43								
		종교인연말	A44								

전월 미환급 세액의 계산			당월 발생 환급세액				18.조정대상환급(14+15+16+17)	19.당월조정 환급세액계	20.차월이월 환급세액	21.환급신청액
12.전월미환급	13.기환급	14.차감(12-13)	15.일반환급	16.신탁재산	금융회사 등	합병 등				
			1,388,750				1,388,750		1,388,750	

(주)팔팔전기(회사코드 : 2110)은 제조, 도매업을 영위하는 중소기업이며, 당기(22기)회계기간은 2021. 1. 1. ~ 2021. 12. 31.이다.

01 다음은 근로소득자인 김세준씨에 대한 연말정산 관련자료이다. 부양가족은 모두 김세준씨와 생계를 같이하고 있으며, 다른 사람이 소득공제를 받지 않는다. 아래의 자료를 이용하여 연말정산 추가자료를 입력하시오.

< 기본공제대상자 >

연말관계	성명	나이	기본공제	세대주구분	부녀자	한부모	경로우대	장애인	자녀	출산입양
0	김세준	45	본인	○						
3	이양숙	43	배우자							
4	김인수	14	20세이하						○	
4	김인희	6	20세이하							
1	김현수	77	60세이상				○			
6	김세호	35	장애인					1		
6	김세희	33	부							

< 연말정산자료 >

구 분	내 역	금 액(원)
본인	자동차보험료 의료비 기부금(본인의 대학 동창회비) 신용카드 사용액	560,000 3,500,000 1,000,000 12,000,000
배우자	의료비 신용카드 사용액	1,500,000 5,000,000
부친	건강기능식품 구입비	1,000,000
장녀	중학교 수업료 체험학습비 교복 구입비	1,500,000 500,000 500,000
차녀	소득자가 차녀를 피보험자로하여 계약한 생명보험료 학원비(태권도, 피아노학원) 유치원 수업료	850,000 1,200,000 800,000
남동생 1	김세호 본인의 신용카드 사용액	2,000,000

02 다음은 근로소득자인 이영남씨가 부양하는 가족의 연말정산 소득공제와 관련된 자료이다. 부양가족은 모두 이영남씨와 생계를 같이하고 있으며, 다른 사람이 소득공제를 받지 않는다. 자료를 토대로 부양가족명세를 수정하고 연말정산추가자료를 입력하시오.

성명	관계	나이	소득	내 역
이영남	본인	46		• 신용카드사용액 5,500,000원(어머니 의료비 결제액 포함) • 현금영수증사용액 1,000,000원
이부자	아버지	77	없음	• 이부자씨 자동차보험료 700,000원(전액 이영남씨가 현금결제)
강희선	어머니	67	없음	• 병원 진료비 3,500,000원(전액 이영남씨 신용카드결제)
홍정원	배우자	44	이자소득 200만원	• 병원진료비 1,000,000원(이영남이 현금으로 결제하였다)
이장남	자녀	22	없음	• 대학교 등록금 10,000,000원 • 교회헌금 300,000원 • 12월 31일 혼인을 함
이차남	자녀	19	없음	• 고등학교 수업료 3,500,000원 • 교회헌금 200,000원
이영수	형제	41	없음	• 이영수는 현재 항암치료중이다. • 장애인전용보장성 보험료 500,000원(보험계약자는 이영남이고 보험료도 이영남이 납부하였다) • 병원 진료비 4,000,000원(전액 현금결제) • 신용카드 사용액 10,000,000원
장원천	위탁아동	6	없음	• 유치원 수업료 2,800,000원

정답 및 해설

01 김세준 연말정산자료입력

- 60.보장성보험(일반) : 560,000원 + 850,000원 = 1,410,000원
- 61.의료비 : 본인 3,500,000원, 그밖의 공제대상자 1,500,000원

  ※ 건강기능식품 구입비는 공제불가
- 62.교육비 : 초중고 1,500,000원 + 300,000원 + 500,000원 = 2,300,000원
  취학전아동 1,200,000원 + 800,000원 = 2,000,000원

  ※ 현장체험학습비는 30만원이 한도임
- 42.신용카드등사용액 : ㉮신용카드 12,000,000원+5,000,000원=17,000,000원

  ※ 남동생 본인의 신용카드 사용액은 공제불가, 대학 동창회 기부금은 공제불가

02 이영남 연말정산자료입력

① 부양가족명세

연말 관계	성명	나이	기본 공제	세대주 구분	부녀자	한부모	경로 우대	장애인	자녀	출산 입양
0	이영남	46	본인	○						
1	이부자	77	60세이상				○			
1	강희선	67	60세이상							
3	홍정원	44	20세이하							
4	이장남	22	부							
4	이차남	19	20세이하						○	
6	이영수	41	장애인					3		
8	장원천	6	20세이하							

※ 이자소득은 분리과세가 가능하여 기본공제 가능

② 연말정산추가자료입력

- 60.보장성보험 : 일반 700,000원, 장애인전용 500,000원
- 61.의료비 : 65세, 장애인 • 건강보험산정특례자 7,500,000원, 그밖의 공제대상자 1,000,000원
- 62.교육비 : 대학생 9,000,000원, 초중고 3,500,000원(또는 3,000,000원 한도금액), 취학전아동 2,800,000원
- 63.기부금 : 종교단체 당해기부금 500,000원

  ※ 기부금은 소득제한은 있으나 나이제한이 없으므로 장남의 기부금은 공제 가능
- 42.신용카드등사용액: ㉮신용카드 5,500,000원, ㉰현금영수증 1,000,000원

  ※ 의료비는 신용카드와 중복공제 가능, 동생 본인의 신용카드 사용액은 공제불가

Ncs 국가직무능력표준
National Competency Standards

제 5 부

실전연습문제

데이터 다운로드

1단계	도서출판 아이콕스 (http://icoxpublish.com) 사이트에서 자료실 > 세무회계 > 2021 무적 전산세무2급 데이터를 클릭하여 다운로드 한다.
2단계	다운로드한 파일을 더블클릭하면 '컴퓨터 > C드라이브 > KcLepDB > KcLep' 폴더 안에 회사코드 폴더가 생성된다.
3단계	백데이터가 '내컴퓨터 > C드라이버 > KcLepDB > KcLep'에 존재한다면 [회사등록] 메뉴 상단의 F4 회사코드재생성 버튼을 클릭한다. 회사코드 재생성이 끝나면 실전연습문제 회사리스트가 추가로 생성되어 백데이터를 사용할 수 있다.

실전연습문제

실무시험 1

(주)마포전자(회사코드 : 2201)는 제조, 도 · 소매 및 무역업을 영위하는 중소기업이며, 당기(12기)회계기간은 2021. 1. 1. ~ 2021. 12. 31. 이다. 전산세무회계 수험용 프로그램을 이용하여 다음 물음에 답하시오.

문제에서 한국채택국제회계기준을 적용하도록 하는 전제조건이 없는 경우, 일반기업회계기준을 적용하여 회계처리 한다.

문제 1 다음 거래를 일반전표입력 메뉴에 추가 입력하시오.

01 6월 17일 영업부서에서는 판매활성화를 위해 인터넷쇼핑몰 통신판매업신고를 하면서 등록면허세 40,500원을 보통예금 계좌에서 지급하였다.

02 6월 19일 ㈜발산실업에게 지급해야할 외상매입금 10,000,000원 중에서 50%는 당사발행 당좌수표로 지급하였고 나머지 50%는 채무를 면제받았다.

03 6월 23일 영업부 사원에 대해 확정기여형 퇴직연금상품을 가입하고, 3,000,000원을 보통예금 계좌에서 이체하였다.

04 7월 21일 보유중인 자기주식(취득가액 9,500,000원)을 ㈜다현물산에게 9,000,000원에 매각하고, 대금은 다음 달에 받기로 하였다. (단, 재무상태표에 자본잉여금 항목을 고려하여 자기주식처분이익은 자기주식처분손실과 즉시 상계하기로 하고 하나의 전표로 입력할 것)

05 10월 1일 원재료를 매입하기 위해 ㈜빙고전자와 계약하고, 계약금 7,000,000원은 당사발행 약속어음(만기 2개월)으로 지급하였다.

문제 2 다음 거래자료를 매입매출전표입력 메뉴에 추가로 입력하시오.

01 1월 25일 일본 거래처인 HONEYJAM.CO.에서 상품을 수입하면서 통관절차에 따라 부산세관으로부터 아래와 같이 수입전자세금계산서를 수취하고 부가가치세를 보통예금 계좌에서 이체하여 납부하였다.

<table>
<tr><td colspan="5">수입전자세금계산서(공급받는자 보관용)</td><td colspan="2">승인번호</td><td colspan="3">2021080513-12345-789101</td></tr>
<tr><td rowspan="5">공급자</td><td>사업자 등록번호</td><td>121-83-00561</td><td>종사업장 번호</td><td></td><td rowspan="5">공급받는자</td><td>사업자 등록번호</td><td>105-81-33130</td><td>종사업장 번호</td><td></td></tr>
<tr><td>세관명</td><td>부산세관</td><td>성 명(대표자)</td><td>부산세관장</td><td>상호(법인명)</td><td>(주)마포전자</td><td>성 명</td><td>한수빈</td></tr>
<tr><td>세관주소</td><td colspan="3">부산 중구 중앙동 4가 17</td><td>사업장주소</td><td colspan="3">서울특별시 마포구 동교로 203</td></tr>
<tr><td rowspan="2">수입신고번호 또는 일괄발급기간</td><td rowspan="2" colspan="3">1326345678</td><td>업태</td><td>제조업</td><td>종목</td><td>전자제품</td></tr>
<tr><td>이메일</td><td colspan="3"></td></tr>
<tr><td colspan="2">납부일자</td><td>공급가액</td><td colspan="2">세액</td><td colspan="5">수정사유</td></tr>
<tr><td colspan="2">2021-01-25</td><td>20,000,000</td><td colspan="2">2,000,000</td><td colspan="5">해당없음</td></tr>
<tr><td colspan="2">비고</td><td colspan="8"></td></tr>
</table>

월	일	품 목	규 격	수 량	단 가	공 급 가 액	세 액	비 고
		수입신고필증 참고						
합 계 금 액		22,000,000						

02 2월 28일 영업부서에서는 제품광고료 110,000원(부가가치세 포함)을 힘겨레신문사에 전액 보통예금 계좌에서 이체하고 지출증빙용 현금영수증을 수취하였다.

03 5월 7일 수출업체인 ㈜한류에 제품을 동 날짜로 받은 구매확인서에 의해 납품하고 다음의 영세율 전자세금계산서를 발급하였다. 대금은 전액 보통예금 계좌로 송금받았다.

<table>
<tr><td colspan="5">영세율전자세금계산서(공급자 보관용)</td><td colspan="2">승인번호</td><td colspan="3">12121212-000011111-952</td></tr>
<tr><td rowspan="5">공급자</td><td>사업자등록번호</td><td>105-81-33130</td><td>종사업장번호</td><td></td><td rowspan="5">공급받는자</td><td>사업자등록번호</td><td>130-81-55668</td><td>종사업장번호</td><td></td></tr>
<tr><td>상호(법인명)</td><td>(주)마포전자</td><td>성명(대표자)</td><td>한수빈</td><td>상호(법인명)</td><td>㈜한류</td><td>성 명</td><td>정쌍룡</td></tr>
<tr><td>사업장주소</td><td colspan="3">서울특별시 마포구 동교로 203</td><td>사업장주소</td><td colspan="3">서울 강남구 역삼로 1504-20</td></tr>
<tr><td>업태</td><td>제조</td><td>종목</td><td>전자제품</td><td>업태</td><td>도소매</td><td>종목</td><td>전자제품</td></tr>
<tr><td>이메일</td><td colspan="3"></td><td>이메일</td><td colspan="3"></td></tr>
<tr><td colspan="2">작성일자</td><td>공급가액</td><td colspan="2">세액</td><td colspan="5">수정사유</td></tr>
<tr><td colspan="2">2021-05-07</td><td>10,000,000</td><td colspan="2">0</td><td colspan="5"></td></tr>
<tr><td colspan="2">비고</td><td colspan="8"></td></tr>
</table>

월	일	품 목	규 격	수 량	단 가	공 급 가 액	세 액	비 고
5	7	조립컴퓨터	set	10	1,000,000	10,000,000	0	

합 계 금 액	현 금	수 표	어 음	외상미수금	이 금액을 영수/청구 함
10,000,000	10,000,000				

04 6월 30일 공장에서 사용하던 다음의 화물트럭을 ㈜호랑전자에 매각하면서 전자세금계산서를 발급하고 매각대금은 다음달 말일에 받기로 하였다.(취득시 매입세액공제를 받았음)

구분	공급가액	부가가치세
매각대금	12,000,000원	1,200,000원
취득금액	30,000,000원	3,000,000원
※ 매각일 현재 감가상각누계액 : 15,000,000원		

05 9월 28일 판매거래처인 ㈜동해의 체육대회에 후원할 목적으로 수건 200장(한장당 3,000원)을 송화타월에서 구입하고 대금은 현금 600,000원(부가가치세 별도)을 지급하고 종이세금계산서를 수취하였다.

문제 3 부가가치세신고와 관련하여 다음 물음에 답하시오.

01 기존의 입력된 자료는 무시하고 다음 자료를 토대로 2021년 2기 확정(10월 1일 ~ 12월 31일) 부가가치세신고서를 작성하시오(세부담 최소화 가정). 부가가치세신고서 이외의 과세표준명세 등 기타 부속서류의 작성과 전자신고세액공제는 생략한다. 단 제시된 자료 이외의 거래는 없다.

구분	거래내용	공급가액	부가가치세	비고
매출자료	세금계산서 발급 과세 매출액	350,000,000원	35,000,000원	
	신용카드 과세 매출액	20,000,000원	2,000,000원	
	간주공급에 해당하는 사업상 증여 금액	3,000,000원	300,000원	시가 (원가는 2,000,000원임)
	수출신고필증 및 선하증권상에서 확인된 수출액	28,000,000원	0원	원화환산액 (영세율세금계산서 발급한바 없음)

구분	거래내용	공급가액	부가가치세	비고
매입 자료	990cc 경차 구입액(영업용 사용 목적)-세금계산서 수취	30,000,000원	3,000,000원	
	접대목적으로 구입한 물품 세금계산서 매입액	5,000,000원	500,000원	
	원재료를 구입하고 세금계산서 매입액	225,000,000원	22,500,000원	
	간이과세자에게 지출한 복리후생비 법인카드결제액	5,000,000원	500,000원	

02 다음 자료는 2021년 1기 확정 부가가치세 신고기간(4월~6월)의 부동산 임대내역이다. 부동산임대공급가액명세서를 작성하시오.(이자율은 1.8%로 가정, 계약갱신일은 2021.5.1.이다.)

거래처명/ 사업자등록번호	층/ 호수	면적	용도	임대기간	보증금	월세	관리비
신미상사 102-81-95063	1층 101호	87㎡	사무실	2019.5.1.~ 2021.4.30.	10,000,000원	1,500,000원	200,000원
				2021.5.1.~ 2022.4.30.	20,000,000원	1,800,000원	200,000원

문제 4 다음 결산자료를 입력하여 결산을 완료하시오.

01 다음 제시된 자료를 토대로 당초 할인발행한 사채의 이자비용에 대한 회계처리를 하시오. 단, 하나의 전표로 입력할 것.

구 분	금 액	비 고
(2021년귀속)사채 액면이자	10,000,000원	보통예금으로 이체함 (지급일: 12월 31일)
(2021년귀속)사채할인발행차금 상각액	1,423,760원	

02 당기 중에 단기매매차익을 목적으로 취득하여 보유중인 주식내역은 다음과 같다.(결산전표는 각 주식 별로 각각 입력하며, 거래처코드는 반드시 입력한다.)

주식명	보유주식수	주당 취득원가	주당 기말공정가치
(주)현화 보통주	500주	10,000원	20,000원
(주)서윤 보통주	250주	30,000원	15,000원

03 다음 자료를 이용하여, 부가가치세예수금과 부가가치세대급금을 정리하는 회계처리를 하시오.(단, 환급세액의 경우는 '미수금'으로, 납부세액의 경우는 미지급세금으로 전자신고세액공제액은 '잡이익'으로 인식할 것)

- 부가가치세 대급금 : 25,000,000원
- 부가가치세 예수금 : 55,000,000원
- 전자신고세액공제 : 10,000원

04 퇴직급여충당부채를 설정하기 전 기말 현재 퇴직급여추계액 및 퇴직급여충당부채의 잔액은 다음과 같다. 퇴직급여충당부채는 퇴직급여추계액의 100%를 설정한다.

구분	퇴직급여추계액	퇴직급여충당부채 잔액
생산직	30,000,000원	10,000,000원
본사 사무직	15,000,000원	6,000,000원

05 당기 중 실제 현금보다 장부상 현금이 20,000원이 부족하여 현금과부족으로 처리했던 금액은 결산일 현재까지 그 발생 원인을 확인하지 못하였다.

문제 5 2021년 귀속 원천징수자료와 관련하여 다음의 물음에 답하시오.

01 (주)마포전자는 매월 말일에 급여를 지급하고 있다. 다음 자료를 참고하여 사원등록을 수정하고, 수당등록 또한 등록 및 수정한다. 생산직 사원 박나래(사원코드 101)의 1월 급여자료를 입력하시오.(급여지급일 : 31일)

- 1월 급여내역

기본급	자가운전보조금	식대	설수당	야간근로수당
1,000,000원	200,000원	100,000원	400,000원	150,000원

- 자가운전보조금은 비과세요건을 충족함.
- 식사는 구내식당에서 무상으로 직원들에게 제공함.

- 설수당은 회사가 명절에 지급하는 수당임.
- 사용하는 수당 이외의 항목은 부로 체크할 것.
- 야간근로수당은 야간근무시 지급하는 수당임. (박나래씨 직전년도 총급여는 3,250만원이고 월정액 급여는 140만원임)
- 국민연금 40,000원, 건강보험 20,000원, 장기요양보험 1,310원, 고용보험 10,720원, 소득세 12,020원, 지방소득세 1,200원
- 정기적 성격의 수당은 식대만 해당함.

02 다음은 김갑돌(사원코드 102)의 부양가족 및 연말정산 자료이다. 기본공제 및 추가공제는 [부양가족소득공제]탭에서, 기타연말정산자료는 [연말정산입력]탭에서 연말정산추가자료입력을 하시오. 단, 세부담 최소화 및 부양가족은 모두 사원 김갑돌과 생계를 같이 한다고 가정함. (기본공제 대상자가 아닌 경우 '부'로 표시)

1. 사원 김갑돌의 부양가족 및 소득 자료

성명	관계	연령	소득
김갑서 (장애인)	부친	69세	연간 총급여 3,500,000원 / 장애인복지법에 의한 장애인
이선수	장인 (배우자의 부친)	73세	㈜한국의 사외이사 연간 근로소득금액 30,000,000원
김갑돌	본인	40세	(주)마포전자의 사원 연간 근로소득금액 55,000,000원
이도미	배우자	33세	소득없음
김이리	자녀	6세	소득없음

2. 사원 김갑돌의 연말정산 추가 자료

성명	지출내역
김갑서 (장애인)	김갑서의 질병치료비 5,000,000원과 장애인전용보장성보험 1,500,000원을 모두 김갑돌 신용카드로 결제하였다.
이선수	이선수의 평생교육원 등록비 5,000,000원을 김갑돌이 현금 지급하였다.
김갑돌	보장성보험료 2,000,000원과 본인의 대학원 등록금 10,000,000원을 모두 본인의 신용카드로 결제하였다.
이도미	미용 성형의료비 1,000,000원을 본인의 신용카드로 결제하였다.
김이리	세하유치원 원비 7,000,000원을 현금으로 지급하였다. (현금영수증은 미수취함)

실전연습문제

실무시험 2

(주)하트(회사코드 : 2202)는 제조, 도 · 소매 및 무역업을 영위하는 중소기업이며, 당기(22기)회계기간은 2021. 1. 1. ~ 2021. 12. 31. 이다. 전산세무회계 수험용 프로그램을 이용하여 다음 물음에 답하시오.

문제에서 한국채택국제회계기준을 적용하도록 하는 전제조건이 없는 경우, 일반기업회계기준을 적용하여 회계처리 한다.

문제 1 다음 거래를 일반전표입력 메뉴에 추가 입력하시오.

01 7월 2일 회사는 부족한 운영자금문제를 해결하기 위해 ㈜해일기업으로부터 제품 판매대금으로 받은 약속어음 30,000,000원(만기일 : 9월 30일)을 대박은행에 할인하고 할인비용 300,000원을 제외한 금액을 현금으로 수령하였다.(약속어음의 할인은 매각거래에 해당하며, 하나의 전표로 입력할 것)

02 7월 25일 주주총회의 승인을 얻어 당사의 보통주 1,000주(주당액면가액 5,000원)를 소각하기 위하여 주당 5,500원에 매입하고 현금을 지급하였다. 취득한 주식은 전액을 즉시 소각하였다.(하나의 전표로 입력 할것)

03 8월 7일 을미상사에 대한 외상매입금 5,000,000원에 대하여 ㈜갑동에서 제품판매 대금으로 받은 4,000,000원의 받을어음을 배서양도로 결제하고, 나머지 금액인 1,000,000원은 당좌수표를 발행하여 지급하였다.(하나의 전표로 입력 할 것)

04 9월 9일 전기에 대손처리한 ㈜우현물산의 외상매출금 3,200,000원이 보통예금 통장으로 회수되었다.(단, 전기에 대손처리시 부가가치세법상 대손세액공제는 받지 아니하였다)

05 9월 16일 정기예금(예치기간: 2020.09.16.~2021.09.16.)이 만기가 되어 10,000,000원(원금 9,000,000원, 이자 1,000,000원) 중 이자소득에 대한 원천징수세액이 차감된 잔액이 보통예금 계좌에 입금되었다. (이자소득에 대한 원천징수세율을 15.4%로 가정하며, 원천징수세액은 자산계정으로 처리하며, 하나의 전표로 입력 할 것)

문제 2 다음 거래자료를 매입매출전표입력 메뉴에 추가로 입력하시오.

01 7월 10일 영국 소재 COBA사에게 제품을 $50,000에 직수출(선적일 : 7월 10일)하고 대금 중 $30,000은 당일에 보통예금 통장으로 입금되었으며 남은 잔액은 8월 31일에 받기로 하였다. 적용 환율은 다음과 같다.

날짜	적용 환율
7월 10일	1$당 1,100원
8월 31일	1$당 1,200원

02 7월 13일 제품을 다음과 같이 최공유 (721228-1110111)에게 10,000,000원(부가가치세 별도)에 판매하고 전자세금계산서를 발급하였으며 판매대금은 전액 현금으로 수취하였다. 최공유(상호 : (주)도깨비)의 사업개시일은 2021년 7월 1일, 사업자등록신청일은 2021 년 7월 30일이다.

전자세금계산서(공급자 보관용)								승인번호	
공급자	사업자등록번호	105-81-33130	종사업장번호		공급받는자	사업자등록번호		종사업장번호	
	상호(법인명)	(주)하트	성 명(대표자)	윤소현		상호(법인명)		성 명	최공유
	사업장주소	서울특별시 강남구 도곡로 7길 13				사업장주소	서울 은평구 불광동 451-4		
	업 태	제조, 도소매	종 목	전자제품외		업 태		종 목	
	이메일	rlarhdms@naver.com				이메일	ehRoql@naver.com		

작성일자	공급가액	세액	수정사유
2021.7.13	10,000,000	1,000,000	
비고	주민번호 721228-1110111		

월	일	품 목	규 격	수 량	단 가	공 급 가 액	세 액	비 고
7	13	전자제품				10,000,000	1,000,000	

합 계 금 액	현 금	수 표	어 음	외 상 미 수 금
11,000,000	11,000,000			

03 8월 14일 제조현장에서 사용할 화물용 트럭에 사용하기 위하여 더케이주유소에서 경유 165,000원(부가가치세 포함)을 구입하고 법인카드(카드사 : 롯데카드)로 결제하였다.

04 8월 30일 비사업자인 권나라에게 제품을 판매하고, 판매대금 330,000원(부가가치세 포함)을 전액 보통예금 통장으로 수령하였다. 해당 거래에 대하여 별도의 세금계산서나 현금영수증을 발급하지 않았으며 간이영수증만 발급하였다.

05 9월 15일 (주)하트은 마케팅 부서의 업무용 리스차량(9인승 승합차, 3,000cc)의 월운용 리스료 660,000원을 보통예금 계좌에서 지급하고, 아주캐피탈로부터 전자계산서를 수취하였다. (임차료 계정과목을 사용할 것)

문제 3 부가가치세신고와 관련하여 다음 물음에 답하시오

01 당사는 과세 및 면세사업을 영위하는 겸영사업자이다. 다음 자료를 이용하여 2021년 1기 확정신고기간에 공제받지못할매입세액명세서 중 [공통매입세액의정산내역] 탭을 이용하여 아래의 내역을 반영하시오.(단, 입력된 전표데이타는 무시할 것)

- 예정신고시 반영된 공통매입세액 불공제분은 1,250,000원이며, 예정신고는 세법에 따라 적정하게 신고되었다.
- 1기 과세기간에 대한 공급가액은 다음과 같으며, 공통매입세액 안분은 공급가액기준으로 한다.

구 분		전체(1월~6월)	
		공급가액 합계	세액 합계
매출	과세	250,000,000원	25,000,000원
	면세	150,000,000원	-
공통매입세액		60,000,000원	6,000,000원

02 다음의 자료를 이용하여 (주)하트의 2021년 제2기 부가가치세 확정신고서(10월 1일~12월 31일)를 작성하시오.(단, 신고서작성과 관련한 전표입력사항과 구비서류작성은 생략하며 세부담 최소화되도록 작성할 것.(과세표준명세생략한다.)

	내 역	금 액	비 고
매출 자료	• 제품매출	300,000,000원 (부가가치세 별도)	세금계산서 발급
	• 신용카드로 결제한 제품매출	55,000,000원 (부가가치세 포함)	세금계산서 미발급
	• 내국신용장에 의한 재화 공급	40,000,000원	영세율세금계산서 발급
	• 재화의 직수출액	100,000,000원	영세율 대상이며, 세금계산서 미발급
	• 대손확정된 매출채권	11,000,000원 (부가가치세 포함)	대손세액공제 요건을 충족함
매입 자료	• 원재료 매입	185,000,000원 (부가가치세 별도)	세금계산서 수취
	• 접대비 관련 선물세트 매입	15,000,000원 (부가가치세 별도)	세금계산서 수취

	내 역	금 액	비 고
매입 자료	• 법인카드로 구입한 원재료 매입	7,700,000원 (부가가치세 포함)	세금계산서 미수취, 공제요건은 충족함
	• 원재료 매입	9,000,000원 (부가가치세 별도)	예정신고 누락분이며 세금계산서는 정상적으로 수취함
기타	• 당사는 부가가치세 전자신고 함		

문제 4 다음 결산자료를 입력하여 결산을 완료하시오.

01 장기차입금 중 다음의 차입금을 만기에 상환하기로 하였다. 유동성대체를 하시오.(차입기관 : 국민은행, 차입액 : 200,000,000원, 차입기간 : 2019.06.01.~ 2022.06.30.)

02 공장 화재보험료 9,000,000원(보험기간 : 2021년 9월 1일 ~ 2022년 8월 31일)을 9월 1일에 동부화재에 지급하고 전액을 당해연도에 보험료 계정으로 회계처리 하였다. 이에 대한 기말 수정분개를 하시오.(월할계산 하며, 음수로 입력하지 말것)

03 다음의 특허권에 대한 무형자산상각비를 반영하시오.

- 특허권 취득일 및 사용개시일 : 2021년 7월 15일(취득가액: 5,000,000원)
- 상각기간 : 5년
- 상각방법 : 정액법
- 잔존가액 : 없음
- 월할상각하며 판매관리비로 처리할 것

04 외상매출금과 받을어음 잔액의 1%를 한도로 하여 대손충당금을 추가설정하기로 한다.

05 당기의 이익잉여금 처분은 다음과 같이 결의되었다.

- 당기처분예정일 : 2022년 2월 25일 전기처분확정일 : 2021년 2월 25일
- 보통주 현금배당 : 5,000,000원
- 보통주 주식배당 : 2,000,000원
- 이익준비금 : 적립률 10%

문제 5 2021년 귀속 원천징수자료와 관련하여 다음의 물음에 답하시오.

01 다음은 (주)하트의 급여대장(귀속월 : 1월, 지급일 : 1월 31일) 내용이다. 주어진 자료를 이용하여 1월분 급여자료 입력하고 원천징수이행상황신고서(1.정기신고)에 반영하시오. (식대와 차량유지비[비과세유형 : 자가운전보조금]은 비과세 요건을 충족하며, 신고일 현재 전월이월된 미환급세액 30,000원이 있다)

2021 년 1월 급여대장

(지급연월일 : 2021년1월31일)

(단위 : 원)

성명	지급내용					공제내용							차감 수령액
	기본급	상여금	차량 유지비	식대	급여계	소득세	지방 소득세	국민 연금	건강 보험	장기 요양	고용 보험		
김갑돌	3,000,000	500,000	200,000	100,000	3,800,000	142,220	14,220	135,000	91,800	6,010	22,750		3,388,000
김갑순	2,500,000	500,000	-	100,000	3,100,000	84,850	8,480	112,500	76,500	5,010	19,500		2,793,160

02 다음 자료를 이용하여 대표이사 이재영(사번101)씨의 연말정산추가자료입력 메뉴에서 연말정산입력탭을 작성하시오.

1. 부양가족 인적사항

- 배우자 신소희 : 1989년 3월 25일생
- 모 김을숙 : 1952년 1월 21일생(시각장애인 3급)
- 자녀 이아랑 : 2015년 9월 9일생
- 자녀 이세랑 : 2019년 10월 10일생

※ 자녀 이아랑은 어린이모델로 활동하여 발생한 사업소득금액 5,000,000원이 있고, 배우자 신소희는 근로소득 총급여액 5,000,000원이며, 모 김을숙은 소득이 없다.

보험료	• 배우자 보장성보험료 : 900,000원 • 모 김을숙 장애인전용보험료 : 1,200,000원 • 본인 자동차보험료 : 300,000원
의료비	• 본인 의료비 : 1,000,000원 • 김을숙 의료비 : 3,000,000원 • 이아랑 의료비 : 2,000,000원
교육비	• 아래 교육비 납입증명서 참조
기부금	• 아래 기부금영수증 참조

교육비 납입 증명서

성 명		이재영	주민등록번호	810909-1111111
주 소				
대상 원아	성 명	이아랑	납부자와의관계	자녀
	주민등록번호		인가번호	제 2012-3
	상 호	자연유치원	고유번호증	135-89-02352

교육비납입내역

납부년월일	기 분	금 액	비 고
2021.08.21	1학기 수업료	432,000원	
2021.12. 02	2학기 수업료	288,000원	
2021. 08.21	1학기 수익자부담금	788,600원	
2021.12. 02	2학기 수익자부담금	542,400원	
2021. 08.21	1학기 기타납입금	850,000원	방과후
2021.12. 02	1학기 기타납입금	600,000원	방과후
2021.12. 14	기타납입금	1,100,000원	체육수업비
합 계		4,601,000원	
용 도	교육비 공제 신청용		

위와같이 교육비를 납부하였음을 확인하여 주시기 바랍니다.

2022년 1 월 28 일

신청인 (서명 또는 인)

위와같이 교육비를 납입하였음을 확인합니다.

2022년 1 월 28일

자 연 유 치 원

기부금 영수증

1. 기부자

성명	이재영	주민등록번호 사업자등록번호	810909-1111111
주소	서울특별시 강남구 청담동 321-1		

2.기부금단체

단체명	대한예수교장로회 참평화교회	주민등록번호 사업자등록번호	51710-1******
소재지	경기도 광주시 초월읍 쌍동2리 253-49		

3. 기부금 모집처(언론기관등)

단체명		사업자등록번호	
소재지			

4. 기부내용

유형	코드	년월	내용	금액
십일조	41	2021.1~12월	500,000 X 12	6,000,000
합계				6,000,000

소득세법 제34조, 조세특례제한법 제73조, 제76조 및 제88조의4에 따른 기부금을 위와 같이 기부하였음을 증명하여 주시기 바랍니다.

2021년 2 월 25 일

신청인 이 재 영 (서명 또는 인)

위와 같이 기부금을 기부하였음을 증명합니다.

2021년 2 월 25 일

기부금수령인 지 난 천 (서명 또는 인)

작성방법

1. "3. 기부금모집처(언론기관 등)" 는 방송사 신문사, 통신회사 등 기부금을 대신접수하여 기부금 단체에 전달하는 기관을 말합니다.
2. "4. 기부내용" 란에 적는 유형. 코드는 다음과 같습니다.

가. 소득세법 제 34조제2항에 따른 기부금 : 법정기부금, 코드 10
나. 조세특례제한법 제76조에 따른 기부금 : 조특법 76, 코드20
다. 조세특례제한법 제73조제1항제1호에 따른 기부금 : 진흥기금출연, 코드21
라. 조세특례제한법 제73조제1항(제1호 및 제15호 제외)에 따른 기부금 : 조특법73, 코드30
마. 조세특례제한법 제73조제1항제1호제15호에 따른 공익법인신탁기부금 : 조특법73, 코드31
바. 소득세법 제34조제1항(종교단체 기부금제외)에 따른 기부금 : 지정기부금, 코드40
사. 소득세법 제34조제1항에 따른 기부금 중 종교단체기부금 : 종교단체기부금, 코드41
아. 조세특례제한법 제88조의4에 따른 기부금 : 우리사주조합기부금, 코드42
자. 기타기부금 : 기타기부금, 코드50

실무시험 3

(주)산림전자(회사코드 : 2203)는 제조, 도 · 소매 및 무역업을 영위하는 중소기업이며, 당기(15기) 회계기간은 2021. 1. 1. ~ 2021. 12. 31. 이다. 전산세무회계 수험용 프로그램을 이용하여 다음 물음에 답하시오.

문제에서 한국채택국제회계기준을 적용하도록 하는 전제조건이 없는 경우, 일반기업회계기준을 적용하여 회계처리 한다.

문제 1 다음 거래를 일반전표입력 메뉴에 추가 입력하시오.

01 1월 11일 가지급금 700,000원은 생산직 근로자인 정찬호의 출장비로 다음과 같이 정산되었다. (단, 가지급금에 대하여 거래처 입력은 생략하고 하나의 전표로 처리할것)

출장비정산내역	• 정찬호의 출장비(여비교통비) : 850,000원 • 부족분 150,000원은 현금으로 지급하였다.

02 1월 20일 (주)능력에 6,000,000원을 6개월 후 회수조건으로 대여하기로 하고 보통예금 계좌에서 이체하였다.

03 4월 20일 미지급세금으로 계상되어 있는 지방소득세 10,000,000원을 법인카드인 비씨카드로 결제하였다.

04 4월 30일 당사는 1주당 발행가액 4,000원, 주식수 20,000주의 유상증자를 통해 보통예금 통장으로 80,000,000원이 입금되었으며, 증자일 현재 주식발행초과금은 10,000,000원이 있다.(1주당 액면가액은 5,000원이며, 하나의 거래로 입력할 것)

05 5월 25일 직원 최상도에 대해 지급한 5월분 급여에 대한 급여명세서는 다음과 같으며, 공제 후 차감지급액에 대해서는 당사 보통예금 계좌에서 이체하였다.

2021년 5월 급여명세서					
부서명 : 경영기획팀			성 명 : 최상도		
급여지급일자 : 2021년 5월 25일 (단위 : 원)					
지급내역	기 본 급	3,000,000	공제내역	소 득 세	72,300
	직책수당	50,000		지방소득세	7,230
	월차수당	70,000		국민연금	144,900
	근속수당	100,000		건강보험	98,530
	식 대	100,000		장기요양	6,400
	기 타			고용보험	20,930
	급 여 계	3,320,000		공 제 계	350,290
				지급총액	2,969,710
귀하의 노고에 감사드립니다.					

문제 2 **다음 거래자료를 매입매출전표입력 메뉴에 추가로 입력하시오.**

01 7월 24일 미국 ABC사에 제품을 $20,000에 직수출(수출신고일 : 7월 19일, 선적일 : 7월 24일)하고, 수출대금 전액을 7월 31일에 미국달러화로 받기로 하였다. 수출과 관련된 내용은 다음과 같다.

일자	7월 19일	7월 24일	7월 31일
기준환율	1,150원/1$	1,100원/1$	1,200원/1$

02 8월 20일 ㈜예가물산에서 다음과 같이 원재료를 매입하면서 대금 중 50%는 당좌수표를 발행하여 지급하고 잔액은 다음 달에 지급하기로 하였다.

전자세금계산서(공급받는자 보관용)						승인번호	20210820-410000012-7c00mk0		
공급자	등록번호	129-86-11103	종사업장 번호		공급받는자	등록번호	107-85-51700	종사업장 번호	
	상호 (법인명)	㈜예가물산	성명	박예가		상호 (법인명)	(주)산림전자	성명	안정호
	사업장주소	서울 영등포구 영중로 225				사업장주소	서울 강남구 봉은사로 409		
	업태	도소매,무역,제조	종목	전자부품, 수출		업태	제조,도소매	종목	전자제품
	이메일	bongsemi@naver.com				이메일	cidar@daum.net		

작성일자	공급가액	세액	수정사유	비고
2021-08-20	100,000,000	10,000,000	해당없음	

월	일	품목	규격	수량	단가	공급가액	세액	비고
08	20	CN24-k2		10,000	10,000	100,000,000	10,000,000	

합계금액	현금	수표	어음	외상미수금	이 금액을 (영수,청구)함
110,000,000		55,000,000		55,000,000	

03 8월 30일 ㈜송도에 판매한 제품의 배송을 위하여 운수회사 ㈜가나운송에 운송비 330,000원(부가가치세 포함)을 보통예금 계좌에서 이체하고 현금영수증(지출증빙용)을 수취하였다.(3점)

04 9월 8일 ㈜신흥에 제품을 공급하고 전자세금계산서(공급가액 : 5,000,000원, 세액 : 500,000원)를 발급하였다. 대금은 8월 20일에 계약금으로 받은 1,000,000원을 제외한 나머지 전액을 이달 말일에 받기로 하였다.

05 9월 24일 매출거래처인 고려전자에게 보낼 추석선물세트를 ㈜한국백화점에서 구매하고 전자세금계산서(공급가액 : 1,500,000원 부가가치세 : 150,000원)를 발급받았다. 대금은 전액 9월 말일에 결제하기로 하였다.

문제 3 부가가치세신고와 관련하여 다음 물음에 답하시오.

01 다음 자료를 이용하여 (주)산림전자의 2021년 1기 부가가치세 확정신고시 대손세액공제신고서를 작성하시오.

(1) 당사는 2021년 1월 5일 ㈜호연(대표자 : 황호연, 215-81-93662)에 부가가치세가 과세되는 제품을 공급하고 그 대가로 받은 약속어음 13,200,000원(부가가치세 포함)이 2021년 5월 8일에 부도가 발생하였다. 당사는 ㈜호연의 재산에 대하여 저당권을 설정하고 있지 않다.

(2) 외상매출금 중 55,000,000원(부가가치세 포함)은 2017년 2월 9일 백두상사(대표자 : 홍백두, 312-81-45781)에 대한 것이다. 이 외상매출금의 회수를 위해 당사는 법률상 회수노력을 다하였으나, 결국 회수를 못하였고, 2021년 2월 9일자로 동 외상매출금의 소멸시효가 완성되었다.

(3) 2018년 6월에 파산으로 대손 처리했던 ㈜상생(대표자 : 이상생, 138-81-05425)에 대한 외상매출금 16,500,000원(부가가치세 포함) 중 60%에 상당하는 금액인 9,900,000원(부가가치세 포함)을 2021년 6월 17일 현금으로 회수하였다. 당사는 동 채권액에 대하여 2018년 1기 부가가치세 확정신고시 대손세액공제를 적용받았다. (단, 대손사유는 '7. 대손채권 일부회수'로 직접 입력할 것)

(4) 2019년 3월 16일 당사 공장에서 사용하던 기계장치를 태안실업(대표자 : 정태안, 409- 81-48122)에 7,700,000원(부가가치세 포함)에 외상으로 매각하였다. 2021년 5월 20일 현재 태안실업의 대표자가 사망하여 기계장치 판매대금을 회수할 수 없음이 객관적으로 입증되었다.

02 다음은 2021년 제2기 확정 부가가치세신고기간(2021.10.01.~2021.12.31.)에 관한 자료이다. 아래 주어진 자료만을 반영하여 2기 확정 부가가치세 신고서를 작성하시오. 부가가치세 신고서 이외의 과세표준명세 등 기타 부속서류의 작성은 생략하고 홈택스에서 직접 전자신고하여 세액공제를 받기로 한다.

(1) 전자세금계산서 제품매출은 200,000,000원이다.(부가가치세 별도)

(2) 수출신고필증 및 선하증권에서 확인된 수출액을 원화로 환산하면 20,000,000원이다.

(3) 대손이 확정된 외상매출금 2,200,000원에 대하여 대손세액공제를 적용한다.

(4) 카드매출로 55,000,000원, 현금영수증 매출로 1,100,000원 발생하였다. 동 금액은 모두 부가가치세가 포함된 금액이다.

(5) 구매확인서에 의한 원재료 매입은 40,000,000원으로 영세율전자세금계산서를 수취함

(6) 배기량 2,000cc이며 4인승인 비영업용 소형승용차(부가가치세포함 16,500,000원)를 구입하고 세금계산서 수취함

(7) 전자세금계산서로 받은 전기요금 800,000원(부가가치세 별도)은 2기 예정신고 누락분이다.

(8) 예정신고 미환급세액은 1,500,000원이다.

문제 4 다음 결산자료를 입력하여 결산을 완료하시오

01 5월 1일에 1년치 보험료(제조부서 1,200,000원, 영업부서 600,000원)를 현금으로 지급하면서 전액 비용처리 하였다.(단, 월할로 계산하며, 음수로 입력하지 말 것)

02 당사는 광고 선전 목적으로 구입한 탁상시계를 광고선전비(판매관리비)로 계상하였으나, 결산시 미사용분 500,000원을 소모품으로 대체하였다.(단, 음수로 입력하지 말 것)

03 미국에 있는 다저스사에 외화장기차입금 $100,000(장부가액 110,000,000원)가 있으며, 보고기간 종료일(회계연도 말일) 현재의 환율은 $1당 1,200원이다.

04 12월 31일 현재 보유중인 제조부문의 감가상각대상 자산은 다음과 같다. 제시된 자료 이외에 감가상각대상자산은 없다고 가정하고, 감가상각금액을 계산(월할상각)하여 일반전표입력에 반영하시오.(단, 고정자산등록은 생략할 것)

계정과목	취득원가	잔존가치	내용연수	전기말 감가상각누계액	취득일자	상각방법	상각률
기계장치	100,000,000원	0원	5년	0	2021.7.1	정률법	0.451

05 기말 현재 제품에 대한 실지재고조사 결과는 다음과 같다. 감모된 수량 중 30개는 정상적인 것이며, 나머지는 모두 비정상적인 것이다. 비정상 재고자산감모손실과 관련된 회계처리와 기말제품가액을 반영하여 결산을 완료하시오.(다른 기말재고자산은 없는 것으로 가정한다.)

• 장부 재고수량 : 300개 • 실제 재고수량 : 230개

• 단위당 취득원가 : 10,000원

문제 5 2021년 귀속 원천징수자료와 관련하여 다음의 물음에 답하시오.

01 다음 자료를 보고 내국인이며 거주자인 사무직사원 한마음(여성, 세대주, 입사일자 2015년 4월 1일, 국내근무)을 사원등록(코드번호 105)하고, 한마음의 부양가족을 모두 부양가족명세에 등록 후 세부담이 최소화 되도록 공제여부를 입력하시오.(기본공제 대상자가 아닌 경우 '부'로 표시하시오.)

성 명	관 계	주민등록번호	내/외국인	동거여부	비 고
한마음	본인	710630-2434567	내국인	-	연간 총급여액 2,900만원
김태우	배우자	720420-1434567	내국인	2021.3.3. 사망	일용근로소득 600만원
유지인	모	480730-2445678	내국인	미국 거주	복권당첨소득 500만원
김성유	딸	040805-4123456	내국인	일본 유학중	소득 없음
김호식	아들	080505-3123456	내국인	동거	소득 없음
한다정	언니	690112-2434528	내국인	동거	퇴직소득금액 100만원

※ 본인 및 부양가족의 소득은 위의 소득이 전부이며, 위의 주민등록번호는 정확한 것으로 가정한다.

02 2021년 8월 1일 입사한 최용재의 전근무지 근로소득원천징수영수증 자료와 연말정산자료는 다음과 같다. 연말정산추가자료입력 메뉴의 소득명세, 월세주택임차차입명세 및 연말정산입력 탭을 입력하시오.(단, 최용재는 무주택 세대주이며 부양가족은 없다)

< 전 근무지 근로소득 원천징수영수증 자료 >

	구 분	주(현)	종(전)	⑯-1 납세조합	합 계
I 근무처별소득명세	⑨ 근 무 처 명	(주)믿음상사			
	⑩ 사업자등록번호	506-85-23245			
	⑪ 근무기간	2021.1.1.~2021.7.30.	~	~	~
	⑫ 감면기간	~	~	~	~
	⑬ 급 여	25,000,000			
	⑭ 상 여	3,000,000			
	생략				
	⑯ 계	28,000,000			

생략

	구 분			⑱ 소 득 세	⑲ 지방소득세	⑳ 농어촌특별세
III 세액명세	⑦② 결 정 세 액			382,325	38,232	
	기납부세액	⑦③ 종(전)근무지 (결정세액란의 세액을 적습니다)	사업자 등록 번호			
		⑦④ 주(현)근무지		1,478,120	147,810	
	⑦⑤ 납부특례세액					
	⑦⑥ 차 감 징 수 세 액(⑦②-⑦③-⑦④-⑦⑤)			△1,095,795	△109,578	

(국민연금 1,260,000원 건강보험 856,800원 장기요양보험 56,070원 고용보험 182,000원)
위의 원천징수액(근로소득)을 정히 영수(지급)합니다.

< 연말정산관련자료 >

성명	지출내역
보험료	• 자동차보험료 : 800,000원, 저축성보험료 : 500,000원
의료비	• 상해수술비 : 5,000,000원(본인 신용카드로 결제됨) • 건강증진 목적의 한약 구입비 : 1,200,000원 • 콘택트렌즈 구입비 : 700,000원
교육비	• 대학원 등록금 : 10,000,000원 • 영어학원비(업무관련성 있음) : 2,000,000원
기부금	• 종교단체 기부금 : 3,000,000원
신용카드 등 사용액	• 신용카드 : 18,000,000원 (해외사용분 3,000,000원과 및 상기 의료비 항목 중 신용 카드로 결제한 상해수술비 5,000,000원이 신용카드 사용액에 포함됨) • 현금영수증 : 2,500,000원 (대중교통이용분 300,000원 포함)
월세 자료	• 임대인 : 이소영 • 주민등록번호 : 770811-2105948 • 주택유형 : 단독주택 • 주택계약면적 : 45.00㎡ • 임대차계약서상 주소지 : 서울시 강서구 화곡동 한일하이빌 • 임대차 계약기간 : 2021.01.01~2021.12.31 • 매월 월세액 : 500,000원(2021년 총 지급액 6,000,000원)

실전연습문제

실무시험 4

(주)호중테크(회사코드 : 2204)는 제조, 도 · 소매 및 무역업을 영위하는 중소기업이며, 당기(10기) 회계기간은 2021. 1. 1. ~ 2021. 12. 31. 이다. 전산세무회계 수험용 프로그램을 이용하여 다음 물음에 답하시오.

문제에서 한국채택국제회계기준을 적용하도록 하는 전제조건이 없는 경우, 일반기업회계기준을 적용하여 회계처리 한다.

문제 1 다음 거래를 일반전표입력 메뉴에 추가 입력하시오.

01 1월 25일 전기(7기) 부가가치세 제2기 확정분에 대한 납부세액 599,000원(미지급세금으로 반영되어 있음)을 보통예금 계좌에서 전자납부 하였다.

02 1월 29일 제품을 매출하고 광주상사로부터 수취한 약속어음 2,200,000원이 부도처리 되었다는 것을 거래처 주거래은행으로부터 통보받았다.

03 1월 31일 단기매매목적으로 보유 중인 주식회사 삼삼의 주식(장부가액 30,000,000원)을 전부 40,000,000원에 매각하였다. 주식처분 관련비용 30,000원을 차감한 잔액이 보통예금 계좌로 입금되었다.

04 2월 21일 회사는 액면가액이 1주당 5,000원인 보통주 1,000주를 1주당 5,500원에 발행하고 전액 보통예금 계좌로 납입받았으며, 주식발행에 관련된 법무사수수료 100,000원은 현금으로 지급하였다. (주식할인발행차금 잔액은 없고, 하나의 전표로 입력하시오)

05 2월 26일 신축 중인 공장의 건설자금으로 사용한 특정차입금의 이자비용 2,200,000원을 당좌수표를 발행하여 지급하였다. 동 이자비용은 자본화대상이며, 공장은 내년에 준공예정이다.

문제 2 다음 거래자료를 매입매출전표입력 메뉴에 추가로 입력하시오.

01 9월 3일 공장에서 사용하던 기계장치(취득원가 10,000,000원, 감가상각누계액 4,000,000원)를 ㈜둘리상사에 5,500,000원(부가가치세 포함)에 매각하고 전자세금계산서를 발급하였다. 판매대금은 다음 달 말일에 받기로 하였다.(단, 당기의 감가상각비는 고려하지 말고 하나의 전표로 입력할 것)

02 9월 6일 ㈜한가락에서 8월 5일 구입한 기계장치에 하자가 있어 반품하고 수정전자세금계산서(공급가액 -30,000,000원, 부가가치세 -3,000,000원)를 발급받고 대금은 전액 미지급금과 상계처리 하였다.

03 9월 9일 회사는 제조공장에서 사용하는 지게차의 주요 부품을 교체(해당 부품 교체로 지게차의 내용연수가 연장되는 것으로 판명됨)한 후 부품 교체비용 2,200,000원(부가가치세 포함)에 대한 전자세금계산서를 ㈜을지로부터 수취하고, 대금은 전액 다음 달 말일에 지급하기로 하였다. 지게차는 구입 당시에 차량운반구로 회계 처리하였다.

04 9월 23일 업무용 승용차를 ㈜파이낸셜코리아로부터 운용리스조건으로 리스하여 영업팀에서 사용하고 발급받은 전자계산서 내역은 다음과 같다.(당사는 리스료를 임차료로 분류하며 대금은 다음 달에 지급하기로 함.)

전자계산서(공급받는자 보관용)					승인번호	20210923-3420211-86d02gk1			
공급자	등록번호	211-86-78437	종사업장 번호		공급받는자	등록번호	106-86-65120	종사업장 번호	
	상호(법인명)	㈜파이낸셜코리아	성명	박예가		상호(법인명)	(주)호중테크	성명	박혁권
	사업장주소	서울 중구 퇴계로 125				사업장주소	서울 강동구 성안로 3길 9		
	업태	금융	종목	기타여신금융,할부금융,시설대여		업태	제조,도소매	종목	컴퓨터 및 주변장치
	이메일	bmwbest@gmai.com				이메일	cidar@daum.net		

작성일자	공급가액	수정사유	비고
2021-09-23	3,000,000	해당없음	19바3525

월	일	품목	규격	수량	단가	공급가액	비고
09	23	월리스료				3,000,000	

합계금액	현금	수표	어음	외상미수금	이 금액을 (청구)함
3,000,000				3,000,000	

05 9월 30일 ㈜날자로부터 구매확인서에 의해 상품 10,000,000원을 매입하고 영세율전자세금계산서를 발급받았다. 대금 중 5,000,000원은 즉시 보통예금 계좌에서 이체하고 나머지 금액은 다음 달 10일에 지급하기로 하였다.

문제 3 부가가치세신고와 관련하여 다음 물음에 답하시오.

01 다음 자료를 이용하여 과세 및 면세사업을 영위하는 겸영사업자인 당사의 2021년도 1기 부가가치세 확정신고기간에 대한 공제받지 못할 매입세액명세서 중 공통매입세액의 정산내역 탭을 입력하시오. (단, 1기 예정신고서에 반영된 공통매입세액 불공제분은 200,000원이고, 공급가액 기준으로 안분계산 하며, 제시된 자료 이외의 거래는 없는 것으로 가정한다)

구분		1기예정		1기확정		1기 전체	
		공급가액	세액	공급가액	세액	공급가액	세액
매출	과세	5,000,000	500,000	28,000,000	2,800,000	33,000,000	3,300,000
	면세	5,000,000		5,000,000		10,000,000	
공통매입세액		4,000,000	400,000	8,000,000	800,000	12,000,000	1,200,000

02 다음 자료만를 이용하여 2021년 2기 확정신고기간의 부가가치세신고서를 작성하시오.(단, 부가가치세 신고서 이외의 부속서류와 과세표준명세는 생략하고, 불러오는 데이터 값은 무시하며 새로 입력하시오)

구분	내용
매출자료	① 전자세금계산서 과세 매출액 : 450,000,000원(부가가치세 별도) ② 신용카드 과세 매출액 : 30,000,000원(부가가치세 별도) ③ 직수출액 : 100,000,000원 ④ 예정신고누락분 : 2021년 2기 예정신고기간에 발행된 카드매출을 예정신고 시 신고누락하고 2기 확정신고 시 신고하였는데 그 금액은 11,000,000원(부가가치세 포함)이었다.(가산세 계산 시 부정행위가 아니고 미납일수는 92일로 가정한다)
매입자료	① 전자세금계산서 과세 매입액 : 공급가액 270,000,000원*1,2, 부가가치세 27,000,000원 *1) 2,500cc 5인승 승용차 구입 : 공급가액 50,000,000원, 부가가치세 5,000,000원 *2) 나머지 공급가액 220,000,000원, 부가가치세 22,000,000원은 고정자산이 아닌 일반매입액으로 매입세액공제대상임 ② 현금영수증 과세 매입액 : 공급가액 10,000,000원*3, 부가가치세 1,000,000원 *3) 전부 고정자산이 아닌 일반매입액으로 매입세액공제대상임
기타	부가가치세 신고는 서류로 제출하였음

문제 4 다음 결산자료를 입력하여 결산을 완료하시오.

01 당사는 2021년 초에 소모품을 5,000,000원 구입하고 소모품 계정과목으로 회계 처리하였으며, 기말에 소모품 잔액을 확인해보니 500,000원이 남아있었다. 사용한 소모품 중 40%(1,800,000원)는 영업부서에서 사용하고 나머지는 생산부서에서 사용한 것으로 밝혀졌다.(단, 회계처리 시 음수로 입력하지 말 것)

02 당사는 단기매매차익 목적으로 ㈜코스파의 시장성이 있는 유가증권 1,000주를 다음과 같이 매입하였다. 기말 시가는 1주당 33,000원이고, 당기말까지 해당 주식의 매매거래는 없었다.

취득일	취득가액	주식수	취득수수료	지급총액
2021.10.04	1주당 30,000원	1,000주	300,000원	30,300,000원

03 당사는 매년 유형자산을 재평가모형에 따라 인식하고 있으며 2021년 12월 31일에 보유하고 있던 토지를 감정평가한 결과 아래와 같이 평가액이 산정되었다. 유형자산 재평가손익을 반영하시오.

- 2021년 1월 20일 토지 취득가액 : 700,000,000원
- 2021년 12월 31일 토지 감정평가액 : 600,000,000원

04 결산일 현재 외상매출금 잔액의 3%와 받을어음 잔액의 1%에 대하여 대손을 예상하고 보충법에 의해 대손충당금을 설정하시오.

05 당기 법인세(지방소득세 포함)는 3,300,000원으로 확정되었다.(법인세 중간예납액 1,000,000원과 이와 별도로 이자수익으로 발생한 선납세금 1,000,000원이 계상된 것으로 가정하여 회계처리 할 것)

문제 5 2021년 귀속 원천징수자료와 관련하여 다음의 물음에 답하시오.

01 다음 자료를 이용하여 사원 김한국씨(사번 : 101)의 필요한 수당등록과 7월분 급여자료입력(수당등록 및 공제항목은 불러온 자료는 무시하고 아래 자료에 따라 입력하며, 사용하는 수당 이외의 항목은 부로 체크할 것)을 하고, 원천징수이행상황신고서를 작성하시오.(단, 급여지급일은 매월 말일이며, 전월미환급세액 210,000원이 있다. 원천징수이행상황신고서는 매월 작성하며, 김한국씨의 급여내역만 반영 할 것)

(주)호중테크 2021년 7월 급여내역

이 름	김 한 국	지 급 일	2021년 7월 31일
기 본 급	2,200,000원	소 득 세	80,140원
월차수당	400,000원	지방소득세	8,010원
식 대	150,000원	국민연금	99,000원
육아수당	200,000원	건강보험	67,320원
출퇴근수당	200,000원	장기요양보험	4,400원
상 여	0원	고용보험	19,170원
급 여 계	3,150,000원	공제합계	278,040원
노고에 감사드립니다.		지급총액	2,871,960원

※ 식대, 육아수당은 비과세 요건을 충족하지만 출퇴근수당은 비과세 요건을 충족하지 않는다.

02 계속근무자인 맞벌이부부 김강남(사번: 102)씨의 연말정산 관련 자료이다. [연말정산 추가자료 입력] 메뉴에서 세부담 최소화를 가정하여 보험료, 의료비, 교육비, 기부금, 신용카드 공제와 관련한 연말정산입력을 하시오. 부양가족은 모두 생계를 같이 하고 있으며, 인적공제(기본공제, 추가공제) 관련된 사항은 생략하고 작성하며, 부양가족의 소득공제 내용 중 김강남(본인)이 공제받을 수 있는 내역은 모두 김강남이 공제받는 것으로 한다.

관계	성명	나이	소득구분	소득공제내용
아버지	김신	72세	사업소득금액 200만원	• 질병치료비 300만원을 김강남의 신용카드로 결제하였다. • 보장성보험료(계약자 김강남) 110만원 지출
어머니	최경자	71세	없음	• 하늘교회십일조 헌금 120만원 지출 (기부금단체요건을 충족하고 있다)
본인	김강남	47세	근로소득 총급여 5,600만원	• 세대주이다. • 질병치료목적의 본인의료비 200만원을 신용카드로 결제하였다. • 하늘교회 헌금 160만원(기부금단체요건을 충족하고 있다) • 공제대상 직불카드 사용액 2,700만원 (해외사용액 300만원 포함)
배우자	이예림	44세	근로소득 총급여 2,000만원	• 본인 보장성 보험료 불입액 120만원이다. • 질병치료비 100만원을 김강남의 신용카드로 결제하였다.
자녀	김대한	23세	없음	• 대학등록금 1,000만원을 지출하였다.
자녀	김민국	7세	없음	• 유치원수업료 360만원을 지출하였다.

실무시험 5

㈜쿠쿠(회사코드 : 2205)는 제조, 도 · 소매 및 무역업을 영위하는 중소기업이며, 당기(24기)회계기간은 2021.1.1.~2021.12.31. 이다. 전산세무회계 수험용 프로그램을 이용하여 다음 물음에 답하시오.

문제에서 한국채택국제회계기준을 적용하도록 하는 전제조건이 없는 경우, 일반기업회계기준을 적용하여 회계처리 한다.

문제 1 다음 거래를 일반전표입력 메뉴에 추가 입력하시오.

01 2월 28일 영업부직원 김사랑의 결혼 시 경조사비 지급규정에 의해 축의금 200,000원을 보통예금 계좌에서 이체하였다.

02 4월 18일 직원이 업무용으로 사용하던 자동차를 ㈜인성에 판매하기로 계약하고 계약금 5,000,000원을 만기가 3개월인 ㈜인성에서 발행한 약속어음으로 수령하였다.

03 4월 21일 1월 21일에 3개월 후 상환조건으로 ㈜중급상사에 외화로 단기 대여한 $3,000에 대하여 만기가 도래하여 회수한 후 원화로 환전하여 보통예금 계좌에 이체하였다.(대여 시 환율은 $1당 1,000원, 회수 시 환율은 1$당 1,100원이다)

04 4월 30일 투자목적으로 토지를 ㈜제일건업으로부터 88,000,000원에 취득하면서 이에 대한 취득세 4,048,000원은 현금으로 납부하였다. 토지매매 취득대금 중 80,000,000원은 당일에 보통예금 계좌에서 지급하였으며 나머지 8,000,000원은 다음 달 10일에 지급하기로 하였다.

05 5월 27일 하나은행에 예치된 정기적금이 만기가 되어 원금 30,000,000원과 이자 900,000원 중 이자소득세 138,600원이 원천징수되어 차감잔액인 30,761,400원이 보통예금 계좌로 입금되었다.(단, 원천징수세액은 자산으로 처리 할 것)

문제 2 다음 거래자료를 매입매출전표입력 메뉴에 추가로 입력하시오.

01 10월 1일 세준상사에 전자제품 1,000개(단위당 단가 80,000원)를 판매하고 다음과 같이 전자세금계산서를 발급하였다.(어음만기는 3개월이며, 외상대금은 다음 달에 받기로 함)

전자세금계산서						승인번호	20211001-41000000-00003111		
						관리번호			
공급자	등록번호	211-81-01234	종사업장번호		공급받는자	등록번호	113-20-11010	종사업장번호	
	상호(법인명)	(주)쿠쿠	성명(대표자)	박철우		상호(법인명)	세준상사	성명(대표자)	김세준
	사업장주소	서울시 강남구 영동대로 701 101(청담동)				사업장주소	서울시 구로동 구로동로 135		
	업태	제조,도소매	종목	전자제품		업태	도·소매	종목	전자제품

작성일자	공급가액	세액	수정사유
2021.10.01.	80,000,000	8,000,000	

비고							
월	일	품목	규격	수량	단가	공급가액	세액	비고
10	1	전자제품		1,000	80,000	80,000,000	8,000,000	

합계금액	현금	수표	어음	외상미수금	이 금액을 영수/청구 함
88,000,000			40,000,000	48,000,000	

02 10월 3일 소비자 김철수(주민번호 : 800213-1234567)에게 비품을 330,000원(부가가치세 포함)에 판매하고 대금을 전액 현금으로 수령한 후 소득공제용 현금영수증을 발급하였다. 비품 판매 직전의 장부가액은 취득원가 1,200,000원, 감가상각누계액 1,000,000원이다.(단, 하나의 전표로 입력할 것)

03 10월 9일 영국의 벤허사로부터 수입한 상품과 관련하여 인천세관으로부터 공급가액 20,000,000원 (부가가치세별도)의 수입전자세금계산서를 수취하고 관련 부가가치세는 보통예금 계좌에서 이체하였다.(재고자산의 회계처리는 생략할 것)

04 10월 15일 회사에서 사용할 정수기 2대(1대당 1,000,000원, 부가가치세 별도)를 ㈜맑음으로부터 구입하고 신용카드(현대카드)로 결제하였다.(정수기는 비품으로 회계처리 할 것)

05 10월 25일 경리팀에서 사용할 복사용지를 베스트모아에서 현금으로 매입하고, 다음의 현금영수증을 받았다.(복사용지는 자산계정으로 회계처리 할 것)

현금영수증

가맹점명
베스트모아 105-28-92852 김정순

서울시 동대문구 장한평로 32 TEL : 02-368-8521
홈페이지 http://www.bestmoa.co.kr

현금(지출증빙용)

구매 2021/10/25/11:00 거래번호 : 0012-0025

상품명	수량	금액
복사용지	100box	880,000
	과세공급가액	800,000
	부가가치세	80,000
	합계	880,000

문제 3 **부가가치세신고와 관련하여 다음 물음에 답하시오.**

01 당사는 제조업을 영위하는 법인 중소기업이다. 다음의 자료를 이용하여 2021년 2기 확정(10월 1일~12월 31일) 의제매입세액공제신고서를 작성하시오.(단, 의제매입세액공제대상이 되는 거래는 다음 거래뿐이며 불러오는 자료는 무시하고 직접 입력한다)

1. 매입자료

공급자	사업자번호 (또는 주민번호)	매입일자	물품명	수량 (kg)	매입가격(원)	증빙	건수
부천농산	130-92-12345	2021.10.9	농산물	100	120,000,000	계산서	1
홍상진	820218-1234560	2021.11.12	야채	50	5,000,000	현금 (농민으로부터 직접 매입함)	1

2. 추가자료

- 2기 예정 과세표준은 140,000,000원이며, 2기 확정 과세표준은 180,000,000원이다.
- 2기예정신고(7월 1일 ~ 9월 30일)까지는 면세품목에 대한 매입이 없어 의제매입세액공제를 받지 않았다.

02 2021년 1기 예정 부가가치세 신고 시 다음의 내용이 누락되었다. 2021년 1기 확정 부가가치세 신고시 예정신고 누락분을 모두 반영하여 신고서를 작성하시오.(단, 부당과소신고가 아니며, 예정신고누락과 관련된 가산세 계산 시 미납일수는 90일이고, 전자신고세액공제는 적용하지 않기로 하며, 예정신고누락분에 대해서는 부가가치세 신고서에 직접 반영하시오)

1. 매출자료
   - 당사의 제품을 ㈜태흥무역에 매출하고 구매확인서를 정상적으로 발급받아 영세율전자세금계산서 1건(공급가액 6,000,000원, 부가가치세 0원)을 정상적으로 발급하고 전송하였다.
   - 당사에서 사용하던 트럭을 ㈜한우에게 매각하고 전자세금계산서 1건(공급가액 10,000,000원, 부가가치세 1,000,000원)을 정상적으로 발급하고 전송하였다.
   - 당사의 제품 4,400,000원(부가가치세 포함)을 비사업자에게 신용카드매출전표를 발행하고 매출하였다.

2. 매입자료
   - ㈜정상에서 1월에 원재료를 공급받았으나 전자세금계산서 1건(공급가액 8,000,000원, 세액 800,000원)을 2월 20일에 지연수취하였다.

문제 4 다음 결산자료를 입력하여 결산을 완료하시오.

01 다음 자료를 이용하여 정기예금에 대한 당기분 경과이자를 회계처리 하시오.

- 예금금액 : 300,000,000원
- 가입기간 : 2021.08.01. ~ 2022.07.31.
- 연 이자율 : 2%(월할계산 할 것)
- 이자수령시점 : 만기일(2022.07.31.)에 일시불 수령

02 당기 중에 실제 현금보다 장부상 현금이 330,000원 부족해서 현금과부족으로 회계처리하였다. 그 금액 중 30,000원은 현재까지 원인을 알 수 없으며 나머지 금액은 ㈜휴림에 대한 선수금으로 밝혀졌다.

03 국민은행에 대한 외화차입금 5,000,000원($5,000)이 단기차입금으로 계상되어 있다. 당기 말 현재 적용환율은 1$당 900원이다.

04 당기 말 현재 보유하고 있는 단기매매증권의 내역은 다음과 같다.

주식명	취득일	주식수	전기 말 주당 시가	당기 말 주당 시가
㈜갑	2020.1.30.	1,000주	100,000원	115,000원

05 다음의 이익잉여금 처분명세를 이익잉여금처분계산서에 반영하시오.

- 사업확장적립금 : 5,000,000원
- 현금배당 : 20,000,000원
- 주식배당 : 10,000,000원
- 당기처분예정일 : 2022년 2월 25일(전기처분확정일 : 2021년 2월 25일)
- 회사는 금전배당액의 10%를 이익준비금으로 설정하여야 한다.

문제 5 2021년 귀속 원천징수자료와 관련하여 다음의 물음에 답하시오.

01 다음 자료를 보고 영업사원 김대호(직급 : 대리)의 필요한 수당등록과 11월분 급여자료입력을 하시오.

1. 급여명세서

2021년 11월 급여명세서

급여내역			공제내역		
급여내역	기 본 급	3,000,000원	공제내역	소 득 세	147,110원
	식 대	100,000원		지방소득세	14,710원
	야간근로수당	250,000원		국민연금	135,000원
	자가운전보조금	200,000원		건강보험	91,800원
	육아수당	100,000원		장기요양보험	6,010원
	직무수당	200,000원		고용보험	21,770원
	급여총액	3,850,000원		사내 대출금	500,000원
				공제총액	916,400원
			지급총액		2,933,600원

귀하의 노고에 감사드립니다.

2. 추가 자료 및 요청 사항

① 급여지급일은 매월 말일이다.

② 수당내역

- 식대 : 당 회사는 구내식당에서 식사를 별도로 제공하고 있다.
- 야간근로수당 : 업무시간 외 추가로 근무를 하는 경우 야근수당을 지급하고 있다.
- 자가운전보조금 : 직원명의의 차량을 소유하고 있고, 그 차량을 업무수행에 이용하는 경우 자가운전보조금을 200,000원 지급하고 있다.
- 육아수당 : 6세 이하의 자녀가 있는 경우 자녀 1인당 100,000원의 육아수당을 지급하고 있다.
- 직무수당 : 직급에 따른 차등지급액으로 대리급은 200,000원을 지급하고 있다.
- 자가운전보조금을 제외한 모든 수당은 월정액에 해당한다.

③ 공제내역

- 국민연금, 건강보험, 장기요양보험 및 고용보험은 당월에 고지된 내역을 반영하였다.
- 사내 대출금은 주택구입대출금에 대한 상환액이다.

④ 급여대장 작성 시, 과세여부를 판단하여 필요한 수당은 추가 등록하고, 사용하지 않는 수당은 사용여부를 모두 '부'로 변경하며, 급여명세서에 제시된 항목 및 금액이 표시될 수 있도록 작성한다.

02 다음 자료를 이용하여 사원코드 110번인 정영희(여자)의 사원등록메뉴의 부양가족명세탭과, 연말정산추가자료입력메뉴의 연말정산입력탭에 입력하시오. 정영희가 공제받을 수 있는 공제는 모두 공제받도록하고 세부담이 최소화되도록 한다.(단, 기본공제 대상자가 아닌 경우에도 반드시 입력하시오)

1. 부양가족사항(모두 생계를 같이하고 있으며, 아래 주민등록번호는 모두 정확한 것으로 가정한다)

이 름	관계	연령(만)	주민등록번호	비 고
정영희	본인	45세	761111-2111111	소득자 본인(2021년 총급여 6,600만원), 세대주
차민수	배우자	48세	731111-1111111	2021년 총급여 3,000,000원
차태영	아들	15세	061111-3311111	중학생, 소득없음
차태희	딸	6세	151111-4211111	취학전 아동, 소득없음
정호영	아버지	74세	471111-1211111	장애인복지법에 따른 장애인, 2021년 양도소득금액 1,000,000원
차민영	시누이	43세	781111-2222222	배우자의 여동생, 소득없음

2. 연말정산 추가자료

항 목	내 용
보험료	• 본인 생명보험료 : 1,200,000원 • 본인 저축성 변액보험료 : 7,200,000원 • 아버지(정호영) 장애인 전용 보장성 보험료 : 1,500,000원
의료비	• 본인 건강검진비 : 500,000원 • 본인 시력보정용 컨택트렌즈 구입비 : 600,000원 • 아들(차태영) 질병치료목적의 병원 진료비 : 2,000,000원 • 아버지(정호영) 질병치료목적의 병원 입원비 : 6,500,000원 ※ 의료비는 전액 본인(정영희)이 결제하였다.
교육비	• 아들(차태영) 중학교 등록금 : 700,000원, 현장체험학습비 : 500,000원, 교복구입비 : 500,000원 • 딸(차태희) 미술학원(월단위 실시, 1주 2일 수업) 수강료 : 300,000원 • 아버지(정호영) 방송통신대학 수업료 : 2,000,000원
기부금	• 본인 정치자금으로 정당에 기부 : 300,000원 • 아버지(정호영) 교회 헌금(지정기부금) : 2,000,000원
신용카드등	• 본인 신용카드사용액 : 20,000,000원(자동차리스료 3,000,000원 포함) • 배우자(차민수) 직불카드사용액 : 15,000,000원(전통시장 사용액 5,000,000원 포함) • 시누이(차민영) 현금영수증사용액 : 1,500,000원

실무시험 6

(주)겨울전자(회사코드 : 2206)는 제조, 도 · 소매 및 무역업을 영위하는 중소기업이며, 당기(15기) 회계기간은 2021.1.1.~2021.12.31. 이다. 전산세무회계 수험용 프로그램을 이용하여 다음 물음에 답하시오.

문제에서 한국채택국제회계기준을 적용하도록 하는 전제조건이 없는 경우, 일반기업회계기준을 적용하여 회계처리 한다.

문제 1 다음 거래를 일반전표입력 메뉴에 추가 입력하시오.

01 2월 25일 당사는 보통주(액면가액 주당 5,000원) 10,000주를 주당 4,500원에 발행하고 주식대금은 보통예금 계좌로 납입받았다. 신주발행 당시 주식발행초과금의 잔액은 3,000,000원이며, 신주발행수수료 1,500,000원은 현금으로 지급하였다.(하나의 전표로 입력하시오)

02 3월 5일 당사는 전기에 원재료를 수입할 때 계상한 캐롤지니어의 외화외상매입금 $500,000을 전액 보통예금 계좌에서 지급하였다. 전기말 적용환율은 $1당 1,100원으로서 외화자산 · 부채 평가는 적절하게 이루어졌고, 상환시 적용환율은 $1당 1,000원이다.(단, 외화외상매입금은 외상매입금 계정과목으로 반영할 것)

03 4월 5일 업무용 차량을 구입하면서 다음과 같은 현금지급액이 발생하였다.(단, 공채는 단기매매증권으로 분류할 것)

• 취득세 등 : 1,000,000원	• 공채 매입액 : 250,000원(공정가치 200,000원)

04 6월 24일 제조부서 사원 홍사부의 6월 급여 2,000,000원에 대하여 근로자 부담분 사회보험료(국민연금 100,000원, 건강보험료 80,000원, 장기요양보험료 10,000원, 고용보험료 13,000원)와 근로소득세 90,000원 및 지방소득세 9,000원을 차감한 나머지 1,698,000원을 보통예금 계좌에서 이체하였다.

05 6월 30일 당사는 현재 현명은행의 확정기여형 퇴직연금(DC형)상품에 가입중이다. 공장 생산직 직원들에 대한 이번 달 퇴직연금 불입액 500,000원을 보통예금 계좌에서 이체하였다.

문제 2 다음 거래자료를 매입매출전표입력 메뉴에 추가로 입력하시오.

01 3월 31일 맛나식당에서 공장 생산라인 직원들의 야근식사를 제공받고 다음과 같이 종이세금계산서를 수취하였다. 1기 부가가치세 예정신고 시 해당 세금계산서를 누락하여 1기 확정 신고기간의 부가가치세 신고서에 반영하려고 한다. 반드시 해당 세금계산서를 1기 확정 신고기간의 부가가치세 신고서에 반영시킬 수 있도록 입력 · 설정하시오.(외상대금은 미지급금으로 처리 할 것)

세금계산서(공급받는자 보관용)

책 번 호 권 호
일 련 번 호 -

구분	항목	내용	항목	내용
공급자	등록번호	106-54-73541		
공급자	상호(법인명)	맛나식당	성 명(대표자)	김한국
공급자	사업장 주소	서울시 강남구 역삼로 310		
공급자	업 태	음식	종 목	한식
공급받는자	등록번호	105-81-33130		
공급받는자	상호(법인명)	㈜남해상사	성 명(대표자)	한사랑
공급받는자	사업장 주소	서울시 마포구 동교로 203		
공급받는자	업 태	제조,도소매	종 목	전자제품

작성 연	월	일	공란수	공급가액	세액	비 고
21	3	31	4	2000000	200000	

월	일	품 목	규 격	수 량	단 가	공 급 가 액	세 액	비 고
3	31	야근식대		1		2,000,000	200,000	

합 계 금 액	현 금	수 표	어 음	외 상 미 수 금	이 금액을 영수/청구 함
2,200,000	1,000,000			1,200,000	

02 7월 9일 수출업체인 ㈜퍼플상사에 구매확인서에 의하여 제품 200개(개당 70,000원)를 판매하고 영세율전자세금계산서를 발행하였으며, 대금 중 50%는 ㈜레드가 발행한 약속어음을 배서양수하고, 나머지 50%는 다음달 말일까지 받기로 하였다.

03 7월 15일 영업부서의 매출거래처에 선물하기 위하여 ㈜신진으로부터 선물세트를 공급가액 1,000,000원(부가가치세 별도)에 매입하고 전자세금계산서를 발급받았다. 대금의 일부인 300,000원은 당좌수표를 발행하여 지급하였고 잔금은 1개월후에 지급하기로 하였다.

04 7월 30일 보통예금 계좌에 550,000원이 입금되었음을 확인한 바, 동 금액은 비사업자인 김미라에게 제품을 판매한 것으로 해당 거래에 대하여 별도의 세금계산서나 현금영수증을 발급하지 않았음을 확인하였다.

05 8월 17일 영업부서에서 사용할 컴퓨터 3대(대당 3,000,000원, 부가가치세 별도)를 ㈜전자에서 현금으로 구입하고 현금영수증(지출증빙용)을 발급받았다.(단, 자산으로 처리할 것)

문제 3 부가가치세신고와 관련하여 다음 물음에 답하시오.

01 당사는 과자점업을 영위하는 개인사업자로 가정한다. 다음 중 의제매입세액공제 대상이 되는 매입자료만을 의제매입세액공제신고서에 자동반영되도록 매입매출전표에 입력하여 2021년 1기 확정신고기간의 의제매입세액공제신고서를 작성하시오.(1기 확정 신고기간의 매출 공급가액은 330,000,000원이고 예정분은 없는 것으로 하며 매입가격은 거래일에 현금지급하였다)

일자	품목	상호	사업자번호	수량	총매입가격	증빙
6월 30일	마늘	김마늘(농민)	521201-1235125	50kg	600,000원	계약서
6월 30일	음식물쓰레기봉투	㈜홈마트	234-81-04078	10장	10,000원	현금영수증
6월 30일	사과	㈜사과농장	137-81-99992	20kg	212,000원	전자계산서

02 다음은 2021년 2기 부가가치세 확정신고기간(2021.10.1~2021.12.31)에 대한 관련 자료이다. 이를 반영하여 2021년 2기 확정 신고기간분 부가가치세 신고서를 작성하시오.(부가가치세 신고서 이외의 부속서류 등의 작성은 생략하고, 기존에 입력된 자료는 무시할 것)

<table>
<tr><td>매출자료</td><td>① 세금계산서 과세 매출액 : 980,000,000원(부가가치세 별도)
→ 전자세금계산서 발급분 : 970,000,000원,
종이세금계산서 발급분 : 10,000,000원
② 신용카드 과세 매출액 : 22,000,000원(부가가치세 포함)
③ 현금 과세 매출액 : 11,550,000원(부가가치세 포함)
→ 현금영수증 발급분 : 11,000,000원, 현금영수증 미발급분 : 550,000원
④ 직수출액 : 50,000,000원
⑤ 부가가치세법상 대손세액공제 요건을 충족하는 대손금액 : 44,000,000원(부가가치세 포함)</td></tr>
<tr><td>매입자료</td><td>① 전자 세금계산서 과세 매입액 : 720,000,000원(부가가치세 별도)
→ 원재료 매입분 : 620,000,000원, 업무용 기계장치 매입분 : 90,000,000원,
거래처 접대목적 매입분 : 10,000,000원
② 2기 예정신고시 미환급된 세액 : 3,000,000원</td></tr>
</table>

기타	① 당사는 부가가치세법상 현금영수증 의무발행 업종이 아님 (현금영수증 미발급 가산세 없음) ② 당사는 홈택스로 직접 전자신고하여 전자신고세액공제를 적용받기로 함

문제 4 다음 결산자료를 입력하여 결산을 완료하시오.

01 당사는 부동산임대사업을 하고 있다. 11월 1일 임차인으로부터 6개월치 임대료 1,200,000원(2021.11.01.~2022.04.30.)을 미리 받고, 수령일에 전액 임대료(영업외수익)로 계상하였다.(단, 월할계산으로 하며, 회계처리시 음수로 입력하지 말 것)

02 기말현재 외화장기차입금으로 계상된 외화차입금 8,000,000원은 씨티은행에서 차입한 금액($10,000, 2021.10.01.)으로 결산일 현재 환율은 1,100원/$이다.

03 기말 재고자산을 조사한 결과, 원재료 900,000원이 부족하였다. 이는 당사 공장의 기계장치를 수리하는데 부품으로 사용한 것으로 확인되었다.(단, 자산이 아닌 비용으로 처리할 것)

04 결산일 현재 보유 중인 매도가능증권(투자자산)에 대한 내역은 다음과 같다. 기말 매도가능증권 평가에 대한 회계처리를 하시오.(단, 제시된 자료만 고려하며 하나의 전표로 입력할 것)

회사명	2020년 취득가액	2020년 기말 공정가액	2021년 기말 공정가액
㈜플러스	25,000,000원	25,500,000원	24,000,000원

05 전기에 유동성장기부채로 대체한 중앙은행의 장기차입금 20,000,000원에 대하여 자금사정이 어려워 상환기간을 2년 연장하기로 계약하였다.(단, 관련 회계처리 날짜는 결산일로 한다)

문제 5 2021년 귀속 원천징수자료와 관련하여 다음의 물음에 답하시오.

01 다음 자료를 이용하여 영업직 사원 조인호(코드 103)의 필요한 수당등록과 1월분 급여자료입력을 하시오.(단, 수당등록 및 공제항목은 불러온 자료는 무시하고 아래 자료에 따라 입력하며, 사용하는 수당 이외의 항목은 '부'로 체크할 것)

2021년 1월 급여명세서

구분	항목	금액
지급내역	기 본 급	1,800,000원
	상 여	250,000원
	식 대	120,000원
	자가운전보조금	150,000원
	야간근로수당	200,000원
	자격수당	50,000원
	육아수당	200,000원
	지 급 액	2,770,000원
공제내역	국민연금	81,000원
	건강보험	55,080원
	장기요양보험	4,060원
	고용보험	16,700원
	소득세	47,620원
	지방소득세	4,760원
	공 제 계	209,220원
지급총액		2,560,780원
귀하의 노고에 감사드립니다.		

<추가자료>

- 급여지급일은 매달 말일이다.
- 회사는 구내식당을 운영하지 않고 별도의 식사 제공은 하지 않는다.
- 조인호씨는 전산세무2급 국가공인 자격증을 보유하고 있어 자격수당을 지급받고 있다.
- 조인호씨는 배우자명의의 차량을 업무용으로 사용하고 실제 여비를 받는 대신 자가운전보조금을 지급받고 있다.
- 조인호씨는 만2세, 만5세 두명의 자녀가 있으며, 자녀1인당 10만원씩 육아수당을 지급받고 있다.

02 다음의 연말정산 관련자료를 보고 생산직 사원 장필주(코드 105, 입사일: 2019.02.04, 세대주, 총급여액 55,000,000원으로 가정한다)의 세부담 최소화를 위한 연말정산추가자료입력 메뉴의 연금저축 등 탭 및 연말정산입력 탭을 입력하시오.

<부양가족 자료>

관계	이름	주민번호	비고
배우자	나모현	840506-2245140	총급여 5,000,000원
부	장국환	501129-1125416	소득없음
자	장부천	060511-3148745	소득없음, 중학생
자	장여천	150820-3154841	소득없음, 미취학아동

<연말정산 자료>

관계		지출액	대상자	비고
보험료	자동차보험료	600,000원	나모현	직불카드로 결제
	상해보험료	200,000원	장필주	
	저축성보험료	300,000원	장부천	
의료비	위암수술비	4,000,000원	장국환	
	한약구입비	500,000원	장여천	치료 목적용
	라식수술비	800,000원	장필주	신용카드로 결제
	치아미백수술비	300,000원	나모현	
교육비	대학교 등록금	5,000,000원	장국환	
	영어학원비	1,200,000원	장부천	
	교복구입비	700,000원	장부천	
	태권도학원비	600,000원	장여천	
기부금	사찰 기부금	200,000원	장국환	
	정치자금기부금	250,000원	장필주	
신용카드 등 사용액	신용카드	22,000,000원	장필주	라식수술비 800,000원 포함
	직불카드	6,000,000원	나모현	자동차보험료 600,000원 포함
	현금영수증	550,000원	장부천	전통시장사용분 300,000원 포함
연금저축	㈜우리은행 연금저축	3,000,000원	장필주	계좌번호 123-4567-89000
	㈜국민은행 연금저축	2,000,000원	나모현	계좌번호 123-1234-56789

실무시험 1

문제 1

01 6월 17일 일반전표입력

(차) 세금과공과(판) 40,500 (대) 보통예금 40,500

02 6월 19일 일반전표입력

(차) 외상매입금(㈜발산실업) 10,000,000 (대) 당좌예금 5,000,000

채무면제이익 5,000,000

03 6월 23일 일반전표입력

(차) 퇴직급여(806) 3,000,000 (대) 보통예금 3,000,000

※ 확정기여형 퇴직연금에 가입하고 납부한 경우 종업원이 관리하는 연금으로 퇴직급여 계정으로 처리한다.

04 7월 21일 일반전표입력

(차) 미수금((주)다현물산) 9,000,000 (대) 자기주식 9,500,000

자기주식처분이익 300,000

자기주식처분손실 200,000

※ 자기주식을 처분하는 경우 자기주식처분이익 계정에 잔액이 있는 경우 먼저 상계처리한 다음 처분손실을 인식한다.

05 10월 1일 일반전표입력

(차) 선급금(㈜빙고전자) 7,000,000 (대) 지급어음(㈜빙고전자) 7,000,000

문제 2

01 1월 25일

유형 : 55.수입, 공급가액 : 20,000,000, 부가세 : 2,000,000, 거래처 : 부산세관, 전자 : 여, 분개 : 혼합

(차) 부가세대급금 2,000,000 (대) 보통예금 2,000,000

02 2월 28일

유형 : 61.현과, 공급가액 : 100,000, 부가세 : 10,000, 거래처 : 힘겨레신문사, 분개 : 혼합

(차) 광고선전비(판)	100,000	(대) 보통예금	110,000
부가세대급금	10,000		

03 5월 7일

유형 : 12.영세(영세율구분 : 3), 공급가액 : 10,000,000, 부가세 : 0, 거래처 : (주)한류, 전자 : 여, 분개 : 혼합

(차) 보통예금	10,000,000	(대) 제품매출	10,000,000

04 6월 30일

유형 : 11.과세, 공급가액 : 12,000,000, 부가세 : 1,200,000, 거래처 : (주)호랑전자, 전자 : 여, 분개 : 혼합

(차) 미수금((주)호랑전자)	13,200,000	(대) 차량운반구	30,000,000
감가상각누계액	15,000,000	부가세예수금	1,200,000
유형자산처분손실	3,000,000		

05 9월 28일

유형 : 54.불공(불공제사유 : 4), 공급가액 : 600,000, 부가세 : 60,000, 공급처 : 송화타월, 전자 : 부, 분개 : 현금

(차) 접대비(판)	660,000	(대) 현금	660,000

※ 판매거래처에 후원할 재화를 구입한 경우 매입세액 불공제로 반영하고, 종이세금계산서를 수취한 경우 전자여부에 '부'로 입력한다.

문제 3

01 부가가치세신고서(10월~12월)

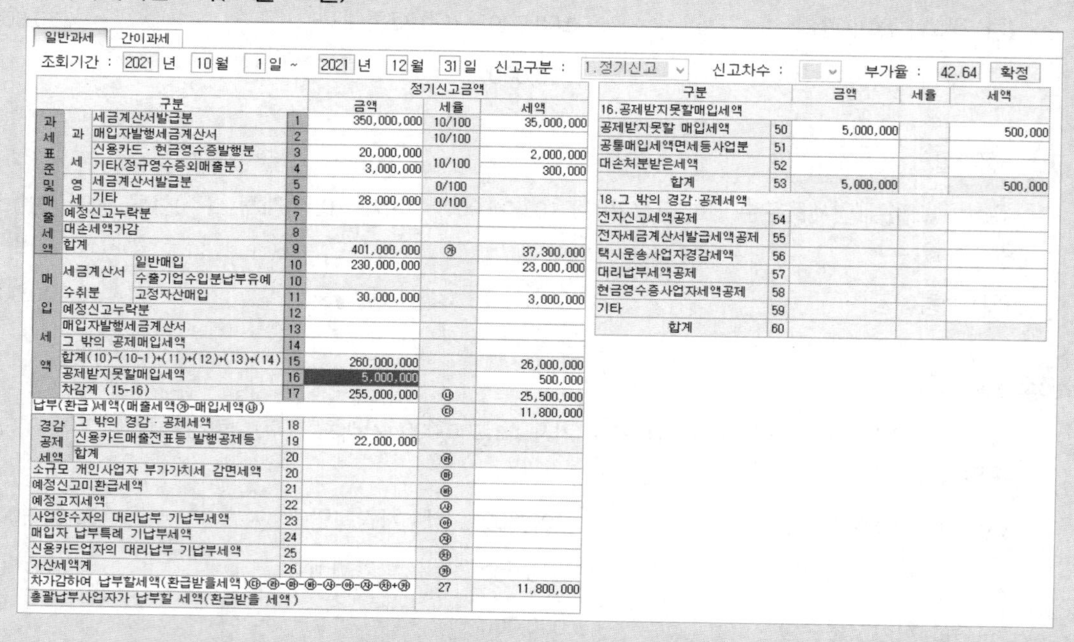

일반과세 | 간이과세

조회기간 : 2021 년 10 월 1 일 ~ 2021 년 12 월 31 일 신고구분 : 1.정기신고 신고차수 : 부가율 : 42.64 확정

구분				정기신고금액 금액	세율	세액
과세표준및매출세액	과세	세금계산서발급분	1	350,000,000	10/100	35,000,000
	과세	매입자발행세금계산서	2		10/100	
	과세	신용카드 · 현금영수증발행분	3	20,000,000	10/100	2,000,000
	과세	기타(정규영수증외매출분)	4	3,000,000		300,000
	영세	세금계산서발급분	5		0/100	
	영세	기타	6	28,000,000	0/100	
	예정신고누락분		7			
	대손세액가감		8			
	합계		9	401,000,000	㉮	37,300,000
매입세액	세금계산서수취분	일반매입	10	230,000,000		23,000,000
	세금계산서수취분	수출기업수입분납부유예	10			
	세금계산서수취분	고정자산매입	11	30,000,000		3,000,000
	예정신고누락분		12			
	매입자발행세금계산서		13			
	그 밖의 공제매입세액		14			
	합계(10)-(10-1)+(11)+(12)+(13)+(14)		15	260,000,000		26,000,000
	공제받지못할매입세액		16	5,000,000		500,000
	차감계 (15-16)		17	255,000,000	㉯	25,500,000
납부(환급)세액(매출세액㉮-매입세액㉯)					㉰	11,800,000
경감공제세액	그 밖의 경감 · 공제세액		18			
	신용카드매출전표등 발행공제등		19	22,000,000		
	합계		20		㉱	
소규모 개인사업자 부가가치세 감면세액			20		㉲	
예정신고미환급세액			21		㉳	
예정고지세액			22		㉴	
사업양수자의 대리납부 기납부세액			23		㉵	
매입자 납부특례 기납부세액			24		㉶	
신용카드업자의 대리납부 기납부세액			25		㉷	
가산세액계			26		㉸	
차가감하여 납부할세액(환급받을세액)㉰-㉱-㉲-㉳-㉴-㉵-㉶-㉷+㉸					27	11,800,000
총괄납부사업자가 납부할 세액(환급받을 세액)						

구분		금액	세율	세액
16.공제받지못할매입세액				
공제받지못할 매입세액	50	5,000,000		500,000
공통매입세액면세등사업분	51			
대손처분받은세액	52			
합계	53	5,000,000		500,000
18.그 밖의 경감·공제세액				
전자신고세액공제	54			
전자세금계산서발급세액공제	55			
택시운송사업자경감세액	56			
대리납부세액공제	57			
현금영수증사업자세액공제	58			
기타	59			
합계	60			

※ 간이과세자로부터 발급받은 법인카드결제액은 매입세액 불공제에 해당하므로 입력하지 않는다.

02 부동산임대공급가액명세서(4월~6월)

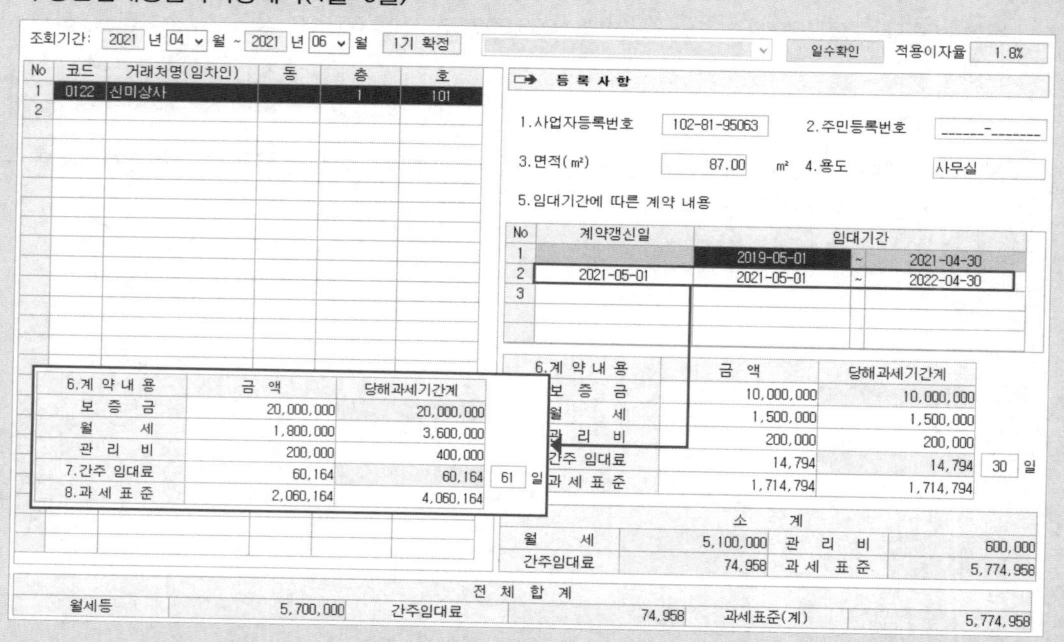

조회기간: 2021 년 04 월 ~ 2021 년 06 월 1기 확정 일수확인 적용이자율 1.8%

No	코드	거래처명(임차인)	동	층	호
1	0122	신미상사		1	101
2					

등 록 사 항

1.사업자등록번호 102-81-95063 2.주민등록번호 ______-_______

3.면적(㎡) 87.00 ㎡ 4.용도 사무실

5.임대기간에 따른 계약 내용

No	계약갱신일	임대기간		
1		2019-05-01	~	2021-04-30
2	2021-05-01	2021-05-01	~	2022-04-30
3				

6.계 약 내 용	금 액	당해과세기간계
보 증 금	20,000,000	20,000,000
월 세	1,800,000	3,600,000
관 리 비	200,000	400,000
7.간주 임대료	60,164	60,164 (61 일)
8.과 세 표 준	2,060,164	4,060,164

6.계 약 내 용	금 액	당해과세기간계
보 증 금	10,000,000	10,000,000
월 세	1,500,000	1,500,000
관 리 비	200,000	200,000
7.간주 임대료	14,794	14,794 (30 일)
8.과 세 표 준	1,714,794	1,714,794

소 계			
월 세	5,100,000	관 리 비	600,000
간주임대료	74,958	과 세 표 준	5,774,958

전 체 합 계					
월세등	5,700,000	간주임대료	74,958	과세표준(계)	5,774,958

문제 4

01 12월 31일 일반전표입력

(차) 이자비용	11,423,760	(대) 보통예금	10,000,000
		사채할인발행차금	1,423,760

02 12월 31일 일반전표 입력

(차) 단기매매증권((주)현화)	5,000,000	(대) 단기매매증권평가이익	5,000,000
(차) 단기매매증권평가손실	3,750,000	(대) 단기매매증권((주)서윤)	3,750,000

※ 보유주식수 × (주당 기말공정가치 - 주당 취득원가) = 단기매매증권 평가손익

03 12월 31일 일반전표 입력

(차) 부가세예수금	55,000,000	(대) 부가세대급금	25,000,000
		잡이익	10,000
		미지급세금	29,990,000

04 [결산자료입력] 메뉴에서 0508. 2).퇴직급여(전입액)란 20,000,000원, 0806. 2)퇴직급여(전입액)란 9,000,000원을 입력한 후 상단의 전표추가

※
- 생산직 : 30,000,000원 - 10,000,000원 = 20,000,000원 (설정액-제조경비)
- 사무직 : 15,000,000원 - 6,000,000원 = 9,000,000원 (설정액-판관비)

05 12월 31일 일반전표 입력

(차) 현금과부족	20,000	(대) 잡이익	20,000

※ 12월 31일 [합계잔액시산표] 메뉴를 현금과부족 계정을 조회한 결과 차변에 -20,000원은 현금과잉으로 잡이익 계정으로 처리한다.

문제 5

01 1. 사원등록 : 박나래(10.생산직여부 : 야간근로비과세 '부', 전년도총급여 32,500,000원으로 수정 및 입력)

10.생산직등여부	1	여	연장근로비과세	0	부	전년도총급여	32,500,000

※ 전년도 총급여가 3,000만원을 초과하므로 연장근로비과세는 '부'로 입력한다.

2. 수당등록 - 상여, 직책수당, 월차수당, 식대 사용여부에서 '부'로 체크
   - 식대, 설수당를 과세로 추가 등록함

수당공제등록

수당등록

	코드	과세구분	수당명	근로소득유형 유형	코드	한도	월정액	사용여부
1	1001	과세	기본급	급여			정기	여
2	1002	과세	상여	상여			부정기	부
3	1003	과세	직책수당	급여			정기	부
4	1004	과세	월차수당	급여			정기	부
5	1005	비과세	식대	식대	P01	(월)100,000	정기	부
6	1006	비과세	자가운전보조금	자가운전보조금	H03	(월)200,000	부정기	여
7	1007	비과세	야간근로수당	야간근로수당	001	(년)2,400,000	부정기	여
8	2001	과세	식대	급여			정기	여
9	2002	과세	설수당	급여			부정기	여

3. 급여자료 입력(귀속년월 2021년 1월, 지급년월일 2021년 1월 31일)

사번	사원명	감면율
101	박나래	
102	김갑돌	
총인원(퇴사자)	2(0)	

급여항목	금액
기본급	1,000,000
자가운전보조금	200,000
야간근로수당	150,000
식대	100,000
설수당	400,000
과세	1,650,000
비과세	200,000
지급총액	1,850,000

공제항목	금액
국민연금	40,000
건강보험	20,000
장기요양보험	1,310
고용보험	10,720
소득세(100%)	12,020
지방소득세	1,200
농특세	
공제총액	85,250
차인지급액	1,764,750

02 [부양가족]탭

소득명세 | 부양가족 | 연금저축 등I | 연금저축 등II | 월세,주택임차 | 연말정산입력

연말관계	성명	내/외국인	주민(외국인)번호	나이	기본공제	세대주구분	부녀자	한부모	경로우대	장애인	자녀	출산입양
0	김갑돌	내	1 810302-1234567	40	본인	세대주						
1	김갑서	내	1 520501-1234567	69	60세이상					1		
2	이선수	내	1 480101-1234567	73	부							
3	이도미	내	1 880701-2345678	33	배우자							
4	김이리	내	1 150101-3456789	6	20세이하							
	합 계 [명]				4					1		

1. 보험료 : 일반(보장성)란 본인 2,000,000원, 장애인란 부 1,500,000원

60.보장성보험	일반		2,000,000	1,000,000	120,000
	장애인		1,500,000	1,000,000	150,000

2. 의료비 : 65세, 장애인, 건강보험산정특례자란, 부 5,000,000원

의료비

구분	지출액	실손의료비	공제대상금액	공제금액
난임시술비				
본인				
65세,장애인,건강보험산정특례자	5,000,000		2,955,264	443,289
그 밖의 공제대상자				

※ 배우자의 미용성형의료비는 공제불가

3. 교육비: 본인 대학원 10,000,000원, 자녀 유치원 3,000,000원

교육비

구분	지출액	공제대상금액	공제금액
취학전아동(1인당 300만원)	3,000,000		
초중고(1인당 300만원)			
대학생(1인당 900만원)		13,000,000	1,950,000
본인(전액)	10,000,000		
장애인 특수교육비			

※ 장인의 평생교육원 등록비는 공제불가

4. 신용카드 : 부 질병치료비 5,000,000원 + 배우자 성형의료비 1,000,000원 = 6,000,000원

신용카드 등 공제대상금액

▶ 신용카드 등 사용금액 공제액 산출 과정 | 총급여 | 68,157,894 | 최저사용액(총급여 25%) | 17,039,473

구분		대상금액	공제율금액		공제제외금액	공제가능금액	공제한도	일반공제금액	추가공제금액	최종공제금액
전통시장/대중교통 제외	㉮신용카드	6,000,000	15%							
	㉯직불/선불카드		30%							
	㉰현금영수증									
㉱도서공연 등 사용분										
㉲전통시장사용분			40%							
㉳대중교통이용분										
신용카드 등 사용액 합계(㉮~㉳)		6,000,000			아래참조*1	공제율금액-공제제외금액	아래참조*2	MIN[공제가능금액,공제한도]	아래참조*3	일반공제금액+추가공제금액

※ 의료비를 신용카드로 결제한 경우 중복공제 가능

실무시험 2

문제 1

01 7월 2일 일반전표입력

(차) 현금 29,700,000 (대) 받을어음(㈜해일기업) 30,000,000
매출채권처분손실 300,000

02 7월 25일 일반전표입력

(차) 자본금 5,000,000 (대) 현금 5,500,000
감자차손 500,000

※ 주식을 소각할 경우 감자차익 계정이 있는 경우 먼저 상계처리한 다음 차액에 대하여 차손으로 인식한다.

03 8월 7일 일반전표입력

(차) 외상매입금(을미상사) 5,000,000 (대) 받을어음(㈜갑동) 4,000,000
당좌예금 1,000,000

04 9월 9일 일반전표입력

(차) 보통예금 3,200,000 (대) 대손충당금(109) 3,200,000

※ 대손세액공제를 받지 않은 경우 모두 대손충당금 계정으로 처리한다.

05 9월 16일 일반전표입력

(차) 선납세금 154,000 (대) 정기예금 9,000,000
보통예금 9,846,000 이자수익 1,000,000

※ 1,000,000원 × 15.4% = 154,000원 (선납세금)

문제 2

01 7월 10일

유형 : 16.수출(영세율구분 : 1), 공급가액 : 55,000,000, 부가세 : 0원, 거래처 : COBA사, 분개 : 혼합

(차) 보통예금 33,000,000 (대) 제품매출 55,000,000
외상매출금 22,000,000

02 7월 13일

유형 : 11.과세, 공급가액 : 10,000,000, 부가세 : 1,000,000, 거래처 : 최공유, 전자 : 여, 분개 : 현금

(차) 현금	11,000,000	(대) 제품매출	10,000,000
		부가세예수금	1,000,000

※ 공급시기 이후 과세기간일로부터 20일이내에 사업자등록을 신청한 경우 공급일을 작성일자로 하여 개인명의로 세금계산서를 발급할 수 있다.

03 8월 14일

유형 : 57.카과, 공급가액 : 150,000, 부가세 : 15,000, 거래처 : 더케이주유소, 카드사 : 롯데카드, 분개 : 카드

(차) 차량유지비(제)	150,000	(대) 미지급금(롯데카드)	165,000
부가세대급금	15,000		

04 8월 30일

유형 : 14.건별, 공급가액 : 300,000, 부가세 : 30,000, 거래처 : 권나라, 분개 : 혼합

(차) 보통예금	330,000	(대) 제품매출	300,000
		부가세예수금	30,000

※ 과세제품을 판매하고 간이영수증을 발급한 경우 14.건별로 입력한다.

05 9월 15일

유형 : 53.면세, 공급가액 : 660,000, 부가세 : 0, 거래처 : 아주캐피탈, 전자 : 여, 분개 : 혼합

(차) 임차료(판)	660,000	(대) 보통예금	660,000

문제 3

01 공제받지못할매입세액명세서(4월~6월) → 공통매입세액정산내역 Tab

공제받지못할매입세액내역 | 공통매입세액안분계산내역 | 공통매입세액의정산내역 | 납부세액또는환급세액재계산

산식	구분	(15)총공통매입세액	(16)면세 사업확정 비율			(17)불공제매입세액총액((15)*(16))	(18)기불공제매입세액	(19)가산또는공제되는매입세액((17)-(18))
			총공급가액	면세공급가액	면세비율			
1.당해과세기간의 공급가액기준		6,000,000	400,000,000.00	150,000,000.00	37.500000	2,250,000	1,250,000	1,000,000
합계		6,000,000	400,000,000	150,000,000		2,250,000	1,250,000	1,000,000

02 부가가치세신고서(10월~12월)

구분				정기신고금액 금액	세율	세액
과세표준및매출세액	과세	세금계산서발급분	1	300,000,000	10/100	30,000,000
	과세	매입자발행세금계산서	2		10/100	
	과세	신용카드 · 현금영수증발행분	3	50,000,000	10/100	5,000,000
	과세	기타(정규영수증외매출분)	4			
	영세	세금계산서발급분	5	40,000,000	0/100	
	영세	기타	6	100,000,000	0/100	
	예정신고누락분		7			
	대손세액가감		8			-1,000,000
	합계		9	490,000,000	㉮	34,000,000
매입세액	세금계산서수취분	일반매입	10	200,000,000		20,000,000
	세금계산서수취분	수출기업수입분납부유예	10			
	세금계산서수취분	고정자산매입	11			
	예정신고누락분		12	9,000,000		900,000
	매입자발행세금계산서		13			
	그 밖의 공제매입세액		14	7,000,000		700,000
	합계(10)-(10-1)+(11)+(12)+(13)+(14)		15	216,000,000		21,600,000
	공제받지못할매입세액		16	15,000,000		1,500,000
	차감계 (15-16)		17	201,000,000	㉯	20,100,000
납부(환급)세액(매출세액㉮-매입세액㉯)					㉰	13,900,000
경감공제세액	그 밖의 경감 · 공제세액		18			10,000
	신용카드매출전표등 발행공제등		19	55,000,000		
	합계		20		㉱	10,000
소규모 개인사업자 부가가치세 감면세액			20		㉲	
예정신고미환급세액			21		㉳	
예정고지세액			22		㉴	
사업양수자의 대리납부 기납부세액			23		㉵	
매입자 납부특례 기납부세액			24		㉶	
신용카드업자의 대리납부 기납부세액			25		㉷	
가산세액계			26		㉸	
차가감하여 납부할세액(환급받을세액)㉰-㉱-㉲-㉳-㉴-㉵-㉶-㉷+㉸					27	13,890,000
총괄납부사업자가 납부할 세액(환급받을 세액)						

구분				금액	세율	세액
7.매출(예정신고누락분)						
예정누락분	과세	세금계산서	33		10/100	
	과세	기타	34		10/100	
	영세	세금계산서	35		0/100	
	영세	기타	36		0/100	
	합계		37			
12.매입(예정신고누락분)						
예정누락분	세금계산서		38	9,000,000		900,000
	그 밖의 공제매입세액		39			
	합계		40	9,000,000		900,000
	신용카드매출수령금액합계	일반매입				
	신용카드매출수령금액합계	고정매입				
	의제매입세액					
	재활용폐자원등매입세액					
	과세사업전환매입세액					
	재고매입세액					
	변제대손세액					
	외국인관광객에대한환급/					
	합계					
14.그 밖의 공제매입세액						
신용카드매출수령금액합계표	일반매입		41	7,000,000		700,000
신용카드매출수령금액합계표	고정매입		42			
의제매입세액			43		뒤쪽	
재활용폐자원등매입세액			44		뒤쪽	
과세사업전환매입세액			45			
재고매입세액			46			
변제대손세액			47			
외국인관광객에대한환급세액			48			
합계			49	7,000,000		700,000

구분		금액		세액
16.공제받지못할매입세액				
공제받지못할 매입세액	50	15,000,000		1,500,000
공통매입세액면세등사업분	51			
대손처분받은세액	52			
합계	53	15,000,000		1,500,000
18.그 밖의 경감·공제세액				
전자신고세액공제	54			10,000
전자세금계산서발급세액공제	55			
택시운송사업자경감세액	56			
대리납부세액공제	57			
현금영수증사업자세액공제	58			
기타	59			
합계	60			10,000

문제 4

01 12월 31일, 일반전표 입력

(차) 장기차입금(국민은행) 200,000,000 (대) 유동성장기부채(국민은행) 200,000,000

02 12월 31일 (차) 선급비용 6,000,000 (대) 보험료(제) 6,000,000

※ 9,000,000원 × 8개월 ÷ 12개월 = 6,000,000원 (선급비용)

03 [결산자료입력] 메뉴에서 특허권란에 500,000원 입력 후 전표추가

※ 5,000,000원 ÷ 5년 × 6개월 ÷ 12개월 = 500,000원 (상각비)

04 [결산자료입력] 메뉴에서 상단의 [대손상각]키를 클릭하여 외상매출금 1,088,753원, 받을어음 460,000원만 [결산반영]한 다음 전표추가 또는 5).대손상각란에 입력한 후 전표추가

※
- 외상매출금 : 478,875,399원 × 1% - 3,700,000원 = 1,088,753원
- 받을어음 : 50,000,000원 × 1% - 40,000원 = 460,000원

05 [이익잉여금처분계산서] 메뉴에서 다음과 같이 입력 후 전표추가

- 당기처분예정일 : 2022년 2월 25일 전기처분확정일 : 2021년 2월 25일
- 현금배당 : 보통주 5,000,000원 · 주식배당 : 보통주 2,000,000원 · 이익준비금 : 500,000원

III.이익잉여금처분액				500,000
1.이익준비금	0351	이익준비금	500,000	
2.재무구조개선적립금	0354	재무구조개선적립금		
3.주식할인발행차금상각액	0381	주식할인발행차금		
4.배당금				
가.현금배당	0265	미지급배당금		
주당배당금(률)		보통주	5,000,000	
		우선주		
나.주식배당	0387	미교부주식배당금		
주당배당금(률)		보통주	2,000,000	
		우선주		

문제 5

01 ① [수당공제]

수당공제등록

수당등록

No	코드	과세구분	수당명	근로소득유형			월정액	사용여부
				유형	코드	한도		
3	1003	과세	직책수당	급여			정기	부
4	1004	과세	월차수당	급여			정기	부
5	1005	비과세	식대	식대	P01	(월)100,000	정기	여
6	1006	비과세	자가운전보조금	자가운전보조금	H03	(월)200,000	부정기	부
7	1007	비과세	야간근로수당	야간근로수당	001	(년)2,400,000	부정기	부
8	2001	비과세	차량유지비	자가운전보조금	H03	(월)200,000	부정기	여

※ 직책수당, 월차수당, 자가운전보조금, 야간근로수당은 '부'를 선택한 다음 비과세 차량유지비(비과세유형: 자가운전보조금)을 입력한다.

② [급여자료입력] 귀속년월 : 2021년 01월, 지급년월일 : 2021년 01월 31일

사번	사원명	감면율
1	김갑돌	
2	김갑순	
101	이재영	
총인원(퇴사자)	3(0)	

급여항목	금액
기본급	3,000,000
상여	500,000
식대	100,000
차량유지비	200,000
과세	3,500,000
비과세	300,000
지급총액	3,800,000

공제항목	금액
국민연금	135,000
건강보험	91,800
장기요양보험	6,010
고용보험	22,750
소득세(100%)	142,220
지방소득세	14,220
농특세	
공제총액	412,000
차인지급액	3,388,000

사번	사원명	감면율
1	김갑돌	
2	김갑순	
101	이재영	
총인원(퇴사자)	3(0)	

급여항목	금액
기본급	2,500,000
상여	500,000
식대	100,000
차량유지비	
과세	3,000,000
비과세	100,000
지급총액	3,100,000

공제항목	금액
국민연금	112,500
건강보험	76,500
장기요양보험	5,010
고용보험	19,500
소득세(100%)	84,850
지방소득세	8,480
농특세	
공제총액	306,840
차인지급액	2,793,160

③ [원천징수이행상황신고서] 귀속기간 : 2021년 01월, 지급기간 2021년 01월

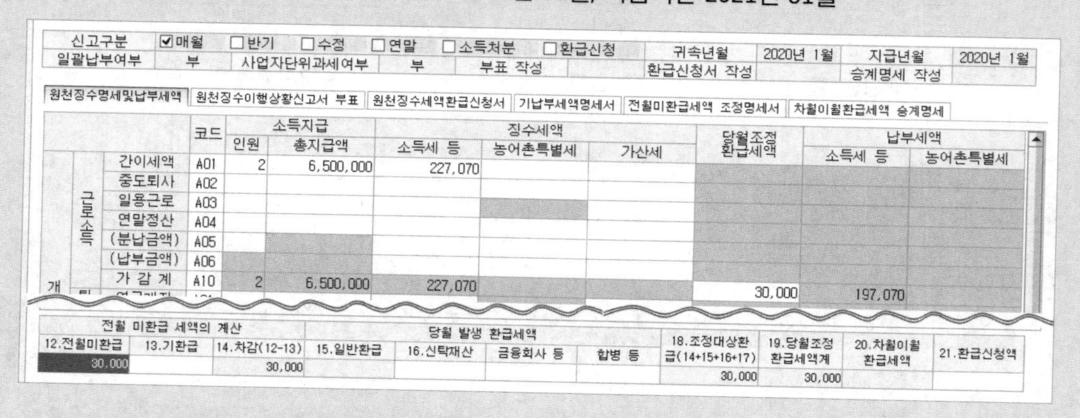

신고구분	☑매월 □반기 □수정 □연말 □소득처분 □환급신청	귀속년월	2020년 1월	지급년월	2020년 1월
일괄납부여부	부 / 사업자단위과세여부 부 / 부표 작성	환급신청서 작성		승계명세 작성	

원천징수명세및납부세액 | 원천징수이행상황신고서 부표 | 원천징수세액환급신청서 | 기납부세액명세서 | 전월미환급세액 조정명세서 | 차월이월환급세액 승계명세

	코드	소득지급 인원	소득지급 총지급액	징수세액 소득세 등	징수세액 농어촌특별세	징수세액 가산세	당월조정 환급세액	납부세액 소득세 등	납부세액 농어촌특별세
근로소득 간이세액	A01	2	6,500,000	227,070					
중도퇴사	A02								
일용근로	A03								
연말정산	A04								
(분납금액)	A05								
(납부금액)	A06								
가 감 계	A10	2	6,500,000	227,070			30,000	197,070	

12.전월미환급	13.기환급	14.차감(12-13)	15.일반환급	16.신탁재산	금융회사 등	합병 등	18.조정대상환급(14+15+16+17)	19.당월조정환급세액계	20.차월이월환급세액	21.환급신청액
30,000		30,000					30,000	30,000		

(12~14: 전월 미환급 세액의 계산 / 15~17: 당월 발생 환급세액)

※ 12.전월미환급란에 30,000원을 입력한다.

02 [연말정산자료추가입력]

① [부양가족] Tab

소득명세	부양가족	연금저축 등I	연금저축 등II	월세,주택임차	연말정산입력

연말관계	성명	내/외국인		주민(외국인)번호	나이	기본공제	세대주구분	부녀자	한부모	경로우대	장애인	자녀	출산입양
0	이재영	내	1	810909-1111111	40	본인	세대주						
1	김을숙	내	1	520121-2222222	69	60세이상					1		
3	신소희	내	1	890325-2111111	32	배우자							
4	이아랑	내	1	150909-3333333	6	부							
4	이세랑	내	1	191010-4444444	2	20세이하							
	합 계 [명]					4					1		

※ 배우자 신소희는 근로소득만 500만원임으로 기본공제 가능, 자녀 이아랑은 사업소득금액 100만원 초과로 기본공제 불가

② [연말정산입력] Tab

1. 보험료 : ① 일반란 본인 300,000원 + 배우자 900,000원 = 1,100,000원,

② 장애인란 모 1,200,000원

2. 의료비 : ① 본인란 1,000,000원

② 65세, 장애인.건강보험산정특례자란 모 3,000,000원

③ 그밖의공제대상자 자녀 2,000,000원

3. 기부금 : 5)지정기부금(종교단체)란 6,000,000원

※ 자녀 이아랑의 교육비는 소득금액 100만원(사업소득금액 500만원) 이상으로 공제불가

실무시험 3

문제 1

01 1월 11일 일반전표입력

(차) 여비교통비(제)	850,000	(대) 가지급금	700,000
		현금	150,000

02 1월 20일 일반전표입력

(차) 단기대여금((주)능력)	6,000,000	(대) 보통예금	6,000,000

03 4월 20일 일반전표입력

(차) 미지급세금	10,000,000	(대) 미지급금(비씨카드)	10,000,000

04 4월 30일 일반전표입력

(차) 보통예금	80,000,000	(대) 자본금	100,000,000
주식발행초과금	10,000,000		
주식할인발행차금	10,000,000		

※ • 주식수 20,000주 × 5,000원 = 100,000,000원 (자본금)

• 주식을 할인발행한 경우 주식발행초과금 잔액을 우선 상계처리한 다음 차액은 주식할인발행차금 계정으로 처리한다.

05 5월 25일 일반전표입력

(차) 급여(판)	3,320,000	(대) 보통예금	2,969,710
		예수금	350,290

문제 2

01 7월 24일

유형 : 16.수출(영세율 1), 공급가액 : 22,000,000, 부가세 : 0, 거래처 : ABC사, 분개 : 외상

(차) 외상매출금	22,000,000	(대) 제품매출	22,000,0000

※ $20,000 × 1,100원 = 22,000,000원(공급가액)은 선적일 기준환율로 계산

02 8월 20일

유형 : 51.과세, 공급가액 : 100,000,000, 부가세 : 10,000,000, 거래처 : ㈜예가물산, 전자 : 여, 분개 : 혼합

(차) 원재료	100,000,000	(대) 당좌예금	55,000,000
부가세대급금	10,000,000	외상매입금	55,000,000

03 8월 30일

유형 : 61.현과, 공급가액 : 300,000, 부가세 : 30,000, 거래처 : ㈜가나운송, 분개 : 혼합

(차) 운반비(판)	300,000	(대) 보통예금	330,000
부가세대급금	30,000		

04 9월 8일

유형 : 11.과세, 공급가액: 5,000,000, 부가세 : 500,000, 거래처 : (주)신흥, 전자 : 여, 분개 : 혼합

(차) 선수금	1,000,000	(대) 제품매출	5,000,000
외상매출금	4,500,000	부가세예수금	500,000

05 9월 24일

유형 : 54.불공(불공제 4), 공급가액 : 1,500,000, 부가세 : 150,000, 거래처 : ㈜한국백화점, 전자 : 여, 분개 : 혼합

(차) 접대비(판)	1,650,000	(대) 미지급금	1,650,000

문제 3

01 대손세액공제신고서(4월~6월)

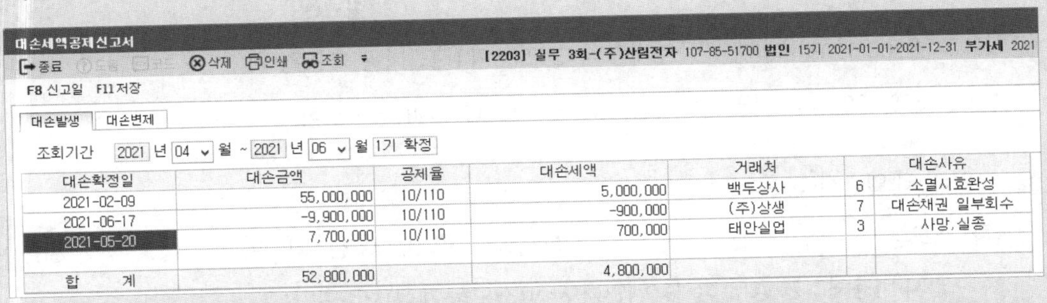

대손세액공제신고서
종료 도움 코드 삭제 인쇄 조회 [2203] 실무 3회-(주)산림전자 107-85-51700 법인 15기 2021-01-01~2021-12-31 부가세 2021
F8 신고일 F11저장
대손발생 | 대손변제
조회기간 2021 년 04 월 ~ 2021 년 06 월 1기 확정

대손확정일	대손금액	공제율	대손세액	거래처	대손사유	
2021-02-09	55,000,000	10/110	5,000,000	백두상사	6	소멸시효완성
2021-06-17	-9,900,000	10/110	-900,000	(주)상생	7	대손채권 일부회수
2021-05-20	7,700,000	10/110	700,000	태안실업	3	사망,실종
합 계	52,800,000		4,800,000			

※ ㈜호연은 부도발생일로부터 6개월이 경과되지 않아 대손세액공제를 받을 수 없으며, ㈜상생은 대손세액공제를 받았던 채권의 회수는 음수(-)로 입력한다.

02 부가가치세신고서(10월~12월)

구분			번호	정기신고금액 금액	세율	세액
과세표준및매출세액	과세	세금계산서발급분	1	200,000,000	10/100	20,000,000
	과세	매입자발행세금계산서	2		10/100	
	과세	신용카드 · 현금영수증발행분	3	51,000,000	10/100	5,100,000
	과세	기타(정규영수증외매출분)	4			
	영세	세금계산서발급분	5		0/100	
	영세	기타	6	20,000,000	0/100	
	예정신고누락분		7			
	대손세액가감		8			-200,000
	합계		9	271,000,000	㉮	24,900,000
매입세액	세금계산서 수취분	일반매입	10	40,000,000		
	세금계산서 수취분	수출기업수입분납부유예	10			
	세금계산서 수취분	고정자산매입	11	15,000,000		1,500,000
	예정신고누락분		12	800,000		80,000
	매입자발행세금계산서		13			
	그 밖의 공제매입세액		14			
	합계(10)-(10-1)+(11)+(12)+(13)+(14)		15	55,800,000		1,580,000
	공제받지못할매입세액		16	15,000,000		1,500,000
	차감계 (15-16)		17	40,800,000	㉯	80,000
납부(환급)세액(매출세액㉮-매입세액㉯)					㉰	24,820,000
경감공제세액	그 밖의 경감 · 공제세액		18			10,000
	신용카드매출전표등 발행공제등		19	56,100,000		
	합계		20		㉱	10,000
소규모 개인사업자 부가가치세 감면세액			20		㉲	
예정신고미환급세액			21		㉳	1,500,000
예정고지세액			22		㉴	
사업양수자의 대리납부 기납부세액			23		㉵	
매입자 납부특례 기납부세액			24		㉶	
신용카드업자의 대리납부 기납부세액			25		㉷	
가산세액계			26		㉸	
차가감하여 납부할세액(환급받을세액)㉰-㉱-㉲-㉳-㉴-㉵-㉶-㉷+㉸					27	23,310,000
총괄납부사업자가 납부할 세액(환급받을 세액)						

구분			번호	금액	세율	세액
7.매출(예정신고누락분)						
예정누락분	과세	세금계산서	33		10/100	
	과세	기타	34		10/100	
	영세	세금계산서	35		0/100	
	영세	기타	36		0/100	
	합계		37			
12.매입(예정신고누락분)						
예정누락분	세금계산서		38	800,000		80,000
	그 밖의 공제매입세액		39			
	합계		40	800,000		80,000
	신용카드매출 수령금액합계	일반매입				
	신용카드매출 수령금액합계	고정매입				
	의제매입세액					
	재활용폐자원등매입세액					
	과세사업전환매입세액					
	재고매입세액					
	변제대손세액					
	외국인관광객에대한환급/					
	합계					
14.그 밖의 공제매입세액						
신용카드매출 수령금액합계표	일반매입		41			
신용카드매출 수령금액합계표	고정매입		42			
의제매입세액			43		뒤쪽	
재활용폐자원등매입세액			44		뒤쪽	
과세사업전환매입세액			45			
재고매입세액			46			
변제대손세액			47			
외국인관광객에대한환급세액			48			
합계			49			

구분	번호	금액	세율	세액
16.공제받지못할매입세액				
공제받지못할 매입세액	50	15,000,000		1,500,000
공통매입세액면세등사업분	51			
대손처분받은세액	52			
합계	53	15,000,000		1,500,000
18.그 밖의 경감·공제세액				
전자신고세액공제	54			10,000
전자세금계산서발급세액공제	55			
택시운송사업자경감세액	56			
대리납부세액공제	57			
현금영수증사업자세액공제	58			
기타	59			
합계	60			10,000

문제 4

01 12월 31일 일반전표입력

(차) 선급비용	600,000	(대) 보험료(제)	400,000
		보험료(판)	200,000

※ • 1,200,000원 × 4개월 ÷ 12개월 = 400,000원 (선급비용-제조경비)

• 600,000원 × 4개월 ÷ 12개월 = 200,000원 (선급비용-판관비)

02 12월 31일 일반전표입력

(차) 소모품	500,000	(대) 광고선전비(판)	500,000

※ 구입시 비용처리한 경우 미사용액만큼 자산(소모품 계정)처리한다.

03 12월 31일 일반전표입력

(차) 외화환산손실 10,000,000 (대) 외화장기차입금(다저스) 10,000,000

※ 장부가액 110,000,000원 - 평가액($100,000 × 1,200원) = -10,000,000원 (외화환산손실)

04 [결산자료입력] 메뉴에서 2).일반감가상각비(제) 기계장치란 22,550,000원을 입력 후 전표추가

※ 취득원가 100,000,000원 × 정률 0.451 × 6개월 ÷ 12개월 = 22,550,000원 (상각비)

05 ① 12월 31일 일반전표입력

(차) 재고자산감모손실 400,000 (대) 제품 400,000

(적요 : 8.타계정으로 대체액 손익계산서 반영분)

※ 비정상감모손실 : (300개 - 230개 - 30개) × 10,000원 = 400,000원

② [결산자료입력] 메뉴에서 9)당기완성품제조원가 기말제품재고액란 2,300,000원 입력후 전표추가

※ 230개 × 10,000원 = 2,300,000원

문제 5

01 사원등록

① 기본사항

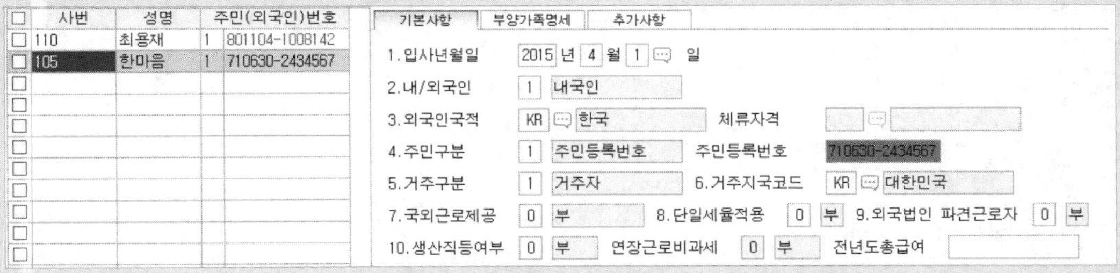

□	사번	성명	주민(외국인)번호	
□	110	최용재	1	801104-1008142
□	105	한마음	1	710630-2434567

기본사항 | 부양가족명세 | 추가사항

1.입사년월일 2015 년 4 월 1 일

2.내/외국인 1 내국인

3.외국인국적 KR 한국 체류자격

4.주민구분 1 주민등록번호 주민등록번호 710630-2434567

5.거주구분 1 거주자 6.거주지국코드 KR 대한민국

7.국외근로제공 0 부 8.단일세율적용 0 부 9.외국법인 파견근로자 0 부

10.생산직등여부 0 부 연장근로비과세 0 부 전년도총급여

② 부양가족명세

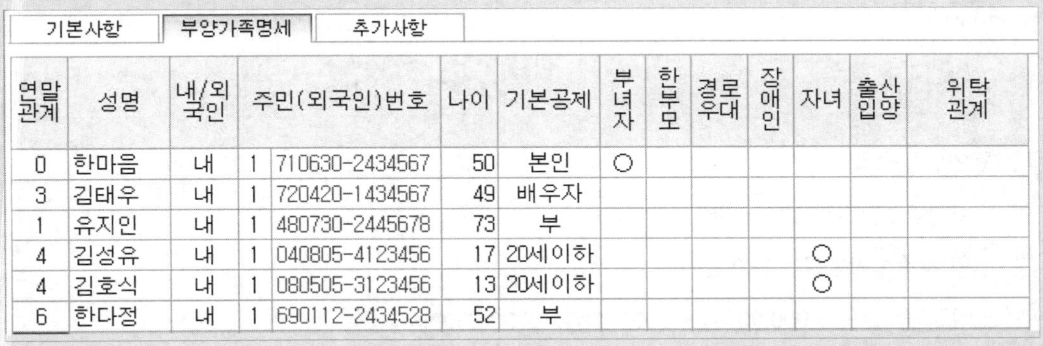

기본사항 | 부양가족명세 | 추가사항

연말관계	성명	내/외국인	주민(외국인)번호		나이	기본공제	부녀자	한부모	경로우대	장애인	자녀	출산입양	위탁관계
0	한마음	내	1	710630-2434567	50	본인	○						
3	김태우	내	1	720420-1434567	49	배우자							
1	유지인	내	1	480730-2445678	73	부							
4	김성유	내	1	040805-4123456	17	20세이하					○		
4	김호식	내	1	080505-3123456	13	20세이하					○		
6	한다정	내	1	690112-2434528	52	부							

※ • 연간 총급여액이 3천만원이하, 20세이하 부양가족이 있으므로 부녀자공제 가능
• 모친은 해외에 거주하므로 주거의 형편에 따라 별거한 것으로 볼 수 없어 기본공제 불가
• 딸은 유학중이므로 기본공제 가능
• 언니는 나이요건에 해당되지 않으므로 기본공제 불가

02 연말정산자료추가입력

① 소득명세

소득명세 | 부양가족 | 연금저축 등 I | 연금저축 등 II | 월세,주택임차 | 연말정산입력

	구분	합계	주(현)		납세조합		종(전) [1/2]	
소득명세	9.근무처명		실무 3회-(주)산림전자				(주)믿음상사	
	10.사업자등록번호		107-85-51700		---‑--‑-----		506-85-23245	
	11.근무기간		2021-01-01 ~	2021-12-31	----‑--‑-- ~	----‑--‑--	2021-01-01 ~	2021-07-30
	12.감면기간		----‑--‑-- ~	----‑--‑--	----‑--‑-- ~	----‑--‑--	----‑--‑-- ~	----‑--‑--
	13-1.급여(급여자료입력)	47,000,000	22,000,000				25,000,000	
	13-2.비과세한도초과액							
	13-3.과세대상추가(인정상여추가)							
	14.상여	3,000,000					3,000,000	
	15.인정상여							
	15-1.주식매수선택권행사이익							
	15-2.우리사주조합 인출금							
	15-3.임원퇴직소득금액한도초과액							
	15-4.직무발명보상금							
	16.계	50,000,000	22,000,000				28,000,000	

공제보험료명세			합계	주(현)	납세조합	종(전)
	직장	건강보험료(직장)(33)	1,530,000	673,200		856,800
		장기요양보험료(33)	100,120	44,050		56,070
		고용보험료(33)	325,000	143,000		182,000
		국민연금보험료(31)	2,236,500	976,500		1,260,000
	공적연금보험료	공무원 연금(32)				
		군인연금(32)				
		사립학교교직원연금(32)				
		별정우체국연금(32)				
세	기납부세액	소득세	1,718,625	1,336,300		382,325
		지방소득세	171,832	133,600		38,232

② 월세, 주택임차차입

소득명세 | 부양가족 | 연금저축 등 I | 연금저축 등 II | 월세,주택임차 | 연말정산입력

1 월세액 세액공제 명세 (크게보기)

임대인명(상호)	주민등록번호(사업자번호)	유형	계약면적(m²)	임대차계약서 상 주소지	계약서상 임대차 계약기간 개시일	~	종료일	연간 월세액	공제대상금액	세액공제금액
이소영	770811-2105948	단독주택	45.00	서울시 강서구 화곡동 한일하이	2021-01-01	~	2021-12-31	6,000,000	6,000,000	720,000

③ 연말정산입력

1. 보험료 : 일반란 800,000원

※ 저축성보험료는 공제불가

2. 의료비 : 본인 5,000,000원 + 500,000원 = 5,500,000원

※ 콘택트렌즈 구입비는 50만원까지 한도이며, 건강증진 목적의 한약 구입비는 공제불가

3. 교육비 : 대학원란 10,000,000원

※ 영어학원비는 공제불가

4. 기부금 : 5)지정기부금(종교단체)란 3,000,000원

5. 신용카드 등 : 신용카드란 15,000,000원, 현금영수증란 2,200,000원, 대중교통란 300,000원

※ 해외사용분은 공제불가, 의료비세액공제와 중복공제가능

실무시험 4

문제 1

01 1월 25일 일반전표입력

(차) 미지급세금	599,000	(대) 보통예금	599,000

02 1월 29일 일반전표입력

(차) 부도어음과수표(광주상사)	2,200,000	(대) 받을어음(광주상사)	2,200,000

03 1월 31일 일반전표입력

(차) 보통예금	39,970,000	(대) 단기매매증권	30,000,000
		단기매매증권처분이익	9,970,000

※ 단기매매증권처분시 처분비용은 단기매매증권처분이익 잔액에서 차감한다.

04 2월 21일 일반전표입력

(차) 보통예금	5,500,000	(대) 자본금	5,000,000
		주식발행초과금	400,000
		현금	100,000

※ 주식할증발행시 발행관련 수수료는 주식발행초과금에서 차감한다.

05 2월 26일 일반전표입력

(차) 건설중인자산	2,200,000	(대) 당좌예금	2,200,000

※ 건설자금의 이자비용이 자본화대상에 해당하는 경우 건설중인자산 계정으로 처리한다.

문제 2

01 9월 3일

유형 : 11.과세, 공급가액 : 5,000,000, 부가세 : 500,000, 거래처 : ㈜둘리상사, 전자 : 여, 분개 : 혼합

(차) 미수금	5,500,000	(대) 기계장치	10,000,000
감가상각누계액(207)	4,000,000	부가세예수금	500,000
유형자산처분손실	1,000,000		

02 9월 6일

유형 : 51.과세, 공급가액 : -30,000,000, 부가세 : -3,000,000, 거래처 : ㈜한가락, 전자 : 여, 분개 : 혼합

(차) 기계장치	-30,000,000	(대) 미지급금	-33,000,000
부가세대급금	-3,000,000		

03 9월 9일

유형 : 51.과세, 공급가액 : 2,000,000, 부가세 : 200,000, 거래처 : ㈜을지, 전자 : 여, 분개 : 혼합

(차) 차량운반구	2,000,000	(대) 미지급금	2,200,000
부가세대급금	200,000		

04 9월 23일

유형 : 53.면세, 공급가액 : 3,000,000, 부가세 : 0, 거래처 : ㈜파이낸셜코리아, 전자 : 여, 분개 : 혼합

(차) 임차료(판)	3,000,000	(대) 미지급금	3,000,000

05 9월 30일

유형 : 52.영세, 공급가액 : 10,000,000, 부가세 : 0, 거래처 : ㈜날자, 전자 : 여, 분개 : 혼합

(차) 상품	10,000,000	(대) 보통예금	5,000,000
		외상매입금	5,000,000

문제 3

01 공제받지못할매입세액명세서(4월~6월)

공제받지못할매입세액내역 | 공통매입세액안분계산내역 | 공통매입세액의정산내역 | 납부세액또는환급세액재계산

산식	(15)총공통매입세액	(16)면세 사업확정 비율			(17)불공제매입세액총액((15)*(16))	(18)기불공제매입세액	(19)가산또는공제되는매입세액((17)-(18))
		총공급가액	면세공급가액	면세비율			
1.당해과세기간의 공급가액기준	1,200,000	43,000,000.00	10,000,000.00	23.255800	279,069	200,000	79,069

02 부가가치세신고서(10월~12월)

구분				정기신고금액		
				금액	세율	세액
과세표준및매출세액	과세	세금계산서발급분	1	450,000,000	10/100	45,000,000
		매입자발행세금계산서	2		10/100	
		신용카드 · 현금영수증발행분	3	30,000,000	10/100	3,000,000
		기타(정규영수증외매출분)	4			
	영세	세금계산서발급분	5		0/100	
		기타	6	100,000,000	0/100	
	예정신고누락분		7	10,000,000		1,000,000
	대손세액가감		8			
	합계		9	590,000,000	㉮	49,000,000
매입세액	세금계산서수취분	일반매입	10	220,000,000		22,000,000
		수출기업수입분납부유예	10			
		고정자산매입	11	50,000,000		5,000,000
	예정신고누락분		12			
	매입자발행세금계산서		13			
	그 밖의 공제매입세액		14	10,000,000		1,000,000
	합계(10)-(10-1)+(11)+(12)+(13)+(14)		15	280,000,000		28,000,000
	공제받지못할매입세액		16	50,000,000		5,000,000
	차감계 (15-16)		17	230,000,000	㉯	23,000,000
납부(환급)세액(매출세액㉮-매입세액㉯)					㉰	26,000,000
경감공제세액	그 밖의 경감 · 공제세액		18			
	신용카드매출전표등 발행공제등		19	33,000,000		
	합계		20		㉱	
소규모 개인사업자 부가가치세 감면세액			20		㉲	
예정신고미환급세액			21		㉳	
예정고지세액			22		㉴	
사업양수자의 대리납부 기납부세액			23		㉵	
매입자 납부특례 기납부세액			24		㉶	
신용카드업자의 대리납부 기납부세액			25		㉷	
가산세액계			26		㉸	48,000
차가감하여 납부할세액(환급받을세액)㉰-㉱-㉲-㉳-㉴-㉵-㉶-㉷+㉸					27	26,048,000
총괄납부사업자가 납부할 세액(환급받을 세액)						

구분				금액	세율	세액
7.매출(예정신고누락분)						
예정누락분	과세	세금계산서	33		10/100	
		기타	34	10,000,000	10/100	1,000,000
	영세	세금계산서	35		0/100	
		기타	36		0/100	
	합계		37	10,000,000		1,000,000
12.매입(예정신고누락분)						
예정누락분	세금계산서		38			
	그 밖의 공제매입세액		39			
	합계		40			
	신용카드매출수령금액합계	일반매입				
		고정매입				
	의제매입세액					
	재활용폐자원등매입세액					
	과세사업전환매입세액					
	재고매입세액					
	변제대손세액					
	외국인관광객에대한환급/					
	합계					
14.그 밖의 공제매입세액						
신용카드매출수령금액합계표	일반매입		41	10,000,000		1,000,000
	고정매입		42			
의제매입세액			43		뒤쪽	
재활용폐자원등매입세액			44		뒤쪽	
과세사업전환매입세액			45			
재고매입세액			46			
변제대손세액			47			
외국인관광객에대한환급세액			48			
합계			49	10,000,000		1,000,000

구분		금액	세율	세액
16.공제받지못할매입세액				
공제받지못할 매입세액	50	50,000,000		5,000,000
공통매입세액면세등사업분	51			
대손처분받은세액	52			
합계	53	50,000,000		5,000,000

구분			금액	세율	세액
신고불성실	무신고(일반)	69		뒤쪽	
	무신고(부당)	70		뒤쪽	
	과소·초과환급(일반)	71		뒤쪽	
	과소·초과환급(부당)	72	1,000,000	뒤쪽	25,000
납부지연		73	1,000,000	뒤쪽	23,000

※ • 신고불성실가산세 1,000,000원 × 10% × 25% = 25,000원

• 납부지연가산세 1,000,000원 × 0.025% × 92일 = 23,000원

• 가산세 합계 48,000원

문제 4

01 12월 31일 일반전표입력

(차) 소모품비(판)	1,800,000	(대) 소모품	4,500,000
소모품비(제)	2,700,000		

※ 5,000,000원 - 500,000원 = 4,500,000원 (60%-제조경비, 40%-판관비)

02 12월 31일 일반전표입력

(차) 단기매매증권	3,000,000	(대) 단기매매증권평가이익	3,000,000

※ • 평가액 (1,000주×33,000원) - 장부가액 (1,000주×30,000원) = 3,000,000원 (평가이익)

• 단기매매증권 취득시 수수료는 별도의 비용으로 처리하므로 장부가액은 30,000,000원이다.

03 12월 31일 일반전표입력

(차) 재평가손실 (영업외비용) 100,000,000 (대) 토지 100,000,000

※ 토지의 평가금액이 하락한 경우 당기비용인 재평가손실 계정으로 처리한다.

04 [결산자료입력] 메뉴에 대손상각 외상매출금, 받을어음란에 금액을 입력한 다음 전표추가

- 대손충당금(외상매출금) : 397,000,000원 x 3% - 840,000원 = 11,070,000원
- 대손충당금(받을어음) : 38,700,000원 x 1% - 165,000원 = 222,000원

05 [결산자료입력] 메뉴에서 선납세금 2,000,000원, 추가 계상액 1,300,000원을 입력 후 전표추가

문제 5

01 ① 급여자료입력

수당등록

	코드	과세구분	수당명	근로소득유형			월정액	사용여부
				유형	코드	한도		
4	1004	과세	월차수당	급여			정기	여
5	1005	비과세	식대	식대	P01	(월)100,000	정기	여
6	1006	비과세	자가운전보조금	자가운전보조금	H03	(월)200,000	부정기	부
7	1007	비과세	야간근로수당	야간근로수당	001	(년)2,400,000	부정기	부
8	2001	비과세	육아수당	육아수당	Q01	(월)100,000	정기	여
9	2002	과세	출퇴근수당	급여			정기	여

귀속년월 : 2021년 07월, 지급년월일 : 2021년 07월 31일

사번	사원명	감면율
101	김한국	
102	김강남	
총인원(퇴사자)	2(0)	

급여항목	금액	공제항목	금액
기본급	2,200,000	국민연금	99,000
월차수당	400,000	건강보험	67,320
식대	150,000	장기요양보험	4,400
육아수당	200,000	고용보험	19,170
출퇴근수당	200,000	소득세(100%)	80,140
상여		지방소득세	8,010
과세	2,950,000	농특세	
비과세	200,000	공제총액	278,040
지급총액	3,150,000	차인지급액	2,871,960

② 원천징수이행상황신고서

귀속기간 : 2021년 7월, 지급기간 : 2021년 07월

원천징수명세및납부세액 | 원천징수이행상황신고서 부표 | 원천징수세액환급신청서 | 기납부세액명세서 | 전월미환급세액 조정명세서 | 차월이월환급세액 승계명세

			코드	소득지급		징수세액			당월조정 환급세액	납부세액	
				인원	총지급액	소득세 등	농어촌특별세	가산세		소득세 등	농어촌특별세
개인 거주자 비거주자	근로소득	간이세액	A01	1	3,050,000	80,140					
		중도퇴사	A02								
		일용근로	A03								
		연말정산	A04								
		(분납금액)	A05								
		(납부금액)	A06								
		가 감 계	A10	1	3,050,000	80,140			80,140		
	퇴직소득	연금계좌	A21								
		그 외	A22								
		가 감 계	A20								
	사업소득	매월징수	A25								
		연말정산	A26								
		가 감 계	A30								
	기타소득	연금계좌	A41								
		그 외	A42								
		가 감 계	A40								

전월 미환급 세액의 계산			당월 발생 환급세액				18.조정대상환급(14+15+16+17)	19.당월조정 환급세액계	20.차월이월 환급세액	21.환급신청액
12.전월미환급	13.기환급	14.차감(12-13)	15.일반환급	16.신탁재산	금융회사 등	합병 등				
210,000		210,000					210,000	80,140	129,860	

02 연말정산자료추가입력

1. 의료비 : ① 본인란 2,000,000원
   ② 65세, 장애인.건강보험산정특례자란 3,000,000원
   ③ 그밖의공제대상자 배우자 1,000,000원

※ 콘택트렌즈 구입비는 50만원까지 한도이며, 건강증진 목적의 한약 구입비는 공제불가

2. 교육비 : 대학생 9,000,000원, 취학전아동 3,000,000원

※ 대학교는 900만원, 미취학아동은 300만원이 공제한도이며 자동계산된다.

3 기부금 : 5)지정기부금(종교단체)란 모 1,200,000원 + 본인 1,600,000원 = 2,800,000원

4. 신용카드 등 : 신용카드란 부 3,000,000원 + 본인 2,000,000원 + 배우자 1,000,000원 = 6,000,000원, 직불카드란 24,000,000원

※ 해외사용분은 공제불가, 의료비세액공제와 중복공제가능

※ 부와 배우자의 보장성보험료는 소득요건에서 기본공제대상자가 아니므로 공제불가

실무시험 5

문제 1

01 2월 28일 일반전표입력

(차) 복리후생비(판)	200,000	(대) 보통예금	200,000

02 4월 18일 일반전표입력

(차) 미수금(㈜인성)	5,000,000	(대) 선수금(㈜인성)	5,000,000

03 4월 21일 일반전표입력

(차) 보통예금	3,300,000	(대) 단기대여금(㈜중급상사)	3,000,000
		외환차익	300,000

※ 회수시 ($3,000 × 1,100원) - 대여시 ($3,000 × 1,000원) = 300,000원 (외환차익)

04 4월 30일 일반전표입력

(차) 투자부동산	92,048,000	(대) 보통예금	80,000,000
		미지급금(㈜제일건업)	8,000,000
		현금	4,048,000

05 5월 27일 일반전표입력

(차) 보통예금	30,761,400	(대) 정기적금	30,000,000
선납세금	138,600	이자수익	900,000

문제 2

01 10월 1일

유형 : 11.과세, 공급가액 : 80,000,000, 부가세 : 8,000,000, 거래처 : 세준상사, 전자 : 여, 분개 : 혼합

(차) 받을어음	40,000,000	(대) 제품매출	80,000,000
외상매출금	48,000,000	부가세예수금	8,000,000

02 10월 3일

유형 : 22.현과, 공급가액 : 300,000, 부가세 : 30,000, 거래처 : 김철수, 분개 : 혼합

(차) 현금	330,000	(대) 비품	1,200,000
감가상각누계액(213)	1,000,000	부가세예수금	30,000
		유형자산처분이익	100,000

03 10월 9일

유형 : 55.수입, 공급가액 : 20,000,000, 부가세 : 2,000,000, 거래처 : 인천세관, 전자 : 여, 분개 : 혼합

(차) 부가세대급금	2,000,000	(대) 보통예금	2,000,000

04 10월 15일

유형 : 57.카과, 공급가액 : 2,000,000, 부가세 : 200,000, 거래처 : ㈜맑음, 분개 : 카드

(차) 비품	2,000,000	(대) 미지급금(현대카드)	2,200,000
부가세대급금	200,000		

05 10월 25일

유형 : 61.현과, 공급가액 : 800,000, 부가세 : 80,000, 거래처 : 베스트모아, 분개 : 현금

(차) 소모품	800,000	(대) 현금	880,000
부가세대급금	80,000		

문제 3

01 의제매입세액공제신고서(10월~12월)

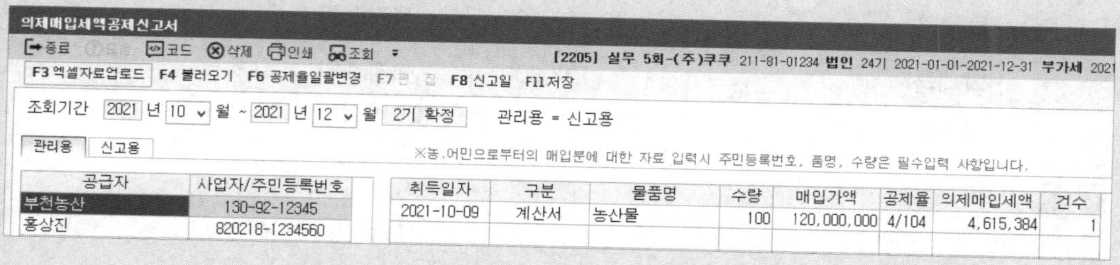

의제매입세액공제신고서

종료 도움 코드 삭제 인쇄 조회 [2205] 실무 5회-(주)쿠쿠 211-81-01234 법인 24기 2021-01-01~2021-12-31 부가세 2021

F3 엑셀자료업로드 F4 불러오기 F6 공제율일괄변경 F7 편집 F8 신고일 F11저장

조회기간 2021 년 10 월 ~ 2021 년 12 월 2기 확정 관리용 = 신고용

관리용 신고용

※농.어민으로부터의 매입분에 대한 자료 입력시 주민등록번호, 품명, 수량은 필수입력 사항입니다.

공급자	사업자/주민등록번호
부천농산	130-92-12345
홍상진	820218-1234560

취득일자	구분	물품명	수량	매입가액	공제율	의제매입세액	건수
2021-10-09	계산서	농산물	100	120,000,000	4/104	4,615,384	1

관리용 | 신고용

※농.어민으로부터의 매입분에 대한 자료 입력시 주민등록번호, 품명, 수량은 필수입력 사항입니다.

공급자	사업자/주민등록번호
부천농산	130-92-12345
홍상진	820218-1234560

취득일자	구분	물품명	수량	매입가액	공제율	의제매입세액	건수
2021-11-12	농어민매입	야채	50	5,000,000	4/104	192,307	1
합계			50	5,000,000		192,307	1

	매입가액 계	의제매입세액 계	건수 계
계산서 합계	120,000,000	4,615,384	1
신용카드등 합계			
농·어민등 합계	5,000,000	192,307	1
총계	125,000,000	4,807,691	2

가. 과세기간 과세표준 및 공제가능한 금액등 불러오기

과세표준			대상액 한도계산		B.당기매입액	공제대상금액 [MIN (A,B)]
합계	예정분	확정분	한도율	A.한도액		
320,000,000	140,000,000	180,000,000	40/100	128,000,000	125,000,000	125,000,000

나. 과세기간 공제할 세액

공제대상세액		이미 공제받은 금액			공제(납부)할세액 (C-D)
공제율	C.공제대상금액	D.합계	예정신고분	월별조기분	
4/104	4,807,692				4,807,692

※ 제조업 중 중소기업은 4/104를 공제받을 수 있다.

02 부가가치세신고서(4월~6월)

1. 부가가치세 신고서작성

7.매출(예정신고누락분)						
예정누락분	과세	세금계산서	33	10,000,000	10/100	1,000,000
		기타	34	4,000,000	10/100	400,000
	영세	세금계산서	35	6,000,000	0/100	
		기타	36		0/100	
	합계		37	20,000,000		1,400,000
12.매입(예정신고누락분)						
예정	세금계산서		38	8,000,000		800,000
	그 밖의 공제매입세액		39			
	합계		40	8,000,000		800,000
	신용카드매출 수령금액합계	일반매입				
		고정매입				

2. 가산세 계산

- 영세율과세표준신고불성실가산세 : 6,000,000원 × 0.5% × 25% = 7,500원
- 전자세금계산서 지연수취가산세 : 8,000,000원 × 0.5% = 40,000원
- 신고불성실가산세 : (1,000,000원 + 400,000원 - 800,000원) × 10% × 25% = 15,000원
- 납부지연가산세 : 600,000원 × 2.5/10,000 × 90일 = 13,500원
- 가산세합계 : 76,000원

문제 4

01 12월 31일 일반전표입력

(차) 미수수익	2,500,000	(대) 이자수익	2,500,000

※ 300,000,000원 × 2% × 5/12 = 2,500,000원

02 12월 31일 일반전표입력

(차) 현금과부족	330,000	(대) 선수금((주)휴림)	300,000
		잡이익	30,000

03 12월 31일 일반전표입력

(차) 단기차입금(국민은행)	500,000	(대) 외화환산이익	500,000

※ 평가액 ($5,000 × 900원) - 장부가액 5,000,000원 = -500,000원 (외화환산이익)

04 12월 31일 일반전표입력

(차) 단기매매증권	15,000,000	(대) 단기매매증권평가이익	15,000,000

※ 1,000주 × (당기말 시가 115,000원 - 전기말 시가 100,000원) = 15,000,000원 (평가이익)

05 [이익잉여금처분계산서] 메뉴에서 입력 후 전표추가

당기처분예정일 2022년 2월 25일, 전기처분확정일 2021년 2월 25일

III.이익잉여금처분액				37,000,000
1.이익준비금	0351	이익준비금	2,000,000	
2.재무구조개선적립금	0354	재무구조개선적립금		
3.주식할인발행차금상각액	0381	주식할인발행차금		
4.배당금			30,000,000	
가.현금배당	0265	미지급배당금	20,000,000	
주당배당금(률)		보통주		
		우선주		
나.주식배당	0387	미교부주식배당금	10,000,000	
주당배당금(률)		보통주		
		우선주		
5.사업확장적립금	0356	사업확장적립금	5,000,000	
6.감채적립금	0357	감채적립금		
7.배당평균적립금	0358	배당평균적립금		

문제 5

01 급여자료입력

① 수당공제등록

수당공제등록

수당등록

No	코드	과세구분	수당명	근로소득유형 유형	코드	한도	월정액	사용여부
5	1005	비과세	식대	식대	P01	(월)100,000	정기	부
6	1006	비과세	자가운전보조금	자가운전보조금	H03	(월)200,000	부정기	여
7	1007	비과세	야간근로수당	야간근로수당	001	(년)2,400,000	부정기	여
8	2001	과세	식대	급여			정기	여
9	2002	비과세	육아수당	육아수당	Q01	(월)100,000	정기	여
10	2003	과세	직무수당	급여			정기	여

공제등록

No	코드	공제항목명	공제소득유형	사용여부
1	5001	국민연금	고정항목	여
2	5002	건강보험	고정항목	여
3	5003	장기요양보험	고정항목	여
4	5004	고용보험	고정항목	여
5	5005	학자금상환	고정항목	여
6	6001	사내대출금	대출	여

※ • 구내식당에서 식사를 별도로 제공하는 경우 과세임으로 비과세 식대는 사용여부 '부'로 수정하고 식대를 과세로 추가 등록한다

• 야간근로수당, 자가운전보조금는 그대로 사용하고 육아수당(비과세), 직무수당(과세), 사내대출금(대출)은 추가로 등록한다.

② 귀속연월 : 2021년 11월, 지급년월일 : 2021년 11월 30일

사번	사원명	감면율
101	김대호	
110	정영희	
총인원(퇴사자)	2(0)	

급여항목	금액
기본급	3,000,000
자가운전보조금	200,000
야간근로수당	250,000
식대	100,000
육아수당	100,000
직무수당	200,000
과세	3,550,000
비과세	300,000
지급총액	3,850,000

공제항목	금액
국민연금	135,000
건강보험	91,800
장기요양보험	6,010
고용보험	21,770
사내대출금	500,000
소득세(100%)	147,110
지방소득세	14,710
농특세	
공제총액	916,400
차인지급액	2,933,600

02 연말정산추가자료입력

① 부양가족명세

1. 정영희(본인) : 기본공제, 총급여가 3천만원초과로 부녀자공제 불가
2. 차민수(배우자) : 총급여 500만원 이하이므로 기본공제 가능
3. 차태영(아들) : 20세이하로 기본공제, 자녀세액공제 가능
4. 차태희(딸) : 20세이하로 기본공제, 7세이하로 자녀세액공제 불가
5. 정호영(부) : 양소득금액 100만이하이므로 60세이상 기본공제, 경로우대, 장애인(1) 추가공제 가능
6. 차민영(시누이) : 나이요건에 불충분하여 기본공제불가

연말 관계	성명	나이	기본 공제	부녀자	한부모	경로 우대	장애인	자녀	출산입양
0	정영희	45	본인						
1	정호영	74	60세이상			○	1		
3	차민수	48	배우자						
4	차태영	15	20세이하					○	
4	차태희	6	20세이하						
6	차민영	43	부						

② 연말정산추가자료입력

1. 보험료 : 일반 본인 1,200,000원, 장애인 부 1,500,000원

   ※ 저축성보험료는 공제대상이 아님

2. 의료비 : 본인란 1,000,000원, 65세, 장애인.건강보험산정특례자 부 6,500,000원, 그밖의공제대상자 아들 2,000,000원

   ※ 안경구입비는 500,000원 한도임

3. 교육비 : 초중고 아들 1,500,000원, 취학전아동 딸 300,000원

   ※ 체험학습비는 30만원 한도이며, 직계존속의 교육비는 공제대상이 아님

4. 기부금 : 1)정치자금기부금란 10만원이하에 100,000원, 10만원초과에 200,000원, 5)지정기부금(종교단체)란 부 2,000,000원

5. 신용카드 등 : 신용카드란 17,000,000원, 직불카드란 10,000,000원, 전통시장란 5,000,000원

   ※ 자동차리스료는 공제대상이 아니며, 시누이가 사용한 현금영수증사용액은 공제대상이 아님

실무시험 6

문제 1

01 2월 25일 일반전표입력

(차) 보통예금	45,000,000	(대) 자본금	50,000,000
주식발행초과금	3,000,000	현금	1,500,000
주식할인발행차금	3,500,000		

※ 주식을 할인하여 발행할 경우 주식발행초과금 잔액을 확인하여 먼저 상계처리하고 차액은 신주발행수수료를 포함하여 주식할인발행차금 계정으로 처리한다.

02 3월 5일 일반전표입력

(차) 외상매입금(캐롤지니어)	550,000,000	(대) 보통예금	500,000,000
		외환차익	50,000,000

※ 상환시 ($500,000 × 1,000원) - 전기말 장부가액 ($500,000 × 1,100원) = -50,000,000원 (외환차익)

03 4월 5일 일반전표입력

(차) 단기매매증권	200,000	(대) 현금	1,250,000
차량운반구	1,050,000		

※ 차량 구입시 공채를 취득하는 경우 공정가치로 인식하고 나머지는 부대비용에 해당하므로 차량 취득원가에 가산한다.

04 6월 24일 일반전표입력

(차) 임금(제)	2,000,000	(대) 보통예금	1,698,000
		예 수 금	302,000

※ 제조부서의 급여는 제조원가의 노무비 개념에 해당하므로 임금 계정으로 처리한다.

05 6월 30일 일반전표입력

(차) 퇴직급여(제)	500,000	(대) 보통예금	500,000

※ 확정기여형 퇴직연금은 종업원이 운용하는 것으로 당기 비용인 퇴직급여 계정으로 처리한다.

문제 2

01 3월 31일

유형 : 51.과세, 공급가액 : 2,000,000, 부가세 : 200,000, 거래처 : 맛나식당, 전자 : 부, 분개 : 혼합

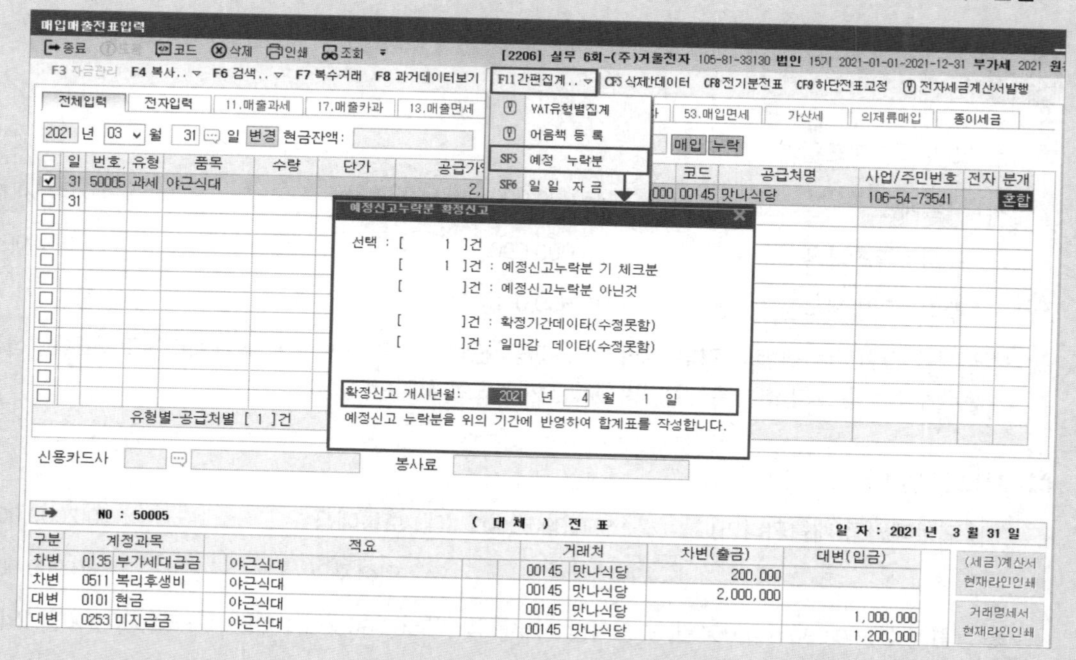

※ F11간편집계 → 예정누락분 → 확정신고 개시년월 2021년 4월 입력 → 확인(Tab)

02 7월 9일

유형 : 12.영세(영세율 3), 공급가액 : 14,000,000, 부가세 : 0, 거래처 : ㈜퍼플상사, 전자 : 여, 분개 : 혼합

(차) 받을어음(㈜레드)	7,000,000	(대) 제품매출	14,000,000
외상매출금	7,000,000		

03 7월15일

유형 : 54.불공(불공사유 4), 공급가액 : 1,000,000, 부가세 : 100,000, 거래처 : ㈜신진, 전자 : 여, 분개 : 혼합

(차) 접대비 (판)	1,100,000	(대) 당좌예금	300,000
		미지급금	800,000

04 7월 30일

유형 : 14.건별, 공급가액 : 500,000, 부가세 : 50,000, 거래처 : 김미라, 분개 : 혼합

(차) 보통예금	550,000	(대) 제품매출	500,000
		부가세예수금	50,000

05 8월 17일

유형 : 61.현과, 공급가액 : 9,000,000, 부가세 : 900,000, 거래처 : (주)전자, 분개 : 현금

(차) 비 품	9,000,000	(대) 현 금	9,900,000
부가세대급금	900,000		

문제 3

01 ① 6월 30일 매입매출전표입력

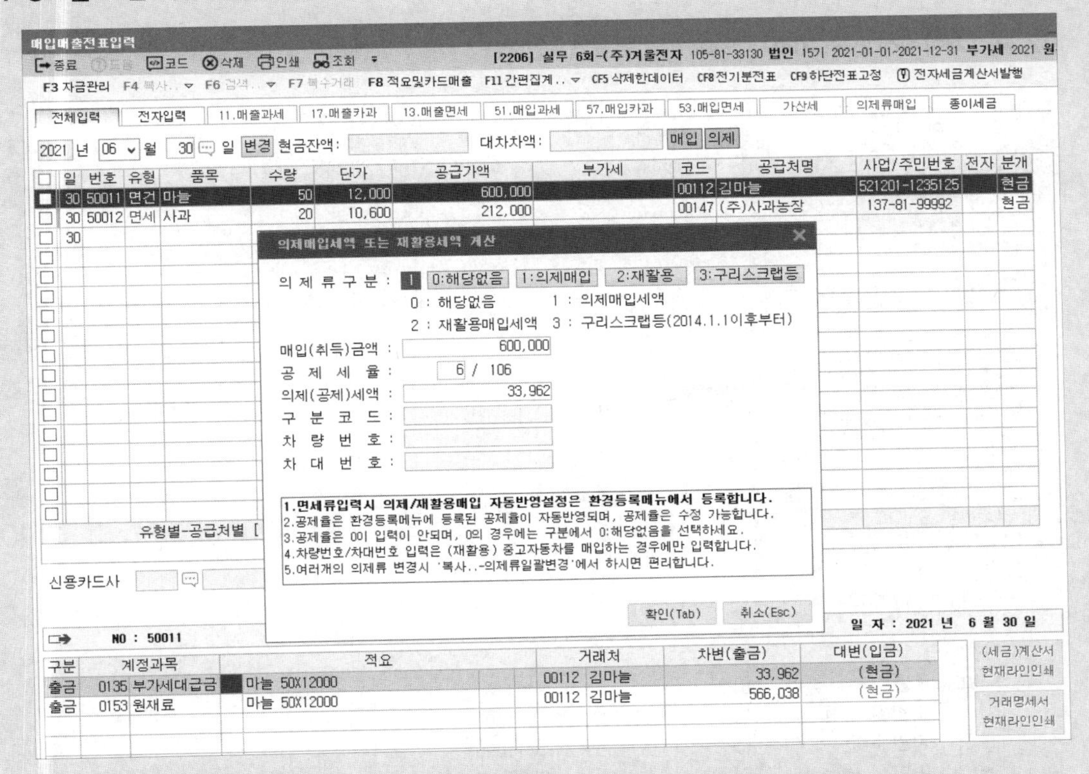

※ • 공급가액란에서 상단의 F11간편집계 → 의제.재활용을 클릭한 다음 1.의제매입, 공제세율 6/106으로 입력하면 의제매입세액이 계산되어 하단부에 자동분개된다.

• 음식물쓰레기봉투는 의제매입세액대상이 아니다.

• 과자점업 개인사업자의 공제율은 6/106이다.

② 의제매입세액공제신고서(4월~6월)

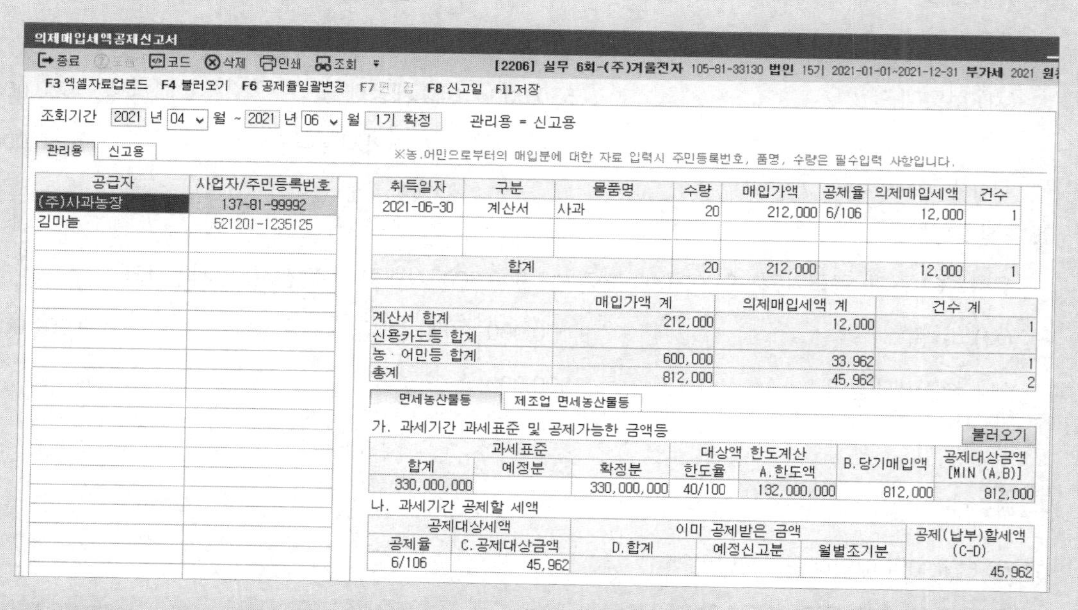

의제매입세액공제신고서

[2206] 실무 6회-(주)겨울전자 105-81-33130 법인 15기 2021-01-01~2021-12-31 부가세 2021

F3 엑셀자료업로드 F4 불러오기 F6 공제율일괄변경 F7 편집 F8 신고일 F11저장

조회기간 2021 년 04 월 ~ 2021 년 06 월 1기 확정 관리용 = 신고용

관리용 신고용

※농.어민으로부터의 매입분에 대한 자료 입력시 주민등록번호, 품명, 수량은 필수입력 사항입니다.

공급자	사업자/주민등록번호
(주)사과농장	137-81-99992
김마늘	521201-1235125

취득일자	구분	물품명	수량	매입가액	공제율	의제매입세액	건수
2021-06-30	계산서	사과	20	212,000	6/106	12,000	1
	합계		20	212,000		12,000	1

	매입가액 계	의제매입세액 계	건수 계
계산서 합계	212,000	12,000	1
신용카드등 합계			
농·어민등 합계	600,000	33,962	1
총계	812,000	45,962	2

면세농산물등 제조업 면세농산물등

가. 과세기간 과세표준 및 공제가능한 금액등 불러오기

과세표준 합계	과세표준 예정분	과세표준 확정분	대상액 한도계산 한도율	대상액 한도계산 A.한도액	B.당기매입액	공제대상금액 [MIN (A,B)]
330,000,000		330,000,000	40/100	132,000,000	812,000	812,000

나. 과세기간 공제할 세액

공제대상세액 공제율	공제대상세액 C.공제대상금액	이미 공제받은 금액 D.합계	이미 공제받은 금액 예정신고분	이미 공제받은 금액 월별조기분	공제(납부)할세액 (C-D)
6/106	45,962				45,962

02 부가가치세신고서(10월~12월)

구분			번호	정기신고금액 금액	세율	세액
과세표준및매출세액	과세	세금계산서발급분	1	980,000,000	10/100	98,000,000
	과세	매입자발행세금계산서	2		10/100	
	과세	신용카드·현금영수증발행분	3	30,000,000	10/100	3,000,000
	과세	기타(정규영수증외매출분)	4	500,000		50,000
	영세	세금계산서발급분	5		0/100	
	영세	기타	6	50,000,000	0/100	
	예정신고누락분		7			
	대손세액가감		8			-4,000,000
	합계		9	1,060,500,000	㉮	97,050,000
매입세액	세금계산서 수취분	일반매입	10	630,000,000		63,000,000
	세금계산서 수취분	수출기업수입분납부유예	10			
	세금계산서 수취분	고정자산매입	11	90,000,000		9,000,000
	예정신고누락분		12			
	매입자발행세금계산서		13			
	그 밖의 공제매입세액		14			
	합계(10)-(10-1)+(11)+(12)+(13)+(14)		15	720,000,000		72,000,000
	공제받지못할매입세액		16	10,000,000		1,000,000
	차감계 (15-16)		17	710,000,000	㉯	71,000,000
납부(환급)세액(매출세액㉮-매입세액㉯)					㉰	26,050,000
경감공제세액	그 밖의 경감·공제세액		18			10,000
	신용카드매출전표등 발행공제등		19	33,000,000		
	합계		20		㉱	10,000
소규모 개인사업자 부가가치세 감면세액			20		㉲	
예정신고미환급세액			21		㉳	3,000,000
예정고지세액			22		㉴	
사업양수자의 대리납부 기납부세액			23		㉵	
매입자 납부특례 기납부세액			24		㉶	
신용카드업자의 대리납부 기납부세액			25		㉷	
가산세액계			26		㉸	100,000
차가감하여 납부할세액(환급받을세액)㉰-㉱-㉲-㉳-㉴-㉵-㉶-㉷+㉸					27	23,140,000
총괄납부사업자가 납부할 세액(환급받을 세액)						

구분	번호	금액	세율	세액
16.공제받지못할매입세액				
공제받지못할 매입세액	50	10,000,000		1,000,000
공통매입세액면세등사업분	51			
대손처분받은세액	52			
합계	53	10,000,000		1,000,000
18.그 밖의 경감·공제세액				
전자신고세액공제	54			10,000
전자세금계산서발급세액공제	55			
택시운송사업자경감세액	56			
대리납부세액공제	57			
현금영수증사업자세액공제	58			
기타	59			
합계	60			10,000

25.가산세명세

구분		번호	금액	세율	세액
사업자미등록등		61		1/100	
세금계산서	지연발급 등	62	10,000,000	1/100	100,000
	지연수취	63		5/1,000	
	미발급 등	64		뒤쪽참조	

※ 법인이 종이세금계산서 발급시 가산세 공급가액(10,000,000원) × 1% = 100,000원

문제 4

01 12월 31일 (차) 임대료(904) 800,000 (대) 선수수익 800,000

※ 1,200,000원 × 4/6 = 800,000원 (선수수익)

02 12월31일 (차) 외화환산손실 3,000,000 (대) 외화장기차입금(씨티은행) 3,000,000

※ 기말평가액 ($10,000 × 1,100원) - 장부가액 8,000,000원 = 3,000,000원 (외화환산손실)

03 12월 31일 (차) 수선비(제) 900,000 (대) 원재료 900,000

(적요 8.타계정으로 대체액 원가명세서 반영분)

04 12월 31일 (차) 매도가능증권평가이익 500,000 (대) 매도가능증권(178) 1,500,000

매도가능증권평가손실 1,000,000

※ • 2020년 (차) 매도가능증권 500,000 (대) 매도가능증권평가이익 500,000

- 2021년 공정가액 24,000,000원 - 2020년 공정가액 25,500,000원 = -1,500,000원 (평가손실)
- 기말 현재 공정가액으로 평가함으로 매도가능증권평가손실이 발생한 경우 전년도 매도가능증권평가이익을 우선 상계처리하고 나머지를 매도가능증권평가손실 계정으로 처리한다.

05 12월 31일 (차) 유동성장기부채(중앙은행)20,000,000 (대) 장기차입금(중앙은행) 20,000,000

문제 5

01 급여자료입력

① 수당공제

수당등록

	코드	과세구분	수당명	근로소득유형 유형	근로소득유형 코드	근로소득유형 한도	월정액	사용여부
7	1007	비과세	야간근로수당	야간근로수당	001	(년)2,400,000	부정기	부
8	2001	과세	자가운전보조금	급여			정기	여
9	2002	과세	야간근로수당	급여			정기	여
10	2003	과세	자격수당	급여			정기	여
11	2004	비과세	육아수당	육아수당	Q01	(월)100,000	정기	여
12								

② 귀속년월 : 2021년 1월, 지급년일 : 2021년 01월 31일

급여항목	금액
기본급	1,800,000
상여	250,000
식대	120,000
자가운전보조금	150,000
야간근로수당	200,000
자격수당	50,000
육아수당	200,000

공제항목	금액
국민연금	81,000
건강보험	55,080
장기요양보험	4,060
고용보험	16,700
소득세(100%)	47,620
지방소득세	4,760
농특세	

1. 식대 : 식대는 월 10만원 이내의 금액만 비과세 공제 받을 수 있으며, 금액 12만원을 입력한다. (비과세 10만원, 과세 2만원으로 분류됨)
2. 자격수당 : 과세항목인 자격수당을 새로 등록하고, 금액 5만원을 입력한다.
3. 자가운전보조금 : 본인 명의가 아닌 배우자명의 차량은 비과세 공제받을 수 없으므로, 과세항목인 자가운전보조금을 새로 등록하고, 금액 15만원을 입력한다. (과세 15만원으로 분류됨)
4. 육아수당 : 자녀수에 관계없이 만 6세 이하의 육아보육과 관련하여 월 10만원 이내의 금액만 비과세 공제 받을 수 있으며, 비과세항목인 육아수당을 새로 등록하고, 금액 20만원을 입력한다. (비과세 10만원, 과세 10만원으로 분류됨)
5. 야간근로수당 : 비과세 야간근로수당을 '여'로 설정하여 입력해도 영업직임으로 과세로 분류된다.

02 연말정산추가자료입력

1. 보험료 : 일반 600,000원 + 200,000원 = 800,000원

   ※ 저축성보험료는 공제불가

2. 의료비 : ① 본인란 800,000원
   ② 65세, 장애인.건강보험산정특례자란 4,000,000원
   ③ 그밖의공제대상자 자녀 500,000원

   ※ 치료 목적용 한약구입비와 라식수술비는 공제가능하나 치아미백수술비는 미용목적이므로 공제불가

3. 교육비 : 초중고 자녀1 500,000원, 취학전아동 자녀2 600,000원

   ※ 중고등학생의 교복구입비 1인당 50만원 한도로 입력, 직계존속(부친)의 대학교 등록금과 중학생의 영어학원비는 공제불가

4. 기부금 : 1)정치자금기부금란 10만원이하에 100,000원, 10만원초과에 150,000원, 5)지정기부금(종교단체)란 부 200,000원
5. 신용카드 등 : 신용카드란 22,000,000원, 직불카드란 5,400,000원, 현금영수증란 250,000원, 전통시장란 300,000원

   ※ 의료비공제는 신용카드공제와 이중공제가 가능하나 자동차보험료는 이중공제불가

6. 연금저축: 연금저축등I → 2 연금계좌 세액공제(연금저축)란 본인 3,000,000원

   ※ 연금저축은 본인 명의의 불입액만 공제가능

NOTE

NOTE